Y0-BRD-206

SV

Elena Ferrante

Die Geschichte eines neuen Namens

Jugendjahre

Band 2
der Neapolitanischen Saga

Roman

Aus dem Italienischen
von Karin Krieger

Suhrkamp

Die Originalausgabe erschien 2012 unter dem Titel
Storia del nuovo cognome bei Edizioni e/o, Rom.

Dieses Buch ist dank einer Übersetzungsförderung seitens
des Italienischen Außenministeriums und der Cooperazione
Internazionale Italiana erschienen.

Die Übersetzerin dankt dem Deutschen Übersetzerfonds und der Stiftung
Rosenbaum für die freundliche Unterstützung ihrer Arbeit.

3. Auflage 2017

Erste Auflage 2017

Satz: Satz-Offizin Hümmer GmbH, Waldbüttelbrunn
Druck: CPI – Ebner & Spiegel, Ulm
Printed in Germany
ISBN 978-3-518-42574-9

Die handelnden Personen und was in Band 1 geschah

Familie Cerullo (die Familie des Schuhmachers)

Fernando Cerullo, Schuster, Lilas Vater. Er erlaubte seiner Tochter nach der Grundschule keinen weiteren Schulbesuch.
Nunzia Cerullo, Lilas Mutter. Sie steht ihrer Tochter zwar nahe, hat aber nicht genügend Autorität, um sich für Lila gegen ihren Mann durchzusetzen.
Ihre Kinder:
Raffaella Cerullo, genannt Lina oder Lila, ist im August 1944 geboren. Mit sechsundsechzig Jahren verschwindet sie spurlos aus Neapel. Sie ist eine hervorragende Schülerin und schreibt im Alter von zehn Jahren die Erzählung *Die blaue Fee*. Nach Abschluss der Grundschule erlernt sie das Schuhmacherhandwerk.
Rino Cerullo, Lilas großer Bruder, ebenfalls Schuhmacher. Auf Lilas Anregung und mit dem Geld von Stefano Carracci gründete er gemeinsam mit seinem Vater Fernando die Schuhmacherei Cerullo. Er ist mit Stefanos Schwester Pinuccia Carracci verlobt. Lilas erstes Kind wird seinen Namen, Rino, tragen.
Weitere Kinder

Familie Greco
(die Familie des Pförtners)

Elena Greco, genannt Lenuccia oder Lenù, ist im August 1944 geboren und ist die Autorin der langen Geschichte, die wir hier lesen. Elena begann sie zu schreiben, als sie erfuhr, dass Lina Cerullo, ihre Freundin seit Kindertagen, die nur von ihr Lila genannt wird, verschwunden ist. Nach der Grundschule geht Elena, mit wachsendem Erfolg, weiter zur Schule. Seit ihrer Kindheit ist sie heimlich in Nino Sarratore verliebt.
Peppe, Gianni und *Elisa*, Elenas jüngere Geschwister
Der Vater ist Pförtner in der Stadtverwaltung.
Die Mutter ist Hausfrau. Ihr Hinken ist für Elena sehr belastend.

Familie Carracci
(die Familie von Don Achille)

Don Achille Carracci, der Unhold aus den Märchen, Schwarzhändler und Halsabschneider. Er wurde ermordet.
Maria Carracci, seine Frau. Sie arbeitet in der familieneigenen Salumeria.
Ihre Kinder:
Stefano Carracci, Lilas Ehemann. Er verwaltet das von seinem Vater angehäufte Vermögen und betreibt zusammen mit seinen Geschwistern und seiner Mutter die rentable Salumeria.
Pinuccia Carracci. Auch *Pina* genannt. Sie arbeitet in der Salumeria und ist die Verlobte von Lilas Bruder Rino.

Alfonso Carracci, Elenas Banknachbar auf dem Gymnasium. Er ist mit Marisa Sarratore zusammen.

Familie Peluso (die Familie des Tischlers)

Alfredo Peluso, Tischler. Kommunist. Des Mordes an Don Achille angeklagt und verurteilt. Er sitzt im Gefängnis.
Giuseppina Peluso, seine Frau. Arbeiterin in der Tabakfabrik
Ihre Kinder:
Pasquale Peluso, der älteste Sohn. Maurer, militanter Kommunist. Er ist der erste Junge, der Lilas Schönheit erkannte und ihr eine Liebeserklärung machte. Er verabscheut die Solaras und ist mit Ada Cappuccio verlobt.
Carmela Peluso, nennt sich auch *Carmen*. Verkäuferin in einem Kurzwarengeschäft. Sie wurde durch Lilas Vermittlung in Stefanos neuer Salumeria angestellt. Sie ist mit Enzo Scanno zusammen.
Weitere Kinder

Familie Cappuccio (die Familie der verrückten Witwe)

Melina, Witwe, verwandt mit Nunzia Cerullo. Sie putzt die Treppen in den Wohnblocks des alten Rione und war die Geliebte von Donato Sarratore, Ninos Vater. Wegen dieser Liebschaft zogen die Sarratores aus dem Rione weg, und Melina verlor den Verstand.

Melinas Mann schleppte Kisten auf dem Obst- und Gemüsemarkt und starb unter ungeklärten Umständen.
Ihre Kinder:
Ada Cappuccio. Von klein auf musste sie ihrer Mutter beim Treppenputzen helfen. Mit Lilas Hilfe wird sie als Verkäuferin in der Salumeria im alten Rione angestellt. Sie ist mit Pasquale Peluso verlobt.
Antonio Cappuccio, Automechaniker. Er ist mit Elena liiert und extrem eifersüchtig auf Nino Sarratore.
Weitere Kinder

Familie Sarratore
(die Familie des dichtenden Eisenbahners)

Donato Sarratore, Zugschaffner, Dichter, Journalist. Ein Frauenheld, der ein Verhältnis mit Melina Cappuccio hatte. Als Elena auf Ischia Ferien macht und im selben Haus wie die Sarratores zu Gast ist, muss sie die Insel überstürzt verlassen, um sich Donatos sexuellen Belästigungen zu entziehen.
Lidia Sarratore, seine Frau
Ihre Kinder:
Nino Sarratore, der älteste Sohn, hasst seinen Vater. Er ist ein ausgezeichneter Schüler am Gymnasium.
Marisa Sarratore, absolvierte ohne nennenswerte Erfolge eine Ausbildung zur Sekretärin. Sie ist mit Alfonso Carracci zusammen.
Pino, Clelia und Ciro Sarratore

Familie Scanno
(die Familie des Gemüsehändlers)

Nicola Scanno, Gemüsehändler
Assunta Scanno, seine Frau
Ihre Kinder:
Enzo Scanno, ebenfalls Gemüsehändler. Lina hat ihn seit ihrer Kindheit sehr gern. Ihre Freundschaft begann, als Enzo während eines Schulwettbewerbs unerwartet brillante Fähigkeiten in Mathematik unter Beweis stellte. Enzo ist mit Carmen Peluso zusammen.
Weitere Kinder

Familie Solara
(die Familie des Besitzers der gleichnamigen Bar-Pasticceria)

Silvio Solara, Padrone der Solara-Bar, Monarchist und Faschist. Als Camorra-Mitglied ist er in illegale Geschäfte im Rione verwickelt. Er stellte sich gegen die Gründung der Schuhmacherei Cerullo.
Manuela Solara, seine Frau, Wucherin. Ihr rotes Buch ist im Rione sehr gefürchtet.
Ihre Kinder:
Marcello und *Michele Solara*. Obwohl sie großspurig und rücksichtslos auftreten, sind sie der Schwarm aller Mädchen des Rione, Lila natürlich ausgenommen. *Marcello* verliebt sich in Lila, aber sie weist ihn ab. *Michele* ist etwas jünger als Marcello, doch kaltblütiger, intelligenter und brutaler. Er ist mit Gigliola Spagnuolo, der Tochter des Konditors, verlobt.

Familie Spagnuolo
(die Familie des Konditors)

Signor Spagnuolo, Konditor in der Solara-Bar
Rosa Spagnuolo, seine Frau
Ihre Kinder:
Gigliola Spagnuolo, verlobt mit Michele Solara
Weitere Kinder

Familie Airota

Professor Airota, Professor für griechische Literatur
Adele Airota, seine Frau
Ihre Kinder:
Mariarosa Airota, die älteste Tochter, Dozentin für Kunstgeschichte in Mailand
Pietro Airota, Student

Die Lehrer

Maestro Ferraro, Grundschullehrer und Bibliothekar. Er verlieh Lila und Elena in der Grundschule einen Preis für eifriges Lesen.
Maestra Oliviero, Grundschullehrerin. Sie erkannte Lilas und Elenas Fähigkeiten als Erste. Elena, der Lilas Erzählung *Die blaue Fee* sehr gefallen hatte, gab sie Maestra Oliviero zur Lektüre. Verärgert darüber, dass Lilas Eltern sich geweigert hatten, ihre Tochter auf die Mittelschule zu schicken, äußerte sich die Lehrerin nie zu der Erzählung und hörte sogar auf, sich um Lila zu küm-

mern. Sie konzentrierte sich nur noch auf Elenas Erfolge.
Professor Gerace, Gymnasiallehrer in der Unterstufe
Professoressa Galiani, Gymnasiallehrerin in der Oberstufe, hochgebildet, Kommunistin. Sie ist sofort von Elenas Intelligenz beeindruckt, leiht ihr Bücher und nimmt sie bei einem Streit gegen den Religionslehrer in Schutz.

Weitere Personen

Gino, der Sohn des Apothekers. Er war Elenas erster Freund.
Nella Incardo, Maestra Olivieros Cousine. Sie wohnt in Barano auf Ischia und beherbergte Elena während eines Ferienaufenthaltes.
Armando Galiani, Medizinstudent, Sohn von Professoressa Galiani
Nadia Galiani, Studentin, Tochter von Professoressa Galiani
Bruno Soccavo, ein Freund Nino Sarratores und Sohn eines reichen Industriellen aus San Giovanni a Teduccio
Franco Mari, Student

JUGENDJAHRE

1

Im Frühling 1966 vertraute Lila mir in höchster Aufregung eine Blechschachtel mit acht Schreibheften an. Sie sagte, sie könne sie nicht länger zu Hause behalten, sie fürchte, ihr Mann könnte sie lesen. Ich nahm die Schachtel kommentarlos an mich, abgesehen von einer ironischen Bemerkung über die Unmengen von Schnur, mit der sie sie umwickelt hatte. Zu jener Zeit stand es denkbar schlecht um unsere Freundschaft, doch offenbar sah nur ich das so. Die seltenen Male, die wir uns trafen, zeigte sie keinerlei Verlegenheit, war herzlich zu mir und verlor nicht ein feindseliges Wort.

Als sie mich bat, zu schwören, dass ich die Schachtel unter keinen Umständen öffnen würde, schwor ich es. Aber kaum saß ich im Zug, löste ich die Schnur, nahm die Hefte heraus und begann zu lesen. Das waren keine Tagebücher, obwohl detaillierte Schilderungen von Ereignissen aus Lilas Leben seit dem Abschluss der Grundschule darin enthalten waren. Sie waren eher das Zeugnis einer hartnäckigen Selbstdisziplin im Schreiben. Es gab Beschreibungen im Überfluss: vom Ast eines Baumes, von den Teichen, von einem Stein, von einem Laubblatt mit weißer Äderung, von Kochtöpfen, von den verschiedenen Teilen eines Espressokännchens, von einem Kohlenbecken, von Kohle und Holzkohle, es gab eine punktgenaue Zeichnung unseres Hofes und die Beschreibung unserer

Straße – des Stradone – sowie des rostigen Eisenskeletts hinter den Teichen, unseres kleinen Parks und der Kirche, des Abholzens der Bäume hinter der Eisenbahn, der Neubauten, der Wohnung ihrer Eltern, des Werkzeugs, mit dem ihr Vater und ihr Bruder Schuhe reparierten, ihrer Handgriffe bei der Arbeit und vor allem von Farben, der Farben sämtlicher Dinge zu verschiedenen Tageszeiten. Doch es gab nicht nur beschreibende Passagen. Auch einzelne Wörter im Dialekt und in der Hochsprache tauchten auf, manchmal eingekreist, ohne Kommentar. Und Übersetzungsübungen auf Latein und Griechisch. Und ganze Abschnitte auf Englisch über die Läden unseres Viertels – des Rione –, über die Waren, über den Karren voller Obst und Gemüse, mit dem Enzo Scanno täglich von Straße zu Straße zog, wobei er den Esel am Halfter führte. Und unzählige Gedanken zu den Büchern, die sie gelesen hatte, zu den Filmen, die sie im Gemeindekino gesehen hatte. Und viele Ansichten, die sie in den Diskussionen mit Pasquale und in den Gesprächen mit mir vertreten hatte. Zwar gab es keine kontinuierliche Abfolge, doch egal, was Lila schriftlich einfing, alles bekam Format, so dass sich selbst auf den Seiten, die sie mit elf oder zwölf Jahren geschrieben hatte, nicht eine kindisch klingende Zeile fand.

Ihre Sätze waren äußerst präzise, die Zeichensetzung akkurat und alles in der Schönschrift gehalten, die Maestra Oliviero uns gelehrt hatte. Nur manchmal schien Lila die Ordnung, die sie sich auferlegt hatte, nicht einhalten zu können, als hätte eine Droge ihre Adern überschwemmt. Dann wurde alles atemlos, ihre Sätze überschlugen sich, die Zeichensetzung verschwand. Meistens brauchte sie nicht lange, um zu einem entspannten, klaren Ton zurückzufinden. Aber manchmal brach sie jäh ab und füllte den Rest der Seite mit kleinen Zeichnungen krummer Bäume, buckliger, rauchender Berge und verzerrter Gesichter. Sowohl ihre Ordnung als auch ihre Unordnung beeindruckten mich, und je mehr ich las, umso mehr fühlte ich mich getäuscht. Wie viel Übung steckte hinter dem Brief, den sie mir Jahre zuvor nach Ischia geschickt hatte: Deshalb war er so gut geschrieben! Ich stopfte alles in die Blechschachtel zurück und nahm mir vor, nicht weiter herumzuschnüffeln.

Doch schon bald wurde ich wieder schwach, von diesen Heften ging eine verführerische Kraft aus, die Lila schon als kleines Mädchen ausgestrahlt hatte. Mit unerbittlicher Präzision hatte sie den Rione, ihre Familie, die Solaras, Stefano, jeden und alles beschrieben. Ganz zu schweigen davon, wie freizügig sie mit mir umgegangen war, mit dem, was ich sagte, mit dem, was ich dachte, mit den Menschen, die ich liebte, und selbst mit meinem Äußeren. Lila hatte die für sie entscheidenden Momente festgehalten, ohne sich um irgendwen oder irgendwas zu scheren. Da war in aller Deutlichkeit das Vergnügen, das sie empfunden hatte, als sie zehn Jahre zuvor die kurze Erzählung *Die blaue Fee* geschrieben hatte. Da war ebenso deutlich ihr Kummer darüber, dass unsere Lehrerin, Maestra Oliviero, sich nicht dazu herabgelassen hatte, auch nur ein Wort über diese Erzählung zu verlieren, und sie sogar ignoriert hatte. Da waren der Schmerz und die Wut darüber, dass ich zur Mittelschule gegangen war, ohne mich um sie zu kümmern, und ich sie alleingelassen hatte. Da war die Begeisterung, mit der sie das Schuhmacherhandwerk erlernt hatte, und der Wunsch nach einer Entschädigung, der sie veranlasst hatte, neue

Schuhe zu entwerfen. Da war das Vergnügen, gemeinsam mit ihrem Bruder Rino ein erstes Paar anzufertigen. Und da war ihr Leid, als ihr Vater Fernando erklärt hatte, diese Schuhe seien schlecht gearbeitet. Alles stand dort, auf diesen Seiten, besonders aber ihr Hass auf die Solara-Brüder, die grimmige Entschiedenheit, mit der sie die Liebe Marcellos, des Älteren der beiden, zurückgewiesen hatte, und der Moment, in dem sie beschlossen hatte, sich stattdessen mit dem sanftmütigen Stefano Carracci zu verloben, dem Lebensmittelhändler aus der Salumeria, der aus Liebe zu ihr das erste von ihr gefertigte Paar Schuhe gekauft und geschworen hatte, es für immer in Ehren zu halten. Ach, und diese herrliche Zeit, als sie sich mit fünfzehn Jahren wie eine junge Dame gefühlt hatte, reich und elegant, am Arm ihres Verlobten, der nur aus Liebe zu ihr Unsummen in die Werkstatt ihres Vaters und ihres Bruders gesteckt hatte, in die Schuhmacherei Cerullo. Und wie zufrieden sie gewesen war: die von ihr ersonnenen Schuhe zum größten Teil fertig, eine Wohnung im neuen Viertel, ihre Hochzeit mit sechzehn Jahren. Und was für ein prunkvolles Fest es gegeben hatte, wie glücklich sie gewesen war. Dann war Marcello Solara zusammen mit seinem Bruder Michele in diese Feier geplatzt und hatte ebenjene Schuhe an den Füßen, von denen Lilas Ehemann behauptet hatte, sie würden ihm viel bedeuten. Ihr Ehemann. Was für einen Menschen hatte sie geheiratet? Würde er sich nach der Schaffung vollendeter Tatsachen die Maske herunterreißen und sein entsetzlich wahres Gesicht zeigen? Fragen und die ungeschönte Realität unseres Elends. Ich beschäftigte mich viel mit diesen Seiten, tagelang, wochenlang. Ich studierte sie und lernte am Ende die Stellen auswendig, die mir gefielen, die mich begeisterten, die mich faszinierten, die mich beschämten. Hinter ihrer Natürlichkeit steckte garantiert ein Trick, aber ich fand nicht heraus, welcher.

Schließlich ging ich eines Abends im November wütend aus dem Haus und nahm die Blechschachtel mit. Ich hielt es nicht mehr aus, Lila an und in mir zu spüren, auch jetzt noch, da ich großes Ansehen genoss, auch jetzt noch, da ich ein Leben außerhalb von Neapel hatte. Auf dem Ponte Solferino blieb ich stehen und betrachtete die vom eiskalten Dunst gefilterten Lichter. Ich stellte die Schachtel auf die Brüstung und schob sie langsam, Stück für Stück, von mir weg, bis sie in den Fluss fiel, als wäre sie Lila persönlich, die mit ihren Gedanken und mit ihren Worten hinunterstürzte; mit ihrer Bosheit, mit der sie jedem jeden Schlag heimzahlte; mit ihrer Art, sich meiner zu bemächtigen, wie sie es mit allen Menschen, Dingen, Ereignissen und Erkenntnissen tat; mit allem, was ihr begegnete: Bücher und Schuhe, Zärtlichkeit und Gewalt, Heirat und Hochzeitsnacht und ihre Rückkehr in unseren Rione in der neuen Rolle der Signora Raffaella Carracci.

2

Ich konnte nicht glauben, dass der so freundliche, so verliebte Stefano wirklich Marcello Solara diese Erinnerung an die kindliche Lila geschenkt hatte, dieses Zeugnis ihrer Mühe, die sie sich gemacht hatte, als sie die Schuhe entwarf.

Ich vergaß Alfonso und Marisa, die sich mit glänzenden Augen an unserem Tisch unterhielten. Ich achtete nicht mehr auf das betrunkene Gelächter meiner Mutter. Die Musik und die Stimme des Sängers verblassten, die tanzenden Paare und auch Antonio hinter der Glastür, draußen auf der Terrasse, der von Eifersucht zerfressen auf die violette Stadt und das Meer starrte. Sogar das Bild Ninos verblasste, der den Festsaal soeben verlassen hatte wie ein Erzengel ohne Verkündigung. Ich sah nur noch Lila, die aufgeregt auf Stefano einredete. Sie kreidebleich im Hochzeitskleid, er ohne ein Lächeln, auf seinem erhitzten Gesicht ein weißer Fleck des Unbehagens, der sich wie eine Karnevalsmaske von der Stirn bis zu den Augen zog. Was ging da vor sich, was würde geschehen? Meine Freundin zerrte mit beiden Händen am Arm ihres Mannes. Sie wandte viel Kraft auf, und ich, die ich sie genau kannte, spürte, dass sie ihm den Arm abgerissen hätte, wenn sie es gekonnt hätte, dass sie ihn hoch über ihrem Kopf geschwungen hätte, während sie mit Blutstropfen auf der Schleppe den Saal durchquert hätte und ihn wie eine Keule oder wie einen Eselskinnbacken gebraucht hätte, um Marcello mit einem wohlgezielten Schlag das Gesicht zu zertrümmern. Oh ja, das hätte sie getan, und bei diesem Gedanken hämmerte mein Herz wie wild, und meine Kehle trocknete aus. Dann hätte sie den zwei Männern die Augen ausgekratzt, hätte ihnen das Fleisch von den Knochen ihres Gesichts gefetzt, hätte sie in Stücke zerrissen. Ja, ich spürte, dass ich mir das wünschte, ich wollte, dass das geschah. Schluss mit der Liebe und diesem unerträglichen Fest, nichts da mit Umarmungen in einem Bett in Amalfi! Unverzüglich alles im Rione zerschlagen, Menschen und Dinge, alles niedermetzeln, weglaufen, Lila und ich, weit fort, und mit fröhlicher Verschwendung gemeinsam alle Stufen der Verworfenheit nach unten steigen, wir beide allein, in fremden Städten. Das schien mir das richtige Ende für diesen Tag zu sein. Wenn nichts uns retten konnte, kein Geld, kein männlicher Körper und nicht einmal die Schule, dann konnte man auch gleich alles zunichtemachen. In mir wuchs ihre Wut, eine Kraft, die meine und auch nicht meine war und die mich mit dem Vergnügen erfüllte, mich zu verlieren. Ich wünschte mir, dass diese Kraft ausuferte. Doch ich merkte auch, dass sie mich erschreckte. Erst im Nachhinein habe ich begriffen, dass ich nur deshalb still leiden kann, weil ich zu heftigen Reaktionen nicht fähig bin, ich fürchte sie, ziehe es vor, mich nicht zu rühren und meinen Groll in mich hineinzufressen. Nicht so Lila. Als sie ihren Platz verließ, stand sie so entschieden auf, dass der Tisch mitsamt dem Besteck auf den schmutzigen Tellern wackelte und ein Glas umkippte. Während Stefano sich instinktiv beeilte, die Weinzunge aufzuhalten, die sich auf Signora Solaras Kleid zubewegte, fegte Lila durch eine Nebentür hinaus, wobei sie jedes Mal ihr Kleid wegriss, wenn es sich irgendwo verfing.

Ich erwog, ihr nachzulaufen, sie fest bei der Hand zu nehmen und ihr zuzuflüstern: ›Bloß weg, weg hier!‹ Doch ich rührte mich nicht. Dafür aber Stefano, der sich nach einem Augenblick der Unschlüssigkeit an den tanzenden Paaren vorbeischlängelte und Lila einholte.

Ich schaute in die Runde. Alle hatten mitbekommen, dass die Braut sich geärgert hatte. Doch Marcello unterhielt sich weiter komplizenhaft mit Rino, als wäre es das Normalste der Welt, dass er diese Schuhe trug. Auch die immer schlüpfriger werdenden Trinksprüche des Metallhändlers ertönten weiter. Und wer sich am unteren Ende in der Hierarchie der Tische und der Gäste wähnte, machte weiterhin krampfhaft gute Miene zu bösem Spiel. Kurz, kein Mensch außer mir schien bemerkt zu haben, dass die soeben geschlossene Ehe – die mit vielen Kindern und unzähligen Enkeln, mit Freuden und Schmerzen, mit Silberhochzeit und goldener Hochzeit wahrscheinlich bis ans Lebensende des Brautpaars dauern würde – für Lila bereits aus und vorbei war, egal welche Versuche ihr Mann auch unternehmen würde, um sich zu entschuldigen.

3

Die Ereignisse enttäuschten mich sofort. Ich saß neben Alfonso und Marisa, ohne auf ihr Gespräch zu achten. Ich wartete auf Zeichen des Aufruhrs, aber nichts geschah. Sich in Lilas Kopf hineinzuversetzen, war wie üblich schwierig. Ich hörte sie nicht schreien, hörte sie nicht drohen. Stefano tauchte eine halbe Stunde später sehr freundlich wieder auf. Er hatte sich umgezogen, der weiße Fleck an Stirn und Augen war verschwunden. Er schlenderte zwischen Verwandten und Freunden umher, während er auf seine Frau wartete, und als sie in den Saal zurückkehrte, nicht mehr im Brautkleid, sondern in einem pastellblauen Reisekostüm mit gleißend hellen Knöpfen und einem blauen Hut, ging er rasch zu ihr. Lila nahm mit einem Silberlöffel die Hochzeitsmandeln aus einem Kristallgefäß und reichte sie den Kindern, dann ging sie von Tisch zu Tisch und verteilte zunächst an ihre und dann an Stefanos Verwandte die Geschenke für die Gäste. Sie ignorierte die ganze Familie Solara und sogar ihren Bruder Rino, der sie mit einem besorgten Lächeln fragte: »Kannst du mich denn gar nicht mehr leiden?« Sie antwortete ihm nicht und überreichte nur Pinuccia ein Geschenkpäckchen. Ihr Blick war geistesabwesend, und ihre Wangenknochen stachen stärker als gewöhnlich hervor. Als ich an der Reihe war, gab sie mir zerstreut und ohne ein verschwörerisches Lächeln ein in weißen Tüll gehülltes Keramikkörbchen mit Hochzeitsmandeln.

Inzwischen regten sich die Solaras über Lilas Unhöflichkeit auf, doch Stefano glättete die Wogen, indem er sie mit netter, friedlicher Miene einen nach dem anderen umarmte und leise sagte:

»Sie ist müde, kein Grund zur Aufregung.«

Er küsste auch Rino auf die Wangen, aber sein Schwager verzog unzufrieden das Gesicht, ich hörte ihn sagen:

»Das ist keine Müdigkeit, Ste', die ist schon verdreht auf die Welt gekommen, es tut mir leid für dich.«

Stefano antwortete ernst:

»Verdrehte Dinge biegt man zurecht.«

Dann sah ich ihn seiner Frau nachlaufen, die schon an der Tür war, während die Kapelle betrunkene Töne von sich gab und die Leute sich für die letzten Abschiedsgrüße zusammendrängten.

Also kein Bruch, wir würden nicht zusammen in die Welt hinaus fliehen. Ich stellte mir das Brautpaar vor, wie es schön und elegant ins Cabrio stieg. In kurzer Zeit würden die zwei an der Küste von Amalfi sein, in einem Luxushotel, und jede noch so grausame Kränkung würde sich in ein leicht wegzuwischendes Schmollen verwandelt haben. Kein Sinneswandel. Lila hatte sich endgültig von mir gelöst, und der Abstand – so kam es mir plötzlich vor – war größer als gedacht. Sie hatte nicht *einfach nur* geheiratet, sie würde sich nicht darauf beschränken, jede Nacht mit einem Mann zu schlafen, um ihren ehelichen

Pflichten nachzukommen. Da war noch etwas anderes, was ich bisher nicht erkannt hatte, was mir in jenem Augenblick aber sonnenklar wurde. Lila, die sich damit abgefunden hatte, dass auf der Grundlage ihrer kindlichen Werkeleien irgendein Geschäft zwischen ihrem Ehemann und Marcello besiegelt worden war, Lila hatte akzeptiert, Stefano über jeden und alles zu stellen. Wenn sie *jetzt schon* aufgegeben hatte, wenn sie diesen Affront *jetzt schon* verwunden hatte, musste ihre Bindung zu ihm wirklich stark sein. Sie liebte ihn, liebte ihn auf die Art der Mädchen in den Fotoromanen. Ihr Leben lang würde sie ihm alle ihre guten Eigenschaften opfern, und er würde dieses Opfer nicht einmal bemerken, würde ihren Reichtum an Gefühl, Intelligenz und Phantasie um sich haben, ohne zu wissen, was er damit anfangen sollte, er würde ihn vergeuden. ›Ich könnte niemanden so lieben‹, dachte ich. ›Nicht mal Nino. Ich kann nur über Büchern hocken.‹ Und für den Bruchteil einer Sekunde kam ich mir vor wie der verbeulte Fressnapf, den meine Schwester Elisa für ein Kätzchen hingestellt hatte, bis es sich irgendwann nicht mehr blicken ließ und der Napf leer und verstaubt auf dem Treppenabsatz zurückblieb. Da gestand ich mir beklommen ein, dass ich mich zu weit vorgewagt hatte. ›Ich muss wieder zurück‹, sagte ich mir, ›muss es so machen wie Carmela, Ada, Gigliola und auch Lila. Muss den Rione akzeptieren, meine Überheblichkeit ablegen, meine Anmaßung zügeln und aufhören, die Menschen, die mich lieben, zu beschämen.‹ Als Alfonso und Marisa losgestürzt waren, um noch rechtzeitig zu ihrer Verabredung mit Nino zu kommen, machte ich einen großen Bogen um meine Mutter und ging zu meinem Verehrer auf die Terrasse.

Ich war zu leicht angezogen, die Sonne war untergegangen, es wurde langsam kühl. Als Antonio mich sah, zündete er sich eine Zigarette an und tat weiter so, als würde er aufs Meer schauen.

»Komm, lass uns gehen«, sagte ich.

»Geh ruhig mit dem Sohn von Sarratore!«

»Ich will aber mit dir gehen.«

»Das ist doch gelogen.«

»Wieso?«

»Weil du mich hier sang- und klanglos stehenlassen würdest, wenn der was für dich übrighätte.«

Das stimmte, aber es ärgerte mich, dass er es so direkt sagte, so ohne ein Blatt vor den Mund zu nehmen. Ich zischte ihn an:

»Sollte dir nicht klar sein, dass ich hier bin, obwohl meine Mutter jeden Augenblick herkommen und mich deinetwegen ohrfeigen könnte, hieße das doch, dass du ausschließlich an dich denkst und ich dir vollkommen egal bin.«

Er hörte kaum Dialekt in meiner Stimme, registrierte den langen Satz, die Konjunktive, und verlor die Geduld. Er warf die Zigarette weg, packte mein Handgelenk mit einer immer weniger beherrschten Kraft und stieß mit erstickter Stimme hervor, er sei nur meinetwegen hier, nur meinetwegen, und ich sei ja wohl diejenige gewesen, die ihn gebeten habe, die ganze Zeit in meiner Nähe zu bleiben, in der Kirche und auf dem Fest, ich, jawohl, und, keuchte er, du hast mich schwören lassen, schwöre – hast du gesagt –, dass du mich keinen Augenblick allein lässt, also habe ich mir diesen Anzug schneidern lassen und stehe jetzt bei Signora Solara tief in der Kreide, und dir zuliebe, um zu tun, was du mir gesagt hast, bin ich nicht eine Minute zu meiner Mutter und zu meinen Geschwistern gegangen, und was ist der Dank?, zum Dank hast du mich behandelt wie den letzten Dreck, hast die ganze Zeit mit dem Sohn des Dichters palavert und mich vor meinen Freunden blamiert, wie einen Scheißidioten hast du mich aussehen lassen, weil ich für dich eine Null bin, weil du ja so gebildet bist und ich nicht, weil ich nicht kapiere, worüber du sprichst, und es stimmt ja auch, na und ob, ich kapier's wirklich nicht, aber verdammt noch mal, Lenù, sieh mich an, sieh mir in die Augen: Du glaubst, du kannst mich nach deiner Pfeife tanzen lassen, du glaubst, ich kann nicht sagen Jetzt reicht's, aber da irrst du dich, du weißt alles, aber du weißt nicht, dass ich, wenn du jetzt mit mir durch diese Tür gehst, wenn ich jetzt Ist gut zu dir sage und wir zusammen weggehen, ich dann aber merke, dass du dich in der Schule oder sonst wo mit diesem Pisser von Nino Sarratore triffst, dass ich dich dann umbringe, Lenù, ich bringe dich um, und darum überleg's dir, verlass mich lieber gleich, stieß er verzweifelt hervor, verlass mich, das ist besser für dich, und dabei starrte er mich mit großen, geröteten Augen an und formte die Worte mit weit aufgerissenem Mund, er schrie sie, ohne zu schreien, mit geweiteten, pechschwarzen Nasenlöchern und einem so gewaltigen Schmerz im Gesicht, dass ich dachte, vielleicht verletzt er sich innerlich, weil die durch seine Brust und seine Kehle gepressten, doch nicht in der Luft explodierten Sätze ihm wie scharfkantige Eisenstücke Lunge und Rachen zerschneiden.

Irgendwie brauchte ich diese Aggression. Die Umklammerung meines Handgelenks, die Angst, er könnte mich schlagen, sein schmerzerfüllter Redeschwall trösteten mich schließlich, wenigstens ihm schien viel an mir zu liegen.

»Du tust mir weh«, sagte ich leise.

Langsam lockerte er seinen Griff, starrte mich jedoch weiter mit aufgerissenem Mund an. Ihm Gewicht und Autorität verleihen, mich an ihn binden, die Haut an meinem Handgelenk verfärbte sich allmählich violett.

»Wie entscheidest du dich?«, fragte er.

»Ich möchte mit dir zusammen sein«, antwortete ich mürrisch.

Er schloss den Mund, Tränen traten ihm in die Augen, er schaute zum Meer, um sie unauffällig herunterzuschlucken.

Kurz danach standen wir auf der Straße. Wir warteten nicht auf Pasquale, Enzo, die Mädchen, verabschiedeten uns von niemandem. Das Wichtigste war, dass meine Mutter uns nicht sah, darum machten wir uns zu Fuß davon, inzwischen war es dunkel geworden. Eine Weile gingen wir nebeneinanderher, ohne uns zu berühren, dann legte Antonio mir zögernd einen Arm um die Schulter. Er wollte mir zu verstehen geben, dass er darauf wartete, dass ich ihm verzieh, als wäre er der Schuldige. Da er mich liebte, hatte er beschlossen, die Stunden, die ich vor seinen Augen verführerisch und verführt mit Nino verbracht hatte, als eine Zeit der Sinnestäuschung zu betrachten.

»Hab' ich dir einen blauen Fleck gemacht?«, fragte er und griff nach meinem Handgelenk.

Ich antwortete nicht. Seine breite Hand spannte sich um meine Schulter, ich machte eine unwillige Bewegung, was ihn sofort veranlasste, seinen Griff zu lockern. Er wartete, ich wartete. Als er erneut versuchte, mir auf diese Weise seine Kapitulation zu signalisieren, legte ich ihm meinen Arm um die Taille.

4

Wir küssten uns ständig, hinter einem Baum, in einem Hauseingang, auf dunklen Nebenstraßen. Dann nahmen wir einen Bus und noch einen und kamen zum Bahnhof. Wir gingen zu den Teichen und küssten uns weiter auf der einsamen Straße neben den Gleisen.

Ich glühte, obwohl mein Kleid dünn war und die Abendkälte mich zuweilen erschauern ließ. Von Zeit zu Zeit presste sich Antonio in der Dunkelheit an mich und umarmte mich so ungestüm, dass er mir wehtat. Seine Lippen brannten, sein heißer Mund entfachte meine Gedanken und meine Phantasie. Ich dachte: ›Vielleicht sind Lila und Stefano schon im Hotel. Vielleicht sitzen sie gerade beim Abendessen. Vielleicht haben sie sich für die Nacht zurechtgemacht. Ach, eng an einen Mann geschmiegt schlafen, nicht mehr frieren.‹ Antonios Zunge bewegte sich heftig in meinem Mund, und während er durch den Stoff meines Kleides meine Brüste knetete, streichelte ich mit meiner Hand in seiner Hosentasche seinen Schwanz.

Der schwarze Himmel war mit hellen Sternenschleiern gefleckt. Der Geruch nach Moos und fauliger Erde von den Teichen wich den süßlichen Düften des Frühlings. Das Gras war nass, das Wasser gab gelegentliche Gluckser von sich, wie von einer hineinfallenden Eichel, einem Stein, einem Frosch. Wir gingen einen Weg, den wir gut kannten, er führte zu einer Gruppe verdorrter Bäume mit dünnen Stämmen und traurig abgeknickten Ästen. Wenige Meter entfernt stand die alte Konservenfabrik, ein Bau mit eingestürztem Dach, ganz Eisenträger und Blechplatten. Ich spürte eine drängende Lust, etwas zog in meinem

Innern wie ein stark gespanntes Samtband. Ich wollte eine drastische Befriedigung meines Verlangens, die diesen ganzen Tag kurz und klein schlagen konnte. Stärker als bei früheren Gelegenheiten spürte ich, wie es tief in meinem Bauch schmeichelte, streichelte und stachelte. Antonio sagte im Dialekt zärtliche Worte, sagte sie in meinen Mund, an meinem Hals, verlangend. Ich schwieg, bei unseren Treffen hatte ich stets geschwiegen, ich seufzte nur.

»Sag mir, dass du mich lieb hast«, flehte er.

»Ja.«

»Sag's mir!«

»Ja.«

Mehr sagte ich nicht. Ich umarmte ihn, presste mich mit all meiner Kraft an ihn. Ich wollte am ganzen Körper gestreichelt und geküsst werden, hatte das Bedürfnis, zermalmt und gebissen zu werden, wollte, dass mir die Luft wegblieb. Er schob mich ein wenig von sich und glitt mit seiner Hand in meinen BH, ohne seine Küsse zu unterbrechen. Doch das genügte mir nicht, an diesem Abend war das zu wenig. Unsere bisherigen Berührungen, die er mir vorsichtig aufgedrängt hatte und die ich mit der gleichen Vorsicht zugelassen hatte, erschienen mir nun alle dürftig, beschwerlich und zu schnell. Trotzdem konnte ich ihm nicht sagen, dass ich mehr wollte, mir fehlten die richtigen Worte. Bei unseren heimlichen Begegnungen folgten wir stets einem stummen Ritual, Schritt für Schritt. Er streichelte meine Brüste, schob meinen Rock hoch, berührte mich zwischen den Beinen, und wie um ihm ein Zeichen zu geben, presste ich mich gegen den Aufruhr aus zarter Haut, Knorpeln, Adern und Blut, der in seiner Hose zuckte. Doch diesmal zögerte ich damit, seinen Schwanz herauszuholen, ich wusste, dass er mich vergessen würde, sobald ich es tat, dass er aufhören würde, mich zu streicheln. Meine Brüste, meine Hüften, mein Hintern, meine Scham würden ihn nicht länger entzücken, er würde sich nur noch auf meine Hand konzentrieren, würde sie sogar rasch mit seiner umschließen, um mich zu ermuntern, sie im richtigen Rhythmus zu bewegen. Dann würde er sein Taschentuch nehmen und es für den Augenblick bereithalten, da ein leichtes Röcheln aus seinem Mund dringen würde und aus seinem Schwanz seine gefährliche Flüssigkeit. Dann würde er sich etwas benommen und vielleicht beschämt zurückziehen, und wir würden nach Hause gehen. Ein übliches Finale, das ich diesmal aber unbedingt ändern wollte. Mir war egal, ob ich schwanger wurde, ohne verheiratet zu sein, mir waren auch die Sünde egal und die göttlichen Wächter, die im Kosmos über uns saßen, der Heilige Geist oder sonst wer an seiner Stelle, und Antonio bemerkte es irritiert. Während er mich immer stürmischer küsste, versuchte er mehrmals, meine Hand nach unten zu ziehen, doch ich entwand mich und drückte meine Scham gegen seine Finger, stieß immer wieder mit langen Seufzern heftig dagegen. Da nahm er seine Hand weg, um sich die Hose aufzuknöpfen.

»Warte«, sagte ich.

Ich zog ihn zur Ruine der alten Konservenfabrik. Dort war es dunkler, abgeschiedener, doch voller Ratten, ich hörte ihr vorsichtiges Rascheln, ihr Huschen. Mein Herz schlug zum Zerspringen, ich hatte Angst vor diesem Ort, Angst vor mir, Angst vor meinem dringenden Wunsch, das Gefühl der Fremdheit, die ich wenige Stunden zuvor an mir entdeckt hatte, aus meinem Verhalten und meiner Stimme zu verbannen. Ich wollte wieder tief in den Rione eintauchen, wieder sein, wie ich gewesen war. Ich wollte die Schule sausen lassen, die randvollen Übungshefte. Wozu sich auch abmühen. Was ich außerhalb von Lilas Schatten werden konnte, zählte nichts. Was war ich denn im Vergleich zu ihr im Brautkleid, zu ihr im Cabrio, mit ihrem blauen Hut und dem pastellfarbenen Kostüm? Was war ich denn hier mit Antonio, versteckt zwischen rostigem Schrott und dem Rascheln der Ratten, mit meinem bis über die Hüften hochgeschobenen Rock, dem heruntergelassenen Höschen, erregt und ängstlich und schuldig, während sie sich nackt hingab, mit schmachtender Distanz auf Leinentüchern in einem Hotel mit Meerblick, und zuließ, dass Stefano sie schändete, tief in sie eindrang, ihr seinen Samen gab und sie rechtmäßig und ohne Angst schwängerte? Was war ich, während Antonio an seinen Hosen herumnestelte und mir sein wuchtiges, männliches Fleisch zwischen die Beine schob, so dass es meine nackte Scham berührte, und er meinen Hintern knetete, während er sich keuchend an mir rieb, vor und zurück. Ich wusste es nicht. Ich wusste nur, dass ich in diesem Augenblick nicht das war, was ich sein wollte. Es genügte mir nicht, dass er sich an mir rieb. Ich wollte, dass er in mich eindrang, wollte Lila nach ihrer Rückkehr sagen: »Ich bin auch keine Jungfrau mehr, was du tust, tue ich auch, du kannst mich nicht abhängen.« Daher schlang ich meine Arme um Antonios Hals und küsste ihn, stellte mich auf die Zehenspitzen und suchte sein Geschlecht mit meinem, suchte es wortlos, tastend. Er bemerkte es und half sich mit der Hand, ich spürte, wie er ein wenig in mich eindrang, und zuckte auf vor Neugier und Angst. Aber ich bemerkte auch sein Bemühen, aufzuhören und sich daran zu hindern, mit all der Brutalität zuzustoßen, die sich den ganzen Nachmittag über in ihm angestaut hatte und die er garantiert noch immer in sich trug. ›Er will verzichten‹, dachte ich und klammerte mich an ihn, um ihn zum Weitermachen zu bewegen. Doch Antonio schob mich mit einem langen Seufzer von sich und sagte im Dialekt:

»Nein, Lenù, das will ich mit dir tun, wie man es mit seiner Ehefrau tut, nicht so.«

Er packte meine Rechte, führte sie mit einer Art unterdrücktem Schluchzer zu seinem Schwanz, und resigniert befriedigte ich ihn mit der Hand.

Später, auf dem Rückweg von den Teichen, sagte er befangen, er respektiere mich und wolle mich nicht zu etwas verleiten, was ich anschließend bereuen würde. Nicht an diesem Ort, nicht auf diese schmutzige, achtlose Weise. Er sagte es, als wäre er derjenige, der zu kühn gewesen war, und vielleicht glaubte er das wirklich. Ich sprach den ganzen Weg lang kein Wort, erleichtert verabschiedete ich mich von ihm. Als ich bei mir zu Hause an die Tür klopfte, öffnete meine Mutter, und trotz der Versuche meiner Geschwister, sie zurückzuhalten, ohrfeigte sie mich, ohne Gezeter und ohne einen Vorwurf zu äußern. Meine Brille flog auf den Boden, und sofort schrie ich meine Mutter mit einer harten Freude und ohne eine Spur von Dialekt an:

»Siehst du, was du angerichtet hast? Du hast meine Brille kaputtgemacht, deinetwegen kann ich jetzt nicht mehr lernen, ich geh' nicht mehr zur Schule!«

Meine Mutter erstarrte, sogar die Hand, mit der sie mich geschlagen hatte, blieb, wie die Schneide einer Streitaxt, reglos in der Luft hängen. Elisa, meine kleine Schwester, hob die Brille auf und sagte leise:

»Hier, Lenù, sie ist nicht kaputtgegangen.«

5

Mich erfasste eine Erschöpfung, die nicht wieder vergehen wollte, sosehr ich auch versuchte, mich auszuruhen. Zum ersten Mal schwänzte ich aus eigenem Antrieb die Schule. Ich glaube, ich ging zwei Wochen lang nicht hin und erzählte nicht einmal Antonio, dass ich nicht mehr konnte, dass ich mit dem Lernen aufhören wollte. Ich verließ das Haus zur gewohnten Zeit und bummelte den ganzen Vormittag durch die Stadt. Damals lernte ich viel von Neapel kennen. Ich stöberte in den alten Büchern an den Ständen von Port'Alba, prägte mir unwillkürlich Titel und Autorennamen ein und schlenderte in Richtung Toledo und zum Meer weiter. Oder ich stieg über die Via Salvator Rosa den Vomero hinauf, kam zur Certosa di San Martino und ging über den Petraio wieder hinunter. Oder ich erkundete Doganella, gelangte zum Friedhof, spazierte durch die stillen Alleen, las die Namen der Toten. Manchmal bedrängten mich junge Nichtstuer, alte Trottel und sogar seriöse Herren mittleren Alters mit unsittlichen Angeboten. Dann beschleunigte ich mit gesenktem Blick meinen Schritt und lief weg, da ich die Gefahr spürte, doch ich hörte nicht auf zu bummeln. Je mehr ich schwänzte, umso mehr lockerte sich an diesen langen Vormittagen der Herumtreiberei das Netz der schulischen Pflichten, das mich seit meinem siebten Lebensjahr eingeschnürt hatte. Wenn es Zeit war, kehrte ich nach Hause zurück, und kein Mensch argwöhnte, dass ich, ausgerechnet ich, nicht in der Schule gewesen war. Die Nachmittage verbrachte ich mit der Lektüre von Romanen, dann lief ich zu den Teichen, zu Antonio, der hocherfreut über meine freie Zeit war. Er hätte mich gern gefragt, ob ich mich mit dem Sohn von Sarratore getroffen hatte. Ich las diese Frage in seinen Augen, doch er traute sich nicht, sie zu stellen, befürchtete einen Streit, befürchtete, ich könnte mich aufregen und ihm die wenigen Minuten des Vergnügens verweigern. Er umarmte mich, um mich willfährig an seinem Körper zu spüren und jeden Zweifel zu vertreiben. In diesen Momenten hielt er es für ausgeschlossen, dass ich ihm die Schmach antun könnte, mich auch mit dem anderen zu treffen.

Er irrte sich. Eigentlich dachte ich, wenn auch mit schlechtem Gewissen, ununterbrochen an Nino. Ich wollte ihn sehen, mit ihm sprechen, und fürchtete mich zugleich davor. Ich hatte Angst, er würde mich mit seiner Überlegenheit beschämen. Hatte Angst, er könnte auf die eine oder die andere Weise auf die Gründe dafür zurückkommen, weshalb der Artikel über meinen Streit mit dem Religionslehrer nicht gedruckt worden war. Hatte Angst, er könnte mir die grausamen Urteile der Redaktion mitteilen. Das hätte ich nicht ertragen. Wenn ich durch die Stadt streifte und auch abends im Bett, wenn der Schlaf nicht kam und ich meine Unzulänglichkeit besonders deutlich spürte, wollte ich lieber glauben, dass mein Text aus reinem Platzmangel im Papierkorb gelandet war. Herunterspielen, verblassen lassen. Doch das war schwer. Ich war Ninos Fähigkeiten nicht ebenbürtig gewesen, also konnte ich nicht an seiner Seite sein, mir kein Gehör verschaffen und ihm nicht von meinen Gedanken erzählen. Und was denn überhaupt für Gedanken, ich hatte keinen einzigen. Dann schon lieber mich selbst ausschließen, Schluss mit den Büchern, mit den Zensuren, mit den Belobigungen. Ich hoffte, nach und nach alles vergessen zu können: die Kenntnisse, die mir den Kopf verstopften, die lebenden und die toten Sprachen und selbst das Italienische, das mir mittlerweile sogar bei meinen Geschwistern wie von selbst über die Lippen kam. ›Es ist Lilas Schuld‹, dachte ich, ›dass ich diesen Weg eingeschlagen habe, ich muss auch sie vergessen. Lila wusste immer, was sie wollte, und hat es bekommen. Ich will nichts, und ich bestehe aus nichts.‹ Ich hoffte auf ein wunschloses Erwachen am Morgen. Wäre ich erst einmal leer – so mein Plan –, würden Antonios Zuneigung und meine Zuneigung zu ihm schon ausreichen.

Dann traf ich eines Tages auf dem Heimweg Stefanos Schwester Pinuccia. Von ihr erfuhr ich, dass Lila von ihrer Hochzeitsreise zurück war und ein großes Festessen anlässlich der Verlobung ihrer Schwägerin mit ihrem Bruder veranstaltet hatte.

»Ihr habt euch verlobt, du und Rino?«, fragte ich mit geheuchelter Überraschung.

»Ja«, sagte sie strahlend und zeigte mir den Ring, den er ihr geschenkt hatte.

Ich weiß noch, dass ich nur einen einzigen, missgünstigen Gedanken im Kopf hatte, während Pinuccia redete. ›Lila hat ein Fest in ihrer neuen Wohnung gefeiert und mich nicht eingeladen, na umso besser, das soll mir doch recht sein, ich habe mich lange genug mit ihr gemessen, ich will sie nie wiedersehen.‹ Erst als die Verlobung mit allen Details durchgekaut war, fragte ich vorsichtig nach meiner Freundin. Pinuccia verzog gehässig den Mund und antwortete mit einem dialektalen Ausdruck: *Sie lernt dazu*. Ich fragte nicht, was. Als ich wieder zu Hause war, schlief ich den ganzen Nachmittag.

Am folgenden Tag verließ ich wie üblich morgens um sieben das Haus, um zur Schule zu gehen, oder besser, um so zu tun, als ginge ich zur Schule. Ich hatte gerade den Stradone überquert, als ich sah, wie Lila aus dem Cabrio stieg und in unseren Hof einbog, ohne sich für einen Gruß zu Stefano umzudrehen, der am Steuer saß. Sie war sorgfältig zurechtgemacht und trug eine große Sonnenbrille, obwohl die Sonne nicht schien. Mich verblüffte ihr Kopftuch aus blauem Tüll, das sie so gebunden hatte, dass auch ihre Lippen verhüllt waren. Voller Groll dachte ich, dies sei mal wieder ein neuer Stil von ihr, nicht mehr à la Jacqueline Kennedy, sondern eher in der Art der geheimnisvollen Dame, die wir in unseren Kleinmädchenträumen hatten werden wollen. Ich setzte meinen Weg fort, ohne sie zu rufen.

Nach wenigen Schritten machte ich kehrt, allerdings ohne einen klaren Plan, nur weil ich nicht anders konnte. Das Herz schlug mir bis zum Hals, meine Gefühle waren verworren. Vielleicht wollte ich sie bitten, mir ins Gesicht zu sagen, dass es mit unserer Freundschaft aus und vorbei war. Vielleicht wollte ich ihr entgegenschreien, dass ich beschlossen hatte, nicht mehr zur Schule zu gehen, sondern auch zu heiraten und bei Antonio zu wohnen, zusammen mit seiner Mutter und seinen Geschwistern, und wie die verrückte Melina Treppen zu putzen. Rasch überquerte ich den Hof und sah sie in dem Hauseingang verschwinden, in dem ihre Schwiegermutter wohnte. Ich ging die Treppe hinauf, dieselbe, die wir als kleine Mädchen gemeinsam hochgestiegen waren, um Don Achille zu bitten, uns unsere Puppen zurückzugeben. Ich rief Lila, sie drehte sich um.

»Du bist zurück«, sagte ich.

»Ja.«

»Und warum bist du nicht zu mir gekommen?«

»Ich wollte nicht, dass du mich siehst.«

»Die anderen dürfen dich sehen und ich nicht?«

»Die anderen sind mir egal, aber du nicht.«

Unsicher schaute ich sie an. Was durfte ich nicht sehen? Ich ging die Stufen hoch, die mich von ihr trennten, schob behutsam ihr Tuch beiseite und nahm ihr die Sonnenbrille ab.

6

Das tue ich in Gedanken noch einmal, während ich nun von ihrer Hochzeitsreise erzählen will, und zwar nicht nur so, wie Lila sie mir dort auf der Treppe geschildert hatte, sondern auch so, wie ich es später in ihren Heften las. Ich hatte ihr Unrecht getan, hatte glauben wollen, dass sie einfach so aufgegeben hatte, um sie herabsetzen zu können, so wie ich mich herabgesetzt gefühlt hatte, als Nino aus dem Festsaal verschwunden war. Ich hatte sie kleiner machen wollen, um ihren Verlust nicht zu spüren. Doch da war sie nun, nach dem Hochzeitsfest, mit ihrem blauen Hut und dem pastellfarbenen Kostüm, eingesperrt im Cabrio. Ihre Augen blitzten vor Wut, und als der Wagen anfuhr, überhäufte sie Stefano mit den unerträglichsten Wörtern und Sätzen, die man zu einem Mann aus unserem Rione sagen konnte.

Er steckte die Beschimpfungen wie üblich mit seinem milden Lächeln ein, ohne ein Wort zu sagen, und so verstummte sie schließlich. Doch die Stille währte nicht lange. Ruhig und nur leicht außer Atem fing Lila wieder an. Sie sagte, sie wolle keine Minute länger in diesem Auto bleiben, es widere sie an, die gleiche Luft zu atmen wie er, sie wolle aussteigen, auf der Stelle. Stefano konnte ihr den Abscheu tatsächlich vom Gesicht ablesen, trotzdem fuhr er schweigend weiter, so dass sie wieder laut wurde, um ihn zum Anhalten zu bewegen. Er fuhr rechts ran, aber als Lila wirklich versuchte, die Autotür zu öffnen, packte er sie am Arm und hielt sie fest.

»Jetzt hör mir mal zu«, sagte er leise. »Es gibt ernste Gründe für das, was passiert ist.«

In aller Ruhe erklärte er ihr, wie die Dinge gelaufen waren. Um zu verhindern, dass die Schuhmacherei geschlossen wurde, noch bevor sie ihre Türen geöffnet hatte, war er gezwungen gewesen, ein Geschäft mit Silvio Solara und seinen Söhnen zu machen, den Einzigen, die in der Lage waren, nicht nur die Schuhe zuverlässig in die besten Läden der Stadt zu bringen, sondern auch bis zum Herbst an der Piazza dei Martiri die Eröffnung eines Geschäfts zu ermöglichen, das ausschließlich Cerullo-Modelle führte.

»Was kümmern mich deine Zwänge!«, unterbrach Lila ihn und machte sich los.

»Meine Zwänge sind auch deine, du bist meine Frau.«

»Ich? Ich bin gar nichts mehr für dich und du für mich auch nicht. Lass meinen Arm los!«

Stefano ließ ihren Arm los.

»Sind dein Vater und dein Bruder auch nichts?«

»Spül dir den Mund aus, bevor du von ihnen sprichst, du bist es nicht wert, auch nur ihre Namen zu erwähnen!«

Doch Stefano erwähnte sie. Er sagte, Fernando persönlich habe die Abmachung mit Silvio Solara gewollt. Sagte, das größte Hindernis sei Marcello gewesen, der unglaublich wütend auf Lila gewesen sei, auf die ganze Familie

Cerullo und besonders auf Pasquale, Antonio und Enzo, die sein Auto demoliert und ihn nach Strich und Faden verprügelt hatten. Sagte, am Ende habe Rino ihn besänftigt, das habe viel Geduld gekostet, und als Marcello gesagt habe: »Dann will ich aber die Schuhe, die Lina gemacht hat«, habe Rino schließlich geantwortet, in Ordnung, dann nimm dir die Schuhe.

Das war ein schwerer Schlag, Lila spürte einen Stich in der Brust. Trotzdem schrie sie:

»Und du, was hast du gemacht?«

Einen Augenblick war Stefano verwirrt.

»Was sollte ich denn machen? Mich mit deinem Bruder streiten, deine Familie ruinieren, zulassen, dass ein Krieg gegen deine Freunde ausbricht, und das ganze Geld verlieren, das ich investiert habe?«

Für Lila klang jedes Wort von vorn bis hinten wie ein verlogenes Schuldeingeständnis. Sie ließ ihn nicht ausreden, schlug nun mit den Fäusten auf seine Schulter ein und kreischte:

»Also hast du auch zugestimmt, du hast die Schuhe geholt und sie ihm gegeben!«

Stefano ließ sie gewähren, und erst als sie erneut die Autotür öffnen wollte, um wegzulaufen, sagte er kalt: »Beruhige dich.« Lila fuhr herum: Sich beruhigen, nachdem er die Schuld auf ihren Vater und ihren Bruder abgewälzt hatte, sich beruhigen, nachdem alle drei sie behandelt hatten wie einen Putzlappen, wie den letzten Dreck. »Ich will mich nicht beruhigen, du Scheißkerl!«, schrie sie. »Bring mich sofort zu mir nach Hause! Was du mir eben erzählt hast, sollst du vor den anderen beiden Arschlöchern wiederholen!« Erst als sie dieses Schimpfwort, *uommen'e mmerd*, im Dialekt herausgeschrien hatte, wurde ihr klar, dass sie Stefanos Beherrschung überstrapaziert hatte. Im selben Augenblick schlug er sie mit seiner kräftigen Hand ins Gesicht, eine extrem brutale Ohrfeige, die ihr wie eine Explosion der Wahrheit erschien. Vor Schreck und wegen des aufflammenden Schmerzes auf ihrer Wange zuckte sie zusammen. Ungläubig sah sie ihn an, während er das Auto wieder in Bewegung setzte und mit einer Stimme sagte, die erstmals seit er begonnen hatte sie zu umwerben, nicht mehr ruhig war, sondern zitterte:

»Siehst du, wozu du mich zwingst? Merkst du, dass du zu weit gehst?«

»Wir haben alles falsch gemacht«, murmelte sie.

Doch Stefano widersprach entschieden, als wollte er diese Möglichkeit nicht einmal in Betracht ziehen, und hielt ihr einen langen Vortrag, teils drohend, teils belehrend, teils theatralisch. Er sagte im Großen und Ganzen Folgendes:

»Wir haben nichts falsch gemacht, Lina, wir müssen nur ein paar Dinge klarstellen. Du heißt nicht mehr Cerullo. Du bist jetzt Signora Carracci und musst tun, was ich dir sage. Ich weiß, du hast keine Erfahrung, verstehst nichts von Geschäften und denkst, für mich liegt das Geld auf der Straße. Aber so ist das nicht. Ich muss das Geld jeden Tag ranschaffen, muss es dort hinbringen, wo es sich vermehren kann. Du hast Schuhe entworfen, und dein Vater und dein Bruder sind gute Handwerker, doch ihr drei zusammen seid nicht in der Lage, Geld zu machen. Die Solaras aber sind es, und darum – hör mir gut zu – ist es mir scheißegal, dass diese Leute dir nicht gefallen. Marcello kotzt mich auch an, und schon wenn er dich bloß von der Seite ansieht und wenn ich daran denke, was er über dich erzählt hat, würde ich ihm am liebsten ein Messer in den Bauch rammen. Doch wenn er mir dabei nützlich ist, Geld zu machen, wird er zum besten Freund, den ich habe. Und weißt du auch warum? Weil wir dieses Auto nicht mehr haben werden und ich dir so ein Kleid nicht mehr kaufen kann, wenn sich das Geld nicht vermehrt. Wir würden auch die Wohnung verlieren, mit allem, was darin ist, und am Ende könntest du nicht mehr die Signora spielen, und unsere Kinder würden wie die Kinder von Bettlern aufwachsen. Also wag es noch ein einziges Mal, das zu mir zu sagen, was du vorhin gesagt hast, und ich schlage dir dein hübsches Gesicht so ein, dass du nicht mehr aus dem Haus gehen kannst. Haben wir uns verstanden? Antworte!«

Lila kniff die Augen zu zwei Schlitzen zusammen. Ihre Wange war violett angelaufen, doch im Übrigen war sie kreidebleich. Sie antwortete ihm nicht.

7

Sie kamen am Abend in Amalfi an. Da sie beide noch nie in einem Hotel gewesen waren, benahmen sie sich denkbar unbeholfen. Stefano hatte vor allem der unbestimmt ironische Ton des Mannes an der Rezeption eingeschüchtert, so dass er unwillkürlich unterwürfig reagierte. Als ihm das bewusst wurde, überspielte er mit schroffen Manieren seine Verlegenheit, schon bei der Frage nach ihren Ausweisen bekam er knallrote Ohren. Inzwischen erschien der Hoteldiener, ein Mann um die fünfzig mit einem fadendünnen Oberlippenbart, aber Stefano stieß ihn zurück wie einen Dieb, dann besann er sich anders und gab ihm verächtlich ein großzügiges Trinkgeld, ohne jedoch seine

Dienste in Anspruch zu nehmen. Lila folgte dem mit Koffern beladenen Stefano die Treppe hinauf und bekam – wie sie mir erzählte – mit jeder Stufe mehr das Gefühl, unterwegs den jungen Mann verloren zu haben, den sie am Morgen geheiratet hatte, und mit einem Fremden zusammen zu sein. War Stefano, mit seinen kurzen, dicken Beinen, seinen langen Armen und seinen weißen Knöcheln, wirklich so breit? An wen hatte sie sich da für immer gebunden? Die Wut, die sie während der Fahrt überwältigt hatte, wich der Besorgnis.

Als sie in ihrem Zimmer waren, bemühte er sich, wieder liebevoll zu sein, aber er war müde und noch gereizt wegen der Ohrfeige, die er ihr hatte geben müssen. Sein Ton war künstlich. Er lobte das geräumige Zimmer, öffnete das Fenster, ging auf den Balkon und sagte zu ihr Komm, was für eine herrliche Luft, sieh nur, wie das Meer glitzert. Doch sie suchte nach einem Ausweg aus dieser Falle und schüttelte geistesabwesend den Kopf, ihr sei kalt. Sofort schloss er das Fenster und ließ beiläufig fallen, wenn sie ein paar Schritte gehen und draußen essen wollten, sei es besser, etwas Wärmeres anzuziehen, er sagte: »Such mir für alle Fälle eine Weste raus«, als lebten sie schon seit vielen Jahren zusammen und als könnte sie mit geübter Hand in die Koffer greifen, für ihn genau die passende Weste finden und für sich einen Pullover. Lila schien einverstanden zu sein, öffnete aber die Koffer nicht, sie suchte weder Pullover noch Weste heraus. Rasch trat sie auf den Flur, keine Minute länger wollte sie in diesem Zimmer bleiben. Er folgte ihr und brummte: »Ich kann auch so bleiben, aber um dich mache ich mir Sorgen, du wirst dich erkälten.«

Sie schlenderten durch Amalfi, zum Dom, die Freitreppe hinauf und bis zum Brunnen wieder hinunter. Stefano gab sich alle Mühe, sie zu unterhalten, aber unterhaltsam zu sein war noch nie seine Stärke gewesen, großspurige Töne oder kluge Sprüche eines gestandenen Mannes, der weiß, was er will, lagen ihm mehr. Lila antwortete kaum, und am Ende beschränkte sich ihr Mann darauf, ihr mit einem »Sieh mal!« dies und das zu zeigen. Doch sie, die bei anderer Gelegenheit jedem Stein Beachtung geschenkt hätte, interessierte sich weder für die Schönheit der Gässchen noch für die duftenden Gärten, nicht für Amalfis Kunst und Geschichte und schon gar nicht für Stefanos Stimme, die lästigerweise in einem fort wiederholte: »Schön, was?«

Lila begann schon bald zu zittern, doch nicht, weil es besonders kalt war, sie war nervös. Er bemerkte es und schlug vor, ins Hotel zurückzukehren, verstieg sich sogar zu einer Bemerkung wie: »Dann können wir uns gegenseitig wärmen.« Aber sie wollte immer weiter spazieren gehen, bis sie, todmüde und ohne sich mit ihm abzusprechen, ein Restaurant betrat, obwohl sie gar nicht hungrig war. Stefano folgte ihr geduldig.

Sie bestellten alles mögliche, aßen fast nichts, tranken viel Wein. Irgendwann hielt er es nicht mehr aus und fragte, ob sie ihm noch böse sei. Lila schüttelte den Kopf, und das meinte sie auch so. Angesichts dieser Frage wunderte sie sich selbst, dass sie nicht den geringsten Groll gegen die Solaras, gegen ihren Vater, gegen ihren Bruder und gegen Stefano hegte. Im Bruchteil einer Sekunde hatte sich in ihrem Kopf alles geändert. Plötzlich lag ihr überhaupt nichts mehr an der Geschichte mit den Schuhen, sie verstand nicht einmal mehr, warum sie sich so darüber aufgeregt hatte, sie an Marcellos Füßen zu sehen. Nun entsetzte und quälte sie der dicke Ring, der an ihrem Finger glänzte. Ungläubig ließ sie den Tag Revue passieren: die Kirche, den Gottesdienst, das Fest. ›Was habe ich nur getan‹, dachte sie vom Wein benebelt, ›und was ist das für ein goldener Ring, diese funkelnde Null, in die ich meinen Finger gesteckt habe?‹ Stefano hatte auch eine, sie leuchtete zwischen pechschwarzen Borsten, männlich behaarten Fingern, wie das in den Büchern hieß. Sie erinnerte sich an ihn in Badehosen, wie sie ihn am Meer gesehen hatte. Ein breiter Brustkorb, riesige Kniescheiben. Nicht das kleinste Detail an ihm weckte, mit diesem Bild heraufbeschworen, irgendein Entzücken in ihr. Er war nun jemand, mit dem sie nichts teilen konnte und der doch in Schlips und Kragen dort saß, die wulstigen Lippen bewegte, sich an seinem fleischigen Ohrläppchen kratzte und sich mit der Gabel häufig etwas von ihrem Teller nahm. Er hatte fast nichts mit dem Lebensmittelhändler aus der Salumeria gemein, zu dem sie sich hingezogen gefühlt hatte, mit dem ehrgeizigen, sehr selbstsicheren, gesitteten jungen Mann, mit dem Bräutigam vom Vormittag in der Kirche. Er zeigte schneeweiße Reißzähne und eine rote Zunge in der schwarzen Öffnung seines Mundes, und etwas in ihm und um ihn herum war zu Bruch gegangen. An diesem Tisch, zwischen dem Kommen und Gehen der Kellner, schien ihr alles, was sie bis hierher, bis nach Amalfi, gebracht hatte, ohne jeden logischen Zusammenhang und gleichwohl unerträglich real zu sein. Und während dieser nicht wiederzuerkennende Jemand bei dem Gedanken leuchtende Augen bekam, dass sich das Gewitter verzogen hatte, dass Lila seine Beweggründe verstanden und akzeptiert hatte und dass er ihr endlich von seinen großartigen Plänen erzählen konnte, verfiel sie auf die Idee, ein Messer vom Tisch zu entwenden, um es ihm in den Hals zu rammen, falls er im Hotelzimmer versuchen sollte, sie anzurühren.

Schließlich tat sie es doch nicht. Denn in diesem Restaurant und an diesem Tisch hielt sie, vom Wein betäubt, ihre ganze Hochzeit vom Brautkleid bis zum Trauring nun für sinnlos, und es schien ihr auch so, als müsste jedes eventuelle Verlangen nach Sex von Seiten Stefanos vor allem ihm selbst unsinnig vorkommen. Daher prüfte sie zwar zunächst, wie sie das Messer wegnehmen könnte (sie bedeckte es mit der Serviette, die sie von ihren Knien genommen hatte, legte beides auf ihren Schoß und wollte schon zu ihrer Tasche greifen, um das Messer hineinfallen zu lassen, und die Serviette wieder auf den Tisch legen), ließ es dann aber sein. Die Schrauben, die ihre neue Situation als Ehefrau, das Restaurant und Amalfi zusammenhielten, waren für sie so gelockert, dass Stefanos Stimme sie gegen Ende des Essens nicht mehr erreichte und Lila nur noch ein undefinierbares Getöse von Dingen, Menschen und Gedanken in den Ohren hatte.

Auf der Straße fing er wieder mit den guten Seiten der Solaras an. Sie kannten, sagte er, einflussreiche Leute in der Stadtverwaltung, genossen die Protektion von *Stella e Corona* und von den MSI-Faschisten. Er redete gern so, als verstünde er wirklich etwas von den Machenschaften der Solaras, schlug einen sachverständigen Ton an und erklärte: »Politik ist grässlich, aber notwendig, wenn man Geld machen will.« Lila fielen die Gespräche ein, die sie vor einiger Zeit mit Pasquale geführt hatte, und auch die mit Stefano in ihrer Verlobungszeit, der Plan, sich vollkommen von den Eltern zu lösen, von den Gewalttaten, der Heuchelei und den Grausamkeiten der Vergangenheit. ›Er hat mir zugestimmt‹, dachte sie. ›Er hat gesagt, er ist meiner Meinung, dabei hat er mir gar nicht zugehört. Mit wem habe ich da gesprochen? Ich kenne diesen Menschen nicht, ich weiß nicht, wer er ist.‹

Trotzdem zog sie sich nicht zurück, als er ihre Hand nahm und ihr ins Ohr flüsterte, dass er sie liebe. Vielleicht hatte sie vor, ihn glauben zu lassen, dass alles in Ordnung sei, dass sie tatsächlich ein Brautpaar auf Hochzeitsreise seien, um ihn dann umso tiefer zu verletzen, wenn sie ihm mit dem ganzen Abscheu, den sie in sich spürte, sagen würde: »Ob ich mit dem Hoteldiener ins Bett gehe oder mit dir, beides ist gleichermaßen ekelhaft – ihr habt beide diese gelben Raucherfinger.« Oder vielleicht – und das halte ich für wahrscheinlicher – war sie zu erschrocken und verschob jede Reaktion auf später.

Kaum waren sie in ihrem Zimmer, versuchte er, sie zu küssen, sie wich ihm aus. Ernst öffnete sie die Koffer, nahm ihr Nachthemd heraus und gab ihrem Mann den Pyjama, was ihn zu einem zufriedenen Lächeln über diese Aufmerksamkeit veranlasste und zu einem erneuten Versuch, sie zu umarmen. Aber sie zog sich ins Bad zurück.

Als sie allein war, spritzte sie sich lange Wasser ins Gesicht, um die Benommenheit vom Wein und den Eindruck einer ihrer Konturen beraubten Welt loszuwerden. Es gelang ihr nicht, stattdessen verstärkte sich ihr Gefühl, dass es ihren Bewegungen an Koordination fehlte. ›Was soll ich bloß machen?‹, dachte sie. ›Die ganze Nacht hier eingeschlossen bleiben. Und dann.‹

Sie bereute, das Messer nicht mitgenommen zu haben, und glaubte einen kurzen Moment sogar, sie hätte es getan, musste dann aber einsehen, dass es nicht so war. Sie setzte sich auf den Rand der Badewanne, verglich sie bewundernd mit der in ihrer neuen Wohnung und dachte, dass ihre schöner war. Auch ihre Handtücher waren von einer besseren Qualität. Ihre? Wem gehörten die Handtücher, die Badewanne, das alles denn eigentlich? Sie fühlte sich unbehaglich bei dem Gedanken, dass der Besitz der schönen, neuen Dinge nur durch den Namen dieses einen Menschen garantiert war, der im Zimmer auf sie wartete. Es war Carraccis Kram, auch sie gehörte zu Carraccis Kram. Stefano klopfte an die Tür.

»Was machst du, geht es dir gut?«

Sie antwortete nicht.

Ihr Mann wartete einen Moment und klopfte erneut. Da nichts geschah, drückte er gereizt auf die Klinke und sagte scheinbar amüsiert:

»Muss ich erst die Tür eintreten?«

Lila zweifelte nicht daran, dass er dazu fähig war, der Fremde, der draußen auf sie wartete, war zu allem fähig. ›Auch ich bin zu allem fähig‹, dachte sie. Sie zog sich aus, wusch sich und zog das Nachthemd an, wobei sie sich für die Sorgfalt verachtete, mit der sie es Monate zuvor ausgesucht hatte. Stefano – ein bloßer Name, der nicht mehr zu der Vertrautheit und der Zuneigung von vor wenigen Stunden passte – saß im Pyjama auf dem Bettrand und sprang auf, als sie erschien.

»Du hast dir Zeit gelassen.«

»So viel Zeit wie nötig.«

»Du bist so schön.«

»Ich bin todmüde, ich will schlafen.«

»Wir schlafen nachher.«

»Nein, jetzt. Du auf deiner Seite, ich auf meiner.«

»Einverstanden, komm.«

»Ich meine es ernst.«

»Ich auch.«

Stefano lachte ironisch auf und griff nach ihrer Hand. Lila entzog sich ihm, sein Gesicht verfinsterte sich.

»Was hast du?«

Sie zögerte. Suchte nach den richtigen Worten, sagte leise:

»Ich will dich nicht.«

Stefano schüttelte unschlüssig den Kopf, als hätte sie diese vier Worte in einer fremden Sprache gesagt. Er flüsterte, er habe lange auf diesen Moment gewartet, Tag und Nacht. »Bitte«, sagte er schmeichelnd und machte eine fast schon verzagte Geste, er wies mit einem schiefen Lächeln auf seine weinrote Pyjamahose und sagte: »Sieh bloß, was passiert, wenn ich dich nur ansehe.« Widerwillig schaute sie hin und wandte den Blick mit einer Anwandlung von Ekel sofort wieder ab.

Als Stefano bemerkte, dass sie sich erneut im Bad einschließen wollte, schnellte er wie ein Tier vor, packte sie an der Taille, hob sie hoch und warf sie aufs Bett. Was war hier los? Es war doch klar, dass er nicht verstehen wollte. Er glaubte, sie hätten sich im Restaurant versöhnt, und fragte sich nun: ›Warum ist Lina jetzt so, sie benimmt sich wirklich wie ein kleines Mädchen.‹ Währenddessen beugte er sich lachend über sie und versuchte, sie zu beruhigen.

»Das ist was Schönes«, sagte er. »Du brauchst keine Angst zu haben. Du bedeutest mir mehr als meine Mutter und meine Schwester.«

Aber nichts zu machen, sie zog sich schon wieder hoch, um ihm zu entwischen. ›Wie schwer es doch ist, diesem Mädchen beizukommen: Sie sagt ja und meint nein, sie sagt nein und meint ja.‹ Leise sagte er: »Schluss jetzt mit dem Theater«, und hielt sie erneut fest, setzte sich rittlings auf sie und presste ihre Handgelenke auf die Bettdecke.

Er sagte: »Du hast gesagt, wir müssen warten, und wir haben gewartet, obwohl es schrecklich war, in deiner Nähe zu sein, ohne dich berühren zu dürfen, und ich darunter gelitten habe. Aber jetzt sind wir verheiratet, sei brav und hab keine Angst.«

Er beugte sich hinunter, um sie auf den Mund zu küssen, doch sie warf ihren Kopf heftig nach rechts und links, entwand sich ihm und stieß noch einmal hervor:

»Lass mich, ich will dich nicht, ich will dich nicht, ich will dich nicht!«

Da wurde Stefanos Stimme fast gegen seinen Willen lauter:

»Jetzt gehst du mir aber wirklich auf die Nüsse, Lina!«

Diesen Satz wiederholte er mit zunehmender Lautstärke zwei-, dreimal, wie um einen Befehl ganz aufzunehmen, der aus weiter Ferne zu ihm kam, vielleicht direkt aus der Zeit vor seiner Geburt. Der Befehl lautete: »Sei ein Mann, Ste'! Wenn du sie jetzt nicht bezwingst, bezwingst du sie nie. Deine Frau muss unverzüglich lernen, dass sie die Frau ist und du der Mann bist und dass sie dir deshalb gehorchen muss.« Als Lila ihn so hörte – du gehst mir auf die Nüsse, du gehst mir auf die Nüsse, du gehst mir auf die Nüsse –, als sie ihn so sah, breit, schwer auf ihrem zarten Becken, mit einem Ständer, der den Pyjamastoff wie eine Zeltstange spannte, erinnerte sie sich, wie er Jahre zuvor versucht hatte, mit den Fingern ihre Zunge zu packen und mit einer Nadel hineinzustechen, weil sie es sich erlaubt hatte, Alfonso im Schulwettbewerb zu besiegen. Er ist nie Stefano gewesen, glaubte sie plötzlich zu erkennen, er war immer nur Don Achilles ältester Sohn. Dieser Gedanke ließ auf dem jungen Gesicht ihres Mannes plötzlich Züge hervorquellen, die sich bis dahin wohlweislich tief in ihm versteckt hatten, die aber seit jeher da gewesen waren und auf ihren Moment gewartet hatten. Oh ja, um im Rione zu gefallen, um ihr zu gefallen, hatte Stefano sich alle Mühe gegeben, ein anderer zu sein. Sein Gesicht hatte die weichen Züge der Freundlichkeit angenommen, sein Blick hatte sich der Sanftmut angepasst, seine Stimme hatte sich auf versöhnliche Töne eingepegelt, seine Finger, seine Hände, sein ganzer Körper hatten gelernt, seine Kraft zurückzuhalten. Aber nun begannen die Konturen, in die er sich lange Zeit hineingezwängt hatte, nachzugeben, so dass Lila von einem kindlichen Entsetzen gepackt wurde, einem größeren als damals, als wir in den Keller hinuntergegangen waren, um unsere Puppen zu holen. Aus dem Schmutz des Rione erstand, sich von der lebenden Materie seines Sohnes nährend, Don Achille wieder auf. Der Vater sprengte Stefanos Haut, veränderte dessen Blick, brach aus dessen Körper hervor. Und da war er tatsächlich, zerriss ihr das Nachthemd, entblößte ihren Busen, knetete ihn wild und beugte sich hinunter, um an ihren Brustwarzen zu nagen. Als sie ihr Entsetzen unterdrückte, wie sie es schon immer gekonnt hatte, und versuchte, ihn von sich wegzureißen, indem sie ihn an den Haaren zog, und mit dem Mund nach ihm zu schnappen, um ihn blutig zu beißen, zog er sich zurück, packte ihre Arme, klemmte sie unter seine stämmigen, angewinkelten Beine und sagte verächtlich: »Was machst du denn, halt still, du bist weniger als ein Strohhalm. Wenn ich dich zerbrechen will, zerbreche ich dich.« Aber Lila beruhigte sich nicht, sie biss weiter in die Luft und bäumte sich auf, um sich von seinem Gewicht zu befreien. Vergebens. Er hatte nun die Hände frei und gab ihr über sie gebeugt kleine Ohrfeigen mit den Fingerspitzen und wiederholte drängend immer wieder: »Du willst sehen, wie groß er ist, stimmt's? Sag ja, sag ja, sag ja!«, bis er sein plumpes Ding aus dem Pyjama holte, das ihr, so über ihr aufgereckt, wie eine Puppe ohne Arme und Beine erschien, hochrot in stummen Zuckungen und begierig, sich von jener anderen, größeren Puppe loszureißen, die heiser sagte: »Jetzt wirst du ihn spüren, Lina, sieh mal, was für ein Prachtexemplar, so einen hat keiner.« Da sie sich unaufhörlich hin und her warf, schlug er ihr zweimal ins Gesicht, zunächst mit der flachen Hand, dann mit dem Handrücken, und dies mit einer solchen Wucht, dass ihr klar wurde, wenn sie sich weiter wehrte, würde er sie mit Sicherheit umbringen – oder zumindest hätte Don Achille es getan, er hatte dem ganzen Rione gerade deshalb Angst eingeflößt, weil alle wussten, dass er die Kraft besaß, jemanden gegen eine Wand oder gegen einen Baum zu schmettern –, und so entledigte sie sich allen Widerstands und überließ sich einem lautlosen Grauen, während er zurückglitt, ihr Nachthemd hochschob und ihr ins Ohr flüsterte: »Du hast keine Ahnung, wie sehr ich dich liebe, aber du wirst es merken, und schon morgen wirst du selbst mich bitten, dich so wie jetzt und noch mehr zu lieben, du wirst mich sogar auf Knien anflehen, und ich werde einwilligen, aber nur, wenn du gehorchst, und du wirst gehorchen.«

Als er nach einigen ungeschickten Versuchen mit begeisterter Brutalität ihr Fleisch zerriss, war Lila weit weg. Die Nacht, das Zimmer, das Bett, seine Küsse, seine Hände auf ihrem Körper und jede Sensibilität waren von nur einem Gefühl aufgesogen: Sie hasste Stefano Carracci, sie hasste seine Kraft, hasste sein Gewicht auf ihr, hasste seinen Vor- und seinen Zunamen.

8

Vier Tage später kehrten sie in den Rione zurück. Noch am selben Abend lud Stefano seine Schwiegereltern und seinen Schwager in die neue Wohnung ein. Mit einer bescheideneren Miene als sonst bat er Fernando, Lila zu erzählen, wie sich die Sache mit Silvio Solara zugetragen hatte. Fernando bestätigte seiner Tochter gegenüber mit abgehackten, unwirschen Sätzen Stefanos Version. Gleich darauf forderte Carracci Rino auf zu erklären, warum sie sich mit großem Bedauern, doch einhellig dazu entschlossen hätten, Marcello die Schuhe zu überlassen, die er verlangt hatte. Rino verkündete großspurig, es gebe Situationen, in denen man keine Wahl habe, womit er auf die ernsten Schwierigkeiten anspielte, in die sich Pasquale, Antonio und Enzo gebracht hatten, als sie die Solara-Brüder verprügelt und ihr Auto demoliert hatten.

»Weißt du, wer sich am meisten in Gefahr gebracht hat?«, fragte er mit einer immer lauter werdenden Stimme und beugte sich zu seiner Schwester. »Deine Freunde, diese edlen Ritter. Marcello hat sie erkannt und war davon überzeugt, dass du sie geschickt hast. Wie sollten Stefano und ich uns verhalten? Wolltest du, dass die drei Idioten das Dreifache der Prügel bezogen, die sie ausgeteilt hatten? Wolltest du sie zugrunde richten? Und wofür? Für ein Paar Schuhe, Größe 43, die dein Mann nicht tragen kann, weil sie ihm zu klein sind, und die bei Regen Wasser ziehen? Wir haben für Frieden gesorgt, und weil Marcello so viel an den Schuhen lag, haben wir sie ihm schließlich gegeben.«

Worte: Damit lässt sich machen, was man will. Lila konnte immer gut mit Worten umgehen, doch allen Erwartungen zum Trotz machte sie diesmal den Mund nicht auf. Erleichtert und in einem gehässigen Ton erinnerte Rino sie daran, dass gerade sie ihm von klein auf damit in den Ohren gelegen habe, sie müssten reich werden. »Also«, sagte er lachend, »lass uns reich werden, ohne uns das Leben schwer zu machen, das ist schon schwer genug.«

In dem Moment klingelte es an der Tür – für die Hausherrin überraschend, für die anderen sicherlich nicht –, und Pinuccia, Alfonso und ihre Mutter Maria kamen mit einem Tablett frischem Gebäck, das Spagnuolo, der Konditor der Solaras, persönlich zubereitet hatte.

Anfangs sah es so aus, als sollte damit die Rückkehr des Brautpaars von seiner Hochzeitsreise gefeiert werden, dafür sprach jedenfalls, dass Stefano die soeben vom Fotografen abgeholten Hochzeitsbilder herumreichte (der Film – erklärte er – brauchte etwas länger). Aber schnell wurde klar, dass Stefanos und Lilas Hochzeit bereits Schnee von gestern war, dass das Gebäck zur Feier eines neuen Glücks gedacht war, der Verlobung von Rino und Pinuccia. Die Spannungen wurden überspielt. Statt der harten Worte von vor wenigen Minuten schlug Rino nun zärtliche Töne im Dialekt an, gab schwülstige Liebeserklärungen ab und äußerte die Idee, hier in der schönen Wohnung seiner Schwester sogleich die Verlobung zu feiern. Theatralisch zog er ein Päckchen aus seiner Tasche.

Als es ausgewickelt wurde, kam ein dunkles, gewölbtes Kästchen zum Vorschein, und als das dunkle, gewölbte Kästchen geöffnet wurde, erschien ein Brillantring.

Lila sah, dass er sich kaum von dem unterschied, den sie zusammen mit ihrem Trauring am Finger trug, und fragte sich, woher ihr Bruder das Geld dafür hatte. Es gab Umarmungen und Küsse. Man sprach viel über die Zukunft. Überlegungen wurden angestellt, wer sich um das Schuhgeschäft Cerullo an der Piazza dei Martiri kümmern sollte, wenn die Solaras es im Herbst eröffneten. Rino erwog, dass Pinuccia es leiten könnte, vielleicht allein, vielleicht gemeinsam mit Gigliola Spagnuolo, die sich offiziell mit Michele verlobt hatte und daher Ansprüche anmeldete. Das Familientreffen wurde heiterer und sehr hoffnungsfroh.

Lila blieb fast die ganze Zeit stehen, das Sitzen tat ihr weh. Niemandem, nicht einmal ihrer Mutter, die immerfort schwieg, schien aufzufallen, dass ihr rechtes Auge geschwollen und dunkelblau angelaufen war, dass ihre Unterlippe aufgeplatzt war und dass sie auf den Armen blaue Flecke hatte.

9

In diesem Zustand war sie noch, als ich ihr auf der Treppe zur Wohnung ihrer Schwiegermutter die Sonnenbrille abnahm und das Kopftuch beiseiteschob. Die Haut rings um ihr Auge war gelblich verfärbt, und ihre Unterlippe war ein violetter Fleck mit feuerroten Streifen.

Ihren Verwandten und Freunden hatte sie gesagt, sie wäre auf den Klippen von Amalfi gestürzt, als sie und ihr Mann an einem schönen, sonnigen Morgen mit dem Boot zu einem Strand direkt unter einer gelben Steilwand gefahren seien. Als sie diese Lüge auf der Verlobungsfeier ihres Bruders und Pinuccias erzählte, war ihr Ton sarkastisch, und alle hatten ihr mit dem gleichen Sarkasmus geglaubt, vor allem die Frauen, die seit jeher wussten, was sie zu sagen hatten, wenn die Männer, von denen sie geliebt wurden und die sie liebten, kräftig zuschlugen. Außerdem gab es niemanden im Rione, vor allem nicht weiblichen Geschlechts, der nicht der Ansicht war, sie hätte schon längst eine gehörige Abreibung verdient. Daher erregten die Schläge keinen Anstoß, und Stefano erntete sogar noch mehr Sympathie und Respekt, das war doch einer, der wusste, wie sich ein ganzer Mann benahm.

Mir aber schnürte es die Kehle zu, Lila so übel zugerichtet zu sehen, ich umarmte sie. Als sie sagte, sie habe mich nicht besucht, weil sie nicht wollte, dass ich sie so sah, kamen mir die Tränen. Die zwar nüchterne, fast schon eiskalte Schilderung der Flitterwochen, wie sie in den Fotoromanen genannt wurden, machte mich wütend, machte mich traurig. Trotzdem, muss ich zugeben, empfand ich auch eine leise Freude. Es war mir angenehm zu sehen, dass Lila nun Hilfe und vielleicht Schutz brauchte, und dieses Eingeständnis ihrer Verletzlichkeit nicht dem Rione, sondern mir gegenüber berührte mich. Ich spürte, dass sich der Abstand zwischen uns unverhofft wieder verringert hatte, und ich war kurz davor, ihr zu sagen, dass ich beschlossen hätte, nicht mehr zur Schule zu gehen, dass es unnütz sei, zur Schule zu gehen, dass ich nicht das Zeug dazu hätte. Ich glaubte, diese Nachricht würde sie trösten.

Doch am Geländer im obersten Stockwerk erschien ihre Schwiegermutter und rief sie. Lila beendete ihre Erzählung mit einigen hastigen Sätzen und sagte, Stefano habe sie getäuscht, er sei genauso wie sein Vater.

»Weißt du noch, wie Don Achille uns statt unserer Puppen Geld gegeben hat?«

»Ja.«

»Das hätten wir nicht annehmen sollen.«

»Wir haben uns *Betty und ihre Schwestern* davon gekauft.«

»Das war falsch von uns. Seit damals habe ich immer alles falsch gemacht.«

Sie war nicht aufgeregt, sie war niedergeschlagen. Sie setzte sich die Sonnenbrille wieder auf, verknotete ihr Kopftuch wieder. Mir gefiel dieses *Wir* (*wir* hätten das nicht annehmen sollen, das war falsch von *uns*), doch ihr abrupter Übergang zum *Ich* ärgerte mich: *Ich* habe immer alles falsch gemacht. *Wir*, wollte ich Lila korrigieren, *immer wir*, aber ich tat es nicht. Sie schien zu versuchen, ihre neue Situation zur Kenntnis zu nehmen, und dringend herausfinden zu wollen, woran sie sich klammern konnte, um ihrer Herr zu werden. Bevor sie auf der Treppe um die Ecke bog, fragte sie mich:

»Willst du zum Lernen zu mir kommen?«

»Wann denn?«

»Jeden Nachmittag, morgen, jeden Tag.«

»Stefano wird sich gestört fühlen.«

»Wenn er der Chef ist, dann bin ich die Frau des Chefs.«

»Ich weiß nicht, Lila.«

»Ich geb' dir ein Zimmer, in das kannst du dich zurückziehen.«

»Und wozu soll das gut sein?«

Sie zuckte mit den Schultern.

»Um zu wissen, dass du da bist.«

Ich sagte weder ja noch nein. Ich verabschiedete mich und schlenderte wie üblich durch die Stadt. Lila war überzeugt davon, dass ich nie mit der Schule aufgehört hatte. Sie hatte mir die Rolle der bebrillten, pickligen Freundin zugewiesen, die stets über ihren Büchern hockte und hervorragend in der Schule war, und kam gar nicht auf die Idee, dass ich mich ändern könnte. Aber ich wollte aus dieser Rolle heraus. Ich glaubte, durch den Tiefschlag meines nicht gedruckten Artikels meine ganze Unzulänglichkeit erkannt zu haben. Nino, der wie Lila und ich in den Grenzen unseres elenden Rione geboren und aufgewachsen war, verstand es, das gelernte Wissen klug anzuwenden, ich nicht. Also Schluss damit, sich was vorzumachen, Schluss mit der Plackerei. Man musste das Schicksal hinnehmen, wie es vor einer Weile Carmela, Ada, Gigliola und, auf ihre Art, auch Lila getan hatten. Ich ging weder an jenem Nachmittag noch an den folgenden Tagen zu ihr, schwänzte weiter die Schule und quälte mich.

Eines Morgens strich ich in der Nähe meines Gymnasiums herum, ich spazierte durch die Via Veterinaria am Botanischen Garten. Mir gingen die Gespräche durch den Kopf, die ich kürzlich mit Antonio geführt hatte. Er hoffte, als Sohn einer Witwe und als einzige Stütze der Familie den Militärdienst umgehen zu können, wollte in der Werkstatt um eine Lohnerhöhung bitten und sparen, um eine Tanksäule am Stradone pachten zu können, wir würden heiraten, und ich würde ihm an der Tanksäule helfen. Eine Entscheidung für ein einfaches Leben, meine Mutter würde das begrüßen. ›Ich kann es nicht andauernd Lila recht machen‹, sagte ich mir. Aber wie schwer war es, die durch das Lernen geweckten Ambitionen wieder aus dem Kopf zu kriegen. Zum Unterrichtsende ging ich fast gegen meinen Willen in die Gegend der Schule und schlenderte dort herum. Ich fürchtete, die Lehrer könnten mich sehen, und wünschte mir zugleich, dass sie mich sahen. Ich wollte ein für alle Mal als eine gebrandmarkt werden, die nicht mehr die Musterschülerin war, oder wollte wieder vom Schulrhythmus gepackt werden und mich dem Zwang unterwerfen, weiterzumachen.

Die ersten Schülergrüppchen tauchten auf. Ich hörte, wie mich jemand rief, es war Alfonso. Er wartete auf Marisa, doch sie verspätete sich.

»Seid ihr jetzt zusammen?«, zog ich ihn auf.

»Ach was, das denkt nur sie.«

»Du Lügner.«

»Du bist hier die Lügnerin. Du hast erzählt, du bist krank, aber sieh dich mal an, dir geht's doch glänzend. Professoressa Galiani erkundigt sich ständig nach dir, ich hab' ihr gesagt, du hast ein schlimmes Fieber.«

»Das habe ich doch auch.«

»Na klar, sieht man ja.«

Er trug die mit einem Gummiband zusammengehaltenen Bücher unterm Arm und hatte ein von der Anspannung der Schulstunden erschöpftes Gesicht. Barg auch Alfonso trotz seines zarten Aussehens seinen Vater Don Achille in sich? Konnte es sein, dass Eltern nie starben, dass jedes Kind sie unweigerlich in sich trug? Würde demnach aus mir wirklich meine Mutter, ihr hinkender Gang, hervorbrechen wie ein Verhängnis?

Ich fragte ihn:

»Hast du gesehen, was dein Bruder Lila angetan hat?«

Alfonso wurde verlegen.

»Ja.«

»Und da sagst du nichts zu ihm?«

»Man muss auch sehen, was Lina ihm angetan hat.«

»Wärst du imstande, das Gleiche mit Marisa zu tun?«

Er lächelte schüchtern.

»Nein.«

»Bist du sicher?«

»Ja.«

»Wieso?«

»Weil ich dich kenne, weil wir uns unterhalten, weil wir zusammen zur Schule gehen.«

Ich verstand nicht sofort. Was sollte das heißen: ich kenne dich, was bedeutete: wir unterhalten uns und gehen zusammen zur Schule? Ich sah Marisa am Ende der Straße auftauchen, sie rannte, weil sie zu spät war.

»Da kommt deine Freundin«, sagte ich.

Er drehte sich nicht um, zuckte mit den Achseln und brummte:

»Bitte komm wieder zur Schule.«

»Mir geht's nicht gut«, sagte ich nachdrücklich und ging.

Nicht einmal einen Gruß wollte ich mit Ninos Schwester wechseln, jedes Zeichen, das ihn heraufbeschwor, machte mich unruhig. Dafür hatten mir Alfonsos nebulöse Worte gutgetan, ich ließ sie mir unterwegs noch einmal durch den Kopf gehen. Er hatte gesagt, er würde sich, wenn er eine Frau hätte, niemals mit Schlägen Autorität bei ihr verschaffen, weil er mich kannte, weil wir uns unterhielten und weil wir auf derselben Schulbank saßen. Er hatte mit einer schutzlosen Aufrichtigkeit gesprochen, ohne davor zurückzuschrecken, mir, wenn auch verschwommen, die Fähigkeit zuzugestehen, Einfluss auf ihn, einen Jungen, auszuüben und seine Verhaltensweisen zu verändern. Ich war ihm dankbar für diese verschwommene Botschaft, die mich tröstete und mich mit mir selbst zu versöhnen begann. Eine wacklig gewordene Überzeugung braucht nicht viel, um so schwach zu werden, dass sie wegbricht. Am folgenden Tag fälschte ich die Unterschrift meiner Mutter, ich ging wieder zur Schule. Abends an den Teichen versprach ich Antonio dicht an ihn geschmiegt, um der Kälte zu entgehen: »Ich mache dieses Schuljahr zu Ende, und dann heiraten wir.«

10

Ich hatte Mühe, den versäumten Stoff nachzuholen, besonders in den Naturwissenschaften, und es war nicht leicht, mich seltener mit Antonio zu treffen, um mich auf meine Bücher konzentrieren zu können. Wenn ich eine Verabredung ausfallen ließ, weil ich lernen musste, verfinsterte sich sein Gesicht, er fragte alarmiert:

»Stimmt was nicht?«

»Ich habe jede Menge Hausaufgaben auf.«

»Wieso sind es plötzlich so viele?«

»Es waren schon immer viele.«

»In letzter Zeit hattest du nie welche auf.«

»Das war Zufall.«

»Was verschweigst du mir, Lenù?«

»Nichts.«

»Hast du mich noch lieb?«

Ich beruhigte ihn, doch währenddessen verging unsere Zeit wie im Flug, und ich kam wütend über mich selbst nach Hause, weil ich noch so viel zu lernen hatte.

Antonio hatte nur einen wunden Punkt: Sarratores Sohn. Er fürchtete, ich könnte mit Nino sprechen oder ihn auch nur sehen. Um Antonio nicht zu quälen, verschwieg ich ihm natürlich, dass ich beim Hineingehen, beim Hinausgehen und auf den Fluren der Schule auf Nino traf. Es geschah nichts Besonderes, wir nickten uns allenfalls zu und hasteten weiter. Das hätte ich meinem Freund problemlos erzählen können, wenn er vernünftig gewesen wäre. Aber Antonio war nicht vernünftig, und im Grunde war ich es auch nicht. Obwohl Nino mich nicht ermutigte, schwebte ich im Unterricht nach einer flüchtigen Begegnung mit ihm im siebten Himmel. Seine Anwesenheit ein paar Klassenzimmer weiter, er – wahrhaftig, lebendig, gebildeter als die Lehrer, mutig und ungehorsam – raubte den Vorträgen meiner Lehrer, den Zeilen in den Büchern, meinen Heiratsplänen und der Tanksäule am Stradone jeden Sinn.

Auch zu Hause konnte ich nicht lernen. Zu den Gedanken an Antonio, an Nino, an die Zukunft kam die Reizbarkeit meiner Mutter, die mich anschrie, ich solle dies tun und das tun, kamen meine Geschwister, die mir nacheinander ihre Schulaufgaben vorlegten. Diese ständigen Störungen waren nichts Neues, ich hatte immer in einem großen Durcheinander gelernt. Doch jetzt schien meine frühere Entschlossenheit verbraucht zu sein, die es mir erlaubt hatte, auch unter solchen Bedingungen mein Bestes zu geben, ich konnte oder wollte die Schule nicht mehr mit den Bedürfnissen aller anderen vereinbaren. Darum ließ ich den Nachmittag verstreichen und half meiner Mutter, widmete mich den Hausaufgaben meiner Geschwister und lernte fast gar nicht für mich. Während ich früher den Büchern meinen Schlaf geopfert hatte, ließ ich nun, weil ich immer noch erschöpft war und der Schlaf mir wie eine Kampfpause erschien, abends die Schulaufgaben sausen und ging ins Bett.

So kam es, dass ich nicht nur geistesabwesend, sondern auch unvorbereitet zum Unterricht erschien und beständig in der Angst lebte, dass die Lehrer mich abfragten. Was auch schon bald geschah. Einmal fing ich an einem einzigen Tag eine miserable Zwei in Chemie, eine Vier in Kunstgeschichte und eine Drei in Philosophie, und meine Nerven lagen so blank, dass ich nach der letzten schlechten Zensur vor der Klasse in Tränen ausbrach. Es war fürchterlich, ich spürte das Entsetzen und den Genuss, mich zu verlieren, den Schrecken und den Stolz der Entgleisung.

Beim Hinausgehen richtete Alfonso mir aus, dass seine Schwägerin mich bitte, sie zu besuchen. »Geh zu ihr«, drängte er mich, »dort kannst du garantiert besser lernen als zu Hause.« Daher beschloss ich noch am selben Nachmittag, mich auf den Weg ins neue Viertel zu machen. Aber ich ging nicht zu Lila, um eine Lösung für meine schulischen Probleme zu finden, für mich war klar, dass wir die ganze Zeit verplaudern würden und sich meine Lage weiter zuspitzen würde. Ich sagte mir: Lieber bei einem Schwatz mit Lila aus dem Gleis geraten als zwischen dem Geschrei meiner Mutter, den fordernden Quengeleien meiner Geschwister, der Sehnsucht nach dem jungen Sarratore und Antonios Vorwürfen. So würde ich wenigstens etwas über das Eheleben erfahren, welches – das hielt ich inzwischen für unzweifelhaft – demnächst auf mich zukam.

Lila begrüßte mich sichtlich erfreut. Ihr Auge war abgeschwollen, ihre Lippe verheilte allmählich. Sie war sorgfältig gekleidet und frisiert, die Lippen geschminkt, und sie bewegte sich in der Wohnung, als wäre ihr Zuhause ihr fremd und sie nur zu Besuch. Am Eingang stapelten sich noch die Hochzeitsgeschenke, und in den Zimmern hing der Geruch nach Kalk und frischem Anstrich, vermischt mit dem vagen Alkoholgeruch, der von den neuen Möbeln im Esszimmer ausging, vom Tisch, vom Büfett mit dem von Blattwerk aus dunklem Holz gerahmten Spiegel und von der Vitrine voller Silberzeug, Teller, Gläser und Flaschen mit bunten Likören.

Lila machte Kaffee, und mir gefiel es, mit ihr in der großen Küche zu sitzen und die feine Dame zu spielen, wie wir es als kleine Mädchen vor dem Kellerfenster getan hatten. ›Es ist entspannend‹, dachte ich, ›es war falsch, nicht schon eher herzukommen.‹ Ich hatte eine Freundin in meinem Alter mit einer eigenen Wohnung voller teurer, schicker Dinge. Diese Freundin, die den ganzen Tag nichts zu tun hatte, schien sich über meine Gesellschaft zu freuen. Obgleich wir uns verändert hatten und die Veränderungen noch andauerten, hielt die Herzlichkeit zwischen uns unvermindert an. Warum, also, sollte ich mich nicht entspannen? Zum ersten Mal seit ihrer Hochzeit gelang es mir, mich wohlzufühlen.

»Wie geht's mit Stefano?«, erkundigte ich mich.

»Gut.«

»Habt ihr alles geklärt?«

Sie lächelte amüsiert.

»Ja, es ist alles klar.«

»Und?«

»Es ist ekelhaft.«

»Genauso wie in Amalfi?«

»Ja.«

»Hat er dich noch mal geschlagen?«

Sie betastete ihr Gesicht.

»Nein, das ist alt.«

»Was dann?«

»Es ist die Erniedrigung.«

»Und du?«

»Ich mache, was er will.«

Ich dachte kurz nach, dann fragte ich anspielungsreich:

»Ist es denn wenigstens schön, wenn ihr zusammen schlaft?«

Missmutig verzog sie das Gesicht und wurde sehr ernst. Sie begann mit einer Art angewiderter Akzeptanz über ihren Mann zu reden. Da war keine Feindseligkeit, da war kein Bedürfnis nach Rache, da war nicht einmal Abscheu, sondern nur eine ruhige Verachtung, eine Geringschätzung, die Stefanos ganze Person angriff wie verseuchtes Wasser den Boden.

Ich hörte zu, verstand und verstand nicht. Vor einiger Zeit hatte sie Marcello mit dem Schustermesser bedroht, nur weil er es gewagt hatte, mich am Handgelenk zu packen und mein Armband zu zerreißen. Seit diesem Vorfall war ich überzeugt davon, dass sie Marcello umbringen würde, falls er sie auch nur flüchtig berührte. Aber bei Stefano zeigte sie nun keine so eindeutige Aggressivität. Gewiss, die Erklärung dafür lag auf der Hand: Von klein auf hatten wir gesehen, wie unsere Väter unsere Mütter schlugen. Wir waren mit der Vorstellung aufgewachsen, dass ein Fremder uns keinesfalls anrühren durfte, dass aber unser Vater, unser Verlobter, unser Ehemann uns ohrfeigen durfte, wann immer er wollte, aus Liebe, um uns zu erziehen und uns zu bessern. Da Stefano nicht der verhasste Marcello war, sondern der junge

Mann, dem Lila gesagt hatte, dass sie sehr verliebt in ihn sei, der Mann, den sie geheiratet hatte und mit dem für immer zusammenzuleben sie beschlossen hatte, trug sie die Verantwortung für ihre Entscheidung bis zur letzten Konsequenz. Dennoch passte da etwas nicht zusammen. Lila war in meinen Augen Lila und nicht irgendeine Frau aus dem Rione. Unsere Mütter zeigten nach einer Ohrfeige ihres Ehemanns nicht diese ruhige Verachtung, die Lila erkennen ließ. Sie waren verzweifelt, weinten, konfrontierten ihn mit ihrer düsteren Miene und zogen hinter seinem Rücken über ihn her, brachten ihm aber, die eine mehr, die andere weniger, trotzdem weiterhin Achtung entgegen (meine Mutter, zum Beispiel, bewunderte die gerissene Geschäftemacherei meines Vaters rückhaltlos). Lila dagegen stellte eine Fügsamkeit ohne Respekt zur Schau. Ich sagte:

»Mir geht es gut mit Antonio, auch wenn ich nicht in ihn verliebt bin.«

Und ich hoffte, dass sie in dieser Aussage unseren alten Gewohnheiten entsprechend eine Reihe versteckter Fragen erkennen würde. Obwohl ich Nino liebe – sagte ich ihr, ohne es zu sagen –, fühle ich mich schon bei dem Gedanken an Antonio, an unsere Küsse, an unsere Umarmungen und Berührungen an den Teichen angenehm erregt. In meinem Fall ist Liebe für die Lust nicht unbedingt nötig und auch Respekt nicht. Kann es also sein, dass *der Ekel, die Erniedrigung* erst *danach* beginnen, wenn ein Mann dich unterwirft und dich nach Belieben vergewaltigt, nur weil du nun ihm gehörst, Liebe hin oder her, Respekt hin oder her? Was geschieht, wenn man von einem Mann überwältigt im Bett liegt? Sie hatte es erlebt, und ich wünschte mir, dass sie mir davon erzählte. Doch sie sagte nur ironisch: »Wenn es dir gut geht, umso besser für dich.« Damit führte sie mich zu einem kleinen Zimmer mit Blick auf die Bahngleise. Es war ein kahler Raum, nur ein Schreibtisch, ein Stuhl, eine Liege, und an den Wänden nichts.

»Gefällt es dir hier?«

»Ja.«

»Dann lerne.«

Sie ging hinaus und schloss die Tür hinter sich.

In diesem Zimmer roch es stärker als im Rest der Wohnung nach feuchten Wänden. Ich schaute aus dem Fenster, hätte lieber noch ein bisschen geplaudert. Aber mir wurde sofort klar, dass Alfonso ihr von meinem Schulschwänzen erzählt hatte, vielleicht auch von meinen schlechten Zensuren, und dass sie mich, notfalls mit Druck, zu der Klugheit zurückbringen wollte, die sie mir stets zugeschrieben hatte. Na gut. Ich hörte sie durch die Wohnung gehen, telefonieren. Mich beeindruckte, dass sie nicht sagte: *Hallo, hier ist Lina* oder, was weiß ich: *Ja, hier Lina Cerullo*, sondern *Hallo, Signora Carracci hier.* Ich setzte mich an den Schreibtisch, schlug mein Geschichtsbuch auf und zwang mich, zu lernen.

11

Dieses Schuljahr stand in seinem letzten Abschnitt unter keinem besonders guten Stern. Das Gebäude des Gymnasiums war baufällig, in die Klassenzimmer regnete es herein, und nach einem heftigen Unwetter senkte sich wenige Meter entfernt die Straße ab. Nun mussten wir eine Zeitlang nur jeden zweiten Tag zur Schule, die Hausaufgaben wurden wichtiger als die normalen Unterrichtsstunden, die Lehrer überhäuften uns bis ins Unerträgliche damit. Trotz der Proteste meiner Mutter gewöhnte ich mir an, nach der Schule direkt zu Lila zu gehen.

Ich kam gegen zwei Uhr nachmittags zu ihr, warf die Bücher in eine Ecke. Sie machte mir ein Brötchen mit Schinken, Käse, Salami, mit allem, was ich wollte. So einen Überfluss hatte es bei mir zu Hause nie gegeben. Wie gut das ofenfrische Brot roch, dazu das Aroma des Belags, vor allem des leuchtend roten, komplett weiß umrandeten Schinkens. Ich aß gierig, während Lila mir einen Kaffee kochte. Nach einer knappen Plauderei sperrte sie mich in das kleine Zimmer und ließ sich nur selten blicken, um mir ein Häppchen zu bringen und etwas mit mir zu naschen oder zu trinken. Da ich keine Lust hatte, Stefano zu begegnen, der für gewöhnlich gegen acht Uhr abends aus der Salumeria kam, verdrückte ich mich immer Punkt sieben.

Die Wohnung, ihr Licht, die von der Bahn herüberdringenden Geräusche wurden mir vertraut. Jeder Raum und jeder Gegenstand waren neu und sauber, insbesondere das Bad, in dem es ein Waschbecken, ein Bidet, eine Badewanne gab. An einem von besonderer Unlust geprägten Nachmittag fragte ich Lila, ob ich ein Bad nehmen dürfe, ich, die ich mich noch unter dem Wasserhahn oder in einer kleinen Kupferwanne wusch. Sie sagte, ich könne tun, was ich wolle, und lief, um mir Handtücher zu holen. Ich ließ Wasser ein, das schon warm aus dem Hahn kam. Ich zog mich aus, tauchte bis zum Hals unter.

Was für eine Wärme, es war ein unverhoffter Genuss. Nach einer Weile griff ich zu den zahlreichen Fläschchen, die dichtgedrängt auf den Ecken der Wanne standen, duftender Schaum wuchs wie aus meinem Körper hervor und trat beinahe über den Rand. Ah, wie viele herrliche Dinge Lila hatte! Das war nicht mehr nur Körperreinigung, das war Spiel, war Loslassen. Ich entdeckte die Lippenstifte, die Schminke, den großen Spiegel, der das Bild unverzerrt wiedergab, den Luftstrom des Föhns. Am Ende hatte ich eine Haut, die glatt war wie nie, und eine üppige, glänzende, noch blondere Haarmähne. Der Reichtum, den wir uns als kleine Mädchen erträumt hatten, ist vielleicht das hier, dachte ich: keine Schatztruhen voller Gold und Edelsteine, sondern eine Badewanne, jeden Tag so in sie eintauchen, Brot, Salami, Schinken essen, auch im Badezimmer über viel Platz verfügen, ein Telefon haben, einen Vorratsschrank und einen gefüllten Kühlschrank, das Foto mit dir im Hochzeitskleid im Silberrahmen auf dem Büfett, diese *ganze* Wohnung besitzen mit Küche, Schlafzimmer, Esszimmer, den zwei Balkons und dem kleinen Raum, in den ich zum Lernen eingesperrt wurde und in dem, auch wenn Lila es nie gesagt hatte, schon bald, wenn es denn kam, ein Kind schlafen würde.

Am Abend lief ich zu den Teichen, ich konnte es kaum erwarten, dass Antonio mich streichelte, meinen Duft einsog, staunte, die opulente Reinheit genoss, die meine Schönheit betonte. Es war ein Geschenk, das ich ihm machen wollte. Aber er kämpfte mit seinen Ängsten, sagte »Ich werde dir so was nie bieten können«, und ich antwortete »Wer sagt denn, dass ich so was will«, und er gab zurück »Du willst ja immer das machen, was Lina macht«. Ich war beleidigt, wir stritten uns. Ich war doch unabhängig. Ich tat nur, was ich wollte, ich tat, was er und Lila nicht taten, was sie nicht tun konnten, ich ging zur Schule, wurde krumm und blind über den Büchern.

Ich schrie, dass er mich nicht verstehe, dass er mich nur herabsetzen und kränken wolle, ich lief weg.

Doch Antonio verstand mich nur zu gut. Mit jedem Tag faszinierte mich die Wohnung meiner Freundin mehr, sie wurde zu einem magischen Ort, an dem ich alles bekommen konnte, weitab vom elenden Grau der alten Wohnblocks, in denen wir aufgewachsen waren – putzblättrige Wände, zerschrammte Türen, die ewig gleichen Gegenstände, zerbeult und angeschlagen. Lila sah zu, dass sie mich nicht störte, ich war es, die sie rief: Ich habe Durst, ich habe ein bisschen Hunger, lass uns den Fernseher einschalten, kann ich dies sehen, kann ich das sehen. Das Lernen langweilte mich, fiel mir schwer. Manchmal bat ich sie, mich abzufragen, während ich laut die Lektionen wiederholte. Sie saß auf der Liege, ich am Schreibtisch. Ich nannte ihr die Seiten, die ich nochmals durchgehen musste, begann sie aufzusagen, und sie kontrollierte Zeile für Zeile.

Bei diesen Gelegenheiten fiel mir auf, wie sehr sich ihr Verhältnis zu Büchern verändert hatte. Sie hatte nun Angst vor ihnen. Es kam nicht mehr vor, dass sie mir einen Befehl erteilte, mir ihren Rhythmus aufzwingen wollte, als genügten ihr wenige Sätze, um sich einen Überblick zu verschaffen und das Ganze zu beherrschen, so dass sie zu mir sagte: »Das ist das Wichtigste, darauf kommt es an, fang damit an.« Wenn sie bei einem Blick ins Lehrbuch den Eindruck hatte, ich machte einen Fehler, korrigierte sie mich unter zahllosen Entschuldigungen, wie: »Vielleicht habe ich da was nicht richtig verstanden, besser, du überprüfst es selbst noch mal.« Sie schien sich nicht bewusst zu sein, dass ihr die Fähigkeit, ohne jede Mühe zu lernen, vollständig erhalten geblieben war.

Aber mir war es bewusst. Ich sah zum Beispiel, dass die für mich todlangweilige Chemie Lilas typischen, schmalen Blick hervorrief, und nur wenige Bemerkungen von ihr genügten, um mich aus meiner Trägheit zu reißen und mich zu begeistern. Ich sah, dass ihr eine halbe Seite des Philosophiebuchs genügte, um erstaunliche Verbindungen zwischen Anaxagoras, der Ordnung, die der Unordnung der Dinge vom Verstand auferlegt wurde, und Mendelejews Periodensystem zu ziehen. Doch häufiger hatte ich den Eindruck, dass sie die Unzulänglichkeit ihrer Mittel, die Naivität ihrer Bemerkungen erkannte und sich ganz bewusst zügelte. Sobald sie bemerkte, dass sie sich zu sehr hatte fesseln lassen, wich sie zurück wie vor einer Falle und knurrte: »Hast du ein Glück, dass du das verstehst, ich habe keine Ahnung, wovon du redest.«

Einmal schlug sie das Buch abrupt zu und sagte ärgerlich:

»Das reicht jetzt.«

»Wieso denn?«

»Weil ich die Nase voll habe, es ist doch immer das Gleiche: In dem, was klein ist, steckt etwas noch Kleineres, das ausbrechen will, und außerhalb von dem, was groß ist, gibt es etwas noch Größeres, das es gefangen halten will. Ich geh' was kochen.«

Dabei lernte ich überhaupt nichts, was gerade explizit mit dem Kleinen und dem Großen zu tun gehabt hätte. Geärgert oder vielleicht erschreckt hatte sie nur ihre eigene Lernfähigkeit, und sie zog sich zurück.

Worauf?

Auf die Vorbereitung des Abendessens, auf den Hausputz, aufs Fernsehen bei geringer Lautstärke, um mich nicht zu stören, auf die Betrachtung der Bahngleise, des

Zugverkehrs, der schwachen Umrisse des Vesuvs, der Straßen des Neubauviertels, in denen es noch keine Bäume und keine Geschäfte gab, des spärlichen Autoverkehrs, der Frauen mit ihren Einkaufstaschen und der kleinen Kinder, die an ihrem Rockzipfel hingen. Selten und nur auf Stefanos Befehl hin oder weil er sie bat, ihn zu begleiten, verschlug es sie zu den Räumen – keine fünfhundert Meter von ihrer Wohnung entfernt, einmal ging ich mit –, wo die neue Salumeria entstehen sollte. Dort maß sie mit dem Zollstock alles aus, um die Wandregale und die Möbel zu planen.

Das war's schon, mehr hatte sie nicht zu tun. Ich bemerkte schnell, dass sie als verheiratete Frau einsamer war als zuvor. Ich ging manchmal mit Carmela, mit Ada und sogar mit Gigliola aus, und in der Schule hatte ich mich mit einigen Mädchen aus meiner und aus anderen Klassen angefreundet, ich traf sie zuweilen zum Eisessen in der Via Foria. Aber Lila sah ausschließlich ihre Schwägerin Pinuccia. Und die Jungen, die während Lilas Verlobungszeit noch stehen geblieben waren, um ein paar Worte mit ihr zu wechseln, grüßten sie nun, nach ihrer Hochzeit, bestenfalls mit einem Kopfnicken, wenn sie ihr auf der Straße begegneten. Dabei war sie wunderschön und kleidete sich wie die Modelle in den Modejournalen, die sie in großer Zahl kaufte. Doch ihre Rolle als Ehefrau hatte sie gewissermaßen unter Glas gesetzt, wie ein Schiff, das mit vollen Segeln an einem unerreichbaren Ort kreuzt, sogar ohne Meer. Pasquale, Enzo und auch Antonio hätten sich auf den weißen, schattenlosen Straßen der gerade erst erbauten Siedlung niemals bis zu ihrem Eingang, bis zu ihrer Wohnung vorgewagt, um sich ein bisschen mit ihr zu unterhalten oder sie zu einem Spaziergang einzuladen. Das war unvorstellbar. Und auch das Telefon, das schwarz an der Küchenwand hing, schien nur unnütze Dekoration zu sein. In der ganzen Zeit, als ich bei ihr für die Schule lernte, klingelte es nur selten, und meistens war es Stefano, der sich auch in der Salumeria einen Apparat angeschafft hatte, um die Kundenbestellungen aufzunehmen. Die Gespräche des frischvermählten Paars waren kurz, Lila antwortete mit lustlosen Ja, lustlosen Nein.

Das Telefon diente ihr vor allem zum Einkaufen. Damals ging sie kaum aus dem Haus, sie wartete darauf, dass die Prügelspuren gänzlich aus ihrem Gesicht verschwanden, aber sie tätigte trotzdem unzählige Einkäufe. So hörte ich, wie sie nach meinem fröhlichen Bad, nach meiner Begeisterung darüber, wie schön meine Haare geworden waren, einen Föhn bestellte, und als er geliefert wurde, wollte sie ihn mir schenken. Sie sprach diese gewisse Zauberformel (*Hallo, hier ist Signora Carracci*), und schon verhandelte sie, diskutierte sie, lehnte sie ab, kaufte sie. Sie bezahlte nicht, die Händler waren alle aus dem Rione, sie kannten Stefano gut. Sie unterschrieb immer nur, *Lina Carracci*, mit Vor- und Zunamen, wie Maestra Oliviero es uns gelehrt hatte, und sie leistete diese Unterschrift wie eine Übung, die sie sich auferlegt hatte, mit einem feinen, versunkenen Lächeln, ohne die Ware überhaupt zu prüfen, als wären diese Zeichen auf dem Papier für sie wichtiger als die gerade gelieferten Dinge.

Sie kaufte auch große, grün eingebundene Alben mit Blumenmuster, in die sie die Hochzeitsbilder klebte. Sie ließ extra für mich Abzüge von zahllosen Fotos machen, von allen, auf denen ich, meine Eltern, meine Geschwister und auch Antonio zu sehen waren. Sie rief beim Fotografen an und bestellte sie. Einmal entdeckte ich ein Bild, auf dem auch Nino zu sehen war. Da war Alfonso, da war Marisa, und rechts war er, vom Rand abgeschnitten, nur sein Haarschopf, seine Nase, sein Mund.

»Kann ich das auch haben?«, traute ich mich ohne große Überzeugung zu fragen.

»Da bist du nicht drauf.«

»Ich bin hier, von hinten.«

»Gut, wenn du willst, lasse ich dir einen Abzug machen.«

Plötzlich überlegte ich es mir anders.

»Nein, lass es.«

»Nun hab dich nicht so.«

»Nein.«

Von allen Anschaffungen beeindruckte mich allerdings der Projektor am stärksten. Der Hochzeitsfilm war endlich entwickelt, und der Fotograf kam eines Abends, um ihn dem Brautpaar und den Verwandten vorzuführen. Lila erkundigte sich nach dem Preis des Projektors, ließ ihn sich ins Haus liefern und lud mich ein, den Film anzuschauen. Sie stellte den Projektor auf den Tisch im Esszimmer, nahm ein Gemälde mit einer stürmischen See von der Wand, legte fachmännisch den Film ein und ließ die Rollos herunter, die Bilder begannen über die weiße Wand zu laufen. Ein Wunderwerk, der Film war in Farbe, wenige Minuten, mir blieb der Mund offen stehen. Ich sah, wie sie an Fernandos Arm in die Kirche kam, wie sie mit Stefano auf dem Kirchplatz erschien, wie die beiden vergnügt durch den Parco delle Rimembranze spazierten, was mit einem langen Kuss auf den Mund endete, wie sie in den Festsaal des Restaurants kamen, den Tanz, der darauf folgte, die speisenden und tanzenden Verwandten, den Anschnitt der Torte, die Verteilung der Gastgeschenke, die Grüße in die Kamera, Stefano fröhlich, sie düster, beide in Reisegarderobe.

Beim ersten Anschauen war ich vor allem von mir selbst gefesselt. Ich war zweimal zu sehen. Das erste Mal auf dem Kirchplatz neben Antonio. Ich sah mich ungelenk und nervös, das Gesicht von der Brille verschlungen; das zweite Mal am Tisch neben Nino, fast hätte ich mich nicht wiedererkannt. Ich lachte, bewegte Hände und Arme mit lässiger Eleganz, ordnete mein Haar, spielte mit dem Armband meiner Mutter, ich kam mir zart und schön vor. Lila rief:

»Sieh mal, wie gut du getroffen bist!«

»Ach, gar nicht«, log ich.

»Du siehst genauso aus, wie wenn du dich freust.«

Bei der nächsten Vorführung (ich sagte zu Lila: »Spiel das doch noch mal ab«, und sie ließ sich nicht bitten) stach mir dagegen das Auftauchen der Solara-Brüder im Festsaal ins Auge. Der Kameramann hatte den Moment eingefangen, der sich mir am stärksten eingeprägt hatte: den Augenblick, als Nino den Saal verließ, während Marcello und Michele hereinplatzten. Die zwei Brüder rückten, hochgewachsen, einer neben dem anderen, in ihrer Festgarderobe vor, beim Gewichte Heben in der Turnhalle gezüchtete Muskelpakete, und gleichzeitig schlüpfte Nino mit gesenktem Blick davon und stieß mit dem Arm leicht gegen Marcello, doch während der mit einer fiesen Schlägervisage augenblicklich herumfuhr, ging Nino gleichgültig hinaus, ohne sich umzudrehen.

Für mich war dieser Kontrast gewaltig. Es war nicht mal so sehr die Ärmlichkeit von Ninos Kleidung, die im krassen Gegensatz zur teuren Garderobe der Solara-Brüder stand, zum Gold, das sie um den Hals, an den Handgelenken und an den Fingern trugen. Es war auch nicht seine extreme Magerkeit, die durch seinen hohen Wuchs noch betont wurde – er war mindestens fünf Zentimeter größer als die ebenfalls nicht kleinen Brüder – und den Eindruck einer Zerbrechlichkeit erweckte, die weit von der kraftstrotzenden Männlichkeit entfernt war, wie Marcello und Michele sie genüsslich zur Schau stellten. Es war eher seine Unbekümmertheit. Während die Arroganz der Solaras als normal betrachtet werden konnte, war die anmaßende Zerstreutheit, mit der Nino Marcello angerempelt hatte und dann weitergegangen war, ganz und gar nicht normal. Auch wer die Solaras nicht ausstehen konnte, wie Pasquale, Enzo, Antonio, musste auf die eine oder andere Weise mit ihnen zurechtkommen. Aber Nino hatte sich nicht nur nicht entschuldigt, er hatte Marcello auch keines Blickes gewürdigt.

Die Szene kam mir vor wie der dokumentarische Beweis für das, was ich in dem Moment geahnt hatte, als ich sie konkret erlebt hatte. In diesem Filmausschnitt schien der junge Sarratore – der genau wie wir in den Häuserblocks des alten Rione aufgewachsen war und der sehr ängstlich auf mich gewirkt hatte, als es darum gegangen war, beim Wettstreit in der Grundschule Alfonso zu besiegen – nunmehr weit entfernt von der Werteskala zu sein, auf der die Solaras ganz oben rangierten. Diese Hierarchie interessierte ihn offensichtlich nicht, er verstand sie vielleicht nicht einmal mehr.

Ich starrte ihn hingerissen an. Für mich war er ein asketischer Prinz, der Michele und Marcello allein schon mit seinem Blick, der sie nicht wahrnahm, einschüchtern konnte. Und einen kurzen Moment lang hoffte ich, er würde nun im Film das tun, was er in Wirklichkeit nicht getan hatte: mich mitnehmen.

Lila bemerkte Nino erst jetzt und fragte neugierig:

»Ist das der, mit dem du zusammen mit Alfonso am Tisch gesessen hast?«

»Ja. Erkennst du ihn nicht? Das ist Nino, der älteste Sohn von Sarratore.«

»Der dich küssen durfte, als du auf Ischia warst?«

»Das war eine Dummheit.«

»Na dann ist ja gut.«

»Wieso gut?«

»Der bildet sich ein, er ist sonst wer.«

Wie um diesen Eindruck zu entschuldigen, sagte ich:

»Er macht dieses Jahr sein Abitur und ist der Beste am ganzen Gymnasium.«

»Gefällt er dir deswegen?«

»Aber nein.«

»Vergiss ihn, Lenù, Antonio ist besser.«

»Meinst du?«

»Ja. Der da ist spindeldürr, hässlich und vor allem ziemlich eingebildet.«

Diese drei Eigenschaften klangen wie eine Beleidigung, und fast hätte ich gesagt: Das stimmt nicht, er sieht toll aus, seine Augen sind voller heller Fünkchen, und es tut mir leid, dass du das nicht siehst, denn so einen Jungen gibt's weder im Kino noch im Fernsehen und auch in den Romanen nicht, und ich bin glücklich, dass ich ihn liebe, von klein auf, und auch wenn er unerreichbar ist, auch wenn ich Antonio heiraten und mein Leben damit verbringen werde, Autos zu betanken, werde ich ihn mehr als mich selbst lieben und für immer.

Stattdessen sagte ich, wieder unglücklich:

»Früher, als wir in die Grundschule gingen, gefiel er mir, jetzt gefällt er mir nicht mehr.«

12

Die folgenden Monate waren besonders angefüllt mit kleinen Geschehnissen, die mir sehr zusetzten und die zu ordnen mir noch heute schwerfällt. Sosehr ich mir auch einen unbefangenen Ton und eine eiserne Disziplin auferlegte, überließ ich mich mit schmerzhafter Genugtuung doch fortwährend den Momenten des Unglücks. Alles schien sich gegen mich verschworen zu haben. In der Schule erreichte ich meine früheren Noten nicht mehr, obgleich ich nun wieder lernte. Die Tage vergingen, ohne dass ich mich auch nur einen Moment lebendig fühlte. Die Wege zur Schule, zu Lila, zu den Teichen waren wie verblasste Kulissen. Gereizt und entmutigt gab ich schließlich fast unwillkürlich Antonio einen Großteil der Schuld an meinen Schwierigkeiten.

Auch er war sehr unruhig. Ständig wollte er mich sehen, manchmal ging er von der Arbeit weg, und ich entdeckte ihn verlegen wartend auf dem Gehsteig gegenüber der Schule. Er machte sich Sorgen wegen der Verrücktheit seiner Mutter Melina und hatte Angst, dass man ihn nicht vom Wehrdienst befreien würde. Er hatte beim Wehrbezirkskommando inzwischen ein Gesuch nach dem anderen eingereicht und den Tod des Vaters, den Gesundheitszustand der Mutter, seine Rolle als einzige Stütze der Familie belegt, und es hatte den Anschein, dass die Armee, mit so viel Papier überfordert, beschlossen hatte, ihn zu vergessen. Doch nun hatte er gehört, dass Enzo

Scanno im Herbst eingezogen werden sollte, und fürchtete, dass es auch ihn treffen könnte. Verzweifelt sagte er: »Ich kann meine Mutter, Ada und meine übrigen Geschwister doch nicht ohne eine Lira und schutzlos zurücklassen!«

Einmal erschien er atemlos vor der Schule. Er hatte erfahren, dass die Carabinieri Erkundigungen über ihn eingeholt hatten.

»Frag Lina!«, bat er mich besorgt. »Finde heraus, ob Stefano eine Befreiung vom Wehrdienst bekommen hat, weil seine Mutter Witwe ist oder aus einem anderen Grund.«

Ich beruhigte ihn, versuchte, ihn aufzuheitern. Ich organisierte für ihn einen Abend in der Pizzeria mit Pasquale, Enzo und ihren zukünftigen Verlobten Ada und Carmela. Ich hoffte, das Zusammensein mit seinen Freunden würde ihn entlasten, aber so kam es nicht. Enzo zeigte, wie es seine Art war, keinerlei Aufregung wegen der bevorstehenden Abreise, er bedauerte nur, dass sein Vater während seiner Armeezeit wieder mit dem Gemüsekarren umherziehen müsse, obwohl seine Gesundheit das nicht zuließ. Und Pasquale eröffnete uns mit düsterer Miene, dass er wegen einer alten Tuberkulose, die das Wehrbezirkskommando veranlasst hatte, ihn auszumustern, nicht zum Militär gehen würde. Allerdings bedauere er das; den Wehrdienst müsse man leisten, aber bestimmt nicht, um dem Vaterland zu dienen. »Leute wie wir«, knurrte er, »haben die Pflicht, gut zu lernen, wie man mit einer Waffe umgeht, denn bald kommt die Zeit, wo die, die bezahlen müssen, auch bezahlen werden.« Dann wurde über Politik gesprochen, genauer gesagt sprach nur Pasquale, und zwar unerbittlich. Er sagte, die Faschisten wollten mit

Hilfe der Christdemokraten wieder an die Macht kommen. Sagte, die Einsatzkommandos der Polizei und das Heer stünden hinter ihnen. Sagte, man müsse vorbereitet sein, und wandte sich vor allem an Enzo, der seine Zustimmung bekundete und sogar mit einem Auflachen antworte, er, der normalerweise schwieg: »Nur keine Sorge. Wenn ich zurückkomme, zeige ich dir, wie man schießt.«

Diese Diskussion machte großen Eindruck auf Ada und Carmela, sie schienen sich zu freuen, mit so gefährlichen Männern zusammen zu sein. Ich hätte mich gern eingemischt, aber ich wusste so gut wie nichts über das Bündnis von Faschisten, Christdemokraten und den Polizeikommandos, mein Kopf war ziemlich leer. Hin und wieder sah ich Antonio an und hoffte, dass er sich für dieses Thema erwärmte, doch nein, er versuchte lediglich, auf das zurückzukommen, was ihn beunruhigte. Mehrmals fragte er: »Wie ist das bei der Armee?« Und Pasquale antwortete, obwohl er noch nicht dort gewesen war: »Total beschissen, wer sich nicht beugt, den brechen sie.« Enzo blieb wie üblich stumm, als ginge ihn das Ganze nichts an. Doch Antonio hörte auf zu essen, und während er an der halben Pizza, die er auf dem Teller hatte, herumschnipselte, wiederholte er einige Male Sätze wie: »Die wissen ja nicht, mit wem sie es zu tun haben. Das sollen die sich mal erlauben, dann breche ich die.«

Als wir allein waren, sagte er plötzlich niedergeschlagen:

»Ich weiß, dass du nicht auf mich wartest, wenn ich weg bin. Du wirst dir einen anderen suchen.«

Da begriff ich endlich. Nicht Melina war das Problem, auch nicht Ada und seine übrigen Geschwister, die keine Unterstützung mehr hätten, und auch die Schikanen in der Kaserne nicht. Ich war das Problem. Er wollte mich nicht eine Minute allein lassen, und ich spürte, egal was ich sagen oder tun würde, um ihn zu beschwichtigen, er würde mir nicht glauben. Daher zog ich es vor, die Beleidigte zu spielen. Ich sagte, er solle sich ein Beispiel an Enzo nehmen: »Der hat Vertrauen«, zischte ich ihn an. »Wenn er einrücken muss, dann rückt er eben ein, ohne zu jammern, obwohl er frisch mit Ada verlobt ist. Du dagegen beklagst dich ohne Grund, ja, ohne Grund, Antò, denn du wirst nicht einrücken. Wenn Stefano Carracci als Sohn einer Witwe ausgemustert wurde, dann wirst du es garantiert auch.«

Mein teils aggressiver, teils zärtlicher Ton beruhigte ihn. Aber bevor er sich von mir verabschiedete, sagte er noch einmal verlegen:

»Frag deine Freundin.«

»Sie ist auch deine Freundin.«

»Ja, aber frag du sie.«

Tags darauf redete ich mit Lila darüber, sie wusste nichts über den Militärdienst ihres Mannes und versprach unwillig, sich zu erkundigen.

Das tat sie nicht sofort, wie ich gehofft hatte. Mit Stefano und seiner Familie gab es unentwegt Spannungen. Maria hatte ihrem Sohn gesagt, seine Frau gebe zu viel Geld aus. Pinuccia machte Theater wegen der neuen Salumeria und verkündete, sie werde sich nicht darum kümmern, wenn jemand das tun müsse, dann ihre Schwägerin. Stefano verbot Mutter und Schwester das Wort, warf aber schließlich seiner Frau ihre maßlosen Ausgaben vor und versuchte herauszufinden, ob sie bereit wäre, in dem neuen Geschäft an der Kasse zu sitzen.

Lilas Verhalten zu jener Zeit war auch in meinen Augen schwer fassbar. Sie sagte, sie werde weniger ausgeben, und erklärte sich anstandslos bereit, sich um die Salumeria zu kümmern, doch stattdessen gab sie mehr Geld aus als zuvor, und wenn sie bisher aus Neugier oder notgedrungen zuweilen in dem neuen Geschäft aufgetaucht war, tat sie nun nicht einmal mehr das. Die blauen Flecke waren aus ihrem Gesicht verschwunden, und sie schien das dringende Bedürfnis zu haben auszugehen, besonders vormittags, wenn ich in der Schule war.

Sie schlenderte mit Pinuccia herum, die beiden lagen miteinander im Wettstreit darüber, wer sich besser zurechtmachte und wer mehr Plunder kaufte. Für gewöhnlich gewann Pina, vor allem weil es ihr mit ihren häufigen, etwas kindischen Schmollmündchen gelang, Rino, der sich bemüßigt fühlte, sich freigebiger als sein Schwager zu zeigen, Geld aus der Tasche zu ziehen.

»Ich schufte schon den ganzen Tag«, sagte er zu seiner Braut. »Amüsier du dich für mich mit.«

Und mit stolzer Lässigkeit zog er vor den Augen der Gehilfen und seines Vaters vollkommen zerknüllte Geldscheine aus seinen Hosentaschen, gab sie Pina und tat gleich darauf spöttisch so, als wollte er auch seiner Schwester welche zustecken.

Lila fand dieses Benehmen so nervtötend wie einen Windzug, der eine Tür zuschlagen lässt und Dinge von der Konsole herunterfegt. Aber sie sah darin auch ein Zeichen dafür, dass die Schuhmacherei endlich in Schwung kam, und letzten Endes freute sie sich, dass die Cerullo-Schuhe nun in vielen Geschäften der Stadt ausgestellt waren, dass sich die Frühjahrsmodelle gut verkauften und dass die Nachbestellungen immer rascher kamen. Aus diesem Grund hatte Stefano zusätzlich den Keller unter der

Schusterwerkstatt übernehmen müssen und ihn zur Hälfte in Lagerräume und zur Hälfte in eine Werkstatt umgebaut, während Fernando und Rino Hals über Kopf einen weiteren Gehilfen hatten einstellen müssen und manchmal sogar nachts arbeiteten.

Natürlich gab es Auseinandersetzungen. Das Schuhgeschäft, das die Solaras an der Piazza dei Martiri eröffnen wollten, sollte auf Stefanos Kosten ausgestattet werden, der sich allerdings, beunruhigt darüber, dass nie ein schriftlicher Vertrag aufgesetzt worden war, ausgiebig mit Marcello und Michele herumstritt. Nun schien man jedoch zu einer privaten Abmachung zu gelangen, in der schwarz auf weiß die (etwas aufgebauschte) Summe festgehalten werden sollte, die Stefano in die Einrichtung zu investieren gedachte. Besonders Rino war hochzufrieden mit diesem Ergebnis: Wo immer sein Schwager Geld hineinsteckte, führte Rino sich als Chef auf, als hätte er selbst es ausgegeben.

»Wenn das so weitergeht, heiraten wir nächstes Jahr«, versprach er seiner Verlobten, und so hatte Pina, um sich etwas umzuschauen, eines Morgens zu der Schneiderin gehen wollen, die Lilas Brautkleid genäht hatte.

Die Schneiderin hatte die beiden Mädchen sehr herzlich empfangen, und vernarrt, wie sie in Lila war, hatte sie sich in allen Einzelheiten von deren Hochzeit berichten lassen und ausdrücklich darauf bestanden, ein großes Foto von ihr im Brautkleid zu bekommen. Lila hatte einen Abzug für sie anfertigen lassen und war eines Tages mit Pina zu ihr gegangen, um ihn ihr zu bringen.

Bei dieser Gelegenheit erkundigte sich Lila, während sie den Rettifilo entlangschlenderten, bei ihrer Schwägerin, weshalb Stefano keinen Militärdienst leisten musste, ob die Carabinieri gekommen seien, um sich davon zu überzeugen, dass er der Sohn einer Witwe war, ob man ihm die Befreiung vom Wehrdienst per Post zugestellt habe oder ob er persönlich zum Wehrbezirkskommando hatte gehen müssen, um sich zu informieren.

Pinuccia sah sie spöttisch an.

»Sohn einer Witwe?«

»Ja, Antonio sagt, wenn man das ist, braucht man nicht zur Armee.«

»Soweit ich weiß, ist Bezahlen der einzige sichere Weg, um da nicht hinzumüssen.«

»Wen bezahlen?«

»Die vom Wehrbezirkskommando.«

»Stefano hat bezahlt?«

»Ja, aber das darf niemand erfahren.«

»Und wie viel hat er bezahlt?«

»Keine Ahnung. Das haben alles die Solaras geregelt.«

Lila wurde eiskalt.

»Das heißt?«

»Du weißt doch, dass weder Marcello noch Michele eingezogen wurden. Sie haben sich wegen Brustkorbverengung ausmustern lassen.«

»Ausgerechnet die? Wie war denn das möglich?«

»Mit Beziehungen.«

»Und Stefano?«

»Er hat dieselben Beziehungen in Anspruch genommen wie Marcello und Michele. Du bezahlst, und man tut dir einen Gefallen.«

Das alles erzählte mir meine Freundin noch am selben Nachmittag, doch sie schien nicht zu bemerken, wie schlimm diese Nachricht für Antonio war. Stattdessen war sie wie elektrisiert – ja, elektrisiert – von der Entdeckung, dass der Pakt zwischen ihrem Mann und den Solaras sich nicht aus geschäftlichen Zwängen ergeben hatte, sondern bereits viel länger bestanden hatte, schon vor ihrer Verlobung.

»Er hat mich von Anfang an hintergangen«, wiederholte sie beinahe zufrieden, als wäre diese Militärdienstgeschichte der endgültige Beweis für Stefanos wahren Charakter und als fühlte sie sich geradezu befreit. Ich brauchte eine Weile, bis ich sie fragen konnte:

»Was meinst du? Würden die Solaras Antonio diesen Gefallen auch tun, falls das Wehrbezirkskommando ihn nicht ausmustert?«

Sie sah mich mit ihrem grimmigen Blick an, als hätte ich etwas Unangenehmes gesagt, und beendete unser Gespräch kurzerhand mit dem Satz:

»Antonio würde sich niemals an die Solaras wenden.«

13

Von dieser Unterhaltung erzählte ich meinem Freund kein Wort. Ich ging ihm aus dem Weg, sagte, ich müsse zu viele Hausaufgaben machen und hätte diverse Prüfungen vor mir.

Das war keine Ausrede, die Schule war wirklich die Hölle. Das Schulamt triezte den Direktor, der Direktor triezte die Lehrer, die Lehrer triezten die Schüler, und die Schüler triezten sich gegenseitig. Viele von uns waren der Last der Aufgaben nicht gewachsen, und wir waren froh, dass wir nur jeden zweiten Tag Unterricht hatten. Aber eine Minderheit regte sich über die Baufälligkeit des Schulgebäudes und den Unterrichtsausfall auf und verlangte die unverzügliche Rückkehr zum normalen Stundenplan. An der Spitze dieser Gruppe stand Nino Sarratore, und das machte mein Leben noch komplizierter.

Ich sah ihn öfters auf dem Flur leise mit Professoressa Galiani reden, ging an den beiden vorbei und hoffte, die Lehrerin würde mich rufen. Doch das geschah nicht. Also wünschte ich mir, dass er mich ansprach, aber auch das geschah nicht. Ich hatte das Gefühl, in Ungnade gefallen zu sein. ›Ich reiche nicht mehr an meine früheren Zensuren heran‹, dachte ich. ›Darum habe ich in null Komma nichts das bisschen Ansehen verloren, das ich mir erarbeitet hatte. Andererseits‹, dachte ich bitter, ›was will ich denn überhaupt? Wenn die Galiani oder Nino mich nach meiner Meinung zu der Sache mit den baufälligen Klassenzimmern und den Unmengen von Hausaufgaben fragen würden, wie würde ich mich denn äußern?‹ Ich hatte nämlich keine Meinung, das wurde mir eines Morgens bewusst, als Nino mit einem maschinengeschriebenen Blatt Papier auftauchte und mich abrupt fragte:

»Liest du das mal?«

Mein Herz begann so stark zu klopfen, dass ich lediglich sagte:

»Jetzt gleich?«

»Nein, gib es mir nach dem Unterricht zurück.«

Ich war überwältigt. Lief zur Toilette und las in höchster Aufregung den Text. Er war mit Zahlen gespickt und handelte von Dingen, über die ich nichts wusste: Bebauungsplan, Schulbauwesen, die italienische Verfassung, bestimmte grundlegende Gesetze. Ich verstand nur das, was ich bereits wusste, nämlich dass Nino die sofortige Rückkehr zum normalen Unterrichtsablauf forderte.

Im Klassenraum gab ich Alfonso das Blatt Papier.

»Lass die Finger davon«, riet er mir, ohne es sich anzusehen. »Das Schuljahr ist fast um, wir haben die letzten Prüfungen, das hier bringt dir nur Ärger.«

Aber ich war vollkommen überdreht, in meinen Schläfen pochte es, meine Kehle war wie zugeschnürt. Keiner aus der Schule lehnte sich so weit aus dem Fenster wie Nino, ohne Angst vor den Lehrern oder vor dem Direktor. Er war nicht nur der Beste in allen Fächern, sondern wusste auch Dinge, die nicht gelehrt wurden und die sonst kein noch so guter Schüler wusste. Und er hatte Charakter. Und er sah toll aus. Ich zählte die Stunden, die Minuten, die Sekunden. Ich wollte zu ihm stürzen und ihm seinen Text zurückgeben, ihn loben, ihm sagen, ich sei mit allem einverstanden, ich wolle ihn unterstützen.

In der Schülermenge auf der Treppe war er nicht zu finden, und auch auf der Straße sah ich ihn nicht. Er kam mit den letzten Nachzüglern heraus, seine Miene war noch mürrischer als sonst. Ich ging ihm freudig entgegen, wobei ich mit dem Papier wedelte, und redete überschwenglich auf ihn ein. Er hörte mir missmutig zu, dann nahm er das Papier, knüllte es wütend zusammen und warf es weg.

»Die Galiani hat gesagt, es ist nicht gut«, brummte er.

Ich war verwirrt.

»Was ist nicht gut?«

Missmutig verzog er das Gesicht und machte eine Bewegung, die heißen sollte: Lassen wir das, nicht der Rede wert.

»Trotzdem danke«, sagte er etwas bemüht, beugte sich plötzlich zu mir und küsste mich auf die Wange.

Seit dem Kuss auf Ischia hatte es keinerlei Berührung mehr zwischen uns gegeben, nicht einmal einen Händedruck, und diese damals vollkommen unübliche Art, sich zu verabschieden, überwältigte mich. Er fragte nicht, ob wir ein Stück gemeinsam gehen wollten, sagte auch nicht Ciao, alles hörte an dieser Stelle auf. Kraftlos und wortlos sah ich ihm nach.

Da geschahen nacheinander zwei schreckliche Dinge. Zunächst tauchte aus einer Gasse ein Mädchen auf, das mit Sicherheit jünger war als ich, fünfzehn Jahre höchstens, und mich mit ihrer sauberen Schönheit beeindruckte: eine gute Figur, glattes, schwarzes Haar, das ihr bis auf den Rücken reichte, jede Geste, jede Bewegung von einer eigenen Anmut, jedes Teil ihrer Frühlingsgarderobe von einer abgewogenen Zurückhaltung. Sie trat zu Nino, er legte ihr seinen Arm um die Schulter, sie hob den Kopf und bot ihm ihren Mund, sie küssten sich. Dieser Kuss unterschied sich beachtlich von dem, den er mir gegeben hatte. Unmittelbar darauf sah ich Antonio reglos an der Ecke stehen. Eigentlich hätte er auf der Arbeit sein müssen, doch er war gekommen, um mich abzuholen. Wer weiß, wie lange er schon dort stand.

14

Es war schwer, ihn davon zu überzeugen, dass das, was er mit eigenen Augen gesehen hatte, nicht das war, was er sich seit geraumer Zeit vorstellte, sondern nur ein freundschaftliches Verhalten ohne weitere Absichten. »Er hat schon eine Freundin«, sagte ich zu ihm. »Du hast es ja selbst gesehen.« Aber offenbar hörte er aus meinen Worten einen schmerzlichen Unterton heraus, er bedrohte mich, seine Unterlippe und seine Hände begannen zu zittern. Da sagte ich leise, ich hätte die Nase voll, ich wolle ihn verlassen. Er gab nach, und wir vertrugen uns wieder. Doch von nun an misstraute er mir noch mehr, und seine Angst, zum Militärdienst eingezogen zu werden, vermischte sich endgültig mit der Sorge, mich an Nino zu verlieren. Immer häufiger verließ er seine Arbeit, um, wie er behauptete, mir kurz guten Tag zu sagen. Tatsächlich aber wollte er mich mit Nino erwischen und vor allem sich selbst beweisen, dass ich ihm wirklich nicht treu war. Was er dann getan hätte, wusste nicht einmal er.

An einem Nachmittag sah seine Schwester Ada mich an der Salumeria vorbeigehen, wo sie zu ihrer und zu Stefanos großer Zufriedenheit mittlerweile arbeitete. Sie holte mich im Laufschritt ein. Ihr weißer Kittel war mit Fettflecken übersät und reichte ihr bis übers Knie, aber sie war trotzdem ausgesprochen hübsch, und ihr Lippenstift, ihre geschminkten Augen und ihre Haarspangen ließen ahnen, dass sie unter dem Kittel gekleidet war, als wollte sie zu einem Fest. Sie sagte, sie wolle mit mir reden, und wir verabredeten uns für die Zeit vor dem Abendessen auf dem Hof.

Atemlos kam sie aus dem Laden, in Begleitung von Pasquale, der sie abgeholt hatte. Sie redeten beide auf mich ein, ein verlegener Satz von ihr, ein verlegener Satz von ihm. Ich verstand, dass sie sehr besorgt waren, dass Antonio sich über jede Kleinigkeit aufregte, keine Geduld mehr mit Melina hatte und, ohne Bescheid zu sagen, der Arbeit fernblieb. Auch Gallese, der Chef der Autowerkstatt, sei irritiert, denn er habe ihn schon als kleinen Jungen gekannt und ihn noch nie so erlebt.

»Er hat Angst vor dem Militärdienst«, sagte ich.

»Und wie. Wenn sie ihn einziehen, muss er zwangsläufig einrücken«, sagte Pasquale. »Sonst ist er ein Deserteur.«

»Wenn du bei ihm bist, vergisst er das alles.«

»Ich habe kaum Zeit«, sagte ich.

»Menschen sind wichtiger als die Schule«, sagte Pasquale.

»Verbring nicht so viel Zeit mit Lina, dann findest du auch die nötige Zeit«, sagte Ada.

»Ich tu' doch, was ich kann«, antwortete ich pikiert.

»Seine Nerven sind nicht die besten«, sagte Pasquale.

Am Ende sagte Ada kurz angebunden:

»Seit meiner Kindheit kümmere ich mich um eine Verrückte, gleich zwei von der Sorte wären wirklich zu viel, Lenù.«

Ich war verärgert, erschrocken. Voller Schuldgefühle traf ich mich nun wieder häufig mit Antonio, obwohl ich keine Lust dazu hatte, obwohl ich für die Schule lernen musste. Aber das genügte nicht. Eines Abends brach er an den Teichen in Tränen aus, er zeigte mir eine Postkarte. Sie hatten ihn nicht ausgemustert, er würde zusammen mit Enzo im Herbst weggehen. Dann tat er etwas sehr Befremdliches. Er warf sich auf den Boden und stopfte sich wie wild Erde in den Mund. Ich musste ihn fest umarmen, ihm zuflüstern, dass ich ihn liebte, und ihm die Erde aus dem Mund klauben.

›Was für einen Ärger habe ich mir da bloß eingebrockt‹, dachte ich später im Bett, als ich keinen Schlaf fand, und hatte plötzlich keine Lust mehr, von der Schule abzugehen, mich mit dem abzufinden, was ich war, Antonio zu heiraten, mit seinen Geschwistern bei seiner Mutter zu wohnen und Autos zu betanken. Ich kam zu dem Schluss, dass ich etwas tun musste, um ihm zu helfen, und dass ich mich aus dieser Beziehung verabschieden wollte, sobald er sich erholt hatte.

Tags darauf ging ich zu Lila, ich war sehr beunruhigt. Sie dagegen war fast schon zu aufgekratzt, damals waren wir beide sehr unausgeglichen. Ich erzählte ihr von Antonio und von der Postkarte, sagte ihr, dass ich eine Entscheidung getroffen hätte. Ich wollte mich hinter seinem Rücken – denn nie hätte er mir seine Einwilligung gegeben – an Marcello oder auch an Michele wenden, um sie zu fragen, ob sie ihm aus der Patsche helfen könnten.

Ich gab mich entschlossener, als ich war. Eigentlich war ich durcheinander. Einerseits fühlte ich mich zu diesem Versuch verpflichtet, da ich ja die Ursache für Antonios Kummer war, andererseits bat ich Lila gerade deswegen um Rat, weil ich davon überzeugt war, dass sie mir die Sache ausreden würde. Aber in Anspruch genommen wie ich von meinem eigenen Gefühlswirrwarr damals war, achtete ich nicht auf den von Lila.

Sie reagierte widersprüchlich. Zunächst zog sie mich auf, nannte mich eine Lügnerin, sagte, ich müsse meinen Freund ja wirklich sehr lieben, wenn ich bereit sei, höchstpersönlich zu den Solaras zu gehen und mich zu erniedrigen, obwohl ich doch wisse, dass sie nach allem, was in der Vergangenheit vorgefallen war, keinen Finger für ihn rühren würden. Aber gleich darauf begann sie nervös herumzugehen, kicherte, wurde wieder ernst, lachte erneut. Schließlich sagte sie: »Also gut, geh hin. Mal sehen, was passiert.« Dann fügte sie hinzu:

»Denn alles in allem, Lenù, wo ist denn der Unterschied zwischen meinem Bruder und Michele Solara oder, sagen wir, zwischen Stefano und Marcello?«

»Was meinst du damit?«

»Ich meine, dass ich vielleicht Marcello hätte heiraten sollen.«

»Das verstehe ich nicht.«

»Marcello ist wenigstens von niemandem abhängig, er macht, was er will.«

»Meinst du das im Ernst?«

Lachend beeilte sie sich, es zu verneinen, doch das überzeugte mich nicht. ›Sie kann doch ihre Meinung über Marcello unmöglich geändert haben‹, dachte ich. ›Dieses ganze Gekicher ist ja nicht echt, es ist nur ein Ausdruck düsterer Gedanken und ihres Kummers darüber, dass es mit ihrem Mann nicht läuft.‹

Den Beweis dafür erhielt ich auf der Stelle. Sie wurde wieder ernst, kniff die Augen zu zwei Schlitzen zusammen und sagte:

»Ich komme mit.«

»Wohin?«

»Zu den Solaras.«

»Und wozu?«

»Um zu sehen, ob sie Antonio helfen können.«

»Nein.«

»Wieso denn nicht?«

»Damit bringst du Stefano auf die Palme.«

»Und wenn schon. Wenn er zu ihnen gehen kann, kann ich als seine Frau das auch.«

15

Es gelang mir nicht, sie davon abzubringen. An einem Sonntag, dem Tag, an dem Stefano immer bis mittags schlief, traten wir zu einem Spaziergang vor die Tür, und sie drängte mich in Richtung Solara-Bar. Als sie auf der neuen, vom Kalk noch weißlichen Straße erschien, blieb mir der Mund offen stehen. Sie war sehr auffällig gekleidet und geschminkt, ähnelte nun weder der schlampigen Lila von früher noch der Jacqueline Kennedy aus den Illustrierten, sondern, wenn ich an die Filme denke, die uns gefallen hatten, wohl eher Jennifer Jones in *Duell in der Sonne* oder Ava Gardner in *Zwischen Madrid und Paris*.

Neben ihr herzugehen, machte mich verlegen und beunruhigte mich. Mir schien, dass sie nicht nur üble Nachrede riskierte, sondern auch Gefahr lief, lächerlich zu wirken, und dass beides auch auf mich zurückfallen könnte, auf ein farbloses, doch treu ergebenes Hündchen, das sie eskortierte. Alles an ihr, von der Frisur bis zu den Ohrringen, von der straffsitzenden Bluse und dem engen Rock bis hin zu ihrem Gang, war unpassend für die grauen Straßen unseres Rione. Die Augen der Männer zuckten bei Lilas Anblick wie beleidigt. Die Frauen, besonders die alten, beließen es nicht bei einer irritierten Miene. Einige blieben am Rand des Gehsteigs stehen und starrten sie mit einem halb amüsierten, halb angewiderten Auflachen an, wie wenn Melina auf der Straße durchdrehte.

Doch als wir in die Solara-Bar kamen, die voller Sonntagsgebäck kaufender Männer war, gab es nichts als respektvolles Herüberblinzeln, das eine oder andere höfliche Zunicken, Gigliola Spagnuolos wahrhaft bewundernden Blick hinter der Verkaufstheke und den Gruß Micheles, der an der Kasse stand, ein übertriebenes Guten Tag, das wie ein freudiger Ausruf klang. Der nun folgende Wortwechsel wurde ausnahmslos im Dialekt geführt, als verhinderte die Anspannung, dass man sich die mühsamen Filter von Aussprache, Wortschatz und Satzbau des Italienischen auferlegte.

»Was darf's denn sein?«

»Ein Dutzend Stückchen Kuchen.«

Michele rief, diesmal mit einem leicht ironischen Unterton, Gigliola zu:

»Zwölfmal Gebäck für Signora Carracci.«

Bei diesem Namen wurde der Vorhang zur Backstube beiseitegeschoben, und Marcello tauchte auf. Als er Lila leibhaftig vor sich sah, in seiner Bar-Pasticceria, wurde er blass und zog sich zurück. Aber nach wenigen Sekunden tauchte er erneut auf und kam zu uns, um uns zu begrüßen. Leise sagte er zu meiner Freundin:

»Zu hören, dass du ›Signora Carracci‹ genannt wirst, haut mich um.«

»Mich auch«, sagte Lila. Ihr leises, amüsiertes Lächeln und das Fehlen jeder Feindseligkeit erstaunten nicht nur mich, sondern auch die beiden Brüder.

Michele betrachtete Lila eingehend, mit seitlich geneigtem Kopf, als schaute er sich ein Gemälde an.

»Wir haben dich gesehen«, sagte er und rief zu Gigliola hinüber: »Stimmt's Gigliò, wir haben sie erst gestern Nachmittag gesehen!«

Gigliola nickte nicht sonderlich begeistert. Auch Marcello stimmte zu – *gesehen, ja gesehen* –, allerdings ohne Micheles Ironie, eher wie unter Hypnose während der Vorführung eines Zauberkünstlers.

»Gestern Nachmittag?«, fragte Lila.

»Gestern Nachmittag«, bestätigte Michele. »Auf dem Rettifilo.«

Genervt von der Art seines Bruders kürzte Marcello die Sache ab:

»Du warst im Schaufenster der Schneiderin, da war ein Foto von dir im Brautkleid ausgestellt.«

Sie sprachen eine Weile über dieses Bild, Marcello andächtig, Michele spöttisch, und beide bestanden mit unterschiedlichen Formulierungen darauf, dass Lilas Schönheit an ihrem Hochzeitstag darauf bestens getroffen war. Lila tat ärgerlich, doch auf eine kokette Art. Die Schneiderin habe ihr nicht gesagt, dass sie das Foto ins Schaufenster stellen wollte, sonst hätte sie es ihr niemals gegeben.

»Ich will auch so ein Foto von mir im Schaufenster!«, rief Gigliola vom Tresen herüber und äffte dabei die Stimme eines bockigen kleinen Mädchens nach.

»Falls dich überhaupt einer heiratet«, sagte Michele.

»Du heiratest mich doch«, gab sie finster zurück, und so ging es weiter, bis Lila ernst sagte:

»Lenuccia will auch heiraten.«

Lustlos richteten die Solara-Brüder ihre Aufmerksamkeit nun auf mich, die ich mich bis dahin unsichtbar gefühlt hatte, ich hatte kein einziges Wort gesagt.

»Gar nicht!« Ich wurde rot.

»Wieso nicht, ich würde dich heiraten, obwohl du eine Brillenschlange bist«, sagte Michele und fing sich noch einen finsteren Blick von Gigliola ein.

»Zu spät, sie ist schon in festen Händen«, sagte Lila. Nach und nach brachte sie das Gespräch mit den zwei Brüdern auf Antonio, bis sie schließlich seine familiäre Situation schilderte und lebhaft ausmalte, wie diese sich weiter zuspitzen würde, falls er zur Armee müsste. Mich beeindruckte nicht nur ihre Redegewandtheit, die kannte ich schon. Mich beeindruckte ihr neues Auftreten, diese listige Dosierung von Unverschämtheit und Anstand. Da stand sie, mit ihrem flammenden Lippenstiftmund. Gaukelte Marcello vor, für sie sei längst Gras über die alten Geschichten gewachsen, gaukelte Michele vor, seine schlitzohrige Arroganz amüsierte sie. Und zu meinem großen Erstaunen führte sie sich vor den beiden wie eine Frau auf, die genau weiß, was ein Mann ist, die diesbezüglich absolut nichts mehr lernen muss, die aber im Gegenteil viel zu lehren hätte. Dabei schauspielerte sie nicht, wie wir es als kleine Mädchen getan hatten, wenn wir die Romane nachspielten, in denen gefallene Damen vorkamen, sondern es war deutlich erkennbar, dass ihre Erfahrung echt war und sie das nicht erröten ließ. Dann wurde sie plötzlich reserviert und sandte Signale der Ablehnung aus: Ich weiß, dass ihr scharf auf mich seid, aber ich will euch nicht. Sie zog sich zurück, was die beiden verwirrte, Marcello wurde befangen, und Michele war unschlüssig, was zu tun sei, mit einem funkelnden Blick, der bedeutete: Pass bloß auf, denn ob Signora Carracci oder nicht, gleich setzt's ein paar Ohrfeigen, du Schlampe. Da änderte sie ihr Verhalten abermals, zog sie wieder an sich, zeigte sich amüsiert und amüsierte sie. Und mit welchem Ergebnis? Michele war nicht aus dem Gleichgewicht zu bringen, doch Marcello sagte:

»Antonio hat das zwar nicht verdient, aber um Lenuccia, die in Ordnung ist, eine Freude zu machen, kann ich ja mal bei einem Freund nachfragen, ob sich da was drehen lässt.«

Ich war froh und bedankte mich.

Lila suchte Gebäck aus, war liebenswürdig zu Gigliola und auch zu deren Vater, dem Konditor, der aus der Backstube lugte und sagte: »Viele Grüße an Stefano.« Als sie bezahlen wollte, lehnte Marcello mit einer entschiedenen Geste ab, und sein Bruder tat es ihm gleich, allerdings weniger entschieden. Wir wollten schon gehen, als Michele in dem Ton, den er anschlug, wenn er etwas haben wollte und keine Diskussion zuließ, zu ihr sagte:

»Du siehst sehr gut aus auf dem Foto.«

»Danke.«

»Deine Schuhe sind gut darauf zu sehen.«

»Daran erinnere ich mich nicht.«

»Aber ich, und ich möchte dich um etwas bitten.«

»Willst du auch ein Foto haben und es hier in der Bar aufhängen?«

Michele schüttelte mit einem kalten Lachen den Kopf.

»Nein. Aber du weißt ja, dass wir gerade das Geschäft an der Piazza dei Martiri einrichten.«

»Ich weiß gar nichts von euren Angelegenheiten.«

»Tja, dann solltest du dich mal erkundigen, es geht um wichtige Dinge, und wir wissen alle, dass du nicht dumm bist. Ich denke, wenn die Schneiderin dieses Foto verwenden kann, um Reklame für das Brautkleid zu machen, können wir es noch viel besser nutzen, um für die Cerullo-Schuhe zu werben.«

Lila lachte laut auf und fragte:

»Du willst das Foto an der Piazza dei Martiri ins Schaufenster stellen?«

»Nein, ich will es groß, riesengroß, im Geschäft aufhängen.«

Sie dachte kurz nach, dann zog sie ein gleichgültiges Gesicht.

»Da müsst ihr nicht mich fragen, sondern Stefano, er trifft hier die Entscheidungen.«

Ich sah, dass die zwei Brüder einen ratlosen Blick wechselten, und mir wurde klar, dass sie schon über diese Idee gesprochen hatten und es als gegeben ansahen, dass Lila niemals einwilligen würde, daher konnten sie es nicht fassen, dass sie sich nicht aufregte, dass sie sich nicht sofort querstellte, sondern sich ohne Diskussion der Autorität ihres Mannes unterordnete. Sie erkannten sie nicht wieder, und auch ich wusste in diesem Moment nicht, wer sie war.

Marcello begleitete uns bis vor die Tür und schlug draußen einen feierlichen Ton an. Er sagte:

»Es ist das erste Mal nach so langer Zeit, dass wir miteinander reden, Lina, und das berührt mich sehr. Du und ich, wir sind nicht zusammengekommen, na gut, so ist das eben. Aber ich will nicht, dass ungeklärte Dinge zwischen uns stehen. Und vor allem will ich nicht eine Schuld zugewiesen bekommen, die ich nicht habe. Ich weiß, dass dein Mann herumerzählt, ich hätte die Schuhe aus Gehässigkeit verlangt. Doch ich schwöre dir hier vor Lenuccia: Er und dein Bruder wollten mir die Schuhe aus freien Stücken geben, um mir zu beweisen, dass aller Ärger beigelegt ist. Ich kann nichts dafür.«

Mit nachsichtiger Miene hörte Lila ihm zu, ohne ihn zu unterbrechen. Aber kaum war er fertig, wurde sie wieder die alte Lila. Verächtlich sagte sie:

»Ihr benehmt euch wie Kleinkinder, die sich gegenseitig die Schuld zuschieben.«

»Glaubst du mir nicht?«

»Doch, Marcè, ich glaube dir. Aber was du erzählst und was die anderen erzählen, ist mir inzwischen scheißegal.«

16

Ich zog Lila auf unseren alten Hof und konnte es kaum erwarten, Antonio zu erzählen, was ich für ihn getan hatte. Aufgeregt vertraute ich ihr an: »Sobald er sich etwas beruhigt hat, verlasse ich ihn.« Aber sie antwortete nicht und wirkte zerstreut.

Ich rief Antonio, er erschien am Fenster und kam mit ernster Miene herunter. Er begrüßte Lila, scheinbar ohne darauf zu achten, wie sie gekleidet war, wie sie geschminkt war, doch er gab sich alle Mühe, sie so selten wie möglich anzusehen, vielleicht weil er fürchtete, ich könnte eine männliche Unruhe in seinem Gesicht lesen. Ich sagte, ich könne nicht lange bleiben und wolle ihm nur kurz eine gute Nachricht bringen. Er hörte mir zu, aber noch während ich sprach, wich er zurück wie vor der Spitze eines Messers. »Er hat versprochen, dir zu helfen«, betonte ich trotzdem begeistert und bat Lila um eine Bestätigung:

»Das hat Marcello doch gesagt, nicht?«

Lila bejahte es knapp. Antonio war leichenblass geworden und hielt den Blick gesenkt. Mit erstickter Stimme sagte er:

»Ich habe dich nie darum gebeten, dich an die Solaras zu wenden.«

Lila ging rasch mit einer Lüge dazwischen:

»Das war meine Idee.«

Antonio antwortete, ohne sie anzusehen:

»Danke, aber das war nicht nötig.«

Er verabschiedete sich von ihr – von ihr, nicht von mir –, machte kehrt und verschwand im Hauseingang.

Ich bekam ein mulmiges Gefühl im Bauch. Was hatte ich falsch gemacht, warum hatte er sich so geärgert? Unterwegs ließ ich Dampf ab, ich sagte zu Lila, Antonio sei schlimmer als seine Mutter Melina, das gleiche flattrige Wesen, ich könne nicht mehr. Sie ließ mich reden, während ich sie nach Hause brachte. Als wir ankamen, bat sie mich, mit hochzukommen.

»Stefano ist da«, wandte ich ein, aber nicht das hielt mich ab, Antonios Reaktion hatte mich beunruhigt, und ich wollte allein sein, um zu begreifen, was ich falsch gemacht hatte.

»Nur fünf Minuten.«

Ich ging mit hinauf. Stefano war im Schlafanzug, zerrauft und unrasiert. Er begrüßte mich freundlich, warf einen Blick auf seine Frau und auf das Kuchenpäckchen.

»Warst du in der Solara-Bar?«

»Ja.«

»In diesem Aufzug?«

»Sehe ich nicht gut aus?«

Stefano schüttelte missmutig den Kopf, er öffnete das Päckchen.

»Möchtest du ein Stück Kuchen, Lenù?«

»Nein, danke, ich muss zum Essen nach Hause.«

Er biss in einen Cannolo und wandte sich an seine Frau:

»Wen habt ihr denn in der Bar getroffen?«

»Deine Freunde«, sagte Lila. »Sie haben mir viele Komplimente gemacht. Stimmt's, Lenù?«

Sie erzählte ihm jedes Wort, das die Solaras zu ihr gesagt hatten, doch nichts von der Geschichte mit Antonio, also nichts vom eigentlichen Grund unseres Besuchs in der Bar, nichts davon, weshalb sie mich, wie mir schien, hatte begleiten wollen. Am Ende sagte sie betont erfreut:

»Michele will mein Foto groß in dem Laden an der Piazza dei Martiri aufhängen.«

»Und du hast ihm gesagt, dass das in Ordnung ist?«

»Ich habe ihm gesagt, sie sollen mit dir reden.«

Stefano verschlang den Rest des Cannolos mit einem einzigen Bissen und leckte sich die Finger ab. Er sagte, als wäre dies der Punkt, der ihn am meisten gestört hatte:

»Siehst du, wozu du mich zwingst? Deinetwegen muss ich morgen zu der Schneiderin am Rettifilo gehen und dort meine Zeit verplempern.« Er seufzte und wandte sich an mich:

»Lenù, du bist doch ein verständiges Mädchen. Versuch mal, deiner Freundin zu erklären, dass ich in diesem Rione arbeiten muss und dass sie mich nicht wie einen verdammten Idioten aussehen lassen darf. Dir noch einen schönen Sonntag, und grüß deine Eltern von mir.«

Er ging ins Bad.

Lila schnitt hinter seinem Rücken eine Grimasse, dann brachte sie mich zur Tür.

»Wenn du willst, bleibe ich noch«, sagte ich.

»Der is' bloß 'n Arschloch, keine Sorge.«

Mit einer markigen Männerstimme wiederholte sie: *Versuch mal, deiner Freundin zu erklären, dass sie mich nicht wie einen verdammten Idioten aussehen lassen darf*, und bei dieser Parodie leuchteten ihre Augen vergnügt auf.

»Und wenn er dich verprügelt?«

»Na wenn schon? Lass ein bisschen Zeit verstreichen, und es geht mir besser als vorher.«

Auf dem Treppenabsatz sagte sie wieder mit dieser Männerstimme zu mir: *Lenù, ich muss in diesem Rione arbeiten*. Und so fühlte ich mich bemüßigt, Antonio nachzuahmen und flüsterte: *Danke, aber das war nicht nötig*. Und plötzlich sahen wir uns wie von außen, beide in Schwierigkeiten mit unseren Männern, dort auf der Schwelle, mitten in einem weiblichen Rollenspiel, und wir lachten los. Ich sagte: »Sobald wir uns rühren, machen wir was falsch, verstehe einer die Männer, ach, nichts als Ärger haben wir mit ihnen.« Ich umarmte sie fest und lief los. Ich war noch nicht am unteren Ende der Treppe angekommen, als ich hörte, wie Stefano Lila bereits mit abscheulichen Schimpfwörtern anschrie. Er hatte nun die Stimme eines Scheusals, genau wie sein Vater sie gehabt hatte.

17

Noch auf dem Heimweg begann ich mir sowohl um sie als auch um mich Sorgen zu machen. Wenn Stefano sie nun umbrachte? Wenn Antonio nun mich umbrachte? Ich war voller Angst, ging in der staubigen Hitze schnell durch die sonntäglichen Straßen, die sich allmählich leerten, die Mittagszeit rückte näher. Wie schwer es war, sich zurechtzufinden, wie schwer es war, gegen keine der vielfältigen Männerregeln zu verstoßen. Lila hatte vielleicht aus stiller Berechnung, vielleicht nur aus Ungehorsam ihren Mann lächerlich gemacht, indem sie – Signora Carracci – vor aller Augen mit ihrem Ex-Verehrer geflirtet hatte. Und um mich für Antonio einzusetzen, war ich, ohne es zu wollen, aber in der Überzeugung, das Richtige zu tun, zu denen gegangen, die Jahre zuvor seine Schwester beleidigt hatten, die ihn blutig geschlagen hatten und die auch er blutig geschlagen hatte. Als ich auf unseren Hof trat, rief mich jemand, ich zuckte zusammen. Er war es, er hatte am Fenster auf meine Rückkehr gewartet.

Er kam herunter, und ich wurde noch ängstlicher. Ich

dachte: ›Bestimmt hat er ein Messer dabei.‹ Doch er sprach ruhig mit mir, mit distanziertem Blick, und hielt dabei seine Hände fortwährend in den Taschen, wie um sie einzusperren. Er sagte, ich hätte ihn vor denen bloßgestellt, die er am allermeisten verachtete. Sagte, ich hätte ihn als einen hingestellt, der seine Frau vorschickt, um einen Gefallen zu erbitten. Sagte, er falle vor niemandem auf die Knie, und lieber wolle er nicht nur einmal, sondern hundertmal Soldat sein und beim Militär sogar sterben, als Marcello die Hand zu küssen. Sagte, wenn Pasquale und Enzo davon erführen, würden sie ihm ins Gesicht spucken. Sagte, er verlasse mich, weil er nun schließlich den Beweis habe, dass ich mich weder um ihn noch um seine Gefühle scherte. Sagte, ich könne nun mit Sarratores Sohn reden und tun, was mir Spaß mache, er wolle mich nie mehr wiedersehen.

Ich kam nicht dazu, zu antworten. Unversehens nahm er seine Hände aus den Taschen, zog mich in den Hauseingang und küsste mich, wobei er seine Lippen fest auf meine presste und mit seiner Zunge verzweifelt in meinem Mund wühlte. Dann wich er zurück, drehte sich um und ging davon.

Vollkommen verwirrt stieg ich die Treppe hinauf. Ich überlegte, dass ich mehr Glück hatte als Lila, Antonio war nicht wie Stefano. Nie hätte er mir wehgetan, dazu war er nur sich selbst gegenüber imstande.

18

Am folgenden Tag sah ich Lila nicht, war aber, zu meiner Überraschung, gezwungen, ihren Mann zu sehen.

Ich war morgens niedergeschlagen in die Schule gekommen, es war heiß, ich hatte nicht gelernt, hatte so gut wie gar nicht geschlafen. Die Schulstunden waren ein Desaster. Ich suchte Nino vor der Schule, um mit ihm zusammen die Treppe hinaufzugehen und wenigstens ein paar Worte mit ihm zu wechseln, aber er war nicht zu finden, vielleicht war er mit seiner Freundin in der Stadt unterwegs, vielleicht saß er in einem dieser Matinee-Kinos und küsste sie im Dunkeln, vielleicht war er im Wald von Capodimonte und ließ sich dort Dinge gefallen, wie ich sie über Monate mit Antonio getan hatte. In der ersten Stunde wurde ich in Chemie geprüft und gab zerstreute oder unzureichende Antworten, wer weiß, welche Note ich bekam, und es blieb keine Zeit mehr, um das wieder auszubügeln, ich lief Gefahr, im September zur Nachprüfung antreten zu müssen. Auf dem Flur begegnete ich Professoressa Galiani, die mir einen ruhigen Vortrag folgenden Inhalts hielt: »Was ist los mit dir, Greco, warum lernst du nicht mehr für die Schule?« Und ich wusste mir nicht anders zu helfen, als zu sagen: »Aber ich lerne doch, Professoressa, ich lerne wirklich viel, das können Sie mir glauben«, so dass sie mir nur kurz zuhörte, mich dann stehenließ und im Lehrerzimmer verschwand. Ich weinte lange im Waschraum, ich zerfloss in Selbstmitleid, weil mein Leben so unglücklich verlief. Ich hatte alles verloren, meine Erfolge in der Schule; Antonio, den ich immer hatte verlassen wollen und der am Ende mich verlassen hatte und mir bereits fehlte; und Lila, die mir von Tag zu Tag fremder wurde, seit sie Signora Carracci war. Von Kopfschmerzen geplagt, ging ich zu Fuß nach Hause und dachte über sie nach, darüber, wie sie mich benutzt hatte – ja benutzt –, um die Solaras zu provozieren, um sich an ihrem Mann zu rächen, um ihn mir in seinem Elend eines verletzten Mannes vorzuführen, und ich fragte mich den ganzen Weg lang: War es möglich, dass man sich so sehr veränderte und dass sie nichts mehr von so einer wie Gigliola unterschied?

Doch als ich nach Hause kam, gab es eine Überraschung. Meine Mutter herrschte mich nicht wie sonst an, weil ich zu spät war und sie argwöhnte, ich hätte mich mit Antonio getroffen, oder weil ich eine der unzähligen häuslichen Pflichten vernachlässigt hatte. Stattdessen sagte sie mit einer Art freundlichem Schmollen zu mir:

»Stefano hat mich gefragt, ob du heute Nachmittag mit ihm zur Schneiderin am Rettifilo gehen könntest.«

Ich glaubte, nicht richtig gehört zu haben, war vor Müdigkeit und Mutlosigkeit benommen. Stefano? Stefano Carracci? Stefano wollte, dass ich ihn zum Rettifilo begleitete?

»Warum geht er denn nicht mit seiner Frau?«, rief aus dem Nebenzimmer mein Vater höhnisch herüber, der zwar offiziell krank war, sich aber in Wahrheit um seine undurchsichtigen Geschäftchen kümmern musste. »Wie vertreiben die beiden sich denn die Zeit? Mit Kartenspielchen?«

Meine Mutter winkte ärgerlich ab. Sie sagte, Lila habe vielleicht zu tun, sagte, wir müssten nett zu den Carraccis sein, sagte, manchen könne man es eben nie recht machen. Dabei war mein Vater mehr als zufrieden. Ein gutes Verhältnis zu dem Kaufmann zu haben hieß, dass man

Lebensmittel auf Pump kaufen und das Bezahlen weit hinausschieben konnte. Aber es machte ihm Spaß, den Witzbold zu spielen. Seit einer Weile fand er es lustig, bei jeder Gelegenheit beharrlich auf Stefanos vermeintliche sexuelle Trägheit anzuspielen. Ab und an fragte er bei Tisch: »Was treibt Carracci eigentlich, macht ihm denn nichts Spaß außer fernsehen?« Dann lachte er los, und es gehörte nicht viel dazu, um zu erraten, was er wirklich meinte, nämlich: Wieso kriegen die beiden keine Kinder, klappt es bei Stefano, oder klappt es nicht? Meine Mutter, die ihn diesbezüglich auf Anhieb verstand, antwortete ernst: »Es ist noch zu früh, lass sie in Ruhe, was erwartest du denn.« Doch der Gedanke, beim Lebensmittelhändler Carracci könnte es trotz seines Geldes nicht so richtig klappen, amüsierte sie eigentlich mindestens genauso sehr wie meinen Vater.

Der Tisch war bereits gedeckt, sie hatten mit dem Essen auf mich gewartet. Mein Vater setzte sich mit scheinheiliger Miene und flachste weiter mit meiner Mutter herum:

»Habe ich je zu dir gesagt: ›Es tut mir leid, heute bin ich müde, wollen wir Karten spielen?‹«

»Nein, weil du kein anständiger Mensch bist.«

»Willst du denn, dass ich anständig werde?«

»Ein bisschen schon, aber übertreib's nicht.«

»Dann bin ich ab heute so anständig wie Stefano.«

»Ich hab' gesagt, du sollst es nicht übertreiben.«

Wie sehr mich diese Duette abstießen. Sie redeten, als wären sie sich sicher, dass ich und meine Geschwister sie nicht verstanden; oder vielleicht setzten sie es als selbstverständlich voraus, dass wir jede Nuance verstanden, meinten aber, dies sei die richtige Art, uns beizubringen, wie Männer und Frauen zu sein hatten. Von meinen Problemen überfordert, hätte ich am liebsten geschrien und meinen Teller heruntergeworfen, wäre ich am liebsten weggelaufen, um meine Familie nicht mehr ertragen zu müssen, die feuchten Flecken in den Ecken der Zimmerdecke, den abbröckelnden Wandputz, den Essensgeruch, einfach alles. Antonio, wie dumm war es gewesen, ihn zu verlieren, ich bereute es bereits, wünschte mir, dass er mir verzieh. ›Wenn ich im September zu den Nachprüfungen muss‹, sagte ich mir, ›gehe ich nicht hin, ich lasse mich absichtlich nicht versetzen und heirate ihn auf der Stelle.‹ Dann fiel mir Lila wieder ein, wie sehr sie sich verunstaltet hatte, in welchem Ton sie mit den Solaras gesprochen hatte, was sie im Sinn hatte und wie boshaft die Erniedrigung und das Leid sie gerade machten. So stolperte ich den ganzen Nachmittag durch meine Gedanken, durch unzusammenhängende Gedanken. Ein Bad in der Wanne in der neuen Wohnung, Unruhe wegen Stefanos Bitte, wie meiner Freundin Bescheid sagen, was wollte ihr Mann von mir. Und Chemie. Und Empedokles. Und lernen. Und mit der Schule aufhören. Und schließlich ein kalter Schmerz. Es gab keinen Ausweg. Jawohl, weder ich noch Lila würden je so sein wie das Mädchen, das vor der Schule auf Nino gewartet hatte. Uns beiden fehlte etwas Ungreifbares, doch Grundlegendes, was dieses Mädchen schon offenbarte, wenn man sie nur von Weitem sah; entweder man hatte es oder man hatte es nicht, denn um das zu haben, genügte es nicht, Latein, Griechisch oder Philosophie zu studieren, und auch das Geld, das mit Wurstwaren oder Schuhen gemacht wurde, half da nicht weiter.

Stefano rief mich vom Hof aus. Ich lief hinunter, und mir fiel sofort sein verzagter Gesichtsausdruck auf. Er bat mich, ihn zu begleiten, um das Foto zurückzuholen, das die Schneiderin unerlaubt ins Schaufenster gestellt hatte. »Bitte, komm mit«, sagte er leise mit einschmeichelnder Stimme. Wortlos ließ er mich in sein Cabrio einsteigen, und angeweht vom warmen Wind, brausten wir davon.

Kaum hatten wir den Rione verlassen, wurde er gesprächig und verstummte erst wieder, als wir bei der Schneiderin ankamen. Er sprach in einem sanften Dialekt ohne Schimpfwörter oder Frotzeleien. Anfangs sagte er, ich müsse ihm einen Gefallen tun, erklärte aber noch nicht, worin der bestehen sollte. Sich verhaspelnd sagte er nur, wenn ich ihm den täte, wäre es, als täte ich ihn meiner Freundin. Dann redete er über Lila, wie klug sie sei und wie schön. »Doch sie ist von Natur aus widerspenstig«, fügte er hinzu. »Entweder man tanzt nach ihrer Pfeife, oder sie macht einem das Leben zur Hölle. Lenù, du weißt nicht, was ich gerade durchmache, oder vielleicht weißt du es doch, aber du weißt nur, was sie dir erzählt. Doch hör auch mich an. Lina hat sich in den Kopf gesetzt, ich würde immer nur ans Geld denken, und vielleicht stimmt das sogar, aber das tue ich für die Familie, für ihren Bruder, für ihren Vater, für alle ihre Verwandten. Ist das etwa falsch? Du bist sehr klug, sag mir, ob das falsch ist. Was will sie von mir, die Armut, aus der sie gekommen ist? Sollen denn bloß die Solaras Geld machen? Wollen wir ihnen den Rione überlassen? Wenn du mir sagst, dass ich Unrecht habe, streite ich mich nicht mit dir, ich gebe sofort zu, dass ich im Unrecht bin. Aber bei ihr komme ich nie um einen Streit herum. Sie will mich nicht, hat sie mir gesagt, und sie wiederholt es immer wieder. Ihr klarzumachen, dass ich ihr Mann bin, ist wie ein Krieg, und seit ich verheiratet bin, ist mein Leben unerträglich. Sie jeden Morgen und jeden Abend zu sehen und neben ihr zu schlafen, ohne sie spüren lassen zu können, wie sehr ich sie mit aller Kraft liebe, zu der ich mich fähig fühle, ist schrecklich.«

Ich betrachtete seine breiten Hände, die das Lenkrad umklammerten, sein Gesicht. Seine Augen wurden feucht, und er gab zu, dass er sie in der Hochzeitsnacht hatte schlagen müssen, dass er gezwungen gewesen sei, es zu tun, dass sie ihn jeden Morgen und jeden Abend ohrfeigte, nur um ihn zu erniedrigen und ihn zu zwingen, so zu sein, wie er nie, nie, nie hatte sein wollen. Mit fast ängstlicher Stimme fügte er hinzu: »Ich musste sie erneut schlagen, sie hätte nicht in diesem Aufzug zu den Solaras gehen dürfen. Aber sie hat eine Kraft, die ich nicht brechen kann. Es ist eine böse Kraft, die alle guten Manieren, alles zwecklos macht. Ein Gift. Ist dir aufgefallen, dass sie nicht schwanger wird? Die Monate vergehen, und nichts passiert. Unsere Verwandten, unsere Freunde und die Kunden fragen mich mit einem Grinsen im Gesicht: ›Gibt es Neuigkeiten?‹ Und ich muss so tun, als würde ich nicht verstehen, und sagen: ›Was denn für Neuigkeiten?‹ Denn wenn ich verstehen würde, müsste ich ihnen eine Antwort geben. Und was kann ich schon antworten? Es gibt Dinge, die man weiß, aber nicht sagen kann. Mit dieser Kraft, die Lina in sich hat, tötet sie die Kinder in ihrem Bauch, Lenù, und das tut sie nur, um den Anschein zu erwecken, ich wäre kein ganzer Mann, um mich vor aller Welt als jämmerlichen Waschlappen hinzustellen. Was denkst du? Übertreibe ich? Du ahnst nicht, was für einen Gefallen du mir damit tust, dass du mir zuhörst.«

Ich wusste nicht, was ich sagen sollte. Ich war überrascht, noch nie hatte sich mir ein Mann auf diese Weise anvertraut. Die ganze Zeit lang, auch als er über seine Gewalttätigkeit sprach, gebrauchte er einen gefühlvollen, wehrlosen Dialekt, wie er in manchen Schlagern vorkommt. Noch heute weiß ich nicht, warum er sich so verhielt. Natürlich eröffnete er mir dann, was er wollte. Er wollte, dass ich mich zu Lilas Wohl mit ihm verbündete. Sagte, man müsse ihr helfen zu verstehen, wie wichtig es sei, dass sie sich wie eine Ehefrau verhielt und nicht wie eine Feindin. Er bat mich, sie zu überreden, ihm mit der zweiten Salumeria und mit der Buchhaltung zu helfen. Doch um das zu erreichen, hätte er mir gegenüber nicht zu solchen Geständnissen greifen müssen. Wahrscheinlich dachte er, Lila habe mir schon haarklein alles berichtet, und er müsse mir daher seine Version der Geschichte liefern. Oder vielleicht hatte er gar nicht vorgehabt, mit der besten Freundin seiner Frau so offen zu reden, und er tat es nur im Überschwang der Gefühle. Oder er spekulierte darauf, dass, falls seine Worte mich anrührten, auch Lila gerührt sein würde, wenn ich ihr alles erzählte. Jedenfalls hörte ich ihm mit wachsender Anteilnahme zu. Allmählich fand ich Gefallen an diesem ungehinderten Überborden intimer Bekenntnisse. Vor allem aber, das muss ich zugeben, gefiel mir die Bedeutung, die er mir beimaß. Als er einen Verdacht äußerte, den ich schon seit jeher hegte, nämlich dass Lila eine Kraft in sich barg, die sie zu allem befähigte, auch dazu, ihren Körper daran zu hindern, Kinder zu bekommen, hatte ich den Eindruck, dass er mir eine positive Energie zuschrieb, die Lilas negative besiegen konnte, und das schmeichelte mir. Wir stiegen aus dem Auto und gingen zur Schneiderin, diese Anerkennung hatte mich aufgemuntert. Ich verstieg mich sogar dazu, ihm hochtrabend auf Italienisch zu versichern, ich würde mein Möglichstes tun, um ihm zu seinem Glück zu verhelfen.

Doch schon vor dem Schaufenster der Schneiderin wurde ich wieder unruhig. Wir blieben stehen und sahen uns Lilas gerahmtes Foto zwischen den vielen bunten Stoffen an. Sie saß mit übergeschlagenen Beinen da, das leicht hochgezogene Brautkleid ließ ihre Schuhe und ein Fußgelenk frei. Sie hatte ihr Kinn in eine Hand gestützt und schaute mit einem ernsten, durchdringenden Blick frech in die Kamera, auf ihrem Haar leuchtete ein Diadem aus Orangenblüten. Der Fotograf hatte sie gut getroffen, ich sah, dass er die Kraft eingefangen hatte, die Stefano meinte. Gegen diese Kraft, glaubte ich zu verstehen, war selbst Lila machtlos. Ich drehte mich um, wie um ihm bewundernd und betrübt zugleich zu sagen: Da ist ja unser Gesprächsthema, doch er stieß die Tür auf und ließ mir den Vortritt.

Der Tonfall, in dem er mit mir gesprochen hatte, verschwand, zur Schneiderin war Stefano schroff. Er sagte, er sei Linas Ehemann, genauso drückte er sich aus. Er stellte klar, dass auch er ein Geschäft betreibe, dass ihm allerdings niemals in den Sinn gekommen wäre, auf diese Weise Reklame zu machen. Er ging so weit zu sagen: »Sie sind eine schöne Frau, was würde Ihr Mann wohl dazu sagen, wenn ich ein Foto von Ihnen nehmen und es zwischen Käse und Salami stellen würde?« Er verlangte das Bild zurück.

Die Schneiderin war verwirrt, versuchte sich zu rechtfertigen und gab schließlich nach. Aber sie äußerte ihr großes Bedauern, und zum Beweis für ihre guten Absichten und für die Berechtigung ihres Kummers erzählte sie drei, vier Dinge, die im Rione im Laufe der Jahre zu einer kleinen Legende wurden. In der Zeit, als das Foto im Schaufenster gestanden hatte, seien der berühmte Renato Carosone, ein ägyptischer Prinz und Vittorio De Sica vorbeigekommen und hätten sich nach der jungen Frau im Brautkleid erkundigt, und auch ein Journalist der Zeitung *Roma*, der mit Lila habe sprechen und ihr einen Fotografen für eine Serie in Badebekleidung habe schicken wollen, wie man sie für die Misswahlen machte. Die Schneiderin beteuerte, keinem von ihnen Lilas Adresse verraten zu haben, obwohl ihr diese Ablehnung besonders im Fall von Carosone und von De Sica sehr unhöflich vorgekommen sei, wenn man bedachte, mit was für Berühmtheiten man es hier zu tun hatte.

Je länger die Schneiderin redete, umso weicher wurde Stefano. Er war nun aufgeschlossener und wollte, dass sie ausführlich von diesen Episoden erzählte. Als wir den Laden mit dem Foto in der Tasche verließen, hatte sich seine Laune gebessert, und der Monolog auf dem Rückweg klang nicht mehr so traurig wie der des Hinwegs. Stefano war fröhlich und begann mit dem Stolz eines Menschen über Lila zu sprechen, der eine Rarität besitzt und deshalb großes Ansehen genießt. Natürlich bat er mich erneut um meine Hilfe. Bevor er mich zu Hause absetzte, musste ich ihm wieder und wieder schwören, mich dafür zu verwenden, dass Lila begriff, welches der richtige Weg war und welches der falsche. Allerdings war Lila in seinen Reden nun kein unlenkbarer Mensch mehr, sondern eine Art kostbares Fluidum, eingeschlossen in einem Gefäß, das ihm gehörte. In den folgenden Tagen erzählte Stefano jedem von Carosone und De Sica, auch in der Salumeria, so dass sich die Geschichte herumsprach und

Lilas Mutter Nunzia zeit ihres Lebens allen versicherte, ihre Tochter hätte die Chance gehabt, Sängerin und Schauspielerin zu werden, in dem Film *Hochzeit auf Italienisch* mitzuspielen, zum Fernsehen zu gehen und vielleicht sogar eine ägyptische Prinzessin zu werden, wäre die Schneiderin am Rettifilo nicht so abweisend gewesen und hätte das Schicksal nicht dafür gesorgt, dass Lila im Alter von sechzehn Jahren Stefano Carracci geheiratet hatte.

19

Die Chemielehrerin war mir gegenüber großzügig (oder vielleicht hatte Professoressa Galiani dafür gesorgt, dass sie es wurde) und schenkte mir ein Genügend. Ich wurde mit einem Durchschnitt von Sieben in den geisteswissenschaftlichen Fächern und mit insgesamt Sechs in den Naturwissenschaften versetzt, mit einem Genügend in Religion und erstmals nur mit einer Acht in Betragen, einem Zeichen dafür, dass der Priester und ein Großteil der Lehrerschaft mir nicht wirklich verziehen hatten. Das bedauerte ich, empfand meinen alten Streit mit dem Religionslehrer über die Rolle des Heiligen Geistes nun als einen Akt der Anmaßung und bereute, nicht auf Alfonso gehört zu haben, der damals versucht hatte, mich zurückzuhalten. Ich bekam natürlich kein Stipendium, und meine Mutter regte sich auf, sie schrie, das komme davon, dass ich so viel Zeit mit Antonio verplempert habe. Ich wurde wütend und erklärte, nicht mehr zur Schule gehen zu wollen. Sie hob die Hand, um mir eine Ohrfeige zu geben, hatte dann aber Angst um meine Brille und lief weg, um den Teppichklopfer zu holen. Alles in allem schlimme Tage, und sie wurden immer noch schlimmer. Das einzig Positive schien zu sein, dass mir der Hausmeister an dem Morgen, als ich zu den Zensurenaushängen ging, nachlief und mir ein Päckchen von Professoressa Galiani aushändigte. Es waren Bücher, doch keine Romane, es waren Bücher voller Abhandlungen, ein leises Zeichen des Vertrauens, das aber nicht genügte, um mich wiederaufzubauen.

Ich hatte zu viele Sorgen und den Eindruck, ständig alles falsch zu machen, egal was ich tat. Ich suchte meinen Exfreund sowohl zu Hause als auch auf der Arbeit, aber es gelang ihm immer, mir auszuweichen. Ich schaute in der Salumeria vorbei, um Ada um Hilfe zu bitten. Sie behandelte mich kühl, sagte, ihr Bruder wolle mich nicht mehr sehen, und von diesem Tag an wandte sie sich ab, wenn wir uns begegneten. Nun, da ich keine Schule mehr hatte, war mein morgendliches Erwachen traumatisch, wie ein schmerzhafter Stoß im Kopf. Anfangs zwang ich mich, einige Seiten von Professoressa Galianis Büchern zu lesen, aber sie langweilten mich, ich verstand fast nichts. Ich begann mir wieder Romane aus der Bibliothek zu holen und las einen nach dem anderen. Doch auf die Dauer taten sie mir nicht gut. Sie boten intensive Leben, tiefschürfende Dialoge, ein Trugbild der Realität, das fesselnder war als mein reales Leben. Und um mich unwirklich zu fühlen, wagte ich mich manchmal bis zur Schule vor, in der Hoffnung, Nino zu sehen, der mitten im Abitur steckte. Am Tag der schriftlichen Griechischprüfung wartete ich stundenlang geduldig auf ihn. Doch gerade als die ersten Kandidaten mit dem Rocci unterm Arm herauskamen, tauchte das schöne, saubere Mädchen auf, das ich beobachtet hatte, als es ihm ihre Lippen dargeboten hatte. Sie stellte sich ein paar Meter weiter wartend neben mich, und im Nu hatte ich vor Augen, welchen Anblick wir zwei – wie in einem Katalog ausgestellte Modelle – für Sarratores Sohn bieten würden, wenn er aus dem Tor trat. Ich fühlte mich hässlich, ungepflegt und machte mich davon.

Auf der Suche nach Trost lief ich zu Lilas Wohnung. Aber ich wusste, dass ich mich auch ihr gegenüber nicht richtig verhalten hatte, ich hatte etwas Dummes getan. Hatte ihr nicht erzählt, dass ich zusammen mit Stefano ihr Foto zurückgeholt hatte. Warum hatte ich geschwiegen? Hatte ich mir in der Rolle der Friedensstifterin gefallen, die ihr Mann mir angeboten hatte, und hatte ich gedacht, sie besser spielen zu können, wenn ich Lila nichts von der Autofahrt zum Rettifilo sagte? Hatte ich befürchtet, zu verraten, was Stefano mir anvertraut hatte, und damit unwillkürlich sie verraten? Ich wusste es nicht. Doch sicherlich war dies keine vorsätzliche Entscheidung von mir gewesen, eher eine Unsicherheit, aus der sich zunächst eine unaufrichtige Zerstreutheit entwickelte und später die Überzeugung, dass eine Wiedergutmachung schwierig und vielleicht zwecklos geworden war, weil ich nicht sofort gesagt hatte, wie sich die Dinge verhalten hatten. Wie leicht es war, Schlechtes zu tun. Ich suchte nach Rechtfertigungen, die für Lila überzeugend klingen konnten, war aber nicht einmal in der Lage, mir selbst eine zu geben. Ich ahnte einen niederen Beweggrund für mein Verhalten und schwieg.

Allerdings hatte sie nie zu erkennen gegeben, ob sie von dieser Begegnung wusste. Sie empfing mich stets herzlich, ließ mich in ihrer Wanne baden und ihr Schminkzeug benutzen. Doch sie sagte kaum etwas zu den Romanhandlungen, die ich ihr erzählte, und gab lieber pikante Geschichten aus dem Leben von Schauspielern und Sängern zum Besten, über die sie in den Illustrierten gelesen hatte. Und sie weihte mich nicht mehr in ihre Gedanken und in ihre heimlichen Pläne ein. Wenn ich einen blauen Fleck an ihr entdeckte, wenn ich sie deshalb dazu bewegen wollte, über die Gründe für diese fürchterliche Reaktion Stefanos nachzudenken, wenn ich ihr sagte, dass er sich vielleicht deshalb so grob benahm, weil er wollte, dass sie ihm half, dass sie ihn gegen alle Widrigkeiten unterstützte, sah sie mich spöttisch an, zuckte mit den Schultern und ging darüber hinweg. Nach kurzer Zeit hatte ich begriffen, dass sie zwar die Beziehung zu mir nicht beenden wollte, aber beschlossen hatte, mich nicht mehr ins Vertrauen zu ziehen. Also wusste sie doch Bescheid und betrachtete mich nicht länger als zuverlässige Freundin? Ich besuchte sie sogar seltener, weil ich hoffte, dass ihr meine Abwesenheit auffiel, sie mich danach fragte und wir uns schließlich aussprechen konnten. Aber anscheinend bemerkte sie sie nicht einmal. Da hielt ich es nicht mehr aus und ging wieder regelmäßig zu ihr, worüber sie sich weder froh noch unzufrieden zeigte.

An jenem sehr heißen Julitag kam ich besonders niedergeschlagen zu ihr, erzählte ihr aber nichts von Nino und seiner Freundin, denn unwillkürlich – man weiß ja, wie das so ist – hatte auch ich das Spiel der vertraulichen Mitteilungen auf fast null reduziert. Sie begrüßte mich freundlich wie immer. Sie machte eine Orzata, und ich trank den eiskalten Mandelsirup auf dem Sofa im Esszimmer, genervt vom Rattern der Züge, vom Schweiß, von allem.

Ich musterte sie schweigend, während sie in der Wohnung umherging, und war wütend über ihre Fähigkeit, sich durch die deprimierendsten Labyrinthe zu bewegen und dabei an einer kampflustigen Entscheidung festzuhalten, über die sie nichts verriet. Ich dachte an das, was ihr Mann mir gesagt hatte, an die Worte über die Kraft, die von Lila wie die Triebfeder eines gefährlichen Mechanismus zurückgehalten wurde. Ich betrachtete ihren Bauch und stellte mir vor, dass sie tatsächlich jeden Tag und jede Nacht einen Kampf ausfocht, um darin das Leben zu zerstören, das Stefano ihr gewaltsam einpflanzen wollte. ›Wie lange wird sie wohl Widerstand leisten?‹, fragte ich mich, traute mich aber nicht, eindeutige Fragen zu stellen, ich wusste, dass sie ihr unangenehm gewesen wären.

Kurze Zeit darauf kam Pinuccia, dem Anschein nach ein Besuch unter Schwägerinnen. Doch zehn Minuten später erschien auch Rino, er und Pina knutschten vor unseren Augen eine Weile so zügellos, dass Lila und ich uns ironische Blicke zuwarfen. Als Pina erklärte, sie wolle die Aussicht genießen, folgte er ihr in ein Zimmer, in das sie sich für gut eine halbe Stunde einschlossen.

Das kam oft vor, Lila erzählte es mir mit einer Mischung aus Ärger und Sarkasmus, und ich beneidete die zwei Verlobten um ihre Unbefangenheit: keine Angst, keine Unbequemlichkeit, und als sie wieder auftauchten, waren sie zufriedener als zuvor. Rino holte sich etwas zum Naschen aus der Küche, kam zurück und unterhielt sich mit seiner Schwester über Schuhe, er sagte, die Dinge entwickelten sich immer besser, und versuchte, ihr ein paar Tipps zu entlocken, um sich dann vor den Solaras damit zu brüsten.

»Wusstest du eigentlich, dass Marcello und Michele

dein Foto im Geschäft an der Piazza dei Martiri aufhängen wollen?«, fragte er sie plötzlich mit einschmeichelnder Stimme.

»Das scheint mir nicht gerade angebracht zu sein«, schaltete Pinuccia sich augenblicklich ein.

»Wieso denn nicht?«, erkundigte sich Rino.

»Was ist denn das für eine Frage? Wenn sie will, kann Lina das Bild ja in der neuen Salumeria aufhängen. Darüber hat doch sie zu bestimmen, oder? Aber wenn ich den Laden an der Piazza dei Martiri kriege, lässt du mich dann entscheiden, was da reinkommt?«

Sie redete, als wollte sie vor allem Lilas Rechte vor dem Zugriff ihres Bruders schützen. Doch wir wussten alle, dass sie nur sich und ihre Zukunft verteidigte. Sie war es leid, von Stefano abhängig zu sein, wollte weg aus der Salumeria und fand Gefallen an dem Gedanken, die Chefin eines Geschäfts im Stadtzentrum zu werden. Deshalb war zwischen Rino und Michele seit Kurzem ein kleiner Krieg um die Leitung des Schuhgeschäfts entbrannt, ein Krieg, der durch den Druck seitens ihrer jeweiligen Verlobten weiter geschürt wurde. Rino bestand darauf, dass Pinuccia sie übernahm, und Michele, dass Gigliola sie übernahm. Aber Pinuccia war die Aggressivere der beiden und zweifelte nicht daran, dass sie gewinnen würde, sie verstand es, die Autorität ihres Verlobten mit der ihres Bruders zu verbinden. Daher spielte sie sich bei jeder Gelegenheit als eine auf, die den Absprung bereits geschafft hatte, die den Rione hinter sich gelassen hatte und nun festlegte, was der Vornehmheit der Kunden im Zentrum angemessen war und was nicht.

Ich sah, dass Rino fürchtete, seine Schwester könne zum Angriff übergehen, doch Lila gab sich vollkommen gleichgültig. Daher schaute er auf die Uhr, um deutlich zu machen, dass er sehr beschäftigt war, und sagte im Tonfall eines Menschen mit Weitblick: »Meiner Ansicht nach hat dieses Foto ein großes wirtschaftliches Potenzial.« Dann küsste er Pina, die sich ihm sofort entzog und ihm ihr Missfallen bekundete, und verschwand.

Wir Mädchen blieben allein zurück. Pinuccia fragte mich mürrisch und in der Hoffnung, sich meiner Autorität bedienen zu können, um die Angelegenheit abzuschließen:

»Lenù, was meinst du? Findest du, Linas Foto sollte an der Piazza dei Martiri bleiben?«

Ich antwortete auf Italienisch:

»Das muss Stefano entscheiden, und da er extra bei der Schneiderin war, damit sie es aus dem Schaufenster nimmt, halte ich es für ausgeschlossen, dass er sein Einverständnis gibt.«

Pinuccia erglühte vor Zufriedenheit, sie schrie schon beinahe:

»Madonna, wie klug du bist, Lenù!«

Ich wartete darauf, dass Lila etwas sagte. Es entstand eine lange Pause, dann wandte sie sich nur an mich:

»Wetten, dass du dich irrst? Stefano wird sein Einverständnis geben.«

»Aber nein.«

»Doch.«

»Um was wollen wir wetten?«

»Wenn du verlierst, darfst du nie wieder mit einem Notendurchschnitt unter Acht versetzt werden.«

Verlegen schaute ich sie an. Wir hatten nicht über meine knappe Versetzung gesprochen, ich hatte geglaubt, sie habe nicht einmal davon gewusst, dabei war sie im Bilde und machte mir nun Vorwürfe. »Du warst nicht gut genug«, sagte sie. »Du hast schlecht abgeschnitten.« Sie verlangte von mir das, was sie an meiner Stelle getan hätte. Sie wollte mich tatsächlich auf die Rolle von einer, die ständig über Büchern hockt, festlegen, während sie dagegen Geld hatte, schöne Kleider, eine Wohnung, einen Fernseher, ein Auto, sich alles nahm, sich alles leistete.

»Und wenn du verlierst?«, fragte ich mit einer Spur von Groll.

Plötzlich hatte sie wieder diesen aus zwei dunklen Schlitzen abgefeuerten Blick.

»Dann melde ich mich auf einer Privatschule an und beginne wieder zu lernen, und ich schwöre dir, dass ich meinen Abschluss zusammen mit dir und besser als du machen werde.«

Zusammen mit dir und besser als du. War es das, was sie im Sinn hatte? Mir war, als würde alles, was mich in dieser schlimmen Phase beschäftigte – Antonio, Nino, die Unzufriedenheit mit dem Nichts, das mein Leben war –, von einem tiefen Seufzer aufgesogen.

»Meinst du das im Ernst?«

»Seit wann wettet man denn zum Spaß?«

Pinuccia schaltete sich streitsüchtig ein.

»Lina, komm doch nicht schon wieder mit einer von deinen Schnapsideen! Du hast die neue Salumeria, Stefano kann sie doch nicht allein führen.« Gleich darauf beherrschte sie sich aber und fügte mit gespielter Sanftheit hinzu: »Und außerdem wüsste ich gern, wann du und Stefano mich zur Tante macht.«

Sie verwendete zwar diese süßliche Formulierung, doch ihr Ton klang feindselig, und ich spürte, wie sich die Gründe für diese Feindseligkeit unangenehm mit den meinen vermischten. Pinuccia wollte sagen: Du bist verheiratet, mein Bruder gibt dir alles, also tu jetzt deine Pflicht. Und wirklich, was hatte es denn für einen Sinn, Signora Carracci zu sein und zugleich sämtliche Türen zu verschließen, sich zu verbarrikadieren, sich zu versperren und eine giftige Wut im Bauch zu nähren? Kann es sein, dass du immer Schaden anrichten musst, Lila? Wann hörst du damit auf? Wird deine Kraft nachlassen, wird sie bröckeln und schließlich zusammenbrechen wie ein müder Wachtposten? Wann wirst du dich öffnen, dich mit einem immer dickeren Bauch im neuen Viertel an die Kasse setzen, Pinuccia zur Tante machen und mich, mich, meinen eigenen Weg gehen lassen?

»Wer weiß?«, antwortete Lila, und ihre Augen wurden wieder groß und tief.

»Nicht dass ich noch zuerst Mama werde«, sagte ihre Schwägerin lachend.

»Schon möglich, wenn du nicht aufhörst, so an Rino zu kleben.«

Sie trugen ein kleines Gefecht aus, ich hörte nicht mehr zu.

20

Um meine Mutter zu besänftigen, musste ich mir für den Sommer eine Arbeit suchen. Natürlich ging ich wieder zur Schreibwarenhändlerin. Sie begrüßte mich, wie man eine Lehrerin oder den Doktor begrüßt, rief ihre Töchter herbei, die im Hinterzimmer gespielt hatten und mich nun umarmten, mich abküssten und wollten, dass ich mit ihnen spielte. Als ich beiläufig erwähnte, dass ich Arbeit suchte, sagte sie, um ihren Töchtern zu ermöglichen, die Zeit mit einem so anständigen, klugen Mädchen wie mir zu verbringen, sei sie bereit, sie sofort zum Sea Garden zu schicken und nicht erst bis August zu warten.

»Was heißt sofort?«, fragte ich.

»Ab nächster Woche?«

»Wunderbar.«

»Ich gebe dir etwas mehr Geld als im letzten Jahr.«

Das war endlich einmal eine gute Nachricht. Zufrieden ging ich nach Hause, und meine Laune verschlechterte sich auch dann nicht, als meine Mutter sagte, da hätte ich wieder einmal Glück gehabt. Schwimmen zu gehen und in der Sonne zu liegen sei ja keine Arbeit.

Mit meinem neuen Mut wollte ich am folgenden Tag Maestra Oliviero einen Besuch abstatten. Es ärgerte mich, ihr sagen zu müssen, dass ich mich in diesem Jahr in der Schule nicht besonders hervorgetan hatte, aber ich musste sie aufsuchen, um sie vorsichtig daran zu erinnern, mir die Bücher für die gymnasiale Oberstufe zu besorgen. Außerdem dachte ich, es würde sie freuen zu hören, dass Lila nun, da sie eine gute Partie gemacht hatte und über viel Freizeit verfügte, vielleicht wieder anfangen würde, zur Schule zu gehen. In ihren Augen die Reaktion auf diese Nachricht zu lesen, würde mir helfen, das Unbehagen zu lindern, das sie bei mir ausgelöst hatte.

Ich klopfte mehrmals, die Maestra öffnete nicht. Ich fragte bei den Nachbarn und im Viertel herum und kam eine Stunde später zurück, doch auch diesmal öffnete sie nicht. Dabei hatte niemand sie weggehen sehen, und auf den Straßen und in den Geschäften des Rione hatte ich sie auch nicht angetroffen. Da sie eine alleinstehende, alte Frau war, der es nicht gut ging, fragte ich erneut in der

Nachbarschaft nach. Eine Frau, die Tür an Tür mit ihr wohnte, bat schließlich ihren Sohn um Hilfe. Der junge Mann stieg von ihrem Balkon aus durch ein Fenster in die Wohnung der Maestra ein. Er fand sie im Nachthemd auf dem Küchenboden, bewusstlos. Ein Arzt wurde gerufen, und der wies sie sofort ins Krankenhaus ein. Man trug sie auf den Armen die Treppe hinunter. Ich sah sie in unordentlicher Aufmachung und mit verquollenem Gesicht aus dem Haus kommen, sie, die stets tadellos zurechtgemacht in die Schule ging. Sie hatte erschrockene Augen. Ich winkte ihr zu, sie senkte den Blick. Man setzte sie in ein Auto, das mit wildem Hupen davonfuhr.

Offenbar tat die Hitze jenes Jahres den Schwächsten körperlich gar nicht gut. Am Nachmittag waren auf dem Hof Melinas Kinder zu hören, die mit zunehmend besorgten Stimmen ihre Mutter riefen. Da das Rufen nicht aufhörte, ging ich nachsehen, was los war, und stieß auf Ada. Sie sagte unruhig und mit Tränen in den Augen, Melina sei verschwunden. Kurz darauf kam Antonio, atemlos und kreidebleich, würdigte mich keines Blickes und lief wieder davon. Sofort begann der halbe Rione nach Melina zu suchen, sogar Stefano, der sich noch im Verkaufskittel ans Steuer seines Cabrios setzte, Ada auf dem Beifahrersitz Platz nehmen ließ und im Schritttempo die Straßen absuchte. Ich folgte Antonio, wir liefen hierhin und dorthin, ohne ein Wort zu wechseln. Schließlich gelangten wir zu den Teichen, gingen durch das hohe Gras und riefen seine Mutter. Er hatte eingefallene Wangen und dunkle Augenringe. Ich griff nach seiner Hand, um ihn zu trösten, aber er stieß mich zurück. Er sagte etwas Scheußliches, er sagte: »Lass mich in Ruhe, du bist doch keine Frau.« Ich spürte einen heftigen Stich in der Brust, und in diesem Augenblick entdeckten wir Melina. Sie saß im Wasser und suchte Abkühlung. Ihr Hals und ihr Kopf schauten aus der grünlichen Fläche heraus, ihre Haare waren nass, die Augen rot, die Lippen mit kleinen Blättern und Schlamm bedeckt. Sie war still, sie, die ihre Anfälle seit zehn Jahren immer schreiend oder singend auslebte.

Wir brachten sie nach Hause, Antonio stützte sie auf der einen Seite, ich auf der anderen. Die Leute waren erleichtert und riefen ihren Namen, und sie winkte ihnen matt zu. Am Gittertor sah ich Lila stehen, sie hatte sich nicht an der Suche beteiligt. Isoliert, wie sie in ihrer Wohnung im neuen Viertel war, hatte sie die Nachricht wohl erst spät gehört. Ich wusste, dass sie eine enge Bindung zu Melina hatte, und so überraschte es mich, dass sie mit einer schwer zu bestimmenden Miene abseits stand, während alle ihre Zuneigung bekundeten und nun auch Ada angelaufen kam und »Mama!« rief, gefolgt von Stefano, der sein Auto mit offenen Türen mitten auf dem Stradone hatte stehenlassen und das glückliche Gesicht eines Menschen besaß, der mit dem Schlimmsten gerechnet hat, doch nun sieht, dass alles in Ordnung ist. Lila schien von dem traurigen Anblick gerührt zu sein, den die Witwe bot: schmutzig, mit ausdruckslosem Lächeln, die leichte Kleidung, die mit Wasser und Schlamm durchtränkt war, der abgezehrte Körper, der sich unter dem Stoff abzeichnete, die kraftlose Geste, mit der sie Freunde und Bekannte grüßte. Doch sie war auch betroffen, war auch entsetzt, ganz als spürte sie die gleiche Verwirrung in sich. Ich winkte ihr zu, sie winkte nicht zurück. Also überließ ich Melina der Obhut ihrer Tochter und wollte zu ihr gehen, wollte ihr auch von Maestra Oliviero erzählen, wollte ihr auch von der Gemeinheit erzählen, die Antonio zu mir gesagt hatte. Aber ich fand sie nicht mehr, sie war verschwunden.

21

Als ich Lila wiedersah, bemerkte ich sofort, dass es ihr nicht gut ging und sie darauf aus war, dass auch ich mich nicht wohlfühlte. Wir verbrachten den Vormittag in scheinbar spielerischer Stimmung in ihrer Wohnung. Tatsächlich aber nötigte sie mich mit wachsender Gehässigkeit, alle ihre Kleider anzuprobieren, obwohl ich ihr sagte, dass sie mir nicht stünden. Das Spiel wurde zur Qual. Sie war größer und schlanker als ich, alles, was ich anzog, ließ mich lächerlich erscheinen. Doch das wollte sie nicht zugeben, sie sagte, man müsse nur hier und dort etwas nachbessern, betrachtete mich dabei allerdings mit zunehmendem Missfallen, als würde ich sie mit meinem Aussehen beleidigen.

Irgendwann rief sie »Das reicht jetzt!« und zog ein Gesicht, als hätte sie ein Gespenst gesehen. Dann nahm sie sich zusammen, zwang sich zu einem leichtfertigen Ton und erzählte mir, sie sei einige Abende zuvor mit Pasquale und Ada Eis essen gegangen.

Ich war im Unterkleid und half ihr gerade, die Sachen wieder auf die Kleiderbügel zu hängen.

»Mit Pasquale und Ada?«

»Ja.«

»Und mit Stefano?«

»Ich allein.«

»Haben sie dich eingeladen?«

»Nein, ich habe sie gefragt.«

Und mit einer Miene, wie um mich zu überraschen, fügte sie hinzu, sie habe sich nicht auf diesen einen Abstecher in die Welt ihrer Kindheit beschränkt, tags darauf sei sie mit Enzo und Carmela Pizza essen gewesen.

»Wieder allein?«

»Ja.«

»Und was sagt Stefano dazu?«

Sie zog ein gleichgültiges Gesicht.

»Verheiratet zu sein heißt ja nicht, dass man wie ein Tattergreis leben muss. Wenn er mitkommen will, meinetwegen, aber wenn er abends zu müde ist, gehe ich eben allein aus.«

»Und wie war's?«

»Ich habe mich amüsiert.«

Ich hoffte, dass sie mir meinen Verdruss nicht anmerkte. Wir hatten uns häufig getroffen, sie hätte zu mir sagen können: »Heute Abend gehe ich mit Ada, Pasquale, Enzo und Carmela aus, willst du mitkommen?« Aber sie hatte nichts gesagt, hatte diese Treffen allein verabredet, heimlich, als wären das nicht seit jeher *unsere* Freunde, sondern nur ihre. Und nun erzählte sie mir auch noch haarklein und genüsslich alles, worüber sie gesprochen hatten: Ada sei besorgt, weil Melina fast nichts aß und das Wenige, was sie zu sich nahm, wieder erbrach, Pasquale mache sich Sorgen um seine Mutter Giuseppina, die nicht schlafen könne, weil ihre Beine sich schwer anfühlten und sie Herzrasen bekam, und wenn sie ihren Mann im Gefängnis besucht habe, sei sie danach so in Tränen aufgelöst, dass nichts sie trösten könne. Ich hörte zu. Mir fiel auf, dass sie mitfühlender sprach als sonst. Sie verwendete emotional aufgeladene Wörter, beschrieb Melina Cappuccio und Giuseppina Peluso, als hätten deren Körper ihren, Lilas, Körper erfasst und ihm ihre zusammengeschrumpften oder aufgeblähten Formen und ihre Beschwerden aufgezwungen. Während sie sprach, griff sie sich ins Gesicht, an die Brust, an den Bauch, an die Hüften, als wären sie nicht mehr ihre, und ließ dabei erkennen, dass sie alles über diese Frauen wusste, bis ins kleinste Detail, um mir zu beweisen, dass mir kein Mensch etwas erzählte, ihr aber schon, oder, schlimmer noch, um mir das Gefühl zu geben, ich lebte mit dem Kopf in den Wolken wie eine, die nicht bemerkt, wie sehr die Menschen rings um sie her leiden. Sie redete über Giuseppina, als hätte sie sie trotz der eigenen turbulenten Verlobungszeit und Ehe nie aus den Augen verloren; redete über Melina, als steckte die Mutter von Ada und Antonio seit jeher in ihrem Kopf und als wüsste sie gründlich über ihren Wahnsinn Bescheid. Nun zählte sie mir viele Leute aus dem Rione auf, die ich kaum kannte, deren Geschichten sie aber durch eine Art distanzierter Anteilnahme zu kennen schien. Schließlich verkündete sie:

»Ich war auch mit Antonio Eis essen.«

Das war wie ein Schlag in meine Magengrube.

»Wie geht es ihm?«

»Gut.«

»Hat er was über mich gesagt?«

»Nein, nichts.«

»Wann muss er weg?«

»Im September.«

»Marcello hat nichts getan, um ihm zu helfen.«

»Das war ja klar.«

Klar? ›Wenn es klar war‹, dachte ich, ›dass die Solaras nichts für ihn tun würden, warum hast du mich dann zu ihnen mitgenommen? Und warum willst du jetzt, wo du verheiratet bist, deine Freunde auf diese Art, allein, wiedersehen? Und warum warst du mit Antonio Eis essen, ohne mir was zu sagen, obwohl du doch weißt, dass er mein Exfreund ist und er mich nicht mehr sehen will, ich ihn aber gern sehen würde? Willst du dich rächen, weil ich mit deinem Mann im Auto weggefahren bin und dir kein Wort von dem erzählt habe, was wir besprochen haben?‹ Gereizt zog ich mich wieder an, brummte, ich hätte noch zu tun und müsse los.

»Ich muss dir noch was sagen.«

Ernst erzählte sie mir, Rino, Marcello und Michele hätten gewollt, dass Stefano zur Piazza dei Martiri kam, um zu sehen, wie gut es mit dem Laden voranging, und dort hätten die drei ihm zwischen Zementsäcken, Farbeimern und Pinseln die Wand gegenüber der Eingangstür gezeigt und ihm gesagt, sie hätten vor, das vergrößerte Foto von ihr im Brautkleid dort aufzuhängen. Stefano habe sich das angehört und dann geantwortet, das wäre garantiert eine gute Reklame für die Schuhe, doch er halte das nicht für angebracht. Die drei hätten ihn bedrängt, und er habe nein gesagt, nein zu Marcello, nein zu Michele und nein auch zu Rino. Kurz, ich hatte die Wette gewonnen. Ihr Mann hatte den Solaras Paroli geboten.

Mit bemühter Begeisterung sagte ich:

»Siehst du? Immer redest du schlecht von dem armen Stefano. Dabei hatte ich Recht. Jetzt musst du wieder zur Schule gehen.«

»Abwarten.«

»Warten, worauf denn? Eine Wette ist eine Wette, und du hast sie verloren.«

»Abwarten«, sagte Lila noch einmal.

Ich bekam schlechte Laune. ›Sie weiß nicht, was sie will‹, dachte ich. ›Sie ärgert sich, weil sie sich in Bezug auf ihren Mann geirrt hat. Oder, was weiß ich, vielleicht übertreibe ich ja, vielleicht hat sie sich über Stefanos Ablehnung gefreut, wünscht sich aber eine härtere Auseinandersetzung zwischen den Männern um ihr Foto und ist nun enttäuscht, weil die Solaras nicht hartnäckig genug waren.‹ Ich sah, dass sie sich mit der Hand matt über Hüfte und Bein strich, wie in einer zärtlichen Abschiedsgeste, und für einen kurzen Moment erschien in ihren Augen jene Mischung aus Qual, Angst und Ekel, die ich schon an dem Nachmittag, als Melina verschwunden war, bei ihr gesehen hatte. Ich dachte: ›Und wenn ihr nun insgeheim daran liegt, dass ihr Foto im Großformat im Stadtzentrum ausgestellt wird, und sie es bedauert, dass sich Michele nicht gegen Stefano durchgesetzt hat? Warum nicht, sie will in allem die Erste sein, sie ist eben so: die Schönste, die Eleganteste, die Reichste.‹ Und dann sagte ich mir: ›Und vor allem die Klügste.‹ Und bei dem Gedanken, dass Lila wirklich wieder zur Schule gehen könnte, empfand ich ein Missfallen, das entwürdigend für mich war. Zweifellos würde sie all die verlorenen Schuljahre aufholen. Zweifellos würde sie plötzlich dasitzen, unmittelbar neben mir, und die Abiturprüfung machen. Diese Aussicht war unerträglich. Aber noch unerträglicher schien mir die Entdeckung zu sein, dass ich solche Gefühle hegte. Ich schämte mich dafür, sagte ihr unverzüglich, wie schön es doch wäre, wenn wir wieder gemeinsam lernen könnten, und drängte sie, sich zu informieren, was man dafür tun musste. Als sie mit den Schultern zuckte, sagte ich:

»Jetzt muss ich aber wirklich los.«

Diesmal hielt sie mich nicht zurück.

22

Wie üblich begann ich schon auf der Treppe ihre Beweggründe zu ahnen, zumindest schien es mir so: Sie war isoliert in dem neuen Viertel, eingeschlossen in ihrer modernen Wohnung, von Stefano misshandelt, war in wer weiß was für einen mysteriösen Kampf mit ihrem Körper verstrickt, um keine Kinder zu bekommen, und war so neidisch auf meine Lernerfolge, dass sie mir mit dieser verrückten Wette zu verstehen gab, wie gern sie wieder zur Schule gehen würde. Außerdem war es wahrscheinlich, dass sie mich für viel freier hielt als sich selbst. Der Bruch mit Antonio und meine Schwierigkeiten in der Schule müssen ihr im Vergleich zu ihren Problemen wie Lappalien vorgekommen sein. Von einem Treppenabsatz zum nächsten fühlte ich mich, ohne es zu bemerken, zunächst geneigt, ihr grollend zuzustimmen, und dann, sie erneut zu bewundern. Aber ja, es wäre schön, wenn sie wieder zur Schule ginge. Wenn wir an die Zeiten der Grundschule anknüpfen könnten, als sie stets die Erste war und ich stets die Zweite. Wenn wir dem Lernen wieder einen Sinn geben könnten, denn sie verstand es, ihm einen Sinn zu geben. Wenn ich ihrem Schatten folgen und mich dadurch stark und in Sicherheit fühlen könnte. Ja, ja, ja. Noch einmal neu anfangen.

Dann fiel mir auf dem Nachhauseweg die Mischung aus Qual, Entsetzen und Ekel wieder ein, die ich auf ihrem Gesicht gesehen hatte. Warum. Ich musste an den etwas verwahrlosten Körper der Maestra denken und an den heruntergewirtschafteten von Melina. Ohne ersichtlichen Grund begann ich die Frauen auf dem Stradone nun aufmerksam zu mustern. Plötzlich war mir, als wäre ich mit so etwas wie Scheuklappen durchs Leben gegangen, als hätte ich meine Aufmerksamkeit nur auf uns Mädchen richten können, auf Ada, Gigliola, Carmela, Marisa, Pinuccia, Lila, mich selbst und meine Schulkameradinnen, und hätte eigentlich nie auf Melinas Körper geachtet oder auf Giuseppina Pelusos, auf Nunzia Cerullos, auf Maria Carraccis. Der einzige Frauenkörper, den ich mit wachsender Sorge beobachtet hatte, war der hinkende meiner Mutter, nur von diesem Bild fühlte ich mich bedrängt, bedroht, und ich fürchtete noch immer, es könnte sich unversehens über mein eigenes legen. Nun aber sah ich auch die Familienmütter des alten Rione in aller Deutlichkeit. Sie waren gereizt, waren fügsam. Sie schwiegen mit zusammengekniffenen Lippen und eingezogenem Kopf oder schrien ihre Kinder, die ihnen auf die Nerven gingen, mit fürchterlichen Schimpfwörtern an. Abgezehrt, mit tiefliegenden Augen und eingefallenen Wangen oder mit breitem Hintern, geschwollenen Fußgelenken und schwerem Busen schleppten sie ihre Einkaufstaschen und zogen ihre kleinen Kinder hinter sich her, die ihnen am Rockzipfel hingen und hochgenommen werden wollten. Und, du lieber Himmel, sie waren zehn oder höchstens zwanzig Jahre älter als ich. Trotzdem hatten sie die femininen Züge schon verloren, auf die wir Mädchen so großen Wert legten und die wir mit unserer Kleidung und unserer Schminke betonten. Sie waren von den Körpern ihrer Männer, Väter und Brüder aufgezehrt worden, denen sie immer ähnlicher wurden, oder von der vielen Arbeit, vom nahenden Alter, von Krankheiten. Wann setzte diese Verwandlung ein? Mit der Hausarbeit? Mit den Schwangerschaften? Mit den Prügeln? Würde Lila sich genauso verformen wie Nunzia? Würde aus ihrem zarten Gesicht Fernando hervorblitzen, würde sich ihr anmutiger Gang in den von Rino verwandeln, breitbeinig und mit vom Körper abstehenden Armen? Und würde eines Tages auch mein Körper verderben und nicht nur den Körper meiner Mutter, sondern auch den meines Vaters hervortreten lassen? Würde sich alles, was ich gerade in der Schule lernte, verflüchtigen, würde der Rione wieder die Oberhand gewinnen, würde sich alles in einem schwärzlichen Schlamm vermischen, Tonfall und Umgangsformen, Anaximander und mein Vater, Folgóre und Don Achille, chemische Wertigkeiten und die Teiche, die Aoristen, Hesiod und die unverschämte, vulgäre Sprache der Solaras, so wie es übrigens im Lauf der Jahrtausende auch mit der zunehmend chaotischen, zunehmend heruntergekommenen Stadt geschehen war?

Da erkannte ich, dass ich unbewusst Lilas Gefühle aufgenommen hatte und sie nun zu meinen hinzufügte. Hatte sie wegen alldem diesen Gesichtsausdruck, diese üble Laune gehabt? Sich deswegen wie in einer Art Abschied zärtlich über Bein und Hüfte gestrichen? Sich deswegen beim Reden betastet, als spürte sie die Grenzen ihres Körpers, von Melina und Giuseppina belagert, und war daher entsetzt und angewidert? War sie aus dem Bedürfnis heraus, sich zu wehren, zu unseren Freunden gegangen?

Ich erinnerte mich an den Blick, mit dem sie als kleines Mädchen Maestra Oliviero angesehen hatte, die vom Pult gefallen war und wie eine zerbrochene Puppe dagelegen hatte. Ich erinnerte mich an ihren Blick auf Melina, die auf dem Stradone die kurz zuvor gekaufte Schmierseife gegessen hatte. Und ich erinnerte mich, wie Lila uns Mädchen von dem Mord erzählt hatte, von dem Blut, das am Kupfertopf herabgesickert war, und behauptet hatte, Don Achilles Mörder sei kein Mann, sondern eine Frau, als hätte sie in der Geschichte, die sie uns erzählte, gehört und gesehen, wie die Form eines weiblichen Körpers aus zwangsläufigem Hass, aus dem dringenden Bedürfnis nach Rache oder Gerechtigkeit zersprungen war und er seine Struktur verloren hatte.

23

Von der letzten Juliwoche an war ich täglich, auch sonntags, mit den Mädchen im Sea Garden. Zu den unzähligen Dingen, die die Töchter der Schreibwarenhändlerin möglicherweise brauchten, packte ich auch die Bücher, die mir Professoressa Galiani gegeben hatte, in meine Stofftasche. Es waren kleine Bände mit Abhandlungen über die Vergangenheit, die Gegenwart, die Welt, wie sie war und wie sie werden sollte. Ihr Stil ähnelte dem der Schulbücher, war aber schwieriger und interessanter. Ich war diese Art von Lektüre nicht gewohnt, ich ermüdete rasch. Außerdem verlangten die Mädchen viel Aufmerksamkeit. Und dann gab es da das träge Meer, die trübe Sonne, die auf dem Golf und der Stadt lastete, abschweifende Phantasien, Sehnsüchte, die stets vorhandene Lust, die Ordnung der Zeilen und mit ihr jede Ordnung, die Mühe kostete, zu zerstören, das Warten auf eine Erfüllung, die noch in ferner Zukunft lag, und stattdessen die Hingabe an das, was in Reichweite war, unmittelbar greifbar, das rauhe Leben der Tiere des Himmels, der Erde und des Meeres. Ich stand kurz vor meinem siebzehnten Geburtstag, hatte ein Auge auf die Töchter der Schreibwarenhändlerin und eines auf die *Abhandlung über den Ursprung der Ungleichheit.*

Eines Sonntags hielt mir jemand die Augen zu, und eine Mädchenstimme sagte:

»Rat mal, wer ich bin!«

Ich erkannte die Stimme von Marisa und hoffte, sie sei in Begleitung von Nino gekommen. Wie sehr hätte es mir gefallen, wenn er mich durch Sonne und Meer hübscher geworden und bei der Lektüre eines schwierigen Buches angetroffen hätte. Hocherfreut rief ich: »Marisa!« und drehte mich abrupt um. Aber Nino war nicht da, dafür Alfonso, mit einem blauen Handtuch über der Schulter, mit Zigaretten, Feuerzeug und Brieftasche in der Hand, in einer schwarzen Badehose mit einem weißen Streifen, und er selbst sehr blass wie jemand, der in seinem ganzen Leben nie auch nur einen Sonnenstrahl abbekommen hat.

Ich wunderte mich darüber, die beiden hier zusammen zu sehen. Alfonso musste im Oktober in einigen Fächern zu den Nachprüfungen, daher hatte ich vermutet, dass er wegen der vielen Arbeit, die er in der Salumeria hatte, sonntags lernte. Und was Marisa anging, war ich davon überzeugt gewesen, dass sie mit ihrer Familie in Barano war. Doch sie erzählte mir, ihre Eltern hätten sich im Vorjahr mit der Vermieterin Nella gestritten, sie hätten zusammen mit Freunden von der Zeitung *Roma* ein Häuschen in Castelvolturno gemietet. Sie sei nur für ein paar Tage in Neapel: Sie brauche Lehrbücher – Nachprüfungen in drei Fächern – und müsse sich außerdem mit jemandem treffen. Kokett lächelte sie Alfonso zu, dieser Jemand war er.

Ich konnte mich nicht beherrschen und fragte sie sofort, wie Ninos Abitur gewesen sei. Angewidert verzog sie das Gesicht.

»Alles mit Acht und zwei mit Neun. Gleich nachdem er die Ergebnisse erfahren hat, ist er ohne eine Lira in der Tasche allein nach England abgereist. Er sagt, er wird dort schon Arbeit finden und dann so lange bleiben, bis er gut Englisch kann.«

»Und danach?«

»Danach, keine Ahnung, vielleicht fängt er ein Wirtschaftsstudium an.«

Ich hatte noch unzählige Fragen, suchte sogar nach einer Gelegenheit, mich bei ihr nach diesem Mädchen zu erkundigen, das vor der Schule auf ihn gewartet hatte, und danach, ob er wirklich allein gefahren sei oder doch mit ihr, als Alfonso verlegen sagte:

»Lina kommt auch gleich.« Dann fügte er hinzu: »Antonio hat uns hergefahren.«

Antonio?

Vermutlich hatte Alfonso bemerkt, dass sich meine Miene verändert hatte, dass mir die Röte ins Gesicht schoss, dass ein eifersüchtiges Befremden in meinen Augen stand. Er lächelte und sagte rasch:

»Stefano musste sich um die Verkaufstheken für die neue Salumeria kümmern und konnte nicht mitkommen. Aber Lina wollte dich unbedingt sehen, sie muss dir was sagen, und darum hat sie Antonio gebeten, uns herzufahren.«

»Ja, sie muss dir dringend was sagen«, bekräftigte Marisa und klatschte höchst vergnügt in die Hände, um mir zu bedeuten, dass sie bereits wusste, um was es ging.

Um was denn? Wenn man Marisa so sah und hörte, musste es etwas Schönes sein. Vielleicht hatte Lila Antonio besänftigt, und er wollte zu mir zurück. Vielleicht hatten die Solaras schließlich doch ihre Beziehungen im Wehrbezirkskommando spielen lassen, und Antonio musste nicht mehr weg. Das waren meine ersten Vermutungen. Doch als die zwei kamen, verwarf ich sie sofort wieder. Antonio war eindeutig nur deshalb hier, weil Lila zu gehorchen seinem leeren Sonntag einen Sinn gab, nur deshalb, weil es für ihn ein Glück und ein Bedürfnis war, mit ihr befreundet zu sein. Doch er hatte noch immer eine Trauermiene und erschreckte Augen, er begrüßte mich kühl. Ich fragte ihn nach seiner Mutter, er gab nur spärliche Auskünfte. Mit Unbehagen sah er sich um und sprang mit den kleinen Mädchen, die ihn laut umjubelten, ins Wasser. Lila war blass, ohne Lippenstift, und ihr Blick war feindselig. Auf mich wirkte sie nicht so, als hätte sie mir etwas Wichtiges mitzuteilen. Sie setzte sich auf den Beton, nahm das Buch, das ich gerade las, und blätterte es wortlos durch.

Marisa war angesichts dieses Schweigens irritiert, bemühte sich, ihre Begeisterung für alles mögliche hervorzukehren, verhaspelte sich und ging auch schwimmen. Alfonso suchte sich einen weit von uns entfernten Platz, saß dann reglos in der Sonne und richtete seine Aufmerksamkeit auf die Badenden, als wäre der Anblick nackter Leute, die ins Wasser gingen und herauskamen, ein höchst spannendes Schauspiel.

»Von wem hast du das Buch hier?«, fragte mich Lila.

»Von meiner Griechisch- und Lateinlehrerin.«

»Warum hast du mir nichts davon erzählt?«

»Ich dachte nicht, dass dich das interessiert.«

»Woher weißt du denn, was mich interessiert und was nicht?«

Ich kehrte sofort zu einem versöhnlichen Ton zurück, hatte aber auch das Bedürfnis, mich aufzuspielen.

»Wenn ich es aushabe, leihe ich es dir. Solche Bücher gibt unsere Lehrerin den Klassenbesten. Nino liest die auch.«

»Welcher Nino?«

Tat sie das mit Absicht? Tat sie so, als könnte sie sich nicht einmal an seinen Namen erinnern, um ihn vor mir herabzusetzen?

»Der aus dem Hochzeitsfilm, Marisas Bruder, Sarratores ältester Sohn.«

»Der hässliche Typ, den du so toll findest?«

»Ich hab' dir gesagt, dass ich ihn nicht mehr toll finde. Aber er macht interessante Sachen.«

»Was denn?«

»Jetzt ist er zum Beispiel in England. Er arbeitet, reist herum, lernt Englisch.«

Schon die bloße Wiedergabe von Marisas Worten wühlte mich auf. Ich sagte zu Lila:

»Stell dir vor, du und ich könnten so was auch machen. Reisen. Kellnern, um Geld zu verdienen. Englisch lernen und es besser sprechen als die Engländer. Warum kann er sich das erlauben und wir nicht?«

»Ist er fertig mit der Schule?«

»Ja, er hat das Abitur gemacht. Danach will er ein schweres Studium an der Universität anfangen.«

»Ist er gut?«

»So gut wie du.«

»Ich geh' nicht zur Schule.«

»Aber ja doch. Du hast die Wette verloren und musst jetzt weiterbüffeln.«

»Hör auf damit, Lenù.«

»Hat Stefano was dagegen?«

»Wir haben die neue Salumeria, um die muss ich mich kümmern.«

»Du könntest in der Salumeria lernen.«

»Nein.«

»Du hast es versprochen. Du hast gesagt, wir machen das Abitur zusammen.«

»Nein.«

»Warum denn nicht?«

Lila fuhr mit der Hand mehrmals über den Buchumschlag und strich ihn glatt.

»Ich bin schwanger«, sagte sie. Und ohne meine Reaktion abzuwarten, brummte sie: »Was für eine Hitze«, legte das Buch beiseite, trat an den Betonrand, stürzte sich ins Wasser und rief dabei Antonio zu, der mit Marisa und den Mädchen herumplanschte:

»Tonì, rette mich!«

Mit ausgebreiteten Armen flog sie einen Moment durch die Luft, dann klatschte sie ungeschickt ins Wasser. Sie konnte nicht schwimmen.

24

In den folgenden Tagen verfiel Lila in einen hektischen Aktivismus. Sie begann mit der neuen Salumeria, kümmerte sich darum, als gäbe es nichts Wichtigeres auf der Welt. Sie stand früh auf, noch vor Stefano. Sie übergab sich, machte Kaffee, übergab sich erneut. Er war nun sehr fürsorglich, wollte sie fahren, aber Lila lehnte ab, sagte, sie habe Lust auf einen Spaziergang, und schlenderte, bevor die Hitze explodierte, in der kühlen Morgenluft durch menschenleere Straßen und vorbei an den neuen, überwiegend noch unbewohnten Häusern zu dem noch nicht fertig eingerichteten Geschäft. Dort zog sie den Rollladen hoch, wischte den mit Farbe bekleckten Fußboden, wartete auf Arbeiter und Lieferanten, welche die Waagen, die Aufschnittmaschinen und andere Gerätschaften brachten, gab Anweisungen, wie sie aufgestellt werden sollten, und sorgte dafür, dass Dinge verschoben wurden, um neue, günstigere Anordnungen auszuprobieren. Plumpe Kerle und rauhbeinige junge Männer standen unter ihrem strengen Regiment und tanzten nach ihrer Pfeife. Da Lila die schweren Arbeiten selbst anpackte, kaum dass sie einen Befehl erteilt hatte, riefen sie besorgt: »Signora Carracci!«, und überschlugen sich, um ihr zu helfen.

Lila beschränkte sich trotz der kräftezehrenden Hitze nicht auf das Geschäft im Neubauviertel. Manchmal begleitete sie ihre Schwägerin zu der kleinen Baustelle an der Piazza dei Martiri, wo für gewöhnlich Michele die Stellung hielt, doch häufig auch Rino, der sich sowohl als der Hersteller von Schuhen der Marke Cerullo berechtigt fühlte, die Arbeiten zu beaufsichtigen, als auch als der Schwager Stefanos, der der Geschäftspartner der Solaras war. Auch in diesem Laden verhielt sie sich nicht ruhig. Sie inspizierte ihn, kletterte auf die Leitern der Maurer, betrachtete die Räume von oben, kam wieder herunter und fing an, Dinge umzustellen. Anfangs eckte sie damit bei allen an, doch schon bald gab einer nach dem anderen widerstrebend auf. Michele war mit seinem Sarkasmus zwar der Feindseligste, schien aber derjenige zu sein, der am ehesten die Vorzüge von Lilas Vorschlägen erkannte.

»Signò«, sagte er frotzelnd zu ihr, »komm in meine Bar und räume die auch um, ich bezahl' dich auch.«

Sich die Solara-Bar vorzunehmen, fiel ihr natürlich nicht im Traum ein, aber nachdem sie an der Piazza dei Martiri genug Unruhe gestiftet hatte, wechselte sie ins Reich der Familie Carracci, in die alte Salumeria, und nistete sich dort ein. Sie nötigte Stefano, Alfonso zu Hause zu lassen, damit er für die Nachprüfungen lernen konnte, und stachelte Pinuccia an, sich gemeinsam mit ihrer Mutter immer öfter im Geschäft an der Piazza dei Martiri einzumischen. Schritt für Schritt gestaltete sie die beiden Ladenräume im alten Rione so um, dass die Arbeit angenehmer und effizienter wurde. In kurzer Zeit bewies sie, dass sowohl Maria als auch Pinuccia im Grunde überflüssig waren, stärkte Adas Stellung und erwirkte von Stefano eine Lohnerhöhung für das junge Mädchen.

Wenn ich spätnachmittags vom Sea Garden kam und der Schreibwarenhändlerin ihre Töchter zurückbrachte, schaute ich danach fast immer in der Salumeria vorbei, um zu sehen, wie es Lila ging, ob ihr Bauch schon wuchs. Sie war gereizt und hatte keine gesunde Gesichtsfarbe. Auf meine vorsichtigen Fragen zu ihrer Schwangerschaft antwortete sie entweder gar nicht oder zog mich aus dem Laden und sagte etwas unsinnige Dinge wie: »Ich will nicht darüber sprechen, das ist eine Krankheit, in mir ist eine Leere, die mich belastet.« Dann begann sie mir mit ihrer typischen überschwenglichen Art von der neuen Salumeria zu erzählen und auch von der alten und von der Piazza dei Martiri, eigens um mich glauben zu lassen, dies seien Orte, an denen wunderbare Dinge geschahen, die ich Ärmste verpasste.

Doch inzwischen kannte ich ihre Tricks, ich hörte ihr

zu und glaubte ihr nicht, auch wenn ich letztlich jedes Mal von der Energie fasziniert war, mit der sie die Dienerin und die Herrin spielte. Lila war fähig, gleichzeitig mit mir, mit den Kunden und mit Ada zu sprechen und währenddessen immer in Bewegung zu bleiben, auszupacken, aufzuschneiden, abzuwiegen, Geld zu kassieren und herauszugeben. Sie löste sich in Worten und Gesten auf, versiegte und schien wirklich in einen erbarmungslosen Kampf verstrickt zu sein, um die Last dessen zu vergessen, was sie trotzdem unpassenderweise als »innere Leere« bezeichnete.

Am stärksten beeindruckte mich allerdings ihr unbekümmerter Umgang mit Geld. Sie ging an die Kasse und nahm sich, was sie brauchte. Geld war für sie diese Schublade, die Schatztruhe aus der Kindheit, die sich öffnete und ihre Reichtümer darbot. In dem (seltenen) Fall, dass das Geld in der Kasse nicht reichte, brauchte sie Stefano nur einen Blick zuzuwerfen. Er schien zu der prompten Großzügigkeit ihrer Verlobungszeit zurückgefunden zu haben, schob seinen Kittel hoch, nestelte an seiner hinteren Hosentasche, zog eine dicke Brieftasche heraus und fragte: »Wie viel brauchst du?« Lila zeigte es ihm mit den Fingern, ihr Mann streckte seinen rechten Arm mit der geschlossenen Faust aus, und sie hielt ihm ihre lange, zarte Hand hin.

Ada stand hinter dem Verkaufstisch und schaute sie mit demselben Blick an, mit dem sie auch die Diven in den Illustrierten betrachtete. Vermutlich fühlte sich Antonios Schwester damals wie in einem Märchen. Ihre Augen leuchteten, wenn Lila die Kasse öffnete und ihr Geld gab. Sie verteilte es ohne Probleme, sobald ihr Mann ihr den Rücken zukehrte. Sie gab Ada Geld für Antonio, der zum Wehrdienst musste, gab Pasquale Geld, der sich dringend mindestens drei Zähne ziehen lassen musste. Anfang September nahm sie auch mich beiseite und fragte, ob ich Geld für Bücher brauchte.

»Was für Bücher?«

»Für die Schule, aber auch andere.«

Ich erzählte ihr, dass Maestra Oliviero noch nicht wieder aus dem Krankenhaus entlassen sei und ich nicht wisse, ob sie mir wie üblich die Schulbücher besorgen könne, und schon wollte Lila mir Geld zustecken. Ich zog mich zurück, lehnte ab, wollte nicht wie eine arme Verwandte dastehen, die um ein Almosen betteln muss. Ich sagte, man müsse warten, bis die Schule wieder losgehe, sagte, die Schreibwarenhändlerin habe meine Arbeit im Sea Garden bis Mitte September verlängert, sagte, so könne ich etwas mehr als geplant verdienen und allein über die Runden kommen. Sie bedauerte das und bestand darauf, dass ich mich an sie wandte, falls die Maestra nicht helfen könne.

Sicherlich hatte nicht nur ich, sondern jeder unserer Freunde so seine Schwierigkeiten mit Lilas Freigebigkeit. Pasquale, zum Beispiel, wollte das Geld für den Zahnarzt nicht annehmen, für ihn war das eine Beleidigung, und am Ende akzeptierte er es nur, weil sein Gesicht angeschwollen und ein Auge entzündet war und die Lattichumschläge nicht halfen. Auch Antonios Miene verfinsterte sich nicht wenig, so dass er, damit er das Geld annahm, das Ada außer der Reihe von unserer Freundin erhalten hatte, davon überzeugt werden musste, dass es sich um eine Entschädigung für den miserablen Lohn handelte, den Stefano ihr zuvor gezahlt hatte. Geld hatten wir nie viel gesehen, für uns waren sogar zehn Lire ein Schatz, und wenn wir eine Münze auf der Straße fanden, war das ein Fest. Daher kam es uns wie eine Todsünde vor, dass Lila das Geld verteilte, als wäre es Schrott oder Makulatur. Sie tat es schweigend, mit einer herrischen Geste, ähnlich der, mit der sie als kleines Mädchen die Spiele organisiert und die Rollen verteilt hatte. Danach sprach sie von etwas anderem, als hätte diese Übergabe nie stattgefunden. »Andererseits«, sagte Pasquale in seiner düsteren Art eines Abends zu mir, »verkauft sich die Mortadella gut, und auch die Schuhe verkaufen sich gut, und Lina hat immer Freundschaft mit uns gehalten, sie steht auf unserer Seite, ist unsere Verbündete, unsere Gefährtin.« Zwar mittlerweile reich, aber verdientermaßen: Ja, sie habe es verdient, denn das Geld fliege ihr nicht zu, weil sie Signora Carracci sei, die künftige Mutter des Kindes des Lebensmittelhändlers, sondern weil sie diejenige gewesen sei, die die Cerullo-Schuhe entworfen hatte, und auch wenn sich inzwischen wohl sonst niemand mehr daran erinnere, wir, ihre Freunde, täten es.

Wahre Worte. Wie viele Dinge hatte Lila in nur wenigen Jahren ins Rollen gebracht. Trotzdem schien nun, da wir siebzehn Jahre alt waren, die Zeit nicht mehr dahinzufließen, sondern klebrig geworden zu sein und sich herumzuwälzen wie gelbe Creme in einer Konditoreimaschine. Das bemerkte voller Groll auch Lila, als sie an einem Sonntag mit glatter See und weißem Himmel gegen drei Uhr nachmittags überraschend im Sea Garden auftauchte, allein, was wirklich ungewöhnlich war. Sie hatte die U-Bahn und verschiedene Busse genommen, und da stand sie nun also vor mir, im Badeanzug, mit einer grünlichen Gesichtsfarbe und einem pickligen Ausschlag auf der Stirn. »Beschissene siebzehn Jahre«, sagte sie im Dialekt, doch dem Anschein nach fröhlich und mit sarkastischem Blick.

Sie hatte sich mit Stefano gestritten. Beim täglichen Schlagabtausch mit den Solara-Brüdern war die Frage nach der Geschäftsführung an der Piazza dei Martiri wieder aufs Tapet gekommen. Michele hatte versucht, Gigliola einzusetzen, hatte Rino massiv bedroht, der für Pinuccia war, und hatte sich resolut in eine nervenaufreibende Verhandlung mit Stefano gestürzt, fast hätten sie sich geprügelt. Und was war am Ende dabei herausgekommen? Wie es aussah, weder Besiegte noch Sieger. Gigliola und Pinuccia sollten das Geschäft *gemeinsam* führen. Doch unter der Bedingung, dass Stefano eine alte Entscheidung nochmals überdachte.

»Welche denn?«, fragte ich.

»Rate mal!«

Ich erriet es nicht. Michele hatte in seiner aufreizenden Art von Stefano verlangt, ihm Lilas Foto im Brautkleid zu überlassen. Und diesmal hatte ihr Mann nachgegeben.

»Wirklich?«

»Wirklich. Ich habe dir ja gesagt, man braucht bloß abzuwarten. Sie stellen mich in dem Geschäft aus. Am Ende habe also ich die Wette gewonnen und nicht du. Setz dich hin und lerne, dieses Jahr musst du überall eine Acht schaffen.«

An dieser Stelle veränderte sich ihr Tonfall, sie wurde sehr ernst. Sagte, sie sei nicht wegen des Fotos gekommen, denn sie wisse schon lange, dass sie für diesen Scheißkerl nur eine Tauschware sei. Sie sei wegen ihrer Schwangerschaft da. Nervös und in aller Ausführlichkeit erzählte sie mir davon wie von etwas, das in einem Mörser zerstampft werden sollte, und sie tat es mit eiskalter Bestimmtheit. »Es ist so sinnlos«, sagte sie, ohne ihre Angst zu verbergen. »Die Männer stecken dir ihr Ding rein, und du wirst zu einer Fleischdose mit einer lebendigen Puppe darin. Ich habe sie in mir, sie ist da, und sie ekelt mich an. Ich muss ständig kotzen, mein eigener Bauch verträgt sie nicht. Ich weiß, dass ich an was Schönes denken sollte, ich weiß, dass ich mich damit abfinden sollte, aber ich schaffe das nicht, ich sehe weder einen guten Grund noch was Schönes. Und abgesehen davon«, fügte sie hinzu, »habe ich das Gefühl, dass ich mit Kindern nicht umgehen kann. Du ja, man braucht sich nur anzusehen, wie du dich um die Töchter der Schreibwarenhändlerin kümmerst. Aber ich nicht, ich habe diese Veranlagung nicht.«

Ihre Worte taten mir weh, was konnte ich antworten?

»Du kannst doch nicht wissen, ob du diese Veranlagung hast, du musst es ausprobieren«, versuchte ich sie zu beruhigen und zeigte auf die Mädchen der Schreibwarenhändlerin, die in der Nähe spielten: »Bleib ein bisschen bei ihnen, rede mit ihnen.«

Sie lachte und sagte gehässig, ich hätte gelernt, die süßlichen Töne unserer Mütter anzuschlagen. Aber dann wagte sie verlegen ein paar Worte zu den Mädchen, zog sich zurück und suchte wieder das Gespräch mit mir. Ich wich ihr aus, redete ihr zu und drängte sie, sich mit Linda zu beschäftigen, der jüngsten Tochter der Schreibwarenhändlerin. Ich riet ihr:

»Los, spiel ihr Lieblingsspiel mit ihr, lass sie von dem Trinkbrunnen da neben der Strandbar trinken oder spritzt mit Wasser, indem ihr den Daumen auf den Strahl drückt.«

Widerstrebend nahm sie Linda an die Hand und ging mit ihr weg. Nach einer kurzen Weile wurde ich unruhig, weil sie nicht zurückkamen, ich rief die beiden anderen

Mädchen zu mir und schaute nach, was los war. Alles in Ordnung, Lila hatte sich glücklich von Linda gefangen nehmen lassen. Sie hielt das Mädchen über den Brunnen, ließ sie trinken und mit Wasser spritzen. Das Gelächter der zwei klang wie Jubelschreie.

Ich war erleichtert. Ich ließ auch Lindas Schwestern bei Lila und setzte mich in der Strandbar auf einen Platz, von dem aus ich alle vier im Blick behalten und zugleich ein wenig lesen konnte. ›So wird sie werden‹, dachte ich, während ich sie beobachtete. ›Was ihr zunächst unerträglich schien, macht ihr jetzt schon Freude. Vielleicht sollte ich ihr sagen, dass die sinnlosen Dinge die schönsten sind. Das ist ein guter Satz, er gefällt ihr bestimmt. Die Glückliche, sie hat jetzt schon alles, was zählt.‹

Eine Weile versuchte ich, Rousseaus Ausführungen Zeile für Zeile zu folgen. Dann schaute ich auf und sah, dass etwas nicht stimmte. Es gab Geschrei. Vielleicht hatte Linda sich zu weit vorgebeugt, vielleicht hatte eine ihrer Schwestern sie geschubst, auf jeden Fall war sie Lila entglitten und mit dem Kinn auf dem Brunnenrand aufgeschlagen. Entsetzt lief ich hin. Kaum hatte Lila mich bemerkt, kreischte sie mit einer Kinderstimme, wie ich sie noch nie an ihr gehört hatte, nicht einmal, als sie klein gewesen war:

»Ihre Schwester hat sie fallen lassen, ich war das nicht!«

Sie hatte die blutende Linda auf dem Arm, die brüllte und jammerte, während ihre Schwestern mit kleinen, nervösen Bewegungen und einem krampfhaften Lächeln wegschauten, als ginge das Ganze sie nichts an, als hörten und sähen sie nichts.

Verärgert riss ich Lila das Mädchen aus den Armen, hielt Linda an den Wasserstrahl und bespritzte ihr Gesicht. Unter dem Kinn erschien ein waagerechter Riss. ›Das Geld von der Schreibwarenhändlerin ist futsch‹, dachte ich. ›Meine Mutter wird außer sich sein.‹ Ich rannte zum Bademeister, der Linda beruhigte, ihre Wunde mit Alkohol übergoss, die Kleine damit erneut zum Schreien brachte, ihr Kinn mit einer Mullkompresse verband und sie wieder aufheiterte. Alles in allem nichts Ernstes. Ich kaufte den drei Kindern ein Eis und kehrte mit ihnen auf die Betonplattform zurück.

Lila war weg.

25

Die Schreibwarenhändlerin zeigte sich nicht besonders erschrocken über Lindas Verletzung, aber als ich sie fragte, ob ich die Mädchen tags darauf zur gewohnten Zeit abholen solle, sagte sie, ihre Töchter hätten in diesem Sommer schon zu viel gebadet, sie brauche mich nicht mehr.

Ich verschwieg Lila, dass ich meine Arbeit verloren hatte. Allerdings fragte sie mich auch nie, wie die Sache ausgegangen war, sie erkundigte sich nicht einmal nach Linda und ihrer kleinen Wunde. Als ich sie wiedersah, war sie vollauf mit der Eröffnung der neuen Salumeria beschäftigt und wirkte auf mich wie diese Sportler, die beim Training immer hektischer übers Seil springen.

Sie schleppte mich mit zu einem Buchdrucker, bei dem sie zur Bekanntgabe der Geschäftseröffnung eine beträchtliche Zahl Handzettel bestellt hatte. Sie wollte, dass ich zum Priester ging und einen Termin für die Segnung des Ladens und der Waren vereinbarte. Sie erzählte mir, dass sie Carmela Peluso mit einem Lohn eingestellt habe, der wesentlich höher sei als der, den sie bei der Kurzwarenhändlerin erhalten hatte. Doch vor allem erzählte sie mir, dass sie wegen jeder Kleinigkeit, wirklich wegen jeder Kleinigkeit, einen erbitterten Kampf mit ihrem Mann, mit Pinuccia, ihrer Schwiegermutter und Rino führte. Sie wirkte allerdings nicht besonders aggressiv auf mich. Sie redete leise, immer im Dialekt, und erledigte dabei tausend Dinge, die wichtiger zu sein schienen als das, was sie sagte. Sie zählte die Kränkungen auf, die ihre angeheirateten und ihre Blutsverwandten ihr zugefügt hatten und noch zufügten. »Sie haben Michele versöhnlich gestimmt«, sagte sie, »so wie sie auch Marcello versöhnlich gestimmt haben. Sie haben mich benutzt, für sie bin ich kein Mensch, sondern ein Ding. Geben wir ihnen Lina, hängen wir sie an die Wand, sie ist ja ein Nichts, weniger als ein Nichts.« Während sie sprach, glänzten ihre ruhelosen Augen in den dunklen Höhlen, ihre Haut war über den Wangenknochen straff gespannt, und ihre Zähne blitzten wiederholt in einem kurzen, nervösen Lächeln auf. Aber das überzeugte mich nicht. Mir war, als steckte hinter diesem kampflustigen Aktivismus ein erschöpfter Mensch auf der Suche nach einem Ausweg.

»Was hast du jetzt vor?«

»Gar nichts. Ich weiß nur, dass sie mich umbringen müssen, um mit meinem Foto machen zu können, was sie wollen.«

»Lass es gut sein, Lila. Eigentlich ist es ja schön, überleg doch mal: Nur Filmstars sind auf Plakaten zu sehen.«

»Bin ich etwa ein Filmstar?«

»Nein.«

»Na also. Wenn mein Mann beschlossen hat, sich an

die Solaras zu verkaufen, darf er mich dann deiner Meinung nach auch verkaufen?«

Ich versuchte sie zu besänftigen, fürchtete, Stefano könnte die Geduld verlieren und sie wieder schlagen. Das sagte ich ihr, sie lachte: Seit sie schwanger sei, wage ihr Mann es nicht einmal, ihr eine Ohrfeige zu geben. Aber gerade als sie das sagte, kam mir der Verdacht, dass das Foto nur ein Vorwand war, dass sie eigentlich alle zur Raserei bringen wollte, dass sie sich von Stefano, von den Solaras, von Rino zusammenschlagen lassen wollte, sie so sehr reizen wollte, bis sie ihr mit Prügeln halfen, das Leid, den Schmerz, das lebende Etwas zu zerschmettern, das sie im Bauch trug.

Meine Vermutung verfestigte sich an dem Abend, als die Salumeria eröffnet wurde. Lila kleidete sich so nachlässig wie irgend möglich. Behandelte ihren Mann vor den anderen wie einen Dienstboten. Schickte den Priester, den ich auf ihr Geheiß bestellt hatte, weg, ohne ihn den Laden segnen zu lassen, stattdessen drückte sie ihm verächtlich etwas Geld in die Hand. Sie begann Schinken aufzuschneiden und Brötchen zu belegen, die sie zusammen mit einem Glas Wein gratis an alle verteilte. Das fand einen so großen Anklang, dass die neueröffnete Salumeria sich füllte, Lila und Carmela umlagert wurden und Stefano, der sich schick angezogen hatte, ihnen, so wie er war, ohne Kittel, helfen musste, die Situation zu meistern, und sich gründlich mit Fett beschmierte.

Als sie erschöpft nach Hause zurückkehrten, machte ihr Mann ihr eine Szene, und Lila setzte alles daran, um ihn bis zum Äußersten zu reizen. Sie schrie, wenn er nur eine wolle, die ihm gehorche und sonst nichts, habe er es schlecht getroffen, sie sei weder seine Mutter noch seine Schwester, sie werde ihm immer Scherereien machen. Dann fing sie von den Solaras an, von der Geschichte mit dem Foto, und beschimpfte ihn heftig. Er ließ sie zunächst gewähren, dann antwortete er mit noch heftigeren Beschimpfungen. Aber er schlug sie nicht. Als sie mir am folgenden Tag erzählte, was geschehen war, sagte ich zu ihr, Stefano möge wohl seine Fehler haben, es sei aber nicht zu bezweifeln, dass er verliebt in sie sei. Sie bestritt das. »Er versteht nur das hier«, gab sie zurück und rieb Daumen und Zeigefinger aneinander. Tatsächlich kannte man die Salumeria bereits im ganzen neuen Viertel, seit dem Morgen drängten sich dort die Kunden. »Die Kassenschublade ist schon voll. Das hat er mir zu verdanken. Ich bringe ihm Reichtum und ein Kind, was will er denn noch?«

»Was willst du denn noch?«, fragte ich sie mit einem wütenden Unterton, der mich überraschte, so dass ich sie rasch anlächelte und hoffte, er sei ihr entgangen.

Ich weiß noch, dass sie plötzlich bestürzt aussah und sich an die Stirn griff. Vielleicht wusste nicht einmal sie, was sie wollte, sie spürte nur, dass sie keinen Frieden fand.

Kurz vor der zweiten Eröffnung, der des Geschäfts an der Piazza dei Martiri, wurde Lila unerträglich. Doch vielleicht ist diese Formulierung übertrieben. Sagen wir, sie schüttete das Durcheinander, das sie in sich fühlte, über uns allen aus, auch über mir. Einerseits machte sie Stefano das Leben zur Hölle, geriet mit ihrer Schwiegermutter und ihrer Schwägerin aneinander, ging zu Rino und stritt sich vor den Gehilfen mit ihm und auch vor Fernando, der gebeugter als sonst an seiner Werkbank arbeitete und so tat, als bekäme er nichts davon mit; andererseits merkte sie selbst, dass sie in ihrer Unzufriedenheit und ihrer Unnachgiebigkeit haltlos herumtrudelte, und manchmal, in den seltenen Momenten, wenn es leer war oder sie nicht mit den Lieferanten zu tun hatte, ertappte ich sie in der Salumeria im neuen Viertel mit einer geistesabwesenden Miene, eine Hand an der Stirn, in den Haaren vergraben, wie um eine Wunde abzudecken, mit dem Ausdruck eines Menschen, der nach Atem ringt.

Eines Nachmittags saß ich zu Hause, es war noch sehr heiß, obwohl wir schon Ende September hatten. Die Schule ging bald wieder los, und ich trieb durch die Tage. Meine Mutter machte mir Vorwürfe, weil ich die Zeit nicht sinnvoll verbrachte. Nino war wer weiß wo, in England oder an diesem mysteriösen Ort namens Universität. Ich hatte Antonio nicht mehr und auch keine Hoffnung, wieder mit ihm zusammenzukommen, er war gemeinsam mit Enzo Scanno zum Militär gegangen und hatte sich von allen außer mir verabschiedet. Ich hörte, wie mich jemand von der Straße aus rief, es war Lila. Sie hatte fiebrig glänzende Augen und sagte, sie habe eine Lösung gefunden.

»Eine Lösung wofür?«

»Für die Fotografie. Wenn sie sie ausstellen wollen, dann so, wie ich es ihnen sage.«

»Und was sagst du ihnen?«

Das verriet sie nicht, vielleicht war es ihr damals selbst noch nicht klar. Doch ich wusste, wie sie war, und erkannte den Gesichtsausdruck wieder, den sie jedes Mal bekam, wenn aus der Dunkelheit ihres tiefsten Innern ein Signal aufstieg und ihr Gehirn entzündete. Sie bat mich, sie am Abend zur Piazza dei Martiri zu begleiten. Dort würden wir die Solaras, Gigliola, Pinuccia und ihren Bruder treffen. Sie wollte, dass ich ihr half, dass ich sie unterstützte, und ich begriff, dass sie etwas im Sinn hatte, was sie aus ihrem permanenten Krieg herausführen sollte: einen heftigen, endgültigen Ausbruch aus den vielen zunehmenden Spannungen oder einfach nur einen Weg, um ihren Kopf und ihren Körper von der angestauten Energie zu befreien.

»In Ordnung«, sagte ich. »Aber versprich mir, dass du nicht verrücktspielst.«

»Ja.«

Als die Geschäfte geschlossen hatten, holten sie und Stefano mich mit dem Auto ab. Den wenigen Worten, die sie wechselten, entnahm ich, dass auch ihr Mann nicht wusste, was sie vorhatte, und dass ihn meine Anwesenheit diesmal nicht beruhigte, sondern alarmierte. Lila hatte sich endlich entgegenkommend gezeigt. Sie hatte zu ihm gesagt, falls es wirklich keine Möglichkeit gebe, das Bild zu entfernen, so wolle sie wenigstens ein Wörtchen mitreden, wenn es darum ging, wie es präsentiert werden würde.

»Geht es um den Rahmen, die Wand, das Licht?«, hatte er gefragt.

»Mal sehen.«

»Aber das war's dann auch, Lina.«

»Ja, das war's dann.«

Es war ein schöner, milder Abend, das prächtige Licht aus den Räumen des Schuhgeschäfts ergoss sich auf die Piazza. Schon von Weitem war das riesige Bild von Lila im Brautkleid zu erkennen, es stand an der mittleren Wand. Stefano parkte den Wagen, wir betraten den Laden und bewegten uns zwischen noch wahllos aufgestapelten Schuhkartons, Farbeimern und Leitern. Marcello,

Rino, Gigliola und Pinuccia waren sichtlich unwirsch. Aus verschiedenen Gründen hatten sie keine Lust, zum x-ten Mal Lilas Launen ausgesetzt zu sein. Der Einzige, der uns mit ironischer Herzlichkeit begrüßte, war Michele, lachend wandte er sich an meine Freundin:

»Signora bella, lässt du uns nun endgültig wissen, was dir vorschwebt, oder willst du uns nur den Abend versauen?«

Lila betrachtete das große Bild, das an der Wand lehnte, und bat darum, dass man es auf den Boden legte. Marcello fragte vorsichtig und mit der argwöhnischen Scheu, die er Lila gegenüber immer zeigte:

»Um dann was zu tun?«

»Das werdet ihr schon sehen.«

Rino schaltete sich ein:

»Mach keinen Blödsinn, Lina. Weißt du, was uns dieses Ding hier gekostet hat? Wehe, du machst das kaputt!«

Die zwei Solara-Brüder legten das Bild auf den Boden. Lila schaute sich mit gerunzelter Stirn und zusammengekniffenen Augen um. Sie suchte etwas, von dem sie wusste, dass es da war, und das sie vermutlich selbst bestellt hatte. In einer Ecke entdeckte sie eine Rolle schwarzes Packpapier, sie nahm eine große Schere und eine Schachtel Reißzwecken aus einem Regal. Dann ging sie mit einem Ausdruck höchster Konzentration, mit der sie sich von allem, was sie umgab, zurückzog, wieder zu dem Bild. Vor unseren verblüfften und teils ausgesprochen feindseligen Blicken schnitt sie mit sicheren, präzisen Handgriffen das schwarze Papier in Streifen und befestigte sie hier und da auf dem Foto, wobei sie mich mit kaum angedeuteten Gesten oder nur mit den Augen um Hilfe bat.

Ich machte mit der wachsenden Zustimmung mit, die

ich seit unserer Kindheit kannte. Wie aufregend waren diese Augenblicke, wie sehr gefiel es mir, an ihrer Seite zu sein, in ihre Absichten zu schlüpfen und sie schließlich sogar vorwegnehmen zu können. Ich spürte, dass sie etwas sah, was es nicht gab, und dass sie darauf hinarbeitete, dass auch wir es sahen. Plötzlich war ich froh, ich fühlte die volle Kraft, die sie erfasst hatte und ihr aus den Fingern floss, während sie die Schere hielt, während sie das schwarze Papier mit den Reißzwecken anheftete.

Am Ende versuchte sie allein, als wäre außer ihr niemand im Raum, das Bild aufzuheben, schaffte es aber nicht. Sofort fasste Marcello mit an, fasste ich mit an, wir lehnten es an die Wand. Dann traten wir alle bis zur Schwelle zurück, die einen kichernd, die anderen grimmig oder entsetzt. Der Körper der abgebildeten Lila als Braut war grausam zerschnitten. Ihr Kopf war großteils verschwunden, ebenso ihr Bauch. Was blieb, war ein Auge, die Hand, in die sie ihr Kinn stützte, der leuchtende Fleck ihres Mundes, Schrägstreifen ihres Oberkörpers, die Linie der übergeschlagenen Beine, die Schuhe.

Gigliola, die ihre Wut nur mühsam unterdrückte, fing an:

»So was kann ich in *meinem* Laden nicht aufhängen!«

»Das meine ich auch!«, platzte Pinuccia los. »Wir sollen hier was verkaufen, aber vor dieser zusammengestückelten Witzfigur werden die Leute wegrennen. Rino, bitte, red du mal ein Wörtchen mit deiner Schwester.«

Rino tat so, als hörte er sie nicht, wandte sich aber an Stefano, als läge die Schuld für das, was gerade vor sich ging, bei seinem Schwager:

»Ich hab's dir ja gesagt, mit der darfst du nicht diskutieren. Zu der musst du sagen: Ja, nein, und Schluss. Siehst du, was sonst passiert? Man verschwendet bloß seine Zeit.«

Stefano antwortete ihm nicht, er musterte das an der Wand lehnende Bild, und es war offensichtlich, dass er nach einem Ausweg suchte. Er fragte mich:

»Was meinst du, Lenù?«

Ich sagte auf Italienisch:

»Ich finde es wunderbar. Natürlich würde ich es nicht im Rione aufhängen, das wäre nicht die geeignete Umgebung. Aber hier ist das was anderes, es wird Aufsehen erregen, es wird gefallen. Erst letzte Woche habe ich in *Confidenze* gelesen, dass in Rossano Brazzis Haus auch so ein Bild hängt.«

Als Gigliola das hörte, regte sie sich noch mehr auf.

»Was soll das heißen? Dass Rossano Brazzi weiß, was los ist, dass ihr beide wisst, was los ist, und ich und Pinuccia nicht?«

Da bemerkte ich die Gefahr. Während Lila bei unserer Ankunft im Geschäft noch wirklich bereit gewesen war, nachzugeben, falls sich ihr Versuch als unergiebig erweisen sollte, genügte mir jetzt ein Blick zu ihr, um zu erkennen, dass sie nun, da der Versuch unternommen worden war und zu diesem verstümmelten Bild geführt hatte, nicht einen Millimeter mehr zurückweichen würde. Ich spürte, dass in den Minuten, in denen sie an dem Foto gearbeitet hatte, Fesseln zerrissen waren: In dem Moment hatte sie ein übertriebenes Selbstwertgefühl übermannt und sie brauchte eine Weile, um wieder in die Dimension der Frau des Lebensmittelhändlers zurückzufinden, nicht den Hauch eines Widerspruchs würde sie dulden. Schlimmer noch, während Gigliola sprach, knurrte sie bereits: »So oder gar nicht«, und wollte streiten, wollte etwas zerschlagen, etwas kaputtmachen und hätte sich am liebsten mit der Schere auf sie gestürzt.

Ich hoffte, Marcello würde solidarisch eingreifen. Aber er blieb still, mit gesenktem Kopf. Ich erkannte, dass sich in dem Augenblick jedes noch vorhandene Gefühl für Lila verflüchtigte, er konnte ihr nicht länger mit der alten, niedergeschlagenen Leidenschaft nachlaufen. Dafür reagierte sein Bruder, der seine Verlobte Gigliola in den aggressivsten Tönen zurechtwies. »Halt doch mal die Klappe!«, sagte er. Und als sie protestieren wollte, befahl er ihr drohend und ohne sie auch nur eines Blickes zu würdigen, den er stattdessen auf das Bild gerichtet hielt: »Halt die Fresse, Gigliò!« Dann wandte er sich an Lila:

»Mir gefällt das, Signò. Du hast dich absichtlich ausgelöscht, und ich verstehe auch, warum: Damit der Oberschenkel besser zur Geltung kommt, damit man besser sieht, wie gut sich die Schenkel einer Frau mit diesen Schuhen machen. Ausgezeichnet. Du bist eine verdammte Nervensäge, aber wenn du was tust, dann tust du es nach allen Regeln der Kunst.«

Schweigen.

Gigliola wischte sich mit den Fingerspitzen die Tränen ab, die sie nicht zurückhalten konnte. Pinuccia starrte Rino an, starrte auch ihren Bruder an, wie um zu sagen: ›Sagt was, nehmt mich in Schutz, lasst nicht zu, dass diese Arschkuh mir auf dem Kopf herumtrampelt.‹ Aber Stefano murmelte sanft:

»Ja, mich überzeugt das auch.«

Da sagte Lila sofort:

»Es ist noch nicht fertig.«

»Was musst du denn noch damit machen?«, platzte Pinuccia heraus.

»Ich muss noch ein bisschen Farbe reinbringen.«

»Farbe?«, brabbelte Marcello zunehmend verwirrt. »Wir müssen den Laden in drei Tagen aufmachen!«

Michele lachte.

»Wenn wir noch ein Weilchen warten müssen, dann warten wir eben. An die Arbeit, Signò, tu, was dir Spaß macht.«

Dieser herrische Ton von einem, der nach Belieben schaltet und waltet, gefiel Stefano nicht.

»Wir haben aber die neue Salumeria«, sagte er, um klarzustellen, dass er seine Frau dort brauchte.

»Dann lass dir was einfallen«, antwortete Michele. »Wir haben hier was Interessanteres zu tun.«

26

Wir verbrachten die letzten Septembertage zurückgezogen im Schuhgeschäft, wir beide und drei Arbeiter. Es waren herrliche Stunden des Spiels, des Erfindens, der Freiheit, wie wir sie in dieser Art vielleicht seit unserer Kindheit nicht mehr zusammen erlebt hatten. Lila riss mich mit ihrem Ungestüm mit. Wir kauften Klebstoff, Farben und Pinsel. Mit äußerster Sorgfalt (sie war sehr anspruchsvoll) klebten wir die schwarzen Papierstreifen auf. Wir zogen rote oder blaue Grenzen zwischen den Resten des Fotos und den dunklen Wolken, die es verschlangen. Lila hatte schon immer ein Händchen für Konturen und Farben, doch hier tat sie noch mehr, etwas, das ich von Stunde zu Stunde überwältigender fand, obwohl ich nicht hätte sagen können, was es war.

Eine Weile glaubte ich, sie hätte diese Gelegenheit herbeigeführt, um gedanklich mit den Jahren abzuschließen, die mit den Schuhzeichnungen begonnen hatten, als sie noch das kleine Mädchen Lina Cerullo gewesen war. Und noch immer denke ich, dass viel von der Freude dieser Tage gerade von der Zurückstellung ihrer – oder unserer – Lebenssituation herrührte, von unserer Fähigkeit, uns über uns selbst zu erheben, uns in der reinen Verwirklichung dieser Art von sichtbarer Synthese zu isolieren. Wir vergaßen Antonio, Nino, Stefano, die Solara-Brüder, meine schulischen Probleme, Lilas Schwangerschaft, die Spannungen zwischen uns. Wir hielten die Zeit an, blendeten den Raum aus, es blieb nur das Spiel mit Leim, Schere, Papier und Farben: das Spiel des einvernehmlichen Erfindens.

Aber da war noch mehr. Schnell fiel mir das Wort wieder ein, das Michele gebraucht hatte: *auslöschen*. Wahrscheinlich, ja, höchstwahrscheinlich sorgten die schwarzen Streifen am Ende wirklich dafür, dass die Schuhe isoliert wurden und so mehr hervorstachen. Der jüngere Solara-Bruder war nicht dumm, er hatte einen sicheren Blick. Mich überkam jedoch zunehmend das Gefühl, dass das eigentliche Ziel unseres Klebens und Malens ein anderes war. Lila war glücklich, und sie zog mich immer mehr in ihr wildes Glück hinein, vor allem, weil sie plötzlich und vielleicht ohne sich dessen überhaupt bewusst zu sein, einen Weg gefunden hatte, *sich* ihre Wut gegen sich selbst *zu veranschaulichen*, das Entstehen, vielleicht zum ersten Mal in ihrem Leben, des Verlangens – und hier passte das von Michele verwendete Wort – sich auszulöschen.

Heute, im Licht vieler Dinge, die sich in der Folgezeit ereignet haben, bin ich mir ziemlich sicher, dass es so war. Mit dem schwarzen Papier, mit den grünen und violetten Kreisen, die Lila um manche Teile ihres Körpers zog, mit den blutroten Linien, mit denen sie sich zerschnitt und zerschnitten werden wollte, vollführte sie *bildlich* die eigene Selbstzerstörung und präsentierte sie jedermanns Blicken in dem Geschäft, das die Solaras gekauft hatten, um *ihre*, Lilas, Schuhe auszustellen und zu verkaufen.

Wahrscheinlich hat sie selbst mir diesen Eindruck vermittelt, ihn hervorgerufen. Während wir arbeiteten, begann sie mir davon zu erzählen, wie ihr bewusst geworden sei, dass sie nun Signora Carracci war. Zunächst verstand ich so gut wie gar nichts von dem, was sie sagte, ich hielt es für abgedroschenes Zeug. Bekanntlich probierten wir Mädchen, wenn wir uns verliebten, als Erstes aus, wie unser Vorname in Verbindung mit dem Namen des Geliebten klang. So habe ich bis heute ein Heft aus meinem ersten Jahr am Gymnasium aufgehoben, in dem ich die Unterschrift »Elena Sarratore« geübt hatte, ich erinnere mich noch genau, wie ich mich bei diesem Namen nannte, ihn vor mich hin hauchte. Aber das meinte Lila nicht. Schnell wurde mir klar, dass sie mir das genaue Gegenteil anvertraute. So eine Probe, wie ich sie unternommen hatte, war ihr nie in den Sinn gekommen. Und auch ihre neue Namensformel, sagte sie, habe anfangs keinen großen Eindruck auf sie gemacht: *Raffaella Cerullo verheiratete Carracci*. Nichts Aufregendes, nichts Ernstes. Anfangs hatte sie dieses *verheiratete Carracci* nicht mehr beschäftigt als eine Übung zur Analyse des Satzbaus wie die, mit denen Maestra Oliviero uns in der Grundschule gequält hatte. Was war das, eine Umstandsbestimmung des Ortes? Bedeutete es, dass sie nicht mehr bei ihren Eltern wohnte, sondern bei Stefano? Bedeutete es, dass die neue Wohnung, in der sie künftig leben würde, ein Messingschild an der Tür haben würde, auf dem *Carracci* stand? Bedeutete es, dass ich, wenn ich ihr schrieb, meine Post nicht mehr an Raffaella Cerullo, sondern an Raffaella Carracci adressieren musste? Bedeutete es, dass das *Cerullo* aus *Raffaella Cerullo verheiratete Carracci* durch den täglichen Gebrauch schon bald verschwinden würde und sie sich selbst nur noch Raffaella Carracci nennen und auch so unterschreiben würde und dass ihre Kinder sich anstrengen müssten, um sich an den Mädchennamen ihrer Mutter zu erinnern, und ihre Enkel den Mädchennamen ihrer Großmutter überhaupt nicht mehr kennen würden?

Ja. So war es üblich. Also alles im Rahmen der Norm. Aber wie es ihre Art war, hatte Lila an diesem Punkt nicht aufgehört, sie hatte sofort weiterüberlegt. Während wir mit Pinsel und Farbe hantierten, erzählte sie mir, sie sehe in dieser Namensformel nun eine Umstandsbestimmung der Richtung, ganz als wäre *Cerullo verheiratete Carracci* so etwas wie *Cerullo geht in Carracci ein, stürzt hinein, wird davon aufgesogen, löst sich darin auf*. Und seit der brüsken Ernennung Silvio Solaras zum Trauzeugen, seit Marcello Solaras Hereinplatzen in die Hochzeitsfeier mit ausgerechnet den Schuhen an den Füßen, die für Stefano angeblich so hochheilig gewesen waren, seit der Hochzeitsreise und den Schlägen bis hin zu jenem Sicheinnisten von etwas Lebendigem, das Stefano gewollt hatte, in die Leere, die sie in sich spürte, war sie in wachsendem Maße von einem unerträglichen Gefühl überwältigt worden, von einer immer drängenderen Kraft, die sie, Lila, zersetzte. Dieses Gefühl hatte sich verstärkt, war beherrschend geworden. Die besiegte Raffaella Cerullo hatte ihre Form verloren und sich in den Konturen Stefanos aufgelöst, dessen untergeordnete Emanation sie geworden war: *Signora Carracci.* Da begann ich auf dem Bild die Zeichen dessen zu erkennen, was sie mir erzählte. »Es ist noch im Entstehen«, sagte sie flüsternd. Und währenddessen klebten wir Papier und trugen Farbe auf. Aber was taten wir da eigentlich, wobei half ich ihr da?

Schließlich befestigten die verblüfften Arbeiter das Bild an der Wand. Wir wurden traurig, gestanden es uns aber nicht ein, das Spiel war vorbei. Wir putzten das Geschäft von oben bis unten. Lila stellte ein Sofa und einige Sitzhocker noch einmal um. Und am Ende traten wir gemeinsam zurück bis an die Tür und betrachteten unser Werk. Sie brach in ein Gelächter aus, wie ich es seit Langem nicht mehr von ihr gehört hatte, ein ungezwungenes Lachen über sich selbst. Ich dagegen war so gefesselt vom oberen Teil des Bildes, wo Lilas Kopf nicht mehr zu sehen war, dass ich keinen Blick für das Ganze hatte. Dort oben stach nur noch ein äußerst lebhaftes Auge hervor, eingefasst von Nachtblau und Rot.

27

Am Tag der Geschäftseröffnung fuhr Lila im Cabrio neben ihrem Mann an der Piazza dei Martiri vor. Als sie ausstieg, bemerkte ich ihren unsicheren Blick, wie von jemandem, der Schlimmes befürchtet. Die Euphorie der Basteltage mit dem Wandbild war verflogen, sie hatte wieder das kränkliche Aussehen einer unfreiwillig schwangeren Frau. Gleichwohl war sie sorgfältig gekleidet, sah sie aus wie aus einem Modejournal. Sie löste sich sofort von Stefano und zog mich weg zu einem Schaufensterbummel in der Via dei Mille.

Wir schlenderten eine Weile herum. Sie war angespannt, fragte mich in einem fort, ob an ihr alles in Ordnung sei.

»Erinnerst du dich noch an das Mädchen ganz in Grün«, fragte sie plötzlich, »an die mit der Melone auf dem Kopf?«

Ich erinnerte mich. Erinnerte mich daran, mit welchem Unbehagen wir sie Jahre zuvor in ebendieser Straße gesehen hatten, und an den Zusammenstoß zwischen unseren Jungen und den Jungen aus dieser Gegend, an das Eingreifen der Solaras, an Michele mit der Eisenstange und an unsere Angst. Ich verstand, dass sie etwas Beruhigendes hören wollte, und sagte wie nebenbei:

»Das war doch nur eine Frage des Geldes, Lila. Heute ist alles anders, du bist viel schöner als das Mädchen in Grün.«

Aber ich dachte: ›Das stimmt nicht, das ist eine Lüge.‹ Es lag etwas Böses in dieser Ungleichheit, das wusste ich jetzt. Sie wirkte unterschwellig, viel tiefer als Geld. Die Kassen der zwei Salumerias und auch die der Schuhmacherei und des Schuhgeschäfts genügten nicht, um unsere Herkunft zu verhehlen. Selbst wenn Lila noch mehr Geld aus der Schublade genommen hätte, als sie es ohnehin tat, selbst wenn sie Millionen Lire herausgenommen hätte, dreißig oder sogar fünfzig Millionen, selbst dann hätte sie es nicht geschafft. Das war mir klar geworden, und so wusste ich eines endlich besser als sie, ich hatte es nicht auf diesen Straßen gelernt, sondern vor meiner Schule, als ich das Mädchen gesehen hatte, das Nino abholte.

Sie war uns überlegen, einfach so, ohne Absicht. Und das war unerträglich.

Wir gingen zum Schuhgeschäft zurück. Dieser Nachmittag verlief wie eine Hochzeit: Speisen, Süßigkeiten, viel Wein, alle Leute mit der Garderobe, die sie auf Lilas Hochzeit getragen hatten, Fernando, Nunzia, Rino, die ganze Familie Solara, Alfonso, wir Mädchen, ich, Ada, Carmela. Immer mehr kreuz und quer geparkte Autos standen herum, immer mehr Leute drängten sich im Geschäft, immer lauter wurde das Stimmengewirr. Gigliola und Pinuccia führten sich, fortwährend im Wettstreit miteinander, als die Chefinnen auf, eine schlimmer als die andere, und beide erschöpft vor Anspannung. Über alldem, über Dingen und Menschen, thronte Lilas Porträt. Die einen blieben stehen und schauten es sich interessiert an, die anderen warfen einen skeptischen Blick darauf oder lachten sogar. Ich konnte meine Augen nicht abwenden. Lila war nicht mehr zu erkennen. Was blieb, war eine verführerische, schreckliche Gestalt, das Bild einer einäugigen Göttin, die ihre gut beschuhten Füße mitten in den Raum stieß.

In dem Gedränge überraschte mich vor allem Alfonso, der sehr lebhaft, fröhlich und elegant war. So hatte ich ihn noch nie gesehen, weder in der Schule noch im Rione, noch in der Salumeria, und auch Lila musterte ihn erstaunt eine ganze Weile. Lachend sagte ich zu ihr:

»Er ist nicht mehr er selbst.«

»Was ist mit ihm passiert?«

»Keine Ahnung.«

Alfonso war das eigentliche positive Ereignis dieses Nachmittags. In dem taghell erleuchteten Geschäft erwachte nun etwas, das in ihm geschlummert hatte. Es war, als hätte er plötzlich entdeckt, dass ihm vornehmlich dieser Teil der Stadt guttat. Er wurde ungewöhnlich aktiv. Wir sahen, wie er dies und das ordnete, ein Gespräch mit den feinen Leuten anknüpfte, die neugierig hereinkamen, die Waren begutachteten oder nach Gebäck und einem Glas Wermut griffen. Irgendwann kam er zu uns und lobte zwanglos und unumwunden unsere Arbeit an dem Foto. Er war gedanklich so unbeschwert, dass er seine frühere Schüchternheit überwand, zu seiner Schwägerin sagte: »Ich hab' ja schon immer gewusst, dass du gefährlich bist«, und sie auf beide Wangen küsste. Ich starrte ihn verdutzt an. Gefährlich? Was hatte er denn beim Anblick des Bildes entdeckt, das mir entgangen war? Konnte Alfonso mehr sehen als nur die Äußerlichkeiten? War er in der Lage, etwas mit Phantasie zu betrachten? ›Ist es möglich‹, dachte ich, ›dass seine Zukunft eigentlich nicht im Lernen liegt, sondern in diesem reichen Teil der Stadt, wo er das Wenige, was er sich gerade in der Schule aneignet, anzubringen weiß?‹ Oh ja, er verbarg in sich noch einen anderen Menschen. Er war anders als alle Jungen im Rione und vor allem anders als sein Bruder Stefano, der schweigend auf einem Hocker in einer Ecke saß, aber bereit, jedem, der ihn ansprach, mit ruhigem Lächeln zu antworten.

Es wurde Abend. Draußen flammte plötzlich ein großer Lichtschein auf. Die Solaras, Großvater, Vater, Mutter und Söhne, stürzten hinaus, um sich das anzusehen, überwältigt von einer lärmenden Sippenbegeisterung. Wir liefen alle auf die Straße. Über dem Schaufenster und über der Tür leuchtete der Schriftzug: SOLARA.

Lila verzog das Gesicht und sagte:

»Auch das haben sie sich gefallen lassen.«

Lustlos schob sie mich zu Rino, der von allen der Zufriedenste zu sein schien, und sagte zu ihm:

»Wenn das hier Cerullo-Schuhe sind, warum heißt der Laden dann Solara?«

Rino hakte sich bei ihr unter und sagte leise:

»Lina, warum musst du einem immer auf die Nüsse gehen? Du weißt doch, was für einen Ärger du mir vor ein paar Jahren hier auf der Piazza eingebrockt hast. Was soll ich bloß machen, willst du noch mehr Ärger? Ein für alle Mal, gib Ruhe! Wir sind jetzt hier, im Zentrum von Neapel, und wir sind die Chefs. Siehst du die ganzen Arschlöcher, die uns vor nicht mal drei Jahren noch zusammenschlagen wollten? Die bleiben stehen, sehen sich die Schaufenster an, kommen herein, nehmen sich Gebäck. Reicht dir das noch nicht? Cerullo-Schuhe, Solara-Laden. Was würdest du denn da oben hinschreiben, Carracci?«

Lila machte sich los, sagte ohne Aggressivität zu ihm:

»Ich bin schon ruhig. Ruhig genug, um dir zu sagen, dass du mich nie wieder um irgendwas bitten solltest. Was machst du eigentlich? Borgst du dir Geld von Signora Solara? Borgt sich Stefano auch welches? Seid ihr zwei bei ihr verschuldet und sagt deshalb immerzu ja? Ab jetzt macht jeder seins, Rino.«

Sie ließ uns beide stehen und steuerte mit koketter Liebenswürdigkeit direkt auf Michele Solara zu. Ich sah, dass sie mit ihm über die Piazza schlenderte, sie umrundeten die Steinlöwen. Sah, dass ihr Mann ihr nachschaute. Sah, dass er sie keinen Moment aus den Augen ließ, solange sie plaudernd mit Michele spazieren ging. Sah, dass Gigliola wütend wurde, dass sie unermüdlich in Pinuccias Ohr redete, dass die beiden Lila anstarrten.

Mittlerweile leerte sich das Geschäft, jemand schaltete die große, grelle Ladenbeleuchtung aus. Die Piazza lag für einige Augenblicke im Dunkeln, dann setzten sich die Laternen wieder durch. Lila trennte sich lachend von Michele, kehrte aber mit einem Gesicht ins Geschäft zurück, aus dem schlagartig alles Leben gewichen war, sie schloss sich in der kleinen Toilette ein.

Alfonso, Marcello, Pinuccia und Gigliola begannen den Laden aufzuräumen. Ich ging zu ihnen, um ihnen zu helfen.

Lila kam aus dem Bad, und als hätte er ihr aufgelauert, packte Stefano sie sofort am Arm. Sie machte sich ärgerlich los und kam zu mir. Kreideweiß flüsterte sie:

»Ich habe Blut verloren. Was heißt das, ist das Kind tot?«

28

Lilas Schwangerschaft hatte insgesamt kaum mehr als zehn Wochen gedauert. Dann kam die Hebamme und schabte ihr alles weg. Schon tags darauf ging Lila wieder in die neue Salumeria und kümmerte sich gemeinsam mit Carmen Peluso um das Geschäft. Mal freundlich, mal ungehalten begann sie eine lange Phase, in der sie nicht mehr hierhin und dorthin lief, sondern entschlossen zu sein schien, ihr ganzes Leben in die Ordnung dieses Ortes zu pressen, der nach Kalk und Käse roch, der voller Wurstwaren war, voller Brot, Mozzarella, gepökelten Sardellen, *Cicoli*-Brocken, Säcken mit getrockneten Hülsenfrüchten und runden Blasen voll Schweineschmalz.

Besonders Stefanos Mutter, Maria, freute sich sehr über

ihr Verhalten. Als hätte sie in ihrer Schwiegertochter etwas von sich selbst wiedererkannt, wurde sie plötzlich liebenswürdiger und schenkte ihr ein Paar alte, rotgoldene Ohrringe. Die nahm Lila gern an und trug sie oft. Eine Zeitlang hielten sich ihre Blässe und die Pickel auf der Stirn noch, auch die tiefliegenden Augen und die straff über die Wangenknochen gespannte, fast durchscheinende Haut. Doch dann blühte sie wieder auf und steckte noch mehr Energie in die Führung des Geschäfts. Schon zu Weihnachten stiegen die Einnahmen, und nach wenigen Monaten übertrafen sie die der Salumeria im alten Rione.

Marias Anerkennung wuchs. Immer häufiger ging sie ihrer Schwiegertochter zur Hand und nicht ihrem Sohn, der wegen der mangelnden familiären Unterstützung und des geschäftlichen Drucks grollte, und auch nicht ihrer Tochter, die nun im Schuhgeschäft an der Piazza dei Martiri arbeitete und ihrer Mutter strikt verboten hatte, sich dort blicken zu lassen, weil sie verhindern wollte, dass sie sich vor den Kunden blamierte. Es kam sogar so weit, dass die alte Signora Carracci Partei für die junge Signora Carracci ergriff, wenn Stefano und Pinuccia ihr vorwarfen, das Baby nicht behalten haben zu können oder zu wollen.

»Sie will keine Kinder«, beschwerte sich Stefano.

»Genau«, pflichtete Pinuccia ihm bei. »Sie will ein Fräulein bleiben und weiß nicht, wie man sich als Ehefrau benimmt.«

Maria wies die beiden scharf zurecht:

»So was dürft ihr nicht einmal denken, der Herr gibt die Kinder, und der Herr nimmt sie, ich will solchen Unfug nicht hören!«

»Sei du doch still!«, schrie ihre Tochter sie aufgebracht an. »Schenkst diesem Miststück die Ohrringe, die ich haben wollte!«

Ihre Zwistigkeiten und Lilas Reaktionen machten im Rione schnell die Runde und kamen auch mir zu Ohren. Aber ich kümmerte mich nicht weiter darum, das neue Schuljahr hatte begonnen.

Die Dinge entwickelten sich von Anfang an auf eine Weise, die vor allem mich selbst erstaunte. Schon in den ersten Tagen war ich unter den Besten, als hätte sich durch Antonios Abreise, durch Ninos Verschwinden und vielleicht auch durch Lilas endgültige Fesselung an die Salumeria etwas in meinem Kopf entspannt. Ich stellte fest, dass ich mich an alles, was ich in der ersten Klasse der Oberstufe eher schlecht gelernt hatte, genauestens erinnerte, ich antwortete auf die rekapitulierenden Fragen der Lehrer mit hervorragender Geistesgegenwart. Und nicht nur das. Professoressa Galiani zeigte, vielleicht weil sie Nino, ihren brillantesten Schüler, verloren hatte, nun mehr Sympathie für mich und sagte irgendwann zu mir, es könne interessant und lehrreich für mich sein, wenn ich zu einem Marsch für den Weltfrieden ginge, der in Resina startete und in Neapel endete. Ich beschloss, dort kurz vorbeizuschauen, teils aus Neugier, teils aus der Befürchtung heraus, die Galiani könnte sonst beleidigt sein, und teils, weil der Marsch über den Stradone führte, er streifte den Rione, das war bequem für mich. Aber meine Mutter wollte, dass ich meine Brüder mitnahm. Ich zeterte, protestierte, verspätete mich. Ich kam mit ihnen zur Eisenbahnbrücke und sah unten die Leute vorbeiziehen, die die ganze Straße einnahmen, so dass keine Autos fahren konnten. Es waren normale Menschen, und sie marschierten nicht, sie gingen mit Fahnen und Plakaten in der Hand spazieren. Ich wollte Professoressa Galiani suchen und mich blicken lassen, ich sagte meinen Brüdern, sie sollten auf der Brücke warten. Das war eine denkbar schlechte Idee. Ich fand die Professoressa nicht, und kaum hatte ich mich umgedreht, taten sie sich mit anderen Jungen zusammen und begannen Steine auf die Demonstranten zu werfen und sie lauthals zu beschimpfen. Ich kehrte um, holte sie, vollkommen durchgeschwitzt, eiligst zurück und zog sie fort, entsetzt bei dem Gedanken, die Galiani könnte sie mit ihrem Adlerblick entdeckt und als meine Brüder erkannt haben.

Die Wochen vergingen, wir hatten neue Fächer, und die Lehrbücher mussten gekauft werden. Ich hielt es für vollkommen sinnlos, meiner Mutter die Bücherliste zu zeigen, damit sie mit meinem Vater verhandelte und ihm das nötige Geld abluchste, ich wusste schon, dass kein Geld da war. Zu allem Überfluss hörten wir nichts von Maestra Oliviero. Ende August, Anfang September hatte ich sie zwei Mal im Krankenhaus besucht, doch beim ersten Mal schlief sie, und beim zweiten Mal sagte man mir, dass sie entlassen worden, aber nicht nach Hause zurückgekehrt sei. Als es eng wurde, erkundigte ich mich Anfang November bei ihrer Nachbarin nach ihr und erfuhr, dass eine in Potenza lebende Schwester sie wegen ihres schlechten Gesundheitszustands zu sich genommen hatte. Ob sie je nach Neapel, in den Rione und zu ihrer Arbeit zurückkehren würde, stand in den Sternen. Da fragte ich Alfonso, ob wir es so einrichten könnten, dass ich seine Schulbücher ein wenig mitbenutzte, nachdem sein Bruder sie ihm gekauft hatte. Er fand diese Idee großartig und schlug mir vor, mit ihm gemeinsam zu lernen, vielleicht sogar in Lilas Wohnung, die, seit Lila sich um die Salumeria kümmerte, von sieben Uhr morgens bis abends um neun leer stand. Wir beschlossen, es so zu machen.

Aber eines Morgens sagte Alfonso leicht verstimmt zu mir: »Schau heute mal bei Lila in der Salumeria vorbei, sie will dich sehen.« Er wusste, warum, doch er hatte ihr schwören müssen, kein Wort zu sagen, und so war es unmöglich, ihm dieses Geheimnis aus der Nase zu ziehen.

Am Nachmittag ging ich in die neue Salumeria. Carmen zeigte mir mit einer Mischung aus Trauer und Freude eine Postkarte aus irgendeiner Kleinstadt im Piemont, die ihr Freund Enzo Scanno ihr geschrieben hatte. Auch Lila hatte eine Karte erhalten, allerdings von Antonio, und zunächst dachte ich, sie hätte mir den ganzen Weg nur zugemutet, um sie mir zu zeigen. Doch sie zeigte sie mir nicht und erzählte mir auch nicht, was er geschrieben hatte. Sie zog mich ins Hinterzimmer und fragte vergnügt:

»Weißt du noch, unsere Wette?«

Ich nickte.

»Weißt du noch, dass du sie verloren hast?«

Ich nickte.

»Also weißt du noch, dass du wenigstens mit einem Durchschnitt von Acht versetzt werden musst?«

Ich nickte.

Sie zeigte mir zwei große Pakete in Packpapier. Es waren die Schulbücher.

29

Sie waren sehr schwer. Zu Hause stellte ich aufgeregt fest, dass es sich nicht um solche gebrauchten, oftmals muffigen Exemplare handelte, wie die Maestra sie mir früher besorgt hatte, sondern um nagelneue, nach Druckerschwärze duftende, zwischen denen auch Wörterbücher hervorstachen – der Zingarelli, der Rocci, der Calonghi-Georges –, die die Maestra mir nie hatte beschaffen können.

Meine Mutter, die immer ein verächtliches Wort für das hatte, was mir geschah, brach in Tränen aus, als sie mich die Pakete auspacken sah. Überrascht und eingeschüchtert von dieser unnormalen Reaktion, ging ich zu ihr und streichelte ihren Arm. Was sie so tief bewegt hatte, lässt sich schwer sagen, vielleicht ihr Gefühl der Ohnmacht angesichts unserer Armut, vielleicht die Großzügigkeit der Frau des Lebensmittelhändlers, ich weiß es nicht. Sie beruhigte sich rasch wieder, brummte etwas Unverständliches und stürzte sich in ihre häuslichen Pflichten.

In dem kleinen Schlafzimmer, das ich mir mit meinen Geschwistern teilte, stand ein wurmstichiger Tisch aus rohem Holz, an dem ich für gewöhnlich meine Hausaufgaben machte. Ich stellte die Bücher darauf, und als ich sie dort an der Wand aufgereiht sah, fühlte ich mich wie mit neuer Energie aufgeladen.

Die Tage begannen dahinzufliegen. Ich gab Professoressa Galiani die Bücher zurück, die sie mir über den Sommer geliehen hatte, und bekam andere, noch schwierigere von ihr. Ich las sie fleißig an den Sonntagen, verstand aber kaum etwas. Meine Blicke liefen über die Zeilen, ich blätterte die Seiten um, aber die kunstvoll gegliederten Satzgefüge langweilten mich, und ihr Inhalt entging mir. In jenem Jahr, dem zweiten in der Oberstufe, erschöpften mich das Lernen und der undurchsichtige Lesestoff außerordentlich, aber es war eine bewusst gewählte, zufriedene Erschöpfung.

Eines Tages fragte mich Professoressa Galiani:

»Welche Zeitung liest du, Greco?«

Bei dieser Frage fühlte ich mich genauso unbehaglich wie damals auf Lilas Hochzeit, als ich mich mit Nino unterhielt. Die Lehrerin sah es als selbstverständlich an, dass ich üblicherweise etwas tat, was bei mir zu Hause, in meinem Umfeld, keineswegs üblich war. Wie hätte ich ihr sagen können, dass mein Vater keine einzige Zeitung kaufte, dass ich noch nie eine gelesen hatte? Das brachte ich nicht über mich, und so versuchte ich fieberhaft, mich daran zu erinnern, ob Pasquale, der Kommunist war, eine las. Ohne Erfolg. Da fiel mir Donato Sarratore ein, und ich erinnerte mich an Ischia, an den Maronti-Strand und daran, dass Donato für die *Roma* schrieb. Ich antwortete:

»Ich lese die *Roma*.«

Die Professoressa deutete ein ironisches Lächeln an, und tags darauf begann sie mir ihre Zeitungen mitzubringen. Sie kaufte immer zwei, manchmal auch drei, und nach der Schule schenkte sie mir eine. Ich bedankte mich und ging missmutig über das, was mir wie eine zusätzliche Schulaufgabe vorkam, nach Hause.

Anfangs ließ ich die Zeitung in der Wohnung herumliegen und verschob die Lektüre auf später, wenn ich mit den Hausaufgaben fertig sein würde, doch am Abend war die Zeitung verschwunden, mein Vater hatte sie sich genommen und las sie im Bett oder auf der Toilette. Deshalb gewöhnte ich mir an, sie zwischen meinen Büchern zu verstecken, und holte sie erst nachts heraus, wenn alle schliefen. Manchmal war es die *Unità*, manchmal der *Mattino* und manchmal der *Corriere della Sera*, aber sie erwiesen sich alle drei als kompliziert, es war, als müsste man sich für Comics begeistern, deren frühere Folgen man nicht kannte. Eher aus Pflichtgefühl denn aus wirklichem Interesse überflog ich eine Spalte nach der anderen und hoffte wie bei allem, was die Schule mir aufgab, dass ich das, was ich heute nicht verstand, durch Beharrlichkeit morgen verstehen würde.

In jener Zeit sah ich Lila selten. Hin und wieder ging ich nach dem Unterricht und bevor ich mich in die Hausaufgaben stürzte, in die neue Salumeria. Ich war hungrig, sie wusste das und machte mir unverzüglich ein dick belegtes Brötchen. Während ich es verschlang, ließ ich in gepflegtem Italienisch Sätze aus Professoressa Galianis Büchern und Zeitungen fallen, die ich mir gemerkt hatte. Ich erwähnte etwa »die grausame Realität der Nazi-Vernichtungslager«, »das, wozu Menschen fähig waren und wozu sie noch heute fähig sind«, »die atomare Bedrohung und die Pflicht zum Frieden«, die Tatsache, dass »wir uns heute, da wir uns die Naturgewalten mit den von uns erfundenen Mitteln unterwerfen, an einem Punkt befinden, wo die Kraft unserer Mittel besorgniserregender geworden ist, als die Kräfte der Natur es sind«, »die Notwendigkeit einer Kultur, die das Leid bekämpft und beseitigt«, und den Gedanken, dass »die Religion aus den Köpfen der Menschen verschwinden wird, wenn es endlich gelingt, eine Welt aufzubauen, in der alle Menschen gleichgestellt sind, ohne Klassenunterschiede und auf der Grundlage einer soliden wissenschaftlichen Gesellschaftskonzeption und Lebensanschauung«. Das und noch mehr erzählte ich ihr, weil ich ihr beweisen wollte, dass ich mit vollen Segeln auf eine Versetzung mit einem Durchschnitt von Acht zusteuerte, außerdem, weil ich nicht wusste, wem ich es sonst hätte erzählen können, und schließlich, weil ich hoffte, sie würde etwas entgegnen und wir könnten unsere alten Streitgespräche wiederaufnehmen. Aber sie sagte so gut wie nichts, ja sie schien sogar verlegen zu sein, als verstünde sie nicht so recht, wovon ich da redete. Wenn sie doch etwas anmerkte, kramte sie letztlich immer eine fixe Idee hervor, die – ich verstand nicht, wieso – sie erneut beschäftigte. Sie kam wieder auf die Herkunft des Geldes von Don Achille und von den Solaras zu sprechen, auch im Beisein von Carmen, die sofort zustimmte. Doch sobald ein Kunde hereinkam, verstummte sie, wurde überaus freundlich und geschäftig, schnitt auf, wog ab, kassierte.

Einmal hielt sie inne und starrte auf das Geld in der geöffneten Schublade. Äußerst schlecht gelaunt sagte sie:

»Das hier verdiene ich mit meiner Arbeit und mit der von Carmen. Aber nichts davon gehört mir, Lenù, es beruht auf Stefanos Geld. Und dieses Geld hat Stefano mit dem Geld seines Vaters angehäuft. Ohne das Geld, das Don Achille mit seinen Schiebereien und Wuchergeschäften gemacht und in seiner Matratze versteckt hat, würde es das hier heute nicht geben und auch die Schuhmacherei nicht. Und das ist noch nicht alles. Stefano, Rino und mein Vater hätten ohne dieses Geld und die Beziehungen der Solaras, die ebenfalls Halsabschneider sind, keinen einzigen Schuh verkauft. Ist dir klar, auf was ich mich da eingelassen habe?«

Es war klar, aber ich verstand nicht, wozu solche Reden gut sein sollten.

»Das ist doch Schnee von gestern«, sagte ich und erinnerte sie an die Schlussfolgerungen, zu denen sie gelangt war, als sie sich mit Stefano verlobt hatte. »Was du da sagst, liegt hinter uns, wir sind doch ganz anders.«

Aber obwohl sie es war, die diesen Gedanken ursprünglich gehabt hatte, zeigte sie sich wenig überzeugt. Sie sagte, und ich erinnere mich noch genau an diesen Satz im Dialekt:

»Was ich getan habe und was ich tue, gefällt mir nicht mehr.«

Ich dachte, sie treffe sich wohl wieder mit Pasquale, er hatte immer solche Ansichten vertreten. Ich dachte, ihr Verhältnis sei vielleicht viel enger geworden, denn Pasquale war mit Ada verlobt, die in der alten Salumeria Verkäuferin war, und er war der Bruder von Carmela, die gemeinsam mit Lila in der neuen Salumeria arbeitete. Missmutig verabschiedete ich mich und unterdrückte nur mühsam ein altes Gefühl aus meiner Kindheit, aus der Zeit, als ich darunter gelitten hatte, dass Lila und Carmela sich angefreundet und mich gern ausgeschlossen hatten. Ich beruhigte mich, indem ich bis spät in den Abend hinein lernte.

Eines Nachts, als ich den *Mattino* las und mir die Augen vor Müdigkeit zufielen, versetzte mir eine Zeitungsnotiz ohne Verfasserangabe regelrecht einen elektrischen Schlag und ließ mich hochschrecken. Ich konnte es nicht fassen, es ging um das Schuhgeschäft an der Piazza dei Martiri, und man lobte das Wandbild, das Lila und ich bearbeitet hatten.

Wieder und wieder las ich den Artikel, an einige Zeilen

erinnere ich mich noch: »Die Mädchen, die das einladende Geschäft an der Piazza dei Martiri führen, wollten uns den Namen des Künstlers nicht verraten. Schade. Wer immer diese ungebräuchliche Mischung aus Fotografie und Malfarben ersonnen hat, besitzt eine avantgardistische Phantasie, die das Material mit einer göttlichen Naivität, doch auch mit einer ungewöhnlichen Energie den Bedürfnissen eines tiefen, mächtigen Schmerzes unterwirft.« Im Folgenden wurde das Schuhgeschäft als »ein wichtiges Signal der Dynamik, die das neapolitanische Unternehmertum in den letzten Jahren erfasst hat«, unumwunden gepriesen.

Ich tat kein Auge zu.

Nach der Schule hastete ich zu Lila. Der Laden war leer, Carmen war nach Hause zu ihrer Mutter Giuseppina gegangen, die sich nicht wohlfühlte, und Lila telefonierte mit einem Lieferanten aus der Provinz, der ihr keinen Mozzarella oder Provolone oder was weiß ich geliefert hatte. Ich hörte sie zetern, mit Kraftausdrücken, und war bestürzt. Vielleicht, so überlegte ich, war am anderen Ende der Leitung ein alter Mann, der beleidigt sein könnte und ihr aus Rache womöglich einen seiner Söhne vorbeischickte. Ich dachte: ›Warum muss sie immer übertreiben.‹ Als sie aufgelegt hatte, schnaufte sie ärgerlich und wandte sich entschuldigend zu mir:

»Wenn ich mich nicht so aufführe, hören sie mir erst gar nicht zu.«

Ich zeigte ihr die Zeitung. Sie warf einen zerstreuten Blick darauf und sagte:

»Das kenne ich schon.« Sie erklärte mir, das sei auf Michele Solaras Initiative hin entstanden, er habe wie üblich im Alleingang gehandelt. »Sieh mal«, sagte sie, ging zur

Kasse, nahm zwei zerknitterte Ausschnitte aus der Schublade und gab sie mir. Auch darin war vom Geschäft an der Piazza dei Martiri die Rede. Der eine war ein kleiner Artikel aus der *Roma*, dessen Verfasser sich in Lobeshymnen auf die Solaras erging, das Wandbild aber mit keiner Silbe erwähnte. Der andere war ein gut drei Spalten langer Artikel aus *Napoli notte*, in dem das Schuhgeschäft das Aussehen eines Königspalastes erhielt. Die Räume waren in einem überschwenglichen Italienisch beschrieben, das ihre Ausstattung und die prächtige Beleuchtung lobte, die wundervollen Schuhe und vor allem »die Freundlichkeit, den Liebreiz und die Anmut der beiden verführerischen Nereiden, Signorina Gigliola Spagnuolo und Signorina Pinuccia Carracci, zweier bezaubernder Mädchen in der vollen Blüte ihrer Schönheit, die die Geschicke eines Unternehmens lenken, das die florierendsten Geschäfte unserer Stadt bei weitem überragt.« Man musste bis zum Schluss lesen, um einen Hinweis auf das Wandbild zu finden, das allerdings mit wenigen Zeilen abgefertigt wurde. Der Artikelschreiber bezeichnete es als »ein grobes Machwerk, als einen Misston in einem Ambiente von majestätischer Eleganz.«

»Hast du die Unterschrift gesehen?«, fragte Lila mich spöttisch.

Die Zeitungsnotiz aus der *Roma* war mit d. s. signiert, und der Artikel aus *Napoli notte* nannte als Verfasser Donato Sarratore, Ninos Vater.

»Ja.«

»Und was sagst du dazu?«

»Was soll ich denn sagen?«

»Der Apfel fällt nicht weit vom Stamm, sollst du sagen.«

Sie lachte freudlos. Angesichts des wachsenden Erfolgs der Cerullo-Schuhe und des Solara-Ladens, erklärte sie mir, habe Michele beschlossen, dem Unternehmen zu mehr Aufmerksamkeit zu verhelfen, und hier und da ein paar Geschenke unter die Leute gebracht, weshalb die Lokalzeitungen prompt allesamt große Lobgesänge angestimmt hätten. Reklame also. Gegen Bezahlung. Witzlos, das zu lesen. In diesen Artikeln, sagte sie, stehe nicht ein wahres Wort.

Ich war betroffen. Mir gefiel die Art nicht, in der sie die Zeitungen herabwürdigte, für deren fleißige Lektüre ich immerhin meinen Schlaf opferte. Und mir gefiel auch nicht, dass sie die Verwandtschaft zwischen Nino und dem Verfasser der beiden Artikel so betont hatte. Wozu war es nötig, Nino mit seinem Vater in Verbindung zu bringen, einem schwülstigen Phrasendrescher?

30

Jedenfalls setzten sich der Solara-Laden und die Cerullo-Schuhe dank dieser Phrasen innerhalb kurzer Zeit weiter durch. Gigliola und Pinuccia brüsteten sich ausgiebig damit, wie sie in den Zeitungen erwähnt worden waren, doch dieser Erfolg tat ihrer Rivalität keinen Abbruch, und jede schrieb sich das Verdienst um den Aufschwung des Geschäfts zu, jede begann die andere als ein Hindernis auf dem Weg zu immer neuen Erfolgen zu betrachten. Nur in einem Punkt waren sich die beiden stets einig: Lilas Wandbild war eine Schande. Sie waren unhöflich zu allen, die, mit feinen Stimmen, nur hereinschauten, um einen kurzen Blick darauf zu werfen. Und sie rahmten die

Artikel aus der *Roma* und aus *Napoli notte* ein, den aus dem *Mattino* aber nicht.

Zwischen Weihnachten und Ostern kassierten die Solaras und die Carraccis viel Geld. Besonders Stefano stieß einen Seufzer der Erleichterung aus. Die neue und die alte Salumeria warfen große Gewinne ab, und die Schuhmacherei Cerullo lief auf Hochtouren. Zudem bewies das Geschäft an der Piazza dei Martiri das, was er schon immer gewusst hatte, nämlich dass die von Lila vor Jahren entworfenen Schuhe sich nicht nur auf dem Rettifilo, in der Via Foria oder auf dem Corso Garibaldi gut verkauften, sondern auch Anklang bei den Reichen fanden, bei denen, die ihre Brieftasche unbekümmert zückten. Ein wichtiger Markt also, der unbedingt gefestigt und ausgebaut werden musste.

Als eine weitere Erfolgsbestätigung tauchten schon im Frühjahr in den Schaufenstern am Stadtrand einige gute Imitationen der Cerullo-Schuhe auf. Sie sahen im Grunde genauso aus wie Lilas, nur leicht abgewandelt mit ein paar Fransen oder Beschlägen. Proteste und Drohungen unterbanden ihren Verkauf unverzüglich, Michele Solara brachte die Dinge wieder in Ordnung. Aber dabei beließ er es nicht, er kam rasch zu dem Schluss, dass neue Modelle entwickelt werden mussten. Aus diesem Grund bestellte er eines Abends seinen Bruder Marcello, das Ehepaar Carracci, Rino und natürlich Gigliola und Pinuccia in das Geschäft an der Piazza dei Martiri. Überraschenderweise erschien Stefano jedoch ohne Lila, er sagte, seine Frau lasse sich entschuldigen, sie sei müde.

Dieses Fernbleiben gefiel den Solaras nicht. »Wenn Lila fehlt«, sagte Michele und sorgte so dafür, dass Gigliola nervös wurde, »worüber, verdammt noch mal, reden wir dann hier überhaupt?« Sofort schaltete sich Rino ein. Er und sein Vater hätten schon vor einer Weile angefangen, über neue Modelle nachzudenken, die sie im September auf einer Messe in Arezzo präsentieren wollten, log er. Michele glaubte ihm nicht, er wurde noch gereizter. Er sagte, man müsse jetzt mit wirklich neuen Produkten herauskommen, nicht mit herkömmlichem Zeug. Schließlich wandte er sich an Stefano:

»Deine Signora wird hier gebraucht, du hättest sie zwingen müssen, mitzukommen.«

Stefano antwortete mit einem erstaunlich feindseligen Unterton:

»Meine Signora ackert den ganzen Tag in der Salumeria, abends soll sie zu Hause sein, da soll sie sich um mich kümmern.«

»Na gut«, sagte Michele und verzog sein hübsches Gesicht für einige Augenblicke zu einer Grimasse. »Aber sieh zu, dass sie sich auch ein bisschen um uns kümmern kann.«

Dieser Abend stimmte alle unzufrieden, doch er missfiel vor allem Pinuccia und Gigliola. Aus unterschiedlichen Gründen war ihnen die Bedeutung unerträglich, die Michele Lila beigemessen hatte, und in den folgenden Tagen entwickelte sich ihre Unzufriedenheit zu einer schlechten Laune, die beim geringsten Anlass zu Streitereien zwischen ihnen führte.

In dieser Zeit – ich glaube, es war im März – kam es zu einem Zwischenfall, über den ich nicht viel weiß. Eines Nachmittags ohrfeigte Gigliola Pinuccia während einer ihrer täglichen Auseinandersetzungen. Pinuccia beklagte sich bei Rino darüber, der, damals überzeugt davon, auf dem Kamm einer haushohen Welle zu sitzen, mit herrischen Manieren ins Geschäft ging und Gigliola zusammenstauchte. Gigliola reagierte ausgesprochen aggressiv, so dass er es schließlich zu weit trieb und ihr mit Kündigung drohte.

»Ab morgen«, sagte er zu ihr, »kannst du wieder Ricotta in Cannoli füllen gehen.«

Es dauerte nicht lange, und Michele tauchte auf. Lächelnd führte er Rino hinaus auf die Piazza und lenkte dessen Blick auf das Ladenschild.

»Mein Freund«, sagte er, »das Geschäft trägt den Namen Solara, und du hast kein Recht dazu, herzukommen und zu meiner Braut zu sagen: Du bist entlassen.«

Rino ging zum Gegenangriff über und erinnerte ihn daran, dass alles im Geschäft seinem Schwager gehöre, dass er, Rino, persönlich die Schuhe herstelle und er folglich sehr wohl ein Recht habe, na und ob. Aber in der Zwischenzeit hatten Gigliola und Pinuccia, die sich jeweils von ihrem Verlobten gut beschützt fühlten, im Laden erneut angefangen sich zu beschimpfen. Schnell liefen die zwei Männer wieder hinein und versuchten, sie zu beruhigen, ohne Erfolg. Da verlor Michele die Geduld und schrie, er entlasse sie beide. Und nicht nur das: Ihm entfuhr die Ankündigung, dass er Lila die Leitung des Geschäfts übertragen werde.

Lila?

Das Geschäft?

Den beiden Mädchen verschlug es die Sprache, und auch Rino war perplex. Dann brach der Streit von neuem los, diesmal ganz auf diese unerhörte Ansage konzentriert. Gigliola, Pinuccia und Rino verbündeten sich gegen Michele – was ist denn nicht in Ordnung, wozu brauchst du denn Lila, wir sorgen hier für Einnahmen, über die du dich nicht beklagen kannst, die Schuhe habe alle ich entworfen, sie war damals ja noch ein Kind, was hätte sie schon erfinden können – und die Spannungen wurden immer größer. Der Disput wäre wohl ewig so fortgeführt worden, hätte es nicht den bereits erwähnten Zwischenfall gegeben. Unversehens, kein Mensch weiß, wieso, ging von dem Wandbild – dem Bild mit den schwarzen Papierstreifen, dem Foto und den dicken Farbflecken – ein Ächzen aus, so etwas wie ein kranker Atemzug, und es entzündete sich mit einer hoch auflodernden Flamme. Pinuccia stand mit dem Rücken zum Bild, als das geschah. Die Flamme erhob sich hinter ihr wie aus einer verborgenen Feuerstelle und umzüngelte ihr Haar, das knisterte und ihr komplett verbrannt wäre, hätte Rino die Funken nicht mit bloßen Händen unverzüglich gelöscht.

31

Sowohl Rino als auch Michele gaben Gigliola, die heimlich rauchte und ein kleines Feuerzeug besaß, die Schuld an dem Brand. Rino zufolge hatte Gigliola ihn absichtlich gelegt: Während alle sich in den Haaren lagen, hatte sie das Bild angezündet, das, ausschließlich aus Papier, Leim und Farbe bestehend, im Nu verbrannt war. Michele war behutsamer: Man wisse ja, dass Gigliola in einem fort mit ihrem Feuerzeug herumspiele, und so habe sie, ganz in den Streit vertieft, nicht bemerkt, dass das Flämmchen zu dicht an das Bild gekommen sei. Aber das Mädchen bestritt sowohl die erste als auch die zweite Variante und gab mit sehr angriffslustiger Miene sogar Lila die Schuld, soll heißen ihrem verunstalteten Bild, das von allein Feuer gefangen habe, so wie es auch dem Teufel ergangen sei, als er die Heiligen habe verführen wollen und die Gestalt einer Frau angenommen hatte, doch die Heiligen hätten zu Jesus gebetet, und so habe sich der Dämon in Flammen verwandelt. Um ihre Version zu untermauern, fügte sie hinzu, Pinuccia habe ihr selbst erzählt, dass ihre Schwägerin die Fähigkeit besitze, nicht schwanger zu werden, und sie sogar, wenn es ihr einmal nicht gelang, die Gaben des Herrn verschmähte, indem sie das Kind herausfließen lasse.

Solche Gerüchte nahmen zu, als Michele Solara begann, jeden zweiten Tag in die neue Salumeria zu gehen. Er verbrachte viel Zeit damit, mit Lila herumzuschäkern und auch mit Carmen, so dass die vermutete, er komme ihretwegen, und einerseits fürchtete, jemand könnte es Enzo hinterbringen, der seinen Militärdienst im Piemont ableistete, und sich andererseits geschmeichelt fühlte und zu flirten begann. Lila dagegen machte sich über den jungen Solara lustig. Ihr waren die Gerüchte zu Ohren gekommen, die seine Verlobte über sie verbreitete, und sie sagte daher zu ihm:

»Mach lieber, dass du wegkommst, wir hier drinnen sind Hexen, wir sind kreuzgefährlich.«

Doch wenn ich damals zu ihr kam, traf ich sie nie fröhlich an. Ihr Ton klang dann stets künstlich, und sie redete über alles mit Sarkasmus. Sie hatte einen blauen Fleck am Arm? Stefano hatte sie zu leidenschaftlich liebkost. Sie hatte rote, verweinte Augen? Sie hatte nicht vor Kummer, sondern vor Glück geweint. Vorsicht vor Michele, weil er anderen Menschen gern wehtat? »Aber nicht doch«, sagte sie, »er verbrennt sich schon, wenn er mich nur kurz berührt: Ich bin hier diejenige, die den Leuten wehtut.«

Über diesen letzten Punkt herrschte seit jeher eine stillschweigende Einigkeit. Aber besonders Gigliola hatte nun keine Zweifel mehr: Lila war eine verhurte Hexe, sie hatte ihren Verlobten verhext. Darum wollte er ihr auch die Leitung des Geschäfts an der Piazza dei Martiri anvertrauen. Tagelang ging sie nicht zur Arbeit, eifersüchtig, verzweifelt. Dann beschloss sie, mit Pinuccia zu reden, sie verbündeten sich und holten zum Gegenschlag aus. Pinuccia bearbeitete ihren Bruder und schrie ihm wiederholt ins Gesicht, er sei ein trottliger, gehörnter Ehemann, danach ging sie auf ihren Verlobten Rino los, mit den Worten, er sei kein Chef, sondern Micheles Sklave. Also passten Stefano und Rino den jungen Solara eines Abends vor der Bar ab und hielten ihm eine sehr allgemein gehaltene Rede, die im Kern aber Folgendes beinhaltete: Lass Lila in Ruhe, du stiehlst ihr nur die Zeit, sie muss arbeiten. Michele entschlüsselte die Botschaft auf der Stelle und gab eiskalt zurück:

»Was zum Teufel wollt ihr mir damit sagen?«

»Wenn du das nicht begreifst, heißt das, du willst das nicht begreifen.«

»Nein, meine lieben Freunde, ihr seid hier diejenigen, die unsere geschäftlichen Zwänge nicht begreifen wollen. Und wenn ihr sie nicht begreifen wollt, muss notgedrungen ich mich darum kümmern.«

»Und das heißt?«, fragte Stefano.

»Deine Frau in der Salumeria zu lassen, ist die reine Verschwendung.«

»Inwiefern?«

»An der Piazza dei Martiri könnte sie in einem Monat so viel erreichen wie deine Schwester und Gigliola nicht mal in hundert Jahren.«

»Red Klartext!«

»Lina muss befehlen, Stè. Sie braucht Verantwortung. Sie muss sich Sachen ausdenken. Muss sich schnellstens um neue Schuhentwürfe kümmern.«

Sie diskutierten und einigten sich schließlich unter unzähligen Vorbehalten. Für Stefano kam es gar nicht in Frage, dass seine Frau an der Piazza dei Martiri arbeitete, die neue Salumeria hatte einen guten Start gehabt, und Lila daraus abzuziehen wäre eine Dummheit gewesen; aber er versprach, sie dazu zu bringen, kurzfristig die neuen Modelle zu zeichnen, zumindest die für den Winter. Michele erklärte, Lila nicht die Leitung des Schuhgeschäfts zu geben sei idiotisch, verschob die Diskussion mit einem andeutungsweise drohenden Abschied auf den Herbst und betrachtete es als abgemacht, dass Lila sich an die Entwürfe für die neuen Schuhe setzte.

»Das soll schickes Zeug werden«, forderte er. »Darauf musst du bestehen.«

»Sie wird wie immer das machen, was ihr gefällt.«

»Ich könnte ihr ein paar Ratschläge geben, auf mich hört sie«, sagte Michele.

»Nicht nötig.«

Ich besuchte Lila kurz nach dieser Abmachung, sie selbst erzählte mir davon. Ich kam gerade aus der Schule, es wurde schon heiß, ich war müde. Außer ihr war niemand in der Salumeria, und im ersten Augenblick schien sie mir erleichtert zu sein. Sie sagte, sie habe überhaupt nichts entworfen, nicht mal eine Sandale, nicht mal einen Pantoffel.

»Sie werden wütend sein.«

»Was kann ich denn dafür?«

»Das ist bares Geld, Lila.«

»Davon haben die schon genug.«

Es sah aus wie ihre übliche Art, sich zu sträuben, sie war so: Wenn ihr jemand sagte, sie solle sich auf etwas Bestimmtes konzentrieren, verging ihr sofort die Lust. Doch ich begriff schnell, dass dies keine Frage des Charakters war und auch kein Abscheu gegen die Geschäfte ihres Mannes, Rinos und der Solaras, womöglich noch verstärkt durch die kommunistischen Reden von Pasquale und Carmen. Da war noch etwas anderes, und sie erzählte es mir leise und ernst.

»Mir fällt nichts ein.«

»Hast du es versucht?«

»Ja. Aber es ist nicht mehr wie damals, als ich zwölf war.«

Nur jenes eine Mal – verstand ich – war ihr die Idee zu diesen Schuhen gekommen, weitere Ideen würden nicht folgen, sie hatte keine mehr. Dieses Spiel war vorbei, sie konnte es nicht wieder in Gang bringen. Schon der Geruch der verschiedenen Leder stieß sie ab, und was sie getan hatte, konnte sie nicht mehr tun. Außerdem hatte sich alles verändert. Fernandos kleine Werkstatt war von den neuen Räumen geschluckt worden, von den Werkbänken der Gehilfen, von drei Maschinen. Ihr Vater war geradezu geschrumpft, er stritt sich nicht einmal mehr mit seinem ältesten Sohn, er arbeitete und damit genug. Selbst die Gefühle schienen versiegt zu sein. Zwar war sie noch immer gerührt, wenn ihre Mutter in die Salumeria kam und sich gratis die Taschen füllen ließ wie damals, in den Zeiten der Not, zwar bedachte sie ihre jüngeren Geschwister noch immer mit kleinen Geschenken, aber die Verbundenheit mit Rino konnte sie nicht mehr spüren. Entzwei, zerstört. Ihr Bedürfnis, ihm zu helfen, ihn zu beschützen, hatte stark nachgelassen. Daher fehlten alle Gründe, die zu der Idee mit den Schuhen geführt hatten; der Boden, auf dem sie gekeimt war, war vertrocknet. »Vor allem war es eine Möglichkeit«, sagte sie plötzlich, »dir zu beweisen, dass ich etwas gut konnte, auch wenn ich nicht mehr zur Schule ging.« Dann lachte sie nervös und schaute mich von der Seite an, um zu sehen, wie ich reagierte.

Ich antwortete nicht, ich war zu aufgewühlt. War Lila so? Hatte sie nicht meinen verbissenen Fleiß? Holte sie alles – Gedanken, Schuhe, geschriebene und gesprochene Worte, komplizierte Pläne, Ungestüm und Einfälle – nur hervor, um *mir* etwas von sich zu zeigen? Verlor sie sich, sobald sie diesen Antrieb nicht mehr hatte? Könnte sie auch die Bearbeitung ihres Hochzeitsfotos nicht mehr wiederholen? War alles an ihr das Ergebnis willkürlicher Gelegenheiten?

Mir war, als löste sich in mir eine lange, schmerzhafte Spannung, und ihre feuchten Augen, ihr schwaches Lächeln rührten mich an. Doch das währte nicht lange. Sie redete weiter, griff sich mit einer für sie typischen Geste an die Stirn und sagte betrübt: »Immer muss ich beweisen, dass ich besser sein kann.« Und düster fügte sie hinzu: »Als wir den Laden hier eröffneten, hat Stefano mir gezeigt, wie man beim Abwiegen betrügt. Ich habe ihn erst mal angeschrien, du bist ein Dieb, so machst du also dein Geld, aber dann konnte ich nicht widerstehen, ich habe ihm bewiesen, dass ich dazugelernt und schnell eigene Betrugsmethoden gefunden hatte, und ich habe sie ihm gezeigt, mir sind immer wieder neue eingefallen: Ich betrüge euch alle, ich betrüge beim Abwiegen und bei tausend anderen Dingen, ich betrüge den Rione, du darfst mir nicht trauen, Lenù, du darfst dem, was ich sage und tue, nicht trauen.«

Ich fühlte mich unbehaglich. Sie hatte sich innerhalb weniger Sekunden verändert, und ich wusste schon nicht mehr, was sie wollte. Warum redete sie jetzt so mit mir? Ich begriff nicht, ob sie es absichtlich tat oder ob ihr die Worte versehentlich herausrutschten, in einem heftigen Schwall, in dem der Wunsch, unsere Freundschaft zu verstärken – ein ehrlicher Wunsch –, sogleich von dem ebenso ehrlichen Bedürfnis weggefegt wurde, sich jede Besonderheit abzusprechen: Siehst du, ich benehme mich bei Stefano genauso wie bei dir, ich benehme mich bei allen so, ich mache Schönes und Hässliches, Gutes und Schlechtes. Sie verflocht ihre langen, schmalen Finger fest miteinander und fragte:

»Hast du gehört? Gigliola behauptet, das Bild hätte von allein Feuer gefangen.«

»So ein Quatsch, Gigliola ist sauer auf dich.«

Sie lachte kurz, es klang wie ein Schluckauf, etwas in ihr zog sich zu plötzlich zusammen.

»Mir tut hier was weh, hinter den Augen, irgendwas drückt dagegen. Siehst du diese Messer? Sie sind zu scharf, ich habe sie vor kurzem zum Schleifen gegeben. Wenn ich Salami aufschneide, denke ich daran, wie viel Blut im Körper eines Menschen ist. Wenn du zu viel in die Dinge tust, zerbersten sie. Oder sie sprühen Funken und verbrennen. Ich bin froh, dass das Hochzeitsfoto verbrannt ist. Auch die Ehe, das Geschäft, die Schuhe, die Solaras sollten verbrennen, einfach alles.«

Ich verstand, dass sie, egal wie sehr sie um sich schlug, sich bemühte und laut wurde, keinen Ausweg fand: Seit dem Tag ihrer Hochzeit quälte sie ein wachsendes, immer schlechter gebändigtes Unglück, und das tat mir leid. Ich bat sie, sich zu beruhigen, sie nickte.

»Du musst versuchen, ruhig zu bleiben.«

»Hilf mir.«

»Wie denn?«

»Bleib in meiner Nähe.«

»Aber das bin ich ja.«

»Das stimmt nicht. Ich verrate dir alle meine Geheimnisse, sogar die schlimmsten, aber du erzählst mir fast nichts von dir.«

»Du irrst dich. Du bist der einzige Mensch, vor dem ich keine Geheimnisse habe.«

Sie schüttelte energisch den Kopf und sagte:

»Auch wenn du besser bist als ich, auch wenn du mehr weißt als ich, verlass mich nicht.«

32

Sie bedrängten Lila, bis sie nicht mehr konnte, daher tat sie so, als gäbe sie nach. Sie sagte Stefano, sie werde die neuen Schuhe entwerfen, und das sagte sie bei der ersten Gelegenheit auch Michele. Anschließend rief sie Rino zu sich und sprach genau auf die Art mit ihm, wie er es sich seit Langem gewünscht hatte:

»Denk du dir die Schuhe aus, ich kann das nicht. Denk sie dir zusammen mit Papà aus, ihr habt den Beruf gelernt und wisst, wie man's machen muss. Aber bevor ihr sie nicht auf den Markt gebracht habt und verkauft, dürft ihr niemandem verraten, auch Stefano nicht, dass nicht ich sie gemacht habe.«

»Und wenn sie sich nicht verkaufen?«

»Dann ist es meine Schuld.«

»Und wenn sie sich gut verkaufen?«

»Dann sage ich, wie es ist, und du bekommst die Lorbeeren, die dir zustehen.«

Rino gefiel diese Lüge sehr. Er machte sich mit Fernando an die Arbeit, ging aber hin und wieder klammheimlich zu Lila, um ihr zu zeigen, was ihm eingefallen war. Sie prüfte die Modelle und setzte anfangs eine bewundernde Miene auf, teils weil sie sein ängstliches Gesicht nicht ertrug, teils weil sie ihn schnell wieder loswerden wollte. Aber schon bald war sie wirklich erstaunt über die hohe Qualität der neuen Schuhe, die zu denen passten, die bereits im Handel waren, und trotzdem auf einer eigenen Idee beruhten. »Vielleicht«, sagte sie eines Tages in einem unerwartet heiteren Ton zu mir, »habe eigentlich nicht ich mir die früheren Schuhe ausgedacht, vielleicht sind sie eigentlich das Werk meines Bruders.« In dem Moment schien eine Last von ihr abzufallen. Sie entdeckte ihre Zuneigung zu ihm wieder oder, besser gesagt, sie bemerkte, dass ihre Worte übertrieben gewesen waren: Diese Verbundenheit ließ sich nicht auflösen, würde sich niemals auflösen, egal, was ihr Bruder auch anstellen würde, selbst wenn aus seinem Körper eine Ratte hervorspränge, ein wildgewordenes Pferd oder sonst ein Tier. »Die Lüge« – so vermutete sie – »hat Rino die Angst genommen, etwas nicht zu können, und das hat ihn wieder so werden lassen, wie er als kleiner Junge war, jetzt sieht er, dass er wirklich einen Beruf beherrscht, dass er gut ist.« Rino für sein Teil freute sich zunehmend darüber, dass Lila seine Arbeit jedes Mal lobte. Nach jeder Konsultation flüsterte er ihr die Bitte um den Schlüssel zu ihrer Wohnung ins Ohr und verbrachte dort, ebenfalls in aller Heimlichkeit, eine Stunde mit Pinuccia.

Was mich anging, so bemühte ich mich, ihr zu zeigen, dass ich immer ihre Freundin sein würde, ich lud sie sonntags häufig zu einem Spaziergang ein. Einmal drangen wir bis zum Messegelände der Mostra d'Oltremare vor, mit zwei meiner Schulkameradinnen, die allerdings schüchtern wurden, als sie hörten, dass Lila seit über einem Jahr verheiratet war, und sich benahmen, als hätte ich sie gezwungen, mit meiner Mutter auszugehen, respektvoll, zurückhaltend. Eine der beiden fragte sie unsicher:

»Hast du ein Kind?«

Lila schüttelte den Kopf.

»Kannst du keine kriegen?«

Sie schüttelte den Kopf.

Von da an war der Abend verpatzt.

Mitte Mai schleppte ich sie zu der Veranstaltung eines Kulturvereins mit, die ich, nur weil Professoressa Galiani sie mir empfohlen hatte, pflichtschuldig besuchte, um mir einen Wissenschaftler namens Giuseppe Montalenti anzuhören. Es war das erste Mal, dass wir so etwas erlebten. Montalenti hielt eine Art Unterrichtsstunde ab, doch nicht für Kinder, eher für Erwachsene, die extra gekommen waren, um ihn zu hören. Wir saßen hinten in dem schmucklosen Raum, und ich langweilte mich schon bald. Die Lehrerin hatte mich zwar hergeschickt, war aber selbst nicht erschienen. Ich flüsterte Lila zu: »Komm, lass uns gehen.« Aber sie lehnte ab und sagte leise, sie traue sich nicht aufzustehen, sie habe Angst, die Veranstaltung zu stören, eine Sorge, die ihr gar nicht ähnlich sah, ein Zeichen für eine plötzliche Befangenheit oder für ein wachsendes Interesse, das sie nicht zugeben wollte. Wir blieben bis zum Schluss. Montalenti sprach über Darwin, keine von uns beiden wusste, wer das war. Beim Hinausgehen sagte ich aus Spaß zu ihr:

»Er hat was gesagt, was ich schon wusste: Du bist ein Affe.«

Aber sie war nicht zu Scherzen aufgelegt.

»Das will ich nie mehr vergessen«, sagte sie.

»Dass du ein Affe bist?«

»Dass wir Tiere sind.«

»Du und ich?«

»Alle.«

»Aber er hat gesagt, dass es viele Unterschiede zwischen uns und den Affen gibt.«

»Ach ja? Welche denn? Dass meine Mutter mir Ohrlöcher gestochen hat und ich deswegen Ohrringe trage, seit ich geboren bin, während die Mütter der Affenweibchen das mit ihren Jungen nicht tun und sie keine Ohrringe tragen?«

Von nun an mussten wir kichern, wir zählten lauter Unterschiede dieser Art auf, einen nach dem anderen, einer immer absurder als der andere, und amüsierten uns prächtig. Aber als wir in den Rione zurückkamen, verging uns die gute Laune. Wir trafen Pasquale und Ada, die auf dem Stradone spazieren gingen, und erfuhren von ihnen, dass Stefano Lila überall suchte, er sei sehr besorgt. Ich bot ihr an, sie nach Hause zu bringen, sie lehnte ab. Doch sie war damit einverstanden, dass Pasquale und Ada sie mit dem Auto mitnahmen.

Erst am nächsten Tag erfuhr ich, warum Stefano sie gesucht hatte. Nicht weil wir zu spät zurückgekommen waren. Auch nicht, weil er sich darüber geärgert hatte, dass seine Frau ihre Freizeit manchmal mit mir verbrachte statt mit ihm. Der Grund war ein anderer. Er hatte gerade erfahren, dass Pinuccia sich mit Rino häufig in seiner Wohnung getroffen hatte. Er hatte gerade erfahren, dass die beiden sich in seinem Bett vergnügt hatten und dass Lila ihnen die Schlüssel gegeben hatte. Er hatte gerade erfahren, dass Pinuccia schwanger war. Doch am meisten hatte ihn aufgeregt, dass seine Schwester, als er ihr für die Schweinereien, die sie und Rino getrieben hatten, eine Ohrfeige gab, ihn angeschrien hatte: »Du bist ja bloß neidisch, weil ich eine Frau bin und Lina nicht, weil Rino weiß, was man mit Frauen macht, und du nicht!« Als Lila ihn so aufgebracht sah und hörte – und sich an die Zurückhaltung erinnerte, mit der er sie in ihrer Verlobungszeit stets behandelt hatte –, war sie in lautes Gelächter ausgebrochen, und Stefano war, um sie nicht umzubringen, rausgegangen und hatte ein paar Runden mit dem Auto gedreht. Ihrer Ansicht nach war er weggefahren, um sich eine Hure zu suchen.

33

Die Hochzeit von Pinuccia und Rino wurde holterdiepolter ausgerichtet. Ich kümmerte mich kaum darum, hatte die letzten Schulaufgaben, die letzten Prüfungen. Und obendrein geschah mir etwas, das mich in große Aufregung versetzte. Professoressa Galiani, deren Grundsatz es war, ungeniert gegen den Verhaltenskodex der Lehrer zu verstoßen, lud mich – mich und niemand anders aus der Schule – zu sich nach Hause ein, zu einer Party ihrer Kinder.

Es war schon reichlich unnormal, dass sie mir ihre Bücher und Zeitungen lieh, dass sie mich auf einen Friedensmarsch und auf einen anspruchsvollen Vortrag hingewiesen hatte. Aber nun hatte sie das Maß überschritten. Sie hatte mich beiseitegenommen und diese Einladung ausgesprochen. »Komm, wie du willst«, hatte sie gesagt, »allein oder in Begleitung, mit Freund oder ohne. Hauptsache, du kommst.« Einfach so, wenige Tage vor Schuljahresende, ohne sich darum zu scheren, wie viel ich zu lernen hatte, ohne sich um das Erdbeben zu scheren, das sie in mir auslöste.

Ich hatte sofort zugesagt, sah aber schnell ein, dass ich niemals den Mut aufbringen würde, dort hinzugehen. Schon eine Hausparty bei irgendeiner Lehrerin war undenkbar und erst recht eine bei Professoressa Galiani. Für mich war das, als müsste ich im Königspalast vorstellig werden, der Königin meine Reverenz erweisen und mit den Prinzen tanzen. Eine Freude, doch auch eine Nötigung, ein heftiges Zerren: wie am Arm gezogen werden, wie etwas tun müssen, von dem man weiß, dass es, obwohl es durchaus reizvoll ist, nicht zu einem passt, von dem man weiß, dass man es, wenn die Umstände nicht so zwingend gewesen wären, gern vermieden hätte. Der Galiani war wahrscheinlich nicht im Traum eingefallen, dass ich nichts zum Anziehen hatte. In der Schule trug ich einen schlecht sitzenden schwarzen Kittel. Was dachte sie wohl, die Professoressa, was unter diesem Kittel war, Unterkleider, Unterwäsche wie ihre? Da war aber Unzulänglichkeit, da war Armut, schlechte Erziehung. Ich besaß nur ein einziges und sehr abgetragenes Paar Schuhe. Das einzige Kleid, das mir gut genug erschien, war das, welches ich zu Lilas Hochzeit getragen hatte, doch es war zu warm, es eignete sich für den März, nicht für Ende Mai. Allerdings war die Frage, was ich anziehen sollte, nicht das einzige Problem. Da war die Einsamkeit, die Verlegenheit, unter lauter Fremden zu sein, unter Jugendlichen mit Redeweisen, Witzen und Vorlieben, die ich nicht kannte. Ich erwog, Alfonso zu fragen, ob er mich begleiten wollte, er war immer sehr freundlich zu mir. Aber – fiel mir ein – Alfonso war mein Klassenkamerad, und die Galiani hatte nur mich eingeladen. Was tun? Tagelang war ich vor Angst wie gelähmt, ich dachte darüber nach, ob ich mit der Professoressa sprechen und irgendeine Ausrede vorbringen sollte. Dann kam ich auf die Idee, Lila um Rat zu bitten.

Sie hatte wie üblich eine schwere Zeit, unter ihrem Wangenknochen war ein gelblicher Bluterguss zu sehen. Meine Neuigkeit nahm sie nicht gut auf.

»Wozu willst du da hin?«

»Ich bin eingeladen.«

»Wo wohnt denn diese Professoressa?«

»Am Corso Vittorio Emanuele.«

»Sieht man von ihrer Wohnung aus das Meer?«

»Keine Ahnung.«

»Und was macht ihr Mann?«

»Der ist Arzt im Cotugno-Krankenhaus.«

»Und ihre Kinder gehen noch zur Schule?«

»Weiß ich nicht.«

»Willst du ein Kleid von mir haben?«

»Du weißt doch, dass sie mir nicht passen.«

»Du hast bloß einen größeren Busen.«

»Alles an mir ist größer, Lila.«

»Dann weiß ich es auch nicht.«

»Soll ich nicht hingehen?«

»Das ist wohl besser.«

»Gut, ich geh' nicht hin.«

Sie war sichtlich zufrieden mit meiner Entscheidung. Ich verabschiedete mich von ihr, verließ die Salumeria und bog in eine Straße mit kümmerlichen Oleanderbüschen ein. Da hörte ich, dass sie mich rief, ich kehrte um.

»Ich komme mit«, sagte sie.

»Wohin?«

»Zu der Party.«

»Stefano wird dich nicht weglassen.«

»Das werden wir ja sehen. Sag, willst du mich mitnehmen oder nicht?«

»Natürlich will ich.«

Sie wurde so froh, dass ich es nicht wagte, zu versuchen, sie umzustimmen. Aber noch auf dem Heimweg wurde mir klar, dass meine Lage sich weiter verschlechtert hatte. Keines der Hindernisse, die mich davon abhielten, zu der Party zu gehen, war beseitigt worden, und Lilas Angebot brachte mich nur noch mehr durcheinander. Die Gründe dafür waren verworren, und ich hatte nicht vor, sie mir aufzuzählen, doch hätte ich es getan, wäre ich auf Widersprüche gestoßen. Ich fürchtete, Stefano würde ihr nicht erlauben, mitzukommen. Ich fürchtete, Stefano würde es ihr erlauben. Ich fürchtete, sie würde sich so auffällig kleiden wie damals, als sie zu den Solara-Brüdern gegangen war. Ich fürchtete, dass, egal, was Lila anzog, ihre Schönheit explodieren würde wie ein Stern und jeder sich darum reißen würde, ein Stückchen davon zu erhaschen. Ich fürchtete, sie könnte Dialekt sprechen und anstößige Dinge sagen, fürchtete, es könnte herauskommen, dass für sie nach der Grundschule mit dem Lernen Schluss gewesen war. Ich fürchtete, dass alle fasziniert von ihrer Intelligenz sein würden, sobald sie den Mund auftat, und dass sogar die Galiani von ihr hingerissen sein würde. Ich fürchtete, die Professoressa könnte sie für ebenso anmaßend wie naiv halten und zu mir sagen: Was hast du denn für eine Freundin, das ist kein Umgang für dich. Ich fürchtete, sie könnte erkennen, dass ich nur Lilas blasser Schatten war, und würde sich nicht mehr um mich kümmern, sondern nur noch um sie, sie könnte sie wiedersehen wollen und sich dafür einsetzen, dass sie wieder die Schule besuchte.

Eine Zeitlang machte ich einen Bogen um die Salumeria. Ich hoffte, Lila würde die Party vergessen, der Tag würde heranrücken und ich würde fast heimlich dort hingehen und anschließend zu ihr sagen: Du hast ja nichts mehr von dir hören lassen. Aber sie besuchte mich schon bald, was sie seit einer Weile eigentlich nicht mehr tat. Sie hatte Stefano überredet, uns nicht nur hinzufahren, sondern uns auch wieder abzuholen, und wollte wissen, wann wir uns bei der Professoressa einfinden sollten.

»Was ziehst du denn an?«, fragte ich ängstlich.

»Das, was du anziehst.«

»Ich ziehe eine Bluse und einen Rock an.«

»Ich auch.«

»Und Stefano will uns wirklich hinbringen und danach wieder abholen?«

»Ja.«

»Wie hast du das denn geschafft?«

Sie schnitt eine fröhliche Grimasse und sagte, sie wisse jetzt, wie sie ihn um den Finger wickeln könne.

»Wenn ich was will«, flüsterte sie, als wollte sie sich nicht selbst hören, »muss ich bloß mal kurz die Nutte spielen.«

Genau das sagte sie, im Dialekt, und sie fügte selbstironisch noch andere Kraftausdrücke hinzu, um mir zu zeigen, wie sehr ihr Mann sie abstieß und wie sehr sie sich selbst anwiderte. Meine Sorge wuchs. ›Ich muss ihr sagen‹, dachte ich, ›dass ich nicht mehr zu der Party will, ich muss ihr sagen, dass ich es mir anders überlegt habe.‹ Natürlich wusste ich, dass hinter der scheinbar disziplinierten Lila – von morgens bis abends auf der Arbeit – eine Lila steckte, die alles andere als bezwungen war, aber jetzt, da ich die Verantwortung übernahm, sie bei der Galiani einzuführen, machte mir diese widerspenstige Lila Angst, sie schien mir gerade durch ihre Weigerung, sich zu unterwerfen, zunehmend verdorben zu sein. Was würde geschehen, wenn etwas im Beisein der Professoressa Lilas Protest erregte? Was, wenn sie beschloss, zu der Ausdrucksweise zu greifen, die sie soeben mir gegenüber verwendet hatte? Ich sagte vorsichtig:

»Bitte sprich dort nicht so.«

Sie sah mich verblüfft an.

»Wie – so?«

»So wie eben.«

Sie schwieg einen Moment, dann fragte sie:

»Schämst du dich für mich?«

34

Ich schämte mich nicht für sie, das versicherte ich ihr, doch ich verschwieg, dass ich fürchtete, mich dafür schämen zu müssen.

Stefano fuhr uns mit dem Cabrio zum Haus der Professoressa. Ich saß hinten und die beiden vorn, und erstmals fielen mir die wuchtigen Eheringe an ihren Fingern auf.

Während Lila Rock und Bluse trug, wie sie es versprochen hatte, nichts Übertriebenes, nicht einmal Make-up, nur ein wenig Lippenstift, war er in festlicher Garderobe, mit viel Gold und stark nach Rasierseife duftend, als rechnete er damit, dass wir im letzten Moment noch zu ihm sagen würden: »Komm doch auch mit.« Das sagten wir nicht. Ich bedankte mich nur mehrmals herzlich bei ihm, und Lila stieg aus, ohne sich von ihm zu verabschieden. Mit schmerzhaft quietschenden Reifen fuhr Stefano davon.

Der Fahrstuhl reizte uns, aber wir nahmen ihn nicht. Wir hatten noch nie die Gelegenheit gehabt, einen zu benutzen, nicht einmal in dem Neubau, in dem Lila wohnte, gab es einen, wir hatten Angst, in Schwierigkeiten zu geraten. Professoressa Galiani hatte mir gesagt, ihre Wohnung liege im vierten Stock und auf dem Türschild stehe »Dott. Prof. Frigerio«, aber wir überprüften trotzdem auf jeder Etage die Klingelschilder. Ich ging voran, Lila hinter mir her, schweigend, Absatz für Absatz. Wie sauber dieses Haus war, wie sehr die Türknäufe und die Messingschilder blitzten. Mein Herz schlug schnell.

Wir erkannten die Tür vor allem an der lauten Musik und am Stimmengewirr. Wir strichen unsere Röcke glatt, ich zog das Unterkleid herunter, das an meinen Beinen hochgerutscht war, Lila ordnete ihr Haar mit den Fingerspitzen. Beide – das war offensichtlich – fürchteten wir, uns eine Blöße zu geben, in einem Moment der Unaufmerksamkeit die Maske des Anstands fallenzulassen, die wir uns zugelegt hatten. Ich drückte auf den Klingelknopf. Wir warteten, niemand kam. Ich sah Lila an und klingelte erneut, diesmal länger. Rasche Schritte, die Tür öffnete sich. Ein brünetter Junge erschien, von kleiner

Statur, mit einem hübschen Gesicht und lebhaften Augen. Er mochte zwanzig sein. Aufgeregt sagte ich, dass ich eine Schülerin von Professoressa Galiani sei, aber er ließ mich gar nicht ausreden, lachte und rief:

»Elena?«

»Ja.«

»In diesem Haus kennen dich alle, unsere Mutter lässt keine Gelegenheit aus, uns mit deinen Aufsätzen zu quälen.«

Der Junge hieß Armando, und seine Bemerkung war entscheidend, plötzlich fühlte ich mich stark. Noch heute denke ich voller Sympathie an ihn, wie er dort auf der Schwelle stand. Er war der Erste, der mir zeigte, wie angenehm es ist, in eine fremde und womöglich feindliche Umgebung zu kommen und festzustellen, dass dein guter Ruf dir vorausgeeilt ist, dass du nichts tun musst, um akzeptiert zu werden, dass dein Name bereits bekannt ist, dass man schon einiges über dich weiß und dass die anderen, die Fremden, diejenigen sind, die sich um deine Gunst bemühen müssen, und nicht du dich um ihre. Da ich daran gewöhnt war, sonst keine Vorteile zu haben, erfüllte mich dieser unvorhergesehene Vorteil mit Energie, ich verlor sofort jede Befangenheit. Meine Angst verschwand, ich sorgte mich nicht mehr um das, was Lila tun oder nicht tun könnte. Ganz in Anspruch genommen von der Aufmerksamkeit, die mir zuteilwurde, vergaß ich sogar, Armando meine Freundin vorzustellen, die er allerdings auch gar nicht zu bemerken schien. Er bahnte mir den Weg, als wäre ich allein da, und betonte aufgeräumt immer wieder, wie oft seine Mutter über mich sprach und wie sehr sie mich lobte. Ich folgte ihm durch das Gedränge, Lila schloss die Tür.

Die Wohnung war groß, die Räume waren alle unverschlossen und erleuchtet, die Zimmerdecken sehr hoch und mit Blumenmustern verziert. Besonders beeindruckten mich die Bücher überall, in dieser Wohnung standen mehr Bücher als in der Bibliothek des Rione, ganze Wände waren bis zur Decke mit Regalen versehen. Dazu Musik. Dazu Jugendliche, die in einem riesigen Salon mit prächtiger Beleuchtung ausgelassen tanzten. Dazu andere, die sich unterhielten und rauchten. Offensichtlich studierten alle an der Universität und hatten Eltern, die auch studiert hatten. Wie Armando: die Mutter Gymnasiallehrerin, der Vater, der an diesem Abend aber nicht da war, Chirurg. Armando führte uns auf die kleine Terrasse, eine milde Luft, viel Himmel, ein starker Duft nach Glyzinien und Rosen, vermischt mit dem nach Wermut und Marzipan. Wir sahen auf die hell erleuchtete Stadt, die dunkle Meeresbucht. Die Professoressa rief erfreut meinen Namen und erinnerte mich an Lila hinter mir.

»Ist das deine Freundin?«

Ich stammelte irgendetwas und bemerkte, dass ich nicht wusste, wie man jemanden vorstellt. »Meine Lehrerin. Und sie heißt Lina. Wir waren zusammen auf der Grundschule«, stieß ich hervor. Professoressa Galiani sagte etwas Liebenswürdiges über lange Freundschaften, sie seien wichtig, ein fester Halt, allgemein gehaltene Sätze, wobei sie Lila musterte, die unbeholfen ein paar einsilbige Antworten gab. Als Lila merkte, dass die Lehrerin ihren Blick auf den Ehering an ihrem Finger geheftet hatte, verdeckte sie ihn sofort mit der anderen Hand.

»Du bist verheiratet?«

»Ja.«

»Bist du genauso alt wie Elena?«

»Ich bin zwei Wochen älter.«

Die Galiani schaute sich um und wandte sich an ihren Sohn:

»Hast du die beiden schon Nadia vorgestellt?«

»Nein.«

»Worauf wartest du noch?«

»Immer mit der Ruhe, Mama, sie sind doch gerade erst gekommen.«

Die Professoressa sagte zu mir:

»Nadia möchte dich unbedingt kennenlernen. Er ist ein Schlitzohr, trau ihm nicht über den Weg, aber sie ist ein tüchtiges Mädchen, ihr werdet euch anfreunden, du wirst sehen, sie wird dir gefallen.«

Wir ließen die Lehrerin zum Rauchen allein. Nadia, hatte ich verstanden, war Armandos jüngere Schwester. Sechzehn Jahre Nervtötereien – beschrieb er sie mit gespieltem Ärger –, sie hat meine Kindheit ruiniert. Ironisch erwähnte ich die Scherereien, die ich immer mit meinen jüngeren Geschwistern gehabt hatte, und suchte lachend Lilas Bestätigung. Doch sie blieb ernst, sagte nichts. Wir gingen zurück in den Salon, der nun in einem schummrigen Licht lag. Dazu ein Song von Paul Anka oder vielleicht *What a sky*, ich weiß nicht mehr. Die Tanzpaare hielten sich eng umschlungen, Schatten, die matt schwankten. Die Musik verklang. Kurz bevor jemand widerwillig am Lichtschalter drehte, spürte ich einen Stoß in der Brust, ich sah Nino Sarratore. Er zündete sich gerade eine Zigarette an, das Licht des Flämmchens sprang ihm ins Gesicht. Ich hatte ihn seit fast einem Jahr nicht mehr gesehen, er kam mir älter vor, größer, zerzauster, schöner. Nun explodierte das elektrische Licht im Raum, und ich erkannte auch das Mädchen, mit dem er gerade getanzt hatte. Es war dasselbe, das ich vor langer Zeit an der Schule gesehen hatte, das feingliedrige, strahlende Mädchen, das mich gezwungen hatte, meine eigene Glanzlosigkeit zur Kenntnis zu nehmen.

»Da ist sie ja«, sagte Armando.

Es war Nadia, Professoressa Galianis Tochter.

35

So sonderbar das auch klingen mag, diese Entdeckung verdarb mir nicht das Vergnügen, dort zu sein, in dieser Wohnung, bei ehrenwerten Leuten. Ich liebte Nino, daran zweifelte ich nicht, daran hatte ich nie gezweifelt. Und natürlich hätte mir diese x-te Bestätigung dafür, dass er mir nie gehören würde, wehtun müssen. Aber das geschah nicht. Dass er eine feste Freundin hatte, dass diese Freundin in allem besser war als ich, wusste ich ja bereits. Neu war, dass sie die Tochter der Galiani war, aufgewachsen in dieser Wohnung, zwischen diesen Büchern. Ich merkte sofort, dass mich dies beruhigte, anstatt mich zu verletzen, es rechtfertigte einmal mehr ihre Entscheidung füreinander, machte diese zu einem notwendigen Schritt im Einklang mit der natürlichen Ordnung der Dinge. Kurz, ich fühlte mich, als hätte ich plötzlich ein so vollkommenes Beispiel für Symmetrie vor Augen, dass ich mich widerspruchslos daran erfreuen musste.

Aber das war noch nicht alles. Kaum hatte Armando zu seiner Schwester gesagt: »Nadia, das ist Elena, Mamas Schülerin«, schoss ihr die Röte ins Gesicht, sie warf mir ungestüm die Arme um den Hals und flüsterte: »Elena, ich freue mich so, dich kennenzulernen.« Dann begann sie, ohne mir die Zeit zu lassen, auch nur ein Wort zu erwidern, die Sachen zu loben, die ich schrieb, und auch die Art, wie ich sie schrieb, und dies ohne die Ironie ihres Bruders, mit einer solchen Begeisterung, dass ich mich fühlte wie im Unterricht, wenn ihre Mutter einen meiner Aufsätze vor der Klasse vorlas. Oder vielleicht war es sogar noch besser, denn ihr hörten gerade die Menschen zu, die mir am wichtigsten waren, Nino und Lila, beide konnten nun also sehen, dass ich in diesem Haus geliebt und geachtet wurde.

Ich kehrte kameradschaftliche Umgangsformen hervor, zu denen ich mich nie für fähig gehalten hätte, begann unverzüglich ein zwangloses Gespräch, griff zu einem schönen, gepflegten Italienisch, das mir nicht so künstlich vorkam wie das, welches ich in der Schule sprach. Ich erkundigte mich bei Nino nach seiner Englandreise, fragte Nadia, welche Bücher sie las, welche Musik sie gern hörte. Ich tanzte mal mit Armando, mal mit anderen, ohne Pause, und traute mir sogar einen Rock 'n' Roll zu, bei dem mir die Brille von der Nase flog, aber nicht zerbrach. Ein wundervoller Abend. Irgendwann sah ich, dass Nino ein paar Worte mit Lila wechselte und sie zum Tanzen aufforderte. Aber sie lehnte ab und verließ den Salon, ich verlor sie aus den Augen. Es brauchte eine ganze Weile, bis meine Freundin mir wieder in den Sinn kam. Es brauchte das Verebben der Tänze, eine angeregte Diskussion zwischen Armando, Nino und einigen weiteren Jungen ihres Alters, ihr gemeinsames Hinausgehen mit Nadia auf die Terrasse, teils wegen der Hitze, teils um Professoressa Galiani, die zum Rauchen und zur Abkühlung allein dortgeblieben war, in die Diskussion miteinzubeziehen. »Komm«, sagte Armando und nahm mich bei der Hand. Ich sagte: »Ich hole meine Freundin«, und machte mich los. Erhitzt suchte ich Lila in der Wohnung, fand sie allein vor einer Bücherwand.

»Komm, wir gehen auf die Terrasse«, sagte ich.

»Wozu denn?«

»Um frische Luft zu schnappen, um uns zu unterhalten.«

»Geh ruhig.«

»Langweilst du dich?«

»Nein, ich seh' mir die Bücher an.«

»Hast du gesehen, wie viele es sind?«

»Ja.«

Ich merkte, dass sie unzufrieden war. Weil man sie nicht beachtet hatte. ›Das liegt an dem Ehering‹, dachte ich. ›Oder vielleicht ist ihre Schönheit hier nichts wert, Nadias zählt hier mehr. Oder sie weiß in diesem Haus nicht, wer sie ist, obwohl sie einen Mann hat, obwohl sie schwanger war, obwohl sie eine Fehlgeburt hatte, obwohl sie die Schuhe entworfen hat und obwohl sie Geld verdienen kann, und ist hier nicht in der Lage, sich wie im Rione Geltung zu verschaffen. Ich schon.‹ Plötzlich bemerkte ich, dass der Schwebezustand vorüber war, der am Tag von Lilas Hochzeit begonnen hatte. Ich konnte mich unter diesen Leuten bewegen, fühlte mich hier wohler als bei meinen Freunden im Rione. Besorgt war ich nun nur noch wegen Lila, weil sie sich absonderte und am Rand blieb. Ich zog sie weg von den Büchern, schleppte sie mit auf die Terrasse.

Während die meisten noch tanzten, hatte sich um die Professoressa eine kleine Gruppe von drei, vier Jungen und zwei Mädchen gebildet. Aber nur die Jungen redeten, von der weiblichen Seite mischte sich nur die Galiani ein, und dies mit einem ironischen Ton. Ich bemerkte schnell, dass die ältesten Jungen, Nino, Armando und ein Typ namens Carlo, es unpassend fanden, mit ihr zu debattieren. Sie wollten sich vor allem untereinander messen und betrachteten sie lediglich als die Verleiherin des Lorbeerkranzes. Armando polemisierte zwar gegen seine Mutter, meinte aber eigentlich Nino. Carlo schloss sich der Meinung der Professoressa an, doch im Disput mit den anderen beiden neigte er dazu, seine Argumente von denen der Lehrerin abzugrenzen. Und Nino widersprach der Galiani mit freundlicher Ablehnung, stritt sich mit Armando, stritt sich mit Carlo. Fasziniert hörte ich zu. Ihre Worte waren wie Knospen, die in meinem Kopf zu mehr oder weniger bekannten Blumen erblühten, so dass ich in Begeisterung geriet und Mitdenken vortäuschte, oder sie offenbarten mir unbekannte Formen, so dass ich mich zurückzog, um meine Unwissenheit zu verbergen. In diesem zweiten Fall wurde ich allerdings nervös: ›Keine Ahnung, worüber die reden, keine Ahnung, wer dieser Typ ist, ich verstehe überhaupt nichts.‹ Es waren Laute ohne Bedeutung, sie zeigten mir, dass die Welt der Personen, Fakten, Ideen unermesslich war und meine nächtlichen Lektüren nicht ausgereicht hatten. Ich musste mich noch mehr anstrengen, um Nino, der Galiani, Carlo und Armando sagen zu können: Ja, ich verstehe, ich weiß. Der ganze Planet ist in Gefahr. Da ist der Atomkrieg. Der Kolonialismus, der Neokolonialismus. Die Pieds-noirs, die OAS und die Nationale Befreiungsfront. Die Brutalität der Gemetzel. Der Gaullismus, der Faschismus. France, Armée, Grandeur, Honneur. Sartre ist Pessimist, setzt aber auf die kommunistischen Arbeitermassen von Paris. Der Niedergang Frankreichs, Italiens. Die Öffnung nach links. Saragat, Nenni. Fanfani in London, Macmillan. Der Parteitag der Christdemokraten in unserer Stadt. Die Fanfani-Anhänger, Moro, die linke Christdemokratie. Die Sozialisten in den Fängen der Macht gestrandet. Wir Kommunisten, wir mit unserem Proletariat und unseren Parlamentariern, werden die Gesetze des linken Zentrums durchbringen. Wenn das so weitergeht, wird aus einer marxistisch-leninistischen Partei eine sozialdemokratische. Habt ihr gesehen, wie Leone sich bei der Eröffnung des Universitätsjahrs benommen hat? Armando schüttelte angewidert den Kopf: »Die Welt verändert sich nicht durch Planung, dazu braucht es Blutvergießen, dazu braucht es Gewalt.« Nino antwortete ihm ruhig: »Planung ist ein unverzichtbares Mittel.« Intensives Reden, die Galiani hielt die Jungen im Zaum. Wie viel sie wussten, sie waren die Herren der ganzen Welt. Irgendwann erwähnte Nino Amerika positiv, verwendete englische Wörter, als wäre er Engländer. Mir fiel auf, dass seine Stimme innerhalb des letzten Jahres kräftiger geworden war, sie war voller, fast schon rauh, und er setzte sie nicht so streng ein wie damals auf Lilas Hochzeitsfest und später in der Schule. Er erwähnte auch Beirut, als wäre er dort gewesen, und Danilo Dolci und Martin Luther King und Bertrand Russell. Er befürwortete eine Bewegung, die er Weltfriedensbrigade nannte, und wies Armando in die Schranken, der mit Sarkasmus über sie sprach. Dann ereiferte er sich, wurde lauter. Ah, wie gut er aussah. Er sagte, die Welt habe die technischen Kapazitäten, um Kolonialismus, Hunger und Krieg von der Erde verschwinden zu lassen. Überwältigt hörte ich ihm zu, und obwohl ich mich zwischen unzähligen Dingen, die ich nicht wusste, verloren fühlte – was bedeuteten Gaullismus, OAS, Sozialdemokratie, die Öffnung nach links; wer waren Danilo Dolci, Bertrand Russell, die Pieds-noirs, die Fanfani-Anhänger; und was war in Beirut, was in Algier geschehen? –, hatte ich wie schon früher das Bedürfnis, mich um ihn zu kümmern, auf ihn Acht zu geben, ihn zu beschützen, ihn in allem zu unterstützen, was er im Lauf seines Lebens tun würde. Dies war der einzige Moment an diesem Abend, an dem ich auf Nadia eifersüchtig war, die neben ihm stand wie eine untergeordnete, doch strahlende Göttin. Dann hörte ich mich reden, als hätte nicht ich beschlossen, dies zu tun, sondern als hätte jemand anders, jemand, der selbstsicherer und informierter war als ich, sich entschieden, mit meinem Mund zu sprechen. Ich ergriff das Wort, ohne zu wissen, was ich sagen würde, doch während ich den Jungen zugehört hatte, hatten sich in meinem Kopf Teilsätze gelöst, die ich in den Büchern und Zeitungen von Professoressa Galiani gelesen hatte, und meine Schüchternheit blieb hinter dem Wunsch zurück, mich zu äußern und auf mich aufmerksam zu machen. Ich verwendete das Hochitalienisch, das ich bei meinen Übersetzungen aus dem Griechischen und dem Lateinischen geübt hatte. Ich schlug mich auf Ninos Seite. Sagte, ich wolle nicht in einer Welt leben, die wieder im Krieg sei. »Wir dürfen«, sagte ich, »nicht die Fehler der Generationen vor uns wiederholen. Heute muss man Krieg gegen die Atomarsenale führen, gegen den Krieg selbst. Wenn wir den Gebrauch dieser Waffen zulassen, werden wir alle viel mehr Schuld auf uns laden als damals die Nazis.« Ach, wie aufgewühlt ich beim Sprechen wurde: Mir traten Tränen in die Augen. Ich schloss mit der Bemerkung, dass die Welt dringend verändert werden müsse, dass es zu viele Tyrannen gebe, die die Völker knechteten. Doch sie müsse friedlich verändert werden.

Ich weiß nicht, ob alle meine Ansicht teilten. Armando schien unzufrieden zu sein, und ein blondes Mädchen, dessen Namen ich nicht kannte, musterte mich mit einem spöttischen Lächeln. Aber Nino zeigte mir seine Zustimmung, noch während ich redete. Und die Galiani, die ihre Meinung unmittelbar darauf sagte, zitierte mich zweimal, bewegt hörte ich sie sagen: »Wie Elena ganz richtig bemerkte.« Doch es war Nadia, die das Schönste tat. Sie löste sich von Nino und flüsterte mir ins Ohr: »Wie klug du bist, und wie mutig.« Lila, die neben mir stand, tat keinen Mucks. Aber noch während die Lehrerin sprach, zog sie mich mit einem Ruck weg und zischte im Dialekt:

»Ich sterbe vor Müdigkeit, fragst du, wo das Telefon ist, und rufst Stefano an?«

36

Wie sehr dieser Abend sie verletzt hatte, erfuhr ich später aus ihren Schreibheften. Sie räumte ein, dass sie es gewesen war, die darum gebeten hatte, mich zu begleiten. Sie räumte ein, geglaubt zu haben, sie könnte der Salumeria wenigstens für diesen Abend entkommen und sich zusammen mit mir wohlfühlen, könnte teilhaben an dieser sprunghaften Erweiterung meiner Welt, könnte Professoressa Galiani kennenlernen, mit ihr reden. Sie räumte ein, geglaubt zu haben, dass sie einen Weg finden würde, einen guten Eindruck zu machen. Sie räumte ein, dass sie sich sicher war, den Jungen zu gefallen, sie gefiel immer. Stattdessen fühlte sie sich alsbald ohne Stimme und ohne

Reize, ihrer Gesten und ihrer Schönheit beraubt. Sie führte Einzelheiten an: Auch wenn wir nebeneinanderstanden, sprachen alle lieber nur mich an; man brachte mir Süßigkeiten, brachte mir etwas zu trinken, niemand machte sich diese Mühe für sie; Armando zeigte mir ein Familienporträt, irgendwas aus dem siebzehnten Jahrhundert, und erzählte mir eine Viertelstunde lang davon: Sie wurde behandelt, als könnte sie so etwas nicht begreifen. Sie wollten sie nicht. Wollten überhaupt nicht wissen, was für ein Mensch sie war. An jenem Abend war ihr zum ersten Mal klar geworden, dass ihr Leben für immer aus Stefano bestehen würde, aus den zwei Salumerias, aus der Hochzeit ihres Bruders mit Pinuccia, aus den Gesprächen mit Pasquale und Carmen, aus dem elenden Krieg mit den Solaras. Das und noch mehr hatte sie aufgeschrieben, vielleicht noch in derselben Nacht, vielleicht am Morgen im Laden. An jenem Abend hatte sie sich endgültig verloren gefühlt.

Aber als wir mit dem Auto in den Rione zurückfuhren, erwähnte sie dieses Gefühl mit keinem Wort, sie wurde nur gehässig, gemein. Sie fing an, kaum dass sie im Auto saß und ihr Mann sie schlechtgelaunt fragte, ob wir uns gut amüsiert hätten. Ich ließ sie antworten, war wie betäubt von der Anstrengung, von der Aufregung, von dem Vergnügen. Und so begann sie langsam, mir wehzutun. Sie sagte im Dialekt, sie habe sich noch nie im Leben so gelangweilt. »Es wäre besser gewesen, wir wären ins Kino gegangen«, beklagte sie sich bei ihrem Mann, und dann streichelte sie seine Hand, die auf der Gangschaltung lag – es war absurd und zielte nur darauf ab, mich zu verletzen und mich auf Folgendes zu stoßen: Siehst du, ich habe immerhin einen Mann, du dagegen hast gar nichts, du bist noch Jungfrau, du weißt alles, aber wie das ist, weißt du nicht. Sie sagte: »Sogar fernsehen wäre unterhaltsamer gewesen, als seine Zeit in dieser Scheißgesellschaft zu verbringen. Nichts da drinnen, nicht einen Gegenstand, nicht ein Gemälde, haben sie selbst erarbeitet. Ihre Möbel sind hundert Jahre alt. Das Haus mindestens dreihundert. Die Bücher, ja, einige sind zwar neu, aber viele sind uralt und vollkommen verstaubt, weil sie wer weiß wie lange nicht aufgeschlagen wurden, alter Plunder, Jura, Geschichte, Naturwissenschaften, Politik. Väter, Großväter, Urgroßväter haben in diesem Haus gelesen und studiert. Seit Jahrhunderten werden sie mindestens Anwälte, Ärzte, Professoren. Darum reden sie alle so, darum kleiden und essen und bewegen sie sich so und so. Sie tun das, weil sie dort geboren sind. Aber in ihrem Kopf haben sie nicht einen eigenen Gedanken, nicht einen, den sie sich erarbeitet haben. Sie wissen alles und wissen nichts.« Sie küsste ihren Mann auf den Hals, glättete ihm die Haare mit den Fingerspitzen. »Wärst du da oben gewesen, Ste', hättest du bloß Papageien gesehen, plapperdieplapper. Kein einziges Wort von dem, was sie gesagt haben, war zu verstehen, sie haben sich nicht mal untereinander verstanden. Weißt du vielleicht, was die OAS ist, weißt du, was die Öffnung nach links ist? Nächstes Mal nimm nicht mich mit, Lenù, nimm Pasquale mit, dann kannst du sehen, wie der diese Leute mir nichts, dir nichts auseinandernimmt. Schimpansen, die ins Klo pissen und scheißen statt auf den Boden und sich 'ne Menge drauf einbilden, und die behaupten, sie wissen, was man in China machen soll und was in Albanien und was in Frankreich und was in Katanga. Sogar du, Lena, das muss ich dir sagen. Nimm dich in Acht, du wirst gerade zum Papagei der Papageien.« Lachend wandte sie sich zu ihrem Mann und sagte: »Du hättest sie mal hören sollen!« Sie piepste »tschutschu, tschutschu«. »Willst du Stefano nicht vormachen, wie du mit denen redest? Du und der Sohn von Sarratore: überhaupt kein Unterschied. *Die Weltfriedensbrigade; wir haben die technischen Kapazitäten; Hunger, Krieg.* Also wirklich, rackerst du dich dermaßen in der Schule ab, bloß um dann so reden zu können wie der? *Wer die Probleme lösen kann, arbeitet für den Frieden.* Na bravo. Erinnerst du dich noch, wie Sarratores Sohn Probleme lösen konnte? Du erinnerst dich, stimmt's, und trotzdem hörst du auf ihn? Willst auch du dich zu einer Witzfigur aus dem Rione machen, die Theater spielt, um bei solchen Leuten eingeladen zu werden? Wollt ihr uns allein in unserer Scheiße sitzenlassen, wo wir uns die Köpfe einschlagen, während ihr plappert und plappert, der Hunger, der Krieg, die Arbeiterklasse, der Frieden?«

Sie war so boshaft, auf dem ganzen Weg vom Corso Vittorio Emanuele bis nach Hause, dass ich verstummte und ihr Gift spürte, das das, was ich für einen wichtigen Moment meines Lebens gehalten hatte, in einen Fehler verwandelte, der mich lächerlich gemacht hatte. Ich kämpfte dagegen an, ihr zu glauben. Fühlte, dass sie wirklich feindselig und zu allem fähig war. Sie konnte die Nerven rechtschaffener Menschen zum Zerreißen bringen, entfachte in deren Brust ein Feuer der Zerstörung. Ich gab Gigliola und Pinuccia Recht, sie selbst war es, die auf dem Foto aufflammte wie der Teufel. Ich hasste sie, und das bemerkte sogar Stefano, der, als er mich vor der Haustür absetzte und mich auf seiner Seite aussteigen ließ, versöhnlich sagte: »Ciao, Lenù, gute Nacht, Lina meint das nicht so.« Ich murmelte: »Ciao«, und ging weg. Erst als das

Auto angefahren war, hörte ich Lila erneut die Stimme nachäffen, die ich mir bei den Galianis ihrer Meinung nach geflissentlich zugelegt hatte, sie schrie: »Ciao, he, ciao!«

37

An diesem Abend begann die lange, quälende Zeit, die zu unserem ersten Bruch und zu einer langen Trennung führte.

Ich hatte Mühe, mich zu erholen. Bis zu diesem Punkt hatte es unzählige Gründe für Spannungen gegeben, Lilas Unzufriedenheit und zugleich ihre Sucht, sich gewaltsam durchzusetzen, waren ständig zum Vorschein gekommen. Aber nie, nie, nie hatte sie so deutlich alles darangesetzt, mich zu erniedrigen. Ich stellte meine Besuche in der Salumeria ein. Obwohl sie meine Schulbücher bezahlt hatte und obwohl wir diese Wette abgeschlossen hatten, ging ich nicht zu ihr, um ihr mitzuteilen, dass ich mit einem Durchschnitt von Acht und in zwei Fächern sogar mit Neun versetzt worden war. Ich suchte mir sofort nach Schuljahresende eine Arbeit in einer Buchhandlung in der Via Mezzocannone und verschwand aus dem Rione, ohne ihr Bescheid zu sagen. Anstatt zu verblassen, wurde die Erinnerung an ihren sarkastischen Ton allzu deutlich, und auch mein Groll verfestigte sich immer mehr. Für mich ließ sich das, was sie mir angetan hatte, durch nichts rechtfertigen. Nie kam mir, wie es bei anderen Gelegenheiten durchaus der Fall gewesen war, in den Sinn, dass sie das Bedürfnis, mich zu erniedrigen, gehabt hatte, um ihre eigene Erniedrigung besser ertragen zu können.

Die Trennung wurde für mich dadurch leichter, dass ich schon bald die Bestätigung erhielt, auf der Party tatsächlich einen guten Eindruck gemacht zu haben. Als ich in der Mittagspause durch die Via Mezzocannone schlenderte, hörte ich, dass mich jemand rief. Es war Armando, er war auf dem Weg zu einem Examen. Ich erfuhr, dass er Medizin studierte und das Examen schwer war, aber bevor er in Richtung Piazza San Domenico verschwand, unterhielt er sich trotzdem noch mit mir, überhäufte mich mit Komplimenten und begann wieder ein Gespräch über Politik. Am Abend erschien er sogar in der Buchhandlung, er hatte mit 28 Punkten eine sehr gute Note erhalten, er war glücklich. Er fragte mich nach meiner Telefonnummer, ich sagte, dass ich kein Telefon hätte, er lud mich für den nächsten Sonntag zu einem Spaziergang ein, ich sagte, sonntags müsse ich meiner Mutter im Haushalt helfen. Er brachte das Gespräch auf Lateinamerika, wohin er sofort nach dem Studium gehen wollte, um als Arzt den Entrechteten zu helfen und sie davon zu überzeugen, zu den Waffen zu greifen und gegen ihre Unterdrücker zu kämpfen, er kam so sehr ins Schwadronieren, dass ich ihn wegschicken musste, damit der Buchhändler sich nicht aufregte. Jedenfalls freute ich mich, dass ich ihm offensichtlich gefallen hatte und ich freundlich, doch nicht zu entgegenkommend gewesen war. Aber Lilas Worte hatten Schaden angerichtet. Ich fühlte mich schlecht gekleidet, schlecht frisiert, unecht im Reden und unwissend. Außerdem hatte sich mit dem Schuljahresende, ohne Professoressa Galiani, meine Gewohnheit, Zeitungen zu lesen, verflüchtigt, und ich hatte, auch weil das Geld knapp war, nicht den Wunsch verspürt, mir welche aus eigener Tasche zu kaufen. So waren Neapel, Italien, die Welt rasch wieder zu einer nebligen Ödnis geworden, in der ich mich nicht mehr zurechtfand. Armando redete, ich nickte, aber von dem, was er sagte, verstand ich so gut wie nichts.

Tags darauf gab es eine weitere Überraschung. Als ich die Buchhandlung ausfegte, tauchten Nino und Nadia auf. Sie hatten von Armando erfahren, wo ich arbeitete, und waren extra vorbeigekommen, um mir guten Tag zu sagen. Sie schlugen mir vor, am kommenden Sonntag mit ihnen ins Kino zu gehen. Ich musste antworten, was ich schon Armando geantwortet hatte: Unmöglich, ich arbeitete die ganze Woche, und am Sonntag wollten meine Eltern mich zu Hause haben.

»Aber ein paar Schritte durch den Rione werden dir doch wohl erlaubt sein?«

»Das ja.«

»Dann kommen wir eben zu dir.«

Da der Buchhändler – ein sehr jähzorniger Mann um die sechzig mit einer schmutzig wirkenden Gesichtshaut und einem schmierigen Blick – mich mit einem ungeduldigeren Ton als sonst rief, verabschiedeten sie sich sofort.

Am späten Vormittag des darauffolgenden Sonntags hörte ich, wie mich jemand vom Hof aus rief, und erkannte Ninos Stimme. Ich sah aus dem Fenster, er war allein. In wenigen Minuten versuchte ich, mich halbwegs vorzeigbar zurechtzumachen, und lief, ohne meiner Mutter Bescheid zu sagen, glücklich und ängstlich die Treppe hinunter. Als ich vor ihm stand, rang ich nach Luft. »Ich habe nur zehn Minuten«, sagte ich atemlos, und so gingen wir nicht auf den Stradone hinaus, sondern schlenderten zwischen den Wohnblocks umher. Wieso war er wohl ohne Nadia gekommen? Wieso hatte er sich hierher auf den Weg gemacht, obwohl sie nicht konnte? Er beantwortete meine Fragen, ohne dass ich sie laut gestellt hatte. Bei Nadia seien Verwandte ihres Vaters zu Besuch, so dass sie zu Hause bleiben müsse. Er sei gekommen, um den Rione wiederzusehen, aber auch, um mir etwas zu lesen zu bringen, die neueste Ausgabe einer Zeitschrift namens *Cronache meridionali*. Er gab sie mir mit einer mürrischen Geste, ich bedankte mich, und er begann die Zeitschrift unpassenderweise schlechtzumachen, so dass ich mich fragte, warum er sie mir geschenkt hatte. »Sie ist zu festgelegt«, sagte er und fügte lachend hinzu: »Wie die Galiani und wie Armando.« Er wurde wieder ernst und schlug einen Ton an, der mir wie der eines Greises vorkam. Er sagte, er verdanke unserer Lehrerin außerordentlich viel, ohne sie wären die Jahre am Gymnasium Zeitverschwendung gewesen, allerdings müsse man auf der Hut sein und die Professoressa auf Abstand halten. »Ihr größter Fehler«, betonte er, »ist, dass sie es nicht erträgt, wenn jemand anders denkt als sie. Nimm alles von ihr, was sie dir geben kann, aber dann geh deinen eigenen Weg.« Er redete erneut über die Zeitschrift, sagte, auch die Galiani schreibe für sie, und kam unvermittelt, ohne jeden Zusammenhang, auf Lila zu sprechen: »Du kannst ihr das ja bei Gelegenheit auch zu lesen geben.« Ich erzählte ihm nicht, dass Lila nichts mehr las, dass sie jetzt die Signora Carracci spielte, dass sie aus ihrer Kindheit nur ihre Bosheit behalten hatte. Ich lenkte ab, erkundigte mich nach Nadia, er sagte, sie werde eine lange Reise mit ihrer Familie machen, mit dem Auto bis nach Norwegen, anschließend werde sie den Rest des Sommers in Anacapri verbringen, wo ihr Vater ein Haus habe.

»Wirst du sie dort besuchen?«

»Ein-, zweimal, ich muss studieren.«

»Geht es deiner Mutter gut?«

»Sehr gut. Sie fährt dieses Jahr wieder nach Barano, sie hat sich mit der Vermieterin ausgesöhnt.«

»Verbringst du die Ferien mit deiner Familie?«

»Ich? Mit meinem Vater? Nie im Leben! Ich fahre nach Ischia, aber allein.«

»Wohin fährst du?«

»Ein Freund von mir hat ein Haus in Forio. Seine Eltern überlassen es ihm für den ganzen Sommer, wir werden dort lernen. Und du?«

»Ich arbeite bis September in Mezzocannone.«

»Auch an einem Feiertag wie Ferragosto?«

»Nein, da nicht.«

Er lächelte.

»Dann komm doch Mitte August nach Forio, das Haus ist groß. Vielleicht kommt Nadia für zwei oder drei Tage auch.«

Ich lächelte, war überwältigt. Nach Forio? Nach Ischia? In ein Haus ohne Erwachsene? Dachte er noch an den Maronti-Strand? Dachte er noch daran, dass wir uns dort geküsst hatten? Ich sagte, ich müsse nach Hause. »Ich komme wieder vorbei«, versprach er. »Ich will wissen, was du von der Zeitschrift hältst.« Die Hände in den Taschen vergraben, fügte er leise hinzu: »Ich rede gern mit dir.«

Und wie viel er geredet hatte, in der Tat. Stolz erfüllte mich, ich freute mich, weil er sich wohlgefühlt hatte. Ich flüsterte: »Ich auch mit dir«, obwohl ich fast nichts gesagt hatte, und wollte gerade ins Haus zurück, als etwas geschah, was uns beide verwirrte. Ein Schrei zerriss die sonntägliche Stille auf dem Hof, und ich sah Melina am

Fenster, die mit den Armen fuchtelte, um unsere Aufmerksamkeit zu erregen. Als auch Nino sich verdutzt nach ihr umdrehte, schrie sie noch lauter, mit einer Mischung aus Jubel und Entsetzen. Sie schrie: »Donato!«

»Wer ist das?«, fragte Nino.

»Melina«, sagte ich. »Erinnerst du dich nicht?«

Er zog ein missmutiges Gesicht.

»Ist sie sauer auf mich?«

»Keine Ahnung.«

»Sie hat Donato gerufen.«

»Ja.«

Er drehte sich erneut zum Fenster um, aus dem sich die Witwe lehnte und unablässig diesen Namen schrie.

»Findest du, dass ich meinem Vater ähnlich sehe?«

»Nein.«

»Bist du sicher?«

»Ja.«

Nervös sagte er:

»Ich verschwinde.«

»Das wird wohl besser sein.«

Er ging rasch davon, mit eingezogenem Kopf, während Melina ihn immer lauter, immer aufgeregter rief: Donato, Donato, Donato.

Auch ich machte mich aus dem Staub, ging mit klopfendem Herzen und tausend wirren Gedanken nach Hause. Nichts an Nino ähnelte seinem Vater: nicht die Statur, nicht das Gesicht, nicht die Umgangsformen und auch Stimme und Blick nicht. Er war eine aus der Art geschlagene, süße Frucht. Wie hinreißend er aussah mit seinen langen, struppigen Haaren. Wie sehr er sich von jeder anderen männlichen Gestalt unterschied. In ganz Neapel gab es niemanden, der ihm glich. Und er fand mich gut, obwohl ich noch ein Jahr zur Schule gehen musste und er schon studierte. Er hatte sich an einem Sonntag auf den Weg in den Rione gemacht. Hatte sich um mich gesorgt, war gekommen, um mich zu warnen. Er hatte mir sagen wollen, dass die Galiani zwar in Ordnung sei, aber auch ihre Fehler habe, und zugleich hatte er mir die Zeitschrift mitgebracht, überzeugt davon, dass ich fähig war, sie zu lesen und darüber zu diskutieren, und er war sogar so weit gegangen, mich zu Ferragosto nach Ischia einzuladen, nach Forio. Ein Ding der Unmöglichkeit, keine wirkliche Einladung, er wusste genau, dass meine Eltern nicht wie Nadias waren, sie würden mich niemals fahren lassen; aber er hatte mich gleichwohl eingeladen, damit ich hinter den gesagten Worten andere, ungesagte hörte, wie etwa: *Ich möchte dich gern sehen, wie gern würde ich unsere Gespräche von damals, in Porto, am Maronti-Strand, fortsetzen.* Ja, ja, hörte ich es in meinem Kopf schreien, auch ich möchte das gern, ich werde dich besuchen, ich reiße zu Ferragosto von zu Hause aus, komme, was da wolle.

Ich versteckte die Zeitschrift zwischen meinen Büchern. Am Abend, kaum dass ich im Bett war, las ich das Inhaltsverzeichnis und schreckte auf. Darin war ein Artikel von Nino aufgeführt. Ein Artikel von ihm in dieser äußerst seriös wirkenden Zeitschrift. Sie war fast schon ein Buch, nicht wie das graue, schludrige Studentenblättchen, in dem er zwei Jahre zuvor meinen gegen den Priester gerichteten Bericht hatte veröffentlichen wollen, sondern bedeutende Seiten, die von wichtigen Leuten für wichtige Leute geschrieben wurden. Und doch war da er, Antonio Sarratore, mit Vor- und Zunamen. Und ich kannte ihn. Und er war nur zwei Jahre älter als ich.

Ich las, verstand wenig, las noch einmal. In dem Artikel ging es um Staatliche Planung in Großbuchstaben, um Plan in Großbuchstaben, und er war kompliziert geschrieben. Aber er entstammte seiner, Ninos, Intelligenz, er war von ihm persönlich, und Nino hatte ihn mir stillschweigend, ohne Angeberei, geschenkt.

Mir.

Tränen traten mir in die Augen, erst spät in der Nacht legte ich die Zeitschrift aus der Hand. Lila davon erzählen? Sie ihr leihen? Nein, das war meine Angelegenheit. Mit Lila wollte ich kein tiefer gehendes Verhältnis mehr haben, nur noch ein »Ciao« und oberflächliche Phrasen. Sie wusste nicht, was ich wert war. Aber andere wussten es: Armando, Nadia, Nino. Sie waren meine Freunde, ihnen verdankte ich mein Selbstvertrauen. Sie hatten sofort in mir gesehen, was Lila eiligst nicht hatte sehen wollen. Weil sie den Blick des Rione hatte. Sie konnte nur so sehen wie Melina, die, in ihrem Wahnsinn gefangen, in Nino Donato sah und ihn mit ihrem einstigen Liebhaber verwechselte.

38

Ursprünglich wollte ich nicht zur Hochzeit von Pinuccia und Rino gehen, aber Pinuccia kam vorbei, um mir die Einladung persönlich zu überbringen, und da sie mich mit überschwenglicher Herzlichkeit behandelte und mich zu verschiedenen Fragen um Rat bat, konnte ich nicht nein sagen, obwohl die Einladung nicht auch für meine Eltern und meine Geschwister galt. »Nicht ich bin so unhöflich«, rechtfertigte sie sich, »sondern Stefano.« Ihr Bruder habe sich nicht nur geweigert, ihr eine Mitgift zu geben, damit sie sich eine Wohnung kaufen konnte (er habe ihr gesagt, dass er durch seine Investitionen in die Schuhe und in die neue Salumeria nicht flüssig sei), sondern habe außerdem, da er es war, der das Brautkleid, den Fotografen und vor allem das Essen bezahlte, persönlich den halben Rione von der Gästeliste gestrichen. Ein hundsmiserables Verhalten, Rino sei in noch größerer Verlegenheit als sie. Ihr Bräutigam habe sich ein ebenso prächtiges Hochzeitsfest gewünscht, wie das seiner Schwester gewesen war, und eine neue Wohnung wie die von Lila, mit Blick auf die Eisenbahn. Doch obwohl er nun der Chef einer Schuhmacherei sei, schaffe er es nicht aus eigener Kraft, auch deshalb nicht, weil er ein Verschwender sei, gerade habe er sich einen Millecento gekauft, er habe rein gar nichts auf der hohen Kante. Und so hätten sie nach vielem Hin und Her gemeinsam beschlossen, in Don Achilles alte Wohnung zu ziehen und Maria aus dem Schlafzimmer auszuquartieren. Sie hätten vor, so viel wie möglich zu sparen und sich schnellstens eine Wohnung zu kaufen, die schöner sei als die von Stefano und Lila. »Mein Bruder ist ein Arschloch«, sagte Pinuccia zum Schluss voller Groll zu mir. »Für seine Frau wirft er mit Geld nur so um sich, und für seine Schwester hat er nicht eine Lira übrig.«

Ich sparte mir jeden Kommentar. Zur Hochzeit ging ich zusammen mit Marisa und mit Alfonso, der zunehmend auf solche mondänen Gelegenheiten zu warten schien, um sich in jemand anders zu verwandeln, von meinem gewöhnlichen Banknachbarn in einen in seinem Äußeren und in seinen Manieren anmutigen jungen Mann, mit schwarzen Haaren, einem blauschwarzen Bart, der seine Wangen hinaufwuchs, mit schmachtenden Augen und einem Anzug, der nicht an ihm herabhing, wie es bei den anderen Männern der Fall war, sondern seinen dünnen und zugleich elastischen Körper gut zur Geltung brachte.

In der Hoffnung, dass Nino seine Schwester begleiten musste, hatte ich seinen Artikel und die ganze Ausgabe der *Cronache meridionali* sorgfältigst studiert. Aber nun war Alfonso Marisas Begleiter auf dem Fest, er holte sie ab, er brachte sie wieder zurück, und Nino ließ sich nicht blicken. Ich wich den beiden nicht von der Seite, wollte vermeiden, dass ich allein auf Lila traf.

In der Kirche entdeckte ich sie in der ersten Reihe, zwischen Stefano und Maria, und sie war die Schönste, unmöglich, den Blick von ihr zu wenden. Später, beim Hochzeitsessen, das im selben Restaurant in der Via Orazio stattfand, in dem vor kaum mehr als einem Jahr auch Lilas Hochzeit gefeiert worden war, liefen wir uns nur einmal über den Weg und wechselten vorsichtige Worte. Dann landete ich mit Alfonso, Marisa und einem blonden, etwa dreizehnjährigen Jungen an einem Tisch am Rand, und sie setzte sich mit Stefano an den Tisch des Brautpaars, zusammen mit den wichtigen Gästen. Wie viel hatte sich in so kurzer Zeit verändert. Antonio war nicht da, Enzo war nicht da, beide leisteten noch ihren Militärdienst ab. Die Verkäuferinnen der zwei Salumerias, Carmen und Ada, waren eingeladen, aber Pasquale nicht, oder vielleicht hatte er beschlossen, nicht zu kommen, um sich nicht unter die mischen zu müssen, die er, wenn man dem teils scherzhaften, teils ernstgemeinten Klatsch und Tratsch in den Pizzerias glauben wollte, plante, eigenhändig umzubringen. Auch seine Mutter, Giuseppina

Peluso, fehlte, und es fehlten Melina und ihre Kinder. Dafür saßen die Carraccis, die Cerullos und die Solaras, die auf verschiedene Weise geschäftlich miteinander verbandelt waren, alle zusammen am Tisch des Hochzeitspaars, ebenso wie die Verwandten aus Florenz, also der Metallhändler und seine Frau. Ich sah, dass Lila mit Michele redete und übertrieben lachte. Hin und wieder schaute sie in meine Richtung, aber ich wandte den Blick mit einer Mischung aus Überdruss und Kummer sofort ab. Wie viel sie lachte, zu viel. Ich musste an meine Mutter denken. Wie sie gab Lila die verheiratete Frau, war vulgär in ihrem Benehmen und in ihrem Dialekt. Sie zog Micheles ungeteilte Aufmerksamkeit auf sich, neben dem allerdings seine Verlobte Gigliola saß, blass und stocksauer, weil er sie so vernachlässigte. Nur Marcello sprach seine künftige Schwägerin manchmal an, um sie zu beschwichtigen. Lila, Lila: Sie wollte über die Stränge schlagen und uns alle mit ihren Exzessen quälen. Ich bemerkte, dass auch Nunzia und Fernando ihrer Tochter lange, besorgte Blicke zuwarfen.

Der Tag verlief glatt bis auf zwei dem Anschein nach folgenlose Vorfälle. Beginnen wir mit dem ersten. Unter den Gästen war auch Gino, der Sohn des Apothekers, weil er sich kürzlich mit einer Cousine zweiten Grades der Carraccis verlobt hatte, einem mageren Mädchen mit kastanienbraunem Haar, das ihr am Kopf klebte, und mit dunklen Augenringen. Je älter er wurde, umso widerwärtiger wurde er, und ich haderte mit mir, weil ich als noch sehr junges Mädchen ihn zum Freund gehabt hatte. Er war schon damals gemein, und gemein war er geblieben, zudem befand er sich nun in einer Lage, die ihn noch unberechenbarer machte, er war wieder sitzengeblieben.

Zu mir sagte er schon lange nicht einmal mehr Ciao, aber für Alfonso interessierte er sich nach wie vor, mal war er freundlich zu ihm, mal zog er ihn mit sexuellen Beleidigungen auf. An diesem Tag benahm er sich, vielleicht aus Neid, besonders unerträglich (Alfonso war mit einem Durchschnitt von Sieben versetzt worden, und er war zudem in Begleitung der mit ihren lebhaften Augen anmutigen Marisa). An unserem Tisch saß der schon erwähnte blonde Junge, er sah gut aus und war extrem schüchtern. Er war der Sohn eines von Nunzias Verwandten, der nach Deutschland ausgewandert war und eine Deutsche geheiratet hatte. Während ich extrem nervös war und den Jungen wenig beachtete, hatten sich sowohl Alfonso als auch Marisa seiner angenommen. Besonders Alfonso hatte ein angeregtes Gespräch mit ihm angeknüpft, hatte sich ins Zeug gelegt, wenn die Kellner ihn übersahen, und hatte ihn für einen Blick aufs Meer sogar auf die Terrasse begleitet. Als die zwei wieder hereinkamen und herumalbernd zu unserem Tisch zurückkehrten, ließ Gino seine Verlobte sitzen, die lachend versuchte, ihn aufzuhalten, und setzte sich zu uns. Mit leiser Stimme und auf Alfonso zeigend wandte er sich an den Jungen:

»Nimm dich in Acht vor dem da, das ist eine Schwuchtel. Gerade hat er dich noch auf die Terrasse begleitet, das nächste Mal begleitet er dich aufs Klo.«

Alfonso wurde feuerrot, reagierte aber nicht, er deutete ein wehrloses Lächeln an und sagte kein Wort. Aber Marisa regte sich auf:

»Wie kannst du nur?«

»Ich kann das, weil ich Bescheid weiß.«

»Dann lass mal hören, was du weißt.«

»Wirklich?«

»Und ob.«

»Na dann pass mal auf.«

»Ich höre.«

»Der Bruder meiner Verlobten war mal bei den Carraccis zu Besuch und musste mit dem da in einem Bett schlafen.«

»Na und?«

»Er hat ihn betatscht.«

»Wer?«

»Na, er.«

»Wo ist deine Verlobte?«

»Da drüben.«

»Sag diesem Miststück, ich kann beweisen, dass Alfonso auf Mädchen steht, ich weiß aber nicht, ob sie dasselbe von dir behaupten kann!«

Dann drehte sie sich zu ihrem Freund und küsste ihn auf den Mund: ein Kuss in der Öffentlichkeit, so leidenschaftlich, wie ich das vor aller Augen niemals gewagt hätte.

Lila, die noch immer zu mir herüberschaute, als überwachte sie mich, bemerkte diesen Kuss als Erste und klatschte in einer Anwandlung spontaner Begeisterung in die Hände. Auch Michele spendete lachend Beifall, und Stefano rief seinem Bruder ein vulgäres Kompliment zu, auf das der Metallhändler prompt noch eins draufsetzte. Allerhand Witze also, aber Marisa schaffte es, sich nichts anmerken zu lassen. Währenddessen drückte sie Alfonsos Hand mit ungewöhnlicher Heftigkeit – ihre Knöchel wurden weiß – und zischte Gino an, der dem Kuss mit stumpfer Miene beigewohnt hatte:

»Und jetzt verschwinde, sonst setzt es was!«

Der Sohn des Apothekers stand wortlos auf und ging

an seinen Tisch zurück, wo seine Verlobte ihm mit bissiger Miene sofort etwas ins Ohr flüsterte. Marisa schickte den beiden einen letzten, verächtlichen Blick nach.

Ab sofort änderte ich meine Meinung über sie. Ich bewunderte sie für ihren Mut, für ihre hartnäckige Liebesfähigkeit, für die Ernsthaftigkeit, mit der sie sich mit Alfonso verbunden hatte. ›Da ist wieder ein Mensch, den ich vernachlässigt habe‹, dachte ich voller Bedauern, ›das war ein Fehler.‹ Wie blind hatte mich die Abhängigkeit von Lila gemacht. Wie frivol war ihr Applaus wenige Augenblicke zuvor gewesen, und wie sehr passte er zu der ordinären Heiterkeit von Michele, Stefano und dem Metallhändler.

Lila war es auch, die im Mittelpunkt des zweiten Vorfalls stand. Das Fest neigte sich dem Ende entgegen. Ich war aufgestanden, um zur Toilette zu gehen, und kam gerade am Tisch der Braut vorbei, als ich die Frau des Metallhändlers laut auflachen hörte. Ich drehte mich um. Pinuccia stand da und wehrte sich, weil die Frau ihr gewaltsam das Hochzeitskleid hochriss, Pinuccias dicke, stämmige Beine entblößte und zu Stefano sagte:

»Sieh nur, was für Schenkel deine Schwester hat, sieh nur, was für einen Arsch und was für einen Bauch. Euch Männern gefallen heutzutage Frauen, die aussehen wie Klobürsten, dabei hat Gott extra solche wie unsere Pinuccia gemacht, um euch Kinder zu schenken.«

Lila, die gerade ihr Glas zum Mund führte, schüttete ihr, ohne auch nur einen Augenblick nachzudenken, den Wein ins Gesicht und über ihr Kleid aus Shantungseide. ›Sie glaubt wieder mal‹, dachte ich sofort alarmiert, ›dass sie sich alles erlauben kann, und gleich wird es ein Mordstheater geben.‹ Ich lief zur Toilette, schloss mich ein und blieb so lange wie irgend möglich dort. Ich wollte Lilas Wüten nicht sehen, wollte es nicht hören. Ich wollte nichts damit zu tun haben, fürchtete, in ihr Leid hineingezogen zu werden, hatte Angst, mich durch lange Gewohnheit verpflichtet zu fühlen, mich auf ihre Seite zu stellen. Als ich wieder herauskam, war jedoch alles ruhig. Stefano plauderte mit dem Metallhändler und seiner Frau, die in ihrem besudelten Kleid kerzengerade dasaß. Die Kapelle spielte, die Paare tanzten. Nur Lila war nicht da. Ich sah sie durch das Fenster auf der Terrasse. Sie schaute aufs Meer.

39

Ich hatte den Impuls, zu ihr zu gehen, überlegte es mir aber sofort anders. Wahrscheinlich war sie sehr gereizt und wäre sicherlich gemein zu mir gewesen, was unser Verhältnis weiter verschlechtert hätte. Ich beschloss, zu meinem Tisch zurückzukehren, als ihr Vater Fernando neben mir auftauchte und mich schüchtern um einen Tanz bat.

Ich traute mich nicht, abzulehnen, wir tanzten schweigend einen Walzer. Sicher führte er mich zwischen den beschwipsten Paaren durch den Saal, wobei er mit seiner verschwitzten Hand meine Hand zu stark zusammenpresste. Seine Frau hatte ihm vermutlich aufgetragen, mir etwas Wichtiges zu sagen, aber er fand nicht den Mut dazu. Erst am Ende des Walzers brach er das Schweigen und redete mich zu meiner Überraschung leise mit Sie an: »Falls es Ihnen nicht zu viel ausmacht, sprechen Sie doch mal mit Lina, ihre Mutter macht sich Sorgen.« Brummend fügte er hinzu: »Wenn Sie ein Paar Schuhe brauchen, kommen Sie ruhig zu mir.« Dann eilte er zu seinem Tisch zurück.

Diese Andeutung einer Art Bezahlung der Zeit, die ich mir für Lila nehmen würde, ärgerte mich. Ich wollte gehen und bat Alfonso und Marisa mitzukommen, was sie sehr gern taten. Den ganzen Weg aus dem Restaurant hinaus spürte ich Nunzias Blicke auf mir.

In den folgenden Tagen begann mein Selbstvertrauen zu schwinden. Ich hatte gedacht, in einem Buchladen zu arbeiten bedeutete, viele Bücher zur Verfügung zu haben und auch die Zeit, sie zu lesen, aber da hatte ich Pech. Mein Chef behandelte mich wie eine Dienstmagd und duldete nicht, dass ich einen Augenblick stillsaß. Er zwang mich, Kartons abzuladen, sie aufzustapeln, sie auszupacken, die neuen Bücher einzusortieren, die alten neu zu ordnen und abzustauben, und scheuchte mich, nur um mir unter den Rock schauen zu können, die Leiter hinauf und hinunter. Außerdem hatte Armando sich nach seinem ersten Auftritt, bei dem er sehr herzlich auf mich gewirkt hatte, nicht mehr blicken lassen. Und obendrein war auch Nino nicht wieder aufgetaucht, weder in Begleitung von Nadia noch allein. War sein Interesse an mir so schnell verflogen? Ich begann unter Einsamkeit zu leiden, unter Langeweile. Die Hitze, die Arbeit und der Ekel vor den schmierigen Blicken und Worten des Buchhändlers raubten mir meine Energie. Die Stunden schlichen dahin. Was tat ich in dieser lichtlosen Höhle, während auf dem Gehsteig junge Mädchen und junge Männer auf dem Weg zum mysteriösen Universitätsgebäude vorübergingen, zu einem Ort, den ich höchstwahrscheinlich nie betreten würde? Wo war Nino? War er zum Lernen schon nach Ischia gefahren? Hatte er mir die Zeitschrift mit seinem Artikel dagelassen und hatte ich beides wie für eine Prüfung studiert, ohne dass er je zurückkehren würde, um mich abzufragen? Was hatte ich falsch gemacht? War ich zu zurückhaltend gewesen? Wartete er darauf, dass ich zu ihm ging, und kam er deshalb nicht zu mir? Sollte ich mit Alfonso sprechen, mich mit Marisa in Verbindung setzen, mich nach ihrem Bruder erkundigen? Aber wozu? Nino hatte eine feste Freundin, Nadia. Wozu sollte es da gut sein, seine Schwester zu fragen, wo er war und was er tat? Ich hätte mich lächerlich gemacht.

Mit jedem Tag nahm mein Selbstvertrauen ab, das nach der Party so unerwartet gewachsen war. Ich war niedergeschlagen. Früh aufstehen, nach Mezzocannone hasten, den ganzen Tag über schuften, müde nach Hause kommen, und dazu unzählige Worte aus der Schule, die meinen Kopf verstopften und sich nicht anwenden ließen. Nicht nur die Erinnerung an die Gespräche mit Nino stimmte mich traurig, sondern auch der Gedanke an die Sommer im Sea Garden mit den Töchtern der Schreibwarenhändlerin, mit Antonio. Wie dumm war unsere Geschichte zu Ende gegangen, er war der einzige Mensch, der mich wirklich geliebt hatte, andere würde es nicht mehr geben. Ich rief mir abends im Bett erneut den Geruch seiner Haut in Erinnerung, unsere Treffen an den Teichen, unser Herumknutschen und Gefummel in der alten Konservenfabrik.

So wurde ich immer trauriger, bis eines Abends nach dem Essen Carmen, Ada und auch Pasquale zu mir kamen, dessen Hand verbunden war, weil er sie sich bei der Arbeit verletzt hatte. Wir kauften uns ein Eis und aßen es in unserem kleinen Park. Carmen fragte mich ohne

Umschweife und leicht feindselig, warum ich mich nicht mehr in der Salumeria blicken ließe. Ich antwortete, ich arbeitete in Mezzocannone und hätte keine Zeit. Ada sagte kühl, wenn jemandem etwas an einem Menschen liege, finde sich immer Zeit, aber da ich nun mal so sei, wie ich sei, könne man wohl nichts machen. Ich fragte: »Wie bin ich denn?« Sie gab zurück: »Gefühlskalt, man braucht sich ja bloß anzusehen, wie du meinen Bruder behandelt hast.« Ich entgegnete heftig, dass ihr Bruder es gewesen sei, der mich verlassen habe, und sie erwiderte: »Ja, wer's glaubt! Die einen verlassen jemanden, und die anderen wissen, wie man es anstellt, dass man verlassen wird.« Was Carmen bekräftigte: »Auch bei einer Freundschaft kann es so aussehen, als würde sie durch die Schuld des einen in die Brüche gehen, dabei ist es bei Licht besehen die Schuld des anderen.« Da regte ich mich noch mehr auf und sagte deutlich: »Hört mal, wenn Lila und ich nicht mehr zusammen sind, dann ist das nicht meine Schuld.« Hier mischte sich Pasquale ein: »Lenù, es ist nicht wichtig, wer schuld ist, wichtig ist, dass wir zu Lina halten müssen.« Er fing wieder mit der Geschichte von seinen kaputten Zähnen an und damit, wie Lila ihm geholfen habe, erzählte, dass sie Carmen noch heute unter der Hand Geld gebe und sogar Antonio welches schicke, dem es beim Militär, auch wenn ich nichts davon wisse und auch nichts wissen wolle, sehr schlecht gehe. Vorsichtig fragte ich nach, was meinem Exfreund zugestoßen sei, und sie erzählten mir in einem teils mehr, teils weniger aggressiven Tonfall, dass er einen Nervenzusammenbruch gehabt habe, dass es ihm schlecht gehe, aber dass er ein zäher Kerl sei, er gebe nicht auf, er werde es schon schaffen. *Lina dagegen.*

»Was ist mit Lina?«

»Sie wollen sie zu einem Arzt bringen.«

»Wer will das?«

»Stefano, Pinuccia, die Verwandten.«

»Warum denn?«

»Um zu erfahren, warum sie nur einmal schwanger geworden ist und dann nie wieder.«

»Und sie?«

»Spielt verrückt, sie will da nicht hin.«

Ich zuckte mit den Schultern.

»Und was kann ich da tun?«

Carmen sagte:

»Bring du sie hin.«

40

Ich redete mit Lila. Sie fing an zu lachen, sagte, sie gehe nur zum Arzt, wenn ich ihr schwören würde, dass ich nicht böse auf sie sei.

»Gut.«

»Schwöre es!«

»Ich schwöre.«

»Bei deinen Brüdern und bei Elisa.«

Ich sagte, zum Arzt zu gehen sei nichts Besonderes, aber wenn sie nicht hinwolle, sei mir das egal, sie solle tun, was ihr Spaß mache. Sie wurde ernst.

»Du schwörst also nicht.«

»Nein.«

Sie schwieg einen Moment, dann gab sie mit gesenktem Blick zu:

»Na gut, ich habe einen Fehler gemacht.«

Ärgerlich verzog ich das Gesicht.

»Geh zum Arzt, und sag mir dann Bescheid.«

»Kommst du nicht mit?«

»Wenn ich nicht arbeite, wirft mich der Buchhändler raus.«

»Dann stelle ich dich ein«, sagte sie ironisch.

»Geh zum Arzt, Lila.«

Sie ging in Begleitung von Maria, Nunzia und Pinuccia dorthin. Alle drei wollten bei der Untersuchung dabei sein. Lila war gehorsam, diszipliniert. Sie kannte so eine Untersuchung noch nicht, die ganze Zeit über hielt sie die Lippen zusammengepresst und die Augen weit aufgerissen. Als der Arzt, ein sehr alter Mann, den die Hebamme des Rione empfohlen hatte, mit gelehrten Worten erklärte, dass alles in Ordnung sei, freuten sich Mutter und Schwiegermutter, während Pinuccia mit finsterer Miene fragte:

»Und wie kommt es dann, dass sie nicht schwanger wird oder dass das Kind, wenn sie es doch wird, nicht ausgetragen werden kann?«

Der Arzt bemerkte ihre Missgunst und runzelte die Stirn.

»Die Signora ist noch sehr jung«, sagte er. »Sie muss erst ein wenig zu Kräften kommen.«

Zu Kräften kommen. Ich weiß nicht, ob der Arzt wirklich diese Formulierung gebrauchte, aber so wurde es mir erzählt, und es berührte mich sehr. Es bedeutete, dass Lila trotz der Energie, die sie unentwegt zur Schau stellte, schwach war. Es bedeutete, dass sie nicht deswegen kein Kind empfangen konnte oder es nicht in ihrem Bauch blieb, weil sie über geheimnisvolle Kräfte verfügte, die es vernichteten, sondern weil sie im Gegenteil eine kraftlose Frau war. Mein Ärger ließ nach. Als sie mir auf dem Hof mit vulgären Worten, die sowohl dem Doktor als auch ihren drei Begleiterinnen galten, von der Tortur der ärztlichen Untersuchung erzählte, ließ ich keinerlei Verdruss erkennen und zeigte sogar Interesse. Mich hatte noch nie ein Arzt untersucht und auch die Hebamme nicht. Am Ende sagte Lila sarkastisch:

»Er hat mich mit einem Eisending aufgerissen, ich habe ihm einen Haufen Geld gegeben, und wozu das alles? Um zu erfahren, dass ich eine Stärkung brauche.«

»Was denn für eine Stärkung?«

»Ich soll im Meer baden.«

»Das verstehe ich nicht.«

»Strand, Lenù. Sonne und Salzwasser. Wenn eine Frau ans Meer fährt, wird sie offenbar kräftiger, und die Babys kommen.«

Wir verabschiedeten uns gutgelaunt. Hatten uns wiedergesehen und uns alles in allem wohlgefühlt.

Am nächsten Tag erschien sie wieder, war herzlich zu mir und verärgert über ihren Mann. Stefano wollte ein Haus in Torre Annunziata mieten und sie für den ganzen Juli und den ganzen August dort hinschicken, zusammen mit Nunzia und mit Pinuccia, die ebenfalls zu Kräften kommen wollte, obwohl das gar nicht nötig war. Sie überlegten schon, was sie mit den Geschäften machen wollten. Alfonso würde sich gemeinsam mit Gigliola um die Piazza dei Martiri kümmern, bis für ihn die Schule wieder losging, und Maria sollte Lila in der neuen Salumeria ersetzen. Niedergeschlagen sagte sie:

»Nach zwei Monaten zusammen mit meiner Mutter und Pinuccia bring' ich mich um.«

»Aber du kannst schwimmen gehen und in der Sonne liegen.«

»Ich geh' nicht gern schwimmen, und ich liege nicht gern in der Sonne.«

»Wenn ich an deiner Stelle zu Kräften kommen müsste, würde ich gleich morgen losfahren.«

Neugierig sah sie mich an, dann sagte sie langsam:

»Dann komm doch mit.«

»Ich muss in Mezzocannone arbeiten.«

Sie fing Feuer, wiederholte, dass sie mich einstellen wolle, aber diesmal sprach sie ohne Ironie. »Kündige«, bedrängte sie mich. »Ich zahle dir genauso viel wie der Buchhändler.« Sie hörte gar nicht mehr auf, sagte, wenn ich einwilligte, wäre alles leichter zu ertragen, sogar Pinuccia mit ihrem spitzen Bauch, der schon zu sehen sei. Ich lehnte freundlich ab. Und stellte mir vor, was in diesen zwei Monaten in dem sommerheißen Haus in Torre Annunziata geschehen würde: Streitereien mit Nunzia und Tränen; Streitereien mit Stefano, wenn er samstagabends kam; Streitereien mit Rino, wenn er zusammen mit seinem Schwager auftauchte, um sich mit Pinuccia zu vereinen; und vor allem ständige Streitereien mit Pinuccia, mit leisen Anspielungen oder plump, mit spöttischen Gemeinheiten oder mit unerhörten Beschimpfungen.

»Ich kann nicht«, sagte ich schließlich entschieden. »Meine Mutter würde mir das nicht erlauben.«

Sie ging wütend weg, das Idyll zwischen uns war nicht sehr stabil. Zu meiner Überraschung erschien am folgenden Morgen blass und abgemagert Nino in der Buchhandlung. Er hatte ein Examen nach dem anderen abgelegt, insgesamt vier. Ich, die ich mir luftige Räume hinter den Mauern der Universität ausmalte, wo bestens vorbereitete Studenten und alte Gelehrte den ganzen Tag lang über Platon oder Kepler diskutierten, hörte ihm hingerissen zu und sagte nichts weiter als: »Wie klug du bist.« Und sobald es mir angebracht erschien, lobte ich mit vielen, etwas leeren Worten seinen Artikel aus den *Cronache meridionali*. Er hörte mir ernst zu, ohne mich auch nur einmal zu unterbrechen, so dass ich irgendwann nicht mehr wusste, was ich noch sagen sollte, um ihm zu beweisen, dass ich seinen Text genauestens kannte. Endlich schien er zufrieden zu sein und rief, nicht einmal die Galiani, nicht einmal Armando oder Nadia hätten ihn so aufmerksam gelesen. Er begann mir von weiteren Beiträgen zum selben Thema zu erzählen, die er im Kopf hatte, er hoffte, man werde sie veröffentlichen. Ich hörte ihm auf der Schwelle zur Buchhandlung zu und tat so, als bemerkte ich nicht, dass mein Chef mich rief. Nach einem Schrei, der gröber war als die bisherigen, knurrte Nino: »Was will denn dieser Mistkerl.« Er blieb mit seiner herausfordernden Miene noch kurz da, erzählte, dass er am folgenden Tag nach Ischia fahren wolle, und gab mir die Hand. Ich drückte sie – sie war dünn und zart –, und sofort zog er mich sacht an sich, beugte sich herunter und streifte meine Lippen mit seinen. Es dauerte nur einen Augenblick, dann ließ er mich mit einer sanften Bewegung los, einem Streicheln meiner Handfläche mit seinen Fingern, und ging in Richtung Rettifilo davon. Ich stand da und schaute ihm nach, während er sich entfernte, ohne sich umzudrehen, mit seinem Gang eines gedankenlosen Condottiere, der nichts auf der Welt fürchtete, weil die Welt nur dazu da war, ihm zu Füßen zu liegen.

In dieser Nacht tat ich kein Auge zu. Am Morgen stand ich früh auf und lief zur neuen Salumeria. Ich traf Lila an, die gerade die Rollläden hochzog, Carmen war noch nicht da. Ich erzählte ihr nichts von Nino und murmelte nur im Tonfall eines Menschen, der etwas Unmögliches verlangt und dies weiß:

»Wenn du zum Baden nach Ischia fährst, statt nach Torre Annunziata, kündige ich und komme mit.«

41

Wir kamen am zweiten Julisonntag auf der Insel an, Stefano und Lila, Rino und Pinuccia, Nunzia und ich. Die beiden Männer waren mit Gepäck beladen, in Alarmbereitschaft wie antike, in einem fremden Landstrich gestrandete Helden, voller Unbehagen ohne den Schutzpanzer ihrer Autos, missmutig wegen des frühzeitigen Aufstehens und des sich daraus ergebenden Verzichts auf die Sonntagsruhe im Rione. Ihre herausgeputzten Frauen waren aus unterschiedlichen Gründen sauer auf sie: Pinuccia, weil Rino sich zu viel Gepäck aufgeladen hatte, ohne ihr etwas abzugeben, und Lila, weil Stefano so tat, als wüsste er, wo es langging, aber klar und deutlich war, dass er gar nichts wusste. Nunzia für ihr Teil sah so aus, als fühlte sie sich nur mit Mühe geduldet, und achtete darauf, ja nichts Unpassendes zu sagen, um bei den jungen Leuten nicht anzuecken. Die Einzige, die sich wirklich freute, war ich, die Tasche mit meinen paar Sachen über der Schulter, berauscht von den Düften der Insel, von ihren Geräuschen und Farben, die auf Anhieb mit meinen Ferienerinnerungen von vor einigen Jahren übereinstimmten.

Wir zwängten uns in zwei Ape-Wägelchen, zusammengepresste Körper, Schweiß, Gepäck. Das durch die Vermittlung eines Wurstlieferanten aus Ischia eilig angemietete Haus lag an der Straße, die zu einem Ort namens

Cuotto führte. Es war ein karger Bau und gehörte einer Cousine des Lieferanten, einer spindeldürren, unverheirateten Frau über sechzig, die uns mit beeindruckender Grobheit empfing. Stefano und Rino schleppten die Koffer eine enge Stiege hinauf, wobei sie Witze rissen, aber wegen der Anstrengung auch fluchten. Die Hausherrin führte uns in düstere Räume voller Heiligenbilder und brennender Votivlämpchen. Doch als wir die Fenster öffneten, sahen wir jenseits der Straße hinter den Weinstöcken, hinter den Palmen und Pinien einen langen Streifen Meer. Oder vielmehr, die Zimmer, die Pinuccia und Lila sich nach einigen Reibereien in der Art von *Deins ist größer, nein, deins ist größer* genommen hatten, gingen aufs Meer hinaus, während das Zimmer, das Nunzia erhielt, nur weit oben in der Wand so etwas wie ein Bullauge hatte und wir nie erfuhren, was dahinter lag, und der winzige Raum, den ich bekam – es passte gerade einmal das Bett hinein –, auf einen Hühnerhof an einem Schilfdickicht zeigte.

Es war nichts zu essen im Haus. Anhand der Beschreibung, die die Wirtin uns gab, fanden wir eine dunkle Trattoria, deren einzige Gäste wir waren. Wir setzten uns zögernd, eben nur, um etwas in den Magen zu bekommen, doch am Ende war sogar Nunzia, die sonst jeder Mahlzeit misstraute, die sie nicht selbst zubereitet hatte, der Ansicht, dass man hier gut speiste, und wollte sogar etwas mit nach Hause nehmen, um daraus ein Abendessen zu bereiten. Stefano machte keinerlei Anstalten, die Rechnung kommen zu lassen, und so fand sich Rino nach einem stummen Ausweichversuch damit ab, dass er für alle bezahlte. Wir Mädchen schlugen vor, zum Strand zu gehen, aber die beiden Männer waren dagegen, gähnten und behaupteten, sie seien müde. Wir ließen nicht locker, vor allem Lila nicht. »Wir haben zu viel gegessen«, sagte sie. »Ein Spaziergang wird uns guttun, der Strand ist gleich hier. Was ist mit dir, Mama, hast du Lust?« Nunzia schloss sich den Männern an, daher kehrten wir alle nach Hause zurück.

Nach einem gelangweilten Herumschlendern durch die Zimmer erklärten Stefano und Rino nahezu unisono, dass sie sich ein bisschen hinlegen wollten. Sie lachten, raunten sich etwas ins Ohr, lachten erneut und winkten ihre Frauen zu sich, die ihnen widerwillig in die Schlafzimmer folgten. Für einige Stunden blieben Nunzia und ich allein. Wir begutachteten die Küche und fanden sie schmutzig, was Nunzia veranlasste, sich eifrig daranzumachen, alles gründlich abzuwaschen: Teller, Gläser, Besteck, Töpfe. Nur mit Mühe konnte ich ihr meine Hilfe aufdrängen. Sie bat mich, mir einige wichtige Fragen an die Hausherrin zu merken, und als sie den Überblick über die fehlenden Dinge verlor, staunte sie, weil ich mich an alles erinnerte, und sagte: »Darum bist du so gut in der Schule.«

Schließlich tauchten die beiden Paare wieder auf, erst Stefano und Lila, dann Rino und Pinuccia. Ich schlug erneut vor, zum Strand zu gehen, aber nein, trink doch einen Kaffee, dazu Scherze, Plaudereien und Nunzia, die zu kochen begann, und Pinuccia, die sich an Rino klammerte und ihn mal ihren Bauch fühlen ließ und ihm mal zuflüsterte, bleib doch noch, fahr morgen früh, und so verflog die Zeit, und wir taten wieder nichts. Am Ende gerieten die Männer in Eile, fürchteten, das Boot zu verpassen, und bedauerten fluchend, nicht mit dem Auto gekommen zu sein, hastig suchten sie jemanden, der sie zum Hafen fuhr. Beinahe ohne sich zu verabschieden, stürzten sie davon. Pinuccia schossen die Tränen in die Augen.

Wir Mädchen begannen die Koffer auszupacken und unsere Sachen einzuräumen, während Nunzia alles daransetzte, die Toilette zu wienern. Erst als wir uns sicher waren, dass die beiden Männer das Boot nicht verpasst hatten und nicht zurückkommen würden, entspannten wir uns und begannen herumzualbern. Wir hatten eine lange Woche ohne Pflichten vor uns, brauchten uns nur um uns selbst zu kümmern. Pinuccia erklärte, sie habe allein in ihrem Zimmer Angst – dort hing ein Bild von der Mater Dolorosa mit mehreren Schwertern in der Brust, die im Licht eines Lämpchens schimmerten –, und sie ging zum Schlafen zu Lila. Ich zog mich in meine Kammer zurück, um in meinem Geheimnis zu schwelgen: *Nino war in Forio, nicht weit entfernt, und vielleicht schon am nächsten Tag würde ich ihn am Strand treffen.* Ich kam mir verrückt vor, leichtsinnig, aber ich war froh darüber. Ein Teil von mir war es leid, immer die Vernünftige zu spielen.

Es war heiß, ich öffnete das Fenster. Ich lauschte auf das Geflatter der Hühner, auf das Rauschen des Schilfs, dann bemerkte ich die Mücken. Hastig schloss ich das Fenster und verbrachte wenigstens eine Stunde damit, sie aufzustöbern und mit einem der Bücher, die Professoressa Galiani mir geliehen hatte, totzuschlagen, mit den *Theaterstücken* von einem Autor namens Samuel Beckett. Ich wollte vor Nino am Strand nicht mit roten Stichen im Gesicht und am Körper erscheinen; wollte nicht, dass er mich mit einem Buch vom Theater ertappte, einem Ort, wo ich noch nie gewesen war. Ich legte Beckett beiseite, der die schwarzen, blutverschmierten Spuren der

Mücken trug, und begann mit der Lektüre eines hochkomplizierten Textes über den Begriff der Nation. Beim Lesen schlief ich ein.

42

Am Morgen machte sich Nunzia, die sich berufen fühlte, uns zu versorgen, auf die Suche nach einem Lebensmittelladen, und wir gingen ans Meer hinunter, zum Strand von Citara, von dem wir während dieser ganzen langen Ferien dachten, er heiße Cetara.

Mit was für schönen Badeanzügen Lila und Pinuccia aufwarteten, als sie ihre Strandkleider auszogen: Einteilern, natürlich, ihre Ehemänner, besonders Stefano, die sich als Verlobte noch tolerant gezeigt hatten, waren nun gegen einen Bikini; aber die Farben der neuen Stoffe leuchteten kräftig, und der Ausschnitt an Brust und Rücken schmiegte sich elegant an die Haut. Ich dagegen trug unter einem blauen Kleid mit langen Ärmeln meinen alten, verblichenen und inzwischen ausgeleierten Badeanzug, den mir Nella Incardo vor einigen Jahren in Barano geschneidert hatte. Nur ungern zog ich mich aus.

Wir gingen lange in der Sonne spazieren, bis zu einigen dampfenden Thermalquellen, dann kehrten wir um. Pinuccia und ich badeten viel, Lila nicht, obwohl sie eigens dafür hergekommen war. Nino erschien natürlich nicht, und das enttäuschte mich, ich war davon überzeugt gewesen, dass es wie durch ein Wunder geschehen würde. Als die zwei Mädchen nach Hause wollten, blieb ich noch am Strand und ging am Wasser entlang in Richtung Forio. Am Abend war ich so verbrannt, dass ich mich fühlte, als hätte ich hohes Fieber, und an den folgenden Tagen im Haus bleiben musste, auf meinen Schultern bildeten sich Blasen. Ich putzte das Haus, kochte, las, und mein Tatendrang beeindruckte Nunzia, die mich ununterbrochen lobte. Mit der Ausrede, dass ich ja schon den ganzen Tag im Haus geblieben sei, um die Sonne zu meiden, nötigte ich Lila und Pinuccia jeden Abend zu einem langen Spaziergang nach Forio. Wir schlenderten durch den Ortskern, aßen Eis. »Hier ist es wirklich schön«, beklagte sich Pinuccia. »Bei uns ist es todlangweilig.« Aber für mich war auch Forio todlangweilig: Keine Spur von Nino.

Gegen Ende der Woche schlug ich Lila vor, Barano und den Maronti-Strand zu besuchen. Sie willigte begeistert ein, und Pinuccia hatte keine Lust, sich mit Nunzia zu langweilen. Wir brachen früh auf. Die Badeanzüge hatten wir uns schon unter die Kleider gezogen, und ich trug eine Tasche mit den Handtüchern für alle, mit Brötchen und einer Flasche Wasser. Meine erklärte Absicht war es, diesen Ausflug zu nutzen, um Nella guten Tag zu sagen, der Cousine von Maestra Oliviero, die mich während meines Aufenthalts auf Ischia beherbergt hatte. Mein heimlicher Plan sah allerdings vor, Familie Sarratore zu treffen und von Marisa die Adresse des Freundes zu erfahren, bei dem Nino in Forio wohnte. Natürlich fürchtete ich mich davor, auf seinen Vater Donato zu stoßen, ich hoffte aber, er müsse arbeiten; und nur um den Sohn zu sehen, nahm ich gern das Risiko in Kauf, einige schmierige Bemerkungen Donatos über mich ergehen lassen zu müssen.

Als Nella die Tür öffnete und ich plötzlich vor ihr stand wie ein Geist, blieb ihr der Mund offen stehen, Tränen traten ihr in die Augen.

»Das ist nur die Freude«, rechtfertigte sie sich.

Aber es war nicht nur das. Ich hatte sie an ihre Cousine erinnert, die sich, wie sie mir erzählte, in Potenza nicht wohlfühlte, es ging ihr nicht gut dort, sie wurde nicht gesund. Nella führte uns auf die Terrasse, bewirtete uns großzügig und kümmerte sich sehr um die schwangere Pinuccia. Sie bot ihr einen Platz an und wollte ihren Bauch betasten. Unterdessen nötigte ich Lila zu einer Art Pilgerrundgang: Ich zeigte ihr die Ecke auf der Terrasse, wo ich häufig in der Sonne gesessen hatte, den Platz am Tisch, den ich beim Essen gehabt hatte, den Winkel, in dem ich abends mein Bett aufgebaut hatte. Für den Bruchteil einer Sekunde sah ich noch einmal Donato vor mir, der sich über mich beugte, seine Hand unter mein Betttuch schob und mich berührte. Ich empfand Ekel, doch das hielt mich nicht davon ab, Nella leichthin zu fragen:

»Und die Sarratores?«

»Sind am Strand.«

»Wie läuft es dieses Jahr?«

»Na ja …«

»Haben sie zu hohe Ansprüche?«

»Seitdem er mehr den Journalisten herauskehrt als den Eisenbahner, ja.«

»Ist er hier?«

»Er hat sich krankschreiben lassen.«

»Und ist Marisa auch hier?«

»Marisa nicht, aber außer ihr sind alle da.«

»Alle?«

»Du hast ganz richtig verstanden.«

»Nein, bestimmt nicht, ich habe gar nichts verstanden.«

Sie lachte fröhlich auf.

»Heute ist sogar Nino da, Elenù. Immer wenn er Geld braucht, lässt er sich für einen halben Tag blicken und kehrt dann zu seinem Freund zurück, der ein Haus in Forio hat.«

43

Wir verabschiedeten uns von Nella und gingen mit unseren Sachen zum Strand hinunter. Lila zog mich den ganzen Weg über sanft auf. »Du bist ein Schlitzohr«, sagte sie. »Du hast mich bloß nach Ischia gelotst, weil Nino hier ist, gib's zu!« Ich gab es nicht zu, verteidigte mich. Pinuccia verbündete sich mit ihrer Schwägerin und beschuldigte mich in einem gröberen Ton, sie aus purem Eigennutz zu dem langen, anstrengenden Weg bis nach Barano gezwungen zu haben, ohne darauf Rücksicht zu nehmen, dass sie schwanger sei. Nun widersprach ich mit größerer Entschiedenheit und drohte den beiden sogar. Ich versprach, noch am selben Abend das Boot zurück nach Neapel zu nehmen, falls sie in Gegenwart der Sarratores unangebrachtes Zeug erzählten.

Ich entdeckte die Familie sofort. Sie lagerten an genau derselben Stelle wie damals, hatten denselben Sonnenschirm, dieselben Badesachen, dieselben Taschen, dieselbe Art, sich in der Sonne zu aalen: Donato im schwarzen Sand, rücklings und mit aufgestützten Ellbogen; seine Frau Lidia auf einem Badetuch sitzend und in einer Wochenzeitung blätternd. Zu meiner großen Enttäuschung war Nino nicht unter dem Sonnenschirm. Ich suchte sofort das Wasser ab, erblickte einen kleinen, schwarzen Punkt, der auf der wogenden Meeresoberfläche auftauchte und verschwand, und hoffte, dass er es war. Dann rief ich mit lauter Stimme Pino, Clelia und Ciro, die am Ufer spielten.

Ciro war gewachsen, erkannte mich nicht und lächelte unsicher. Pino und Clelia rannten entzückt auf mich zu, ihre Eltern drehten sich neugierig um. Lidia sprang auf, rief meinen Namen und winkte, und Sarratore lief mir mit einem breiten, herzlichen Lächeln und offenen Armen entgegen. Ich entwand mich seiner Umarmung und sagte nur Guten Tag, wie geht's. Sie waren sehr liebenswürdig, ich stellte ihnen Lila und Pinuccia vor, erwähnte ihre Eltern und erzählte, wen die zwei geheiratet hatten. Donato schenkte den beiden Mädchen sogleich seine ganze Aufmerksamkeit. Er nannte sie höflich Signora Carracci und Signora Cerullo, erinnerte sich an die Zeit, als sie klein waren, und begann mit albernen Schwülstigkeiten darüber zu reden, wie doch die Zeit vergehe. Ich unterhielt mich mit Lidia, erkundigte mich artig nach ihren Kindern und besonders nach Marisa. Pino, Clelia und Ciro ging es ausgezeichnet, das war zu sehen, sie hatten mich sofort umringt und warteten auf einen günstigen Moment, um mich in ihre Spiele hineinzuziehen. Was Marisa betraf, erzählte mir ihre Mutter, dass sie bei Verwandten in Neapel geblieben sei, sie müsse im September in vier Fächern die Prüfungen wiederholen und deshalb Nachhilfestunden nehmen. »Das geschieht ihr recht«, sagte sie finster. »Das ganze Jahr über hat sie nichts zustande gebracht, da verdient sie es, jetzt zu leiden.«

Ich sagte nichts, schloss aber im Stillen aus, dass Marisa litt: Sie würde den ganzen Sommer gemeinsam mit Alfonso im Schuhgeschäft an der Piazza dei Martiri verbringen, und ich freute mich für sie. Allerdings sah ich

Lidia, ihrem breiter gewordenen Gesicht, ihren Augen, ihrer schlaffen Brust und ihrem schweren Bauch deutlich Spuren von Kummer an. Während wir plauderten, überwachte sie mit ängstlichen Blicken unablässig ihren Mann, der sich mit Lila und Pinuccia beschäftigte und den Charmeur spielte. Sie beachtete mich nicht länger und ließ ihn nicht mehr aus den Augen, als er sich erbot, mit ihnen ins Wasser zu gehen, und er Lila versprach, ihr das Schwimmen beizubringen. »Alle meine Kinder haben es von mir gelernt«, hörten wir ihn sagen. »Und dir werde ich es auch beibringen.«

Ich fragte nicht nach Nino, und Lidia erwähnte ihn auch nicht. Aber nun entfernte sich der kleine, schwarze Punkt im glitzernden Meeresblau nicht mehr. Er kehrte um, wurde größer, und ich begann, das schaumige Weiß zu erkennen, das neben ihm aufsprang.

›Ja, das ist er‹, dachte ich aufs Äußerste angespannt.

Tatsächlich kam Nino kurze Zeit später aus dem Wasser und beobachtete neugierig seinen Vater, der Lila mit einem Arm an der Oberfläche hielt und ihr mit dem anderen zeigte, wie sie sich bewegen musste. Als er mich bemerkte und erkannte, änderte sich sein ärgerlicher Gesichtsausdruck nicht.

»Was machst du denn hier?«

»Ich mache Ferien«, sagte ich. »Und ich wollte Signora Nella guten Tag sagen.«

Er warf einen gereizten Blick in Richtung seines Vaters und der beiden Mädchen.

»Ist das da nicht Lina?«

»Ja, und das da ist ihre Schwägerin Pinuccia, ich weiß nicht, ob du dich noch an sie erinnerst.«

Ohne den Blick von den dreien im Wasser zu wenden,

trocknete er sich mit dem Handtuch gründlich die Haare ab. Etwas atemlos erzählte ich ihm, dass wir bis September auf Ischia bleiben würden, dass wir in einem Haus in der Nähe von Forio wohnten, dass auch Lilas Mutter da sei und dass am Sonntag die Männer von Lila und Pinuccia kommen würden. Ich redete und hatte das Gefühl, dass er mir gar nicht zuhörte. Trotzdem und obwohl Lidia dabei war, ließ ich die Bemerkung fallen, dass ich am Wochenende noch nichts vorhätte.

»Dann melde dich«, sagte er und wandte sich an seine Mutter: »Ich muss los.«

»Jetzt schon?«

»Ich hab' zu tun.«

»Aber Elena ist hier.«

Nino sah mich an, als hätte er meine Anwesenheit erst jetzt bemerkt. Er wühlte in seinem Hemd, das am Sonnenschirm hing, zog einen Stift und ein Notizbuch hervor, schrieb etwas auf, riss die Seite heraus und gab sie mir.

»Das ist meine Adresse«, sagte er.

Klar, entschlossen, wie die Schauspieler im Kino. Ich nahm das Blatt entgegen, als wäre es eine Reliquie.

»Iss doch erst noch was«, beschwor ihn seine Mutter.

Er antwortete ihr nicht.

»Und winke deinem Vater doch wenigstens zu.«

Er wechselte die Badehose, nachdem er sich das Handtuch um die Taille gewickelt hatte, und ging am Wasser entlang davon, ohne sich von irgendwem zu verabschieden.

44

Wir verbrachten den ganzen Tag am Maronti-Strand, ich spielte und badete mit den Kindern, Pinuccia und Lila waren ganz von Donato in Beschlag genommen, der sie unter anderem zu einem Spaziergang zu den Thermalquellen mitnahm. Pinuccia war schließlich erschöpft, und Sarratore zeigte uns einen bequemen Rückweg. Wir kamen zu einem Hotel, das wie ein Pfahlbau aus dem Wasser ragte, nahmen dort für wenige Lire ein kleines Boot und begaben uns in die Obhut eines alten Seemanns.

Kaum hatten wir vom Ufer abgelegt, tönte Lila spöttisch: »Nino hat dich gar nicht beachtet.«

»Er musste lernen.«

»Und da konnte er sich nicht mal verabschieden?«

»So ist er eben.«

»Er ist ein mieser Kerl«, mischte sich Pinuccia ein. »So nett der Vater ist, so rüpelhaft ist der Sohn.«

Die zwei waren davon überzeugt, dass Nino mir weder Aufmerksamkeit noch Sympathie entgegengebracht hatte, und ich ließ sie in diesem Glauben, ich zog es vor, mein Geheimnis vorsorglich für mich zu behalten. Außerdem dachte ich, sie würden es leichter verdauen, dass er sie nicht beachtet hatte, und ihm dies vielleicht sogar verzeihen, wenn sie glaubten, dass selbst eine so ausgezeichnete Schülerin wie ich keines Blickes gewürdigt worden sei. Ich wollte ihn vor ihrem Groll schützen, was mir auch gelang. Sie schienen ihn sofort zu vergessen, Pinuccia schwärmte von Sarratores vornehmen Manieren, und Lila sagte zufrieden:

»Er hat mir beigebracht, über Wasser zu bleiben, und auch, wie man schwimmt. Er ist gut.«

Die Sonne ging unter. Donatos Belästigungen fielen mir wieder ein, und ich erschauerte. Aus dem violetten Himmel wehte ein kalter Dunst heran. Ich sagte zu Lila:

»Er war es, der geschrieben hat, dass das Bild im Laden an der Piazza dei Martiri hässlich ist.«

Bestätigend verzog Pinuccia das Gesicht zu einer zufriedenen Grimasse. Lila sagte:

»Er hatte Recht.«

Zunehmend gereizt sagte ich:

»Und er war es auch, der Melina kaputtgemacht hat.«

Lila antwortete mit einem Auflachen:

»Oder dafür gesorgt hat, dass sie sich wenigstens einmal wohlgefühlt hat.«

Diese Antwort verletzte mich. Ich wusste, was Melina durchgemacht hatte, was ihre Kinder durchmachten. Auch was Lidia litt, wusste ich, und dass Sarratore hinter seinen schönen Manieren eine Begierde verbarg, die nichts und niemanden respektierte. Ich hatte auch nicht vergessen, wie tiefbetrübt Lila bereits als kleines Mädchen Anteil am Schmerz der Witwe Cappuccio genommen hatte. Was sollte also nun dieser Ton, was sollten diese Worte? Sollten sie mir etwas signalisieren? Wollte Lila mir sagen: Du bist noch ein Kind, du weißt nichts von den Bedürfnissen einer Frau? Schlagartig überlegte ich es mir anders mit der Geheimhaltung meiner Geheimnisse. Ich wollte unverzüglich beweisen, dass ich eine Frau war wie diese beiden und Erfahrung hatte.

»Nino hat mir seine Adresse gegeben«, sagte ich zu Lila. »Falls du nichts dagegen hast, gehe ich ihn besuchen, wenn Stefano und Rino kommen.«

Adresse. Ihn besuchen gehen. Kühne Formulierungen. Lila kniff die Augen zusammen, und eine deutlich sichtbare Falte durchzog ihre hohe Stirn. Pinuccias Blick wurde hämisch, sie tippte Lila ans Knie und lachte:

»Alles klar? Lenuccia hat morgen eine Verabredung. Und sie hat die Adresse.«

Ich wurde rot.

»Na ja, was soll ich denn machen, wenn ihr mit euren Männern zusammen seid?«

Eine Zeitlang war da nur das Tuckern des Motors und die stumme Anwesenheit des Bootsmanns am Steuer.

Lila sagte kalt:

»Du kannst meiner Mutter Gesellschaft leisten. Ich habe dich doch nicht zum Spaß mitgenommen.«

Ich verkniff mir eine Antwort. Hinter uns lag eine Woche der Freiheit. An diesem Tag am Strand hatten sie und Pinuccia sich unbeschwert gefühlt, in der Sonne, beim ausgiebigen Baden im Meer und mit Sarratores Worten, die er einsetzte, um amüsant zu sein und zu schmeicheln. Durch Donato hatten sie sich wie Kindfrauen gefühlt, umsorgt von einem ungewöhnlichen Vater, einem der wenigen, die dich nicht bestrafen, sondern dich ermuntern, deine Wünsche zu äußern, ohne dass er dir ein schlechtes Gewissen macht. Und was tat ich am Ende dieses Tages, indem ich ankündigte, dass ich einen Sonntag ganz für mich allein haben würde, zusammen mit einem Studenten von der Universität? Ich erinnerte die beiden daran, dass die Woche ihrer Auszeit vom Eheleben vorbei war und ihre Männer bald wieder erscheinen würden. Ja, ich war übers Ziel hinausgeschossen. ›Halte deine Zunge im Zaum‹, dachte ich. ›Mach Lila nicht wütend.‹

45

Ihre Männer kamen sogar zu früh. Sie hatten sie am Sonntagmorgen erwartet, doch sie erschienen am Samstagabend, höchst vergnügt jeder auf einer Lambretta, die sie wohl in Ischia Porto gemietet hatten. Nunzia bereitete ein leckeres Abendessen. Wir redeten über den Rione, über die Läden, über den Stand der neuen Schuhentwürfe. Rino brüstete sich mit den Modellen, die er gerade gemeinsam mit seinem Vater entwickelte, hielt aber Lila in einem geeigneten Moment doch verschiedene Entwürfe unter die Nase, die sie lustlos prüfte, bevor sie ihm einige Änderungen empfahl. Dann setzten wir uns zu Tisch, und die zwei Männer schaufelten alles in sich hinein, sie aßen um die Wette. Es war noch nicht einmal zehn Uhr, als sie ihre Frauen in die Schlafzimmer zogen.

Ich half Nunzia beim Abräumen und Geschirrspülen. Dann zog ich mich in meine Kammer zurück und las. Die Hitze war erdrückend, doch aus Angst vor Mückenstichen öffnete ich das Fenster nicht. Schweißgebadet wälzte ich mich im Bett hin und her. Ich dachte über Lila nach, darüber, wie sie sich langsam gefügt hatte. Gewiss, sie zeigte keine große Zuneigung zu ihrem Mann, und auch die Zärtlichkeit, die ich während ihrer Verlobungszeit manchmal in ihren Gesten gesehen hatte, war verloren gegangen, und beim Abendessen hatte sie angewidert viele Bemerkungen darüber gemacht, wie Stefano alles hinunterschlang und wie er trank, aber es war offensichtlich, dass sich ein Gleichgewicht herausgebildet hatte, wie wacklig es auch sein mochte. Als er nach einigen Anspielungen in ihr gemeinsames Zimmer ging, war Lila ihm unverzüglich gefolgt, ohne zu sagen: Geh schon mal voraus, ich komme gleich nach, sie hatte vor einer unanfechtbaren Gewohnheit kapituliert. Zwischen ihr und ihrem Mann herrschte nicht die von Rino und Pinuccia zur Schau gestellte sinnliche Freude, aber auch kein Widerstand. Bis spät in die Nacht hörte ich die Geräusche der beiden Paare, hörte ich Gelächter und Stöhnen, Türen, die sich öffneten, den Strudel der Spülung, Türen, die sich wieder schlossen. Endlich schlief ich ein.

Am Sonntag frühstückte ich mit Nunzia. Ich wartete bis um zehn, ob sich einer von den anderen blicken ließ, was aber nicht geschah, und so ging ich zum Strand. Dort blieb ich bis zum Mittag, niemand kam. Ich kehrte zum Haus zurück, und Nunzia erzählte mir, die beiden Paare machten eine Inselrundfahrt mit den Lambrettas und hätten darum gebeten, dass man zum Mittagessen nicht auf sie warte. Gegen drei Uhr nachmittags kamen sie zurück, beschwipst, vergnügt, sonnenverbrannt, alle vier begeistert von Casamicciola, von Lacco Ameno, von Forio. Besonders die Mädchen hatten leuchtende Augen und warfen mir sofort schelmische Blicke zu.

»Lenù«, wandte sich Pinuccia beinahe schreiend an mich. »Rate mal, was passiert ist!«

»Was denn?«

»Wir haben Nino am Meer getroffen«, sagte Lila.

Mir blieb das Herz stehen.

»Aha.«

»Madonna, kann der gut schwimmen!«, schwärmte Pinuccia, wobei sie mit übertriebenen Armbewegungen die Luft zerschnitt.

Und Rino:

»Er ist nicht unsympathisch, er hat sich für die Schuhherstellung interessiert.«

Und Stefano:

»Er hat einen Freund namens Soccavo, das ist der Mortadella-Soccavo. Sein Vater besitzt eine Wurstfabrik in San Giovanni a Teduccio.«

Und wieder Rino:

»Ja, der hat Geld!«

Und wieder Stefano:

»Vergiss den Studenten, Lenù, der hat nicht eine Lira. Nimm lieber Soccavo, das lohnt sich für dich.«

Nachdem sie sich noch ein bisschen über mich lustig gemacht hatten (*Verstehst du, Lenuccia wird jetzt die Reichste von uns allen, sie wirkt immer so lieb und brav, und dabei ...*), zogen sie sich wieder in die Schlafzimmer zurück.

Ich fühlte mich miserabel. Sie hatten Nino getroffen, waren mit ihm schwimmen gegangen, hatten mit ihm gesprochen, und alles ohne mich. Ich zog mein bestes Kleid an – immer dasselbe, das von der Hochzeit, trotz der Hitze –, kämmte mir sorgfältig die Haare, die in der Sonne hellblond geworden waren, und sagte Nunzia, dass ich spazieren gehen wolle.

Ich wanderte nach Forio, gereizt wegen des langen, einsamen Weges, wegen der Hitze, wegen des ungewissen Ausgangs meines Unternehmens. Ich fand das Haus von Ninos Freund, rief Nino mehrmals von der Straße aus und hatte Angst, er würde nicht antworten.

»Nino, Nino!«

Er erschien am Fenster.

»Komm rauf.«

»Ich warte hier auf dich.«

Ich wartete, fürchtete, er würde mich schlecht behandeln. Aber er kam mit einer ungewöhnlich herzlichen Miene aus der Haustür. Wie verwirrend war dieses kantige Gesicht. Und wie angenehm überwältigt fühlte ich mich beim Anblick seiner hochgewachsenen Gestalt, seiner breiten Schultern, seines schlanken Oberkörpers, seiner straffen, braunen Haut, seines mageren Körpers, ganz Knochen, Muskeln und Sehnen. Er sagte, sein Freund werde später zu uns stoßen, und wir spazierten an den sonntäglichen Verkaufsständen entlang durch das Zentrum von Forio. Er erkundigte sich nach der Buchhandlung in Mezzocannone. Ich erzählte ihm, dass Lila mich gebeten hatte, mit ihr in die Ferien zu fahren, und ich deshalb gekündigt hätte. Dass sie mir Geld gab, als wäre es eine Arbeit, sie zu begleiten, und als wäre ich ihre Angestellte, erwähnte ich nicht. Stattdessen fragte ich nach Nadia, er sagte nur: »Alles gut.« »Schreibt ihr euch?« »Ja.« »Jeden Tag?« »Jede Woche.« Das war unsere Unterhaltung, mehr hatten wir uns über uns bereits nicht zu sagen. ›Wir wissen überhaupt nichts voneinander‹, dachte ich. ›Vielleicht könnte ich ihn fragen, wie sich das Verhältnis zu seinem Vater entwickelt, aber in welchem Tonfall? Und hatte ich nicht mit eigenen Augen gesehen, dass es schlecht lief?‹ Schweigen. Ich wurde verlegen.

Doch er begab sich unverzüglich auf das einzige Gebiet, das unser Treffen zu rechtfertigen schien. Er sagte, er sei froh, mich zu sehen, mit seinem Freund könne er nur über Fußball und über die Prüfungsfächer reden. Er lobte mich. »Die Galiani hat einen guten Riecher«, sagte er. »Du bist das einzige Mädchen an der Schule, das sich ein bisschen auch für Dinge interessiert, die man nicht für die Prüfung und für die Benotung braucht.« Er schnitt große Themen an, und wir verfielen sofort in ein schönes, leidenschaftliches Italienisch, mit dem wir zu brillieren wussten. Er begann mit dem Problem der Gewalt. Erwähnte eine Friedenskundgebung in Cortona und verknüpfte sie geschickt mit den Schlägereien, die sich auf einer Piazza in Turin ereignet hatten. Er sagte, er wolle das Verhältnis zwischen Zuwanderung und Industrie besser verstehen. Ich pflichtete ihm bei, aber was wusste ich über diese Dinge? Nichts. Nino bemerkte es und berichtete mir ausführlich von einem Aufstand sehr junger Burschen aus Süditalien und von der Härte, mit der die Polizei ihn niedergeschlagen hatte. »Man nennt sie abfällig *napoli*, man nennt sie Marokkaner, man nennt sie Faschisten, Provokateure, Anarchosyndikalisten. Dabei sind das nur Jungen, um die sich keine Institution kümmert, so sehr sich selbst überlassen, dass sie alles kurz und klein schlagen, wenn sie wütend werden.« Ich wollte etwas sagen, das ihm gefiel, und wagte mich vor: »Wenn man keine genaue Kenntnis der Probleme hat und nicht rechtzeitig Lösungen findet, ist es kein Wunder, wenn Unruhen ausbrechen. Aber die Schuld liegt nicht bei denen, die sich auflehnen, die Schuld liegt bei denen, die nicht gut regieren können.« Er warf mir einen bewundernden Blick zu und sagte: »Genau das denke ich auch.«

Ich hätte vor Freude in die Luft springen mögen. Ich fühlte mich ermutigt und brachte das Gespräch behutsam auf einige Betrachtungen darüber, wie sich Individualität und Universalität in Einklang bringen ließen, wobei ich auf Rousseau und andere Lektüren zurückgriff, die Professoressa Galiani mir auferlegt hatte. Dann fragte ich ihn:

»Hast du Federico Chabod gelesen?«

Ich erwähnte diesen Autor, weil er das Buch über den Begriff der Nation geschrieben hatte, von dem ich einige

Seiten gelesen hatte. Mehr kannte ich nicht, doch in der Schule hatte ich gelernt, so auszusehen, als wüsste ich wer weiß was. *Hast du Federico Chabod gelesen?* Es war der einzige Moment, in dem Nino ein leichtes Unbehagen erkennen ließ. Ich begriff, dass er nicht wusste, wer Chabod war, und das löste ein elektrisierendes Gefühl uneingeschränkter Kraft bei mir aus. Ich begann das Wenige, das ich gelernt hatte, für ihn zusammenzufassen, merkte aber schnell, dass Wissen – also die unbedingte Zurschaustellung dessen, was er wusste – seine Stärke war und zugleich auch seine Schwäche. Er fühlte sich stark, wenn er alle anderen übertraf, und schwach, wenn ihm die Worte fehlten. Tatsächlich verfinsterte sich sein Gesicht, er unterbrach mich fast sofort. Lenkte das Gespräch auf Nebengleise, erzählte mir von den Regionen mit Sonderstatut, von der dringenden Notwendigkeit, sie zu stärken, von Autonomie und Dezentralisierung, von Wirtschaftsplanung auf regionaler Grundlage, alles Dinge, von denen ich noch nie zuvor gehört hatte. Nichts mit Chabod, ich überließ ihm das Feld. Es gefiel mir, ihm zuzuhören, die Leidenschaft auf seinem Gesicht zu sehen. Seine Augen wurden quicklebendig, wenn er sich ereiferte.

So machten wir noch mindestens eine Stunde weiter. Unbeteiligt an dem Geschrei in breitestem Dialekt ringsumher, fühlten wir uns als etwas Besonderes, nur er und ich, mit unserem kontrollierten Italienisch, mit diesen Reden, die nur uns interessierten und niemanden sonst. Was war das? Eine Diskussion? Eine Übung, um uns künftig mit Leuten zu messen, die wie wir gelernt hatten, mit Wörtern umzugehen? Ein Austausch von Signalen, mit dem wir uns bewiesen, dass die Voraussetzungen für eine lange, fruchtbare Freundschaft gegeben waren? Ein kultivierter Schutzschild gegen sexuelles Verlangen? Ich weiß es nicht. Ich begeisterte mich garantiert nicht besonders für diese Themen, für die konkreten Dinge und Menschen, auf die sie sich bezogen. Da waren weder Bildung noch Gewohnheit, nur mein üblicher Wunsch, keine schlechte Figur zu machen. Aber es war schön, so viel ist sicher, ich fühlte mich wie am Schuljahresende, wenn ich die Auflistung meiner Zensuren sah und dann las: versetzt. Aber schon bald wurde mir klar, dass dies nichts war im Vergleich zu den Diskussionen, die ich Jahre zuvor mit Lila geführt hatte und die meine Gedanken beflügelt hatten, solche, bei denen wir uns gegenseitig die Worte aus dem Mund gerissen hatten und eine Erregung entstanden war, die einem Gewitter elektrischer Entladungen gleichkam. Mit Nino war das anders. Ich ahnte, dass ich darauf achten musste, das zu sagen, was er hören wollte, und ich ihm sowohl meine Unwissenheit verschweigen musste als auch das Wenige, was ich wusste, aber er nicht. Das tat ich, und ich war stolz darauf, dass er mir seine Überzeugungen anvertraute. Doch dann geschah noch etwas anderes. Plötzlich sagte er »genug jetzt«, nahm meine Hand, verkündete wie eine leuchtende Bildüberschrift: *Ich zeige dir jetzt eine Landschaft, die du nie mehr vergessen wirst*, und zog mich zur Piazza del Soccorso, wobei er mich keine Sekunde losließ und, ganz im Gegenteil, sogar seine Finger mit meinen verflocht, so dass ich, hingerissen von seinem Händedruck, keinerlei Erinnerung an den Bogen des knallblauen Meeres mehr habe.

Das überwältigte mich, oh ja. Ein-, zweimal löste er seine Finger, um sich durchs Haar zu fahren, griff dann aber unverzüglich wieder nach meiner Hand. Einen kurzen Moment fragte ich mich, wie sich diese vertraute Geste mit seiner Beziehung zur Tochter der Galiani vertrug. ›Vielleicht‹, dachte ich, ›ist das nur seine Auffassung von einer Freundschaft zwischen Mann und Frau.‹ Aber der Kuss, den er mir in Mezzocannone gegeben hatte? Auch das nichts Besonderes, neue Sitten, eine neue Art, jung zu sein, und eigentlich sowieso etwas Leichtes, nur eine höchst flüchtige Berührung. ›Ich muss mich mit dem Glück dieses Augenblicks zufriedengeben, mit der Chance dieser Ferien, die ich gewollt habe. Danach werde ich ihn verlieren, danach wird er weggehen, er hat seine Bestimmung, die keineswegs auch meine sein kann.‹

Ich war noch ganz gefangen von diesen aufwühlenden Gedanken, als ich ein Knattern und freche Rufe hinter mir hörte. Mit Vollgas überholten uns die Lambrettas von Rino und Stefano, deren Frauen auf dem Rücksitz saßen. Sie bremsten und kamen mit einem geschickten Wendemanöver zurück. Ich ließ Ninos Hand los.

»Was ist mit deinem Freund?«, fragte Stefano ihn, wobei er den Motor aufheulen ließ.

»Der kommt gleich.«

»Grüß ihn von mir.«

»Mach' ich.«

Rino fragte:

»Willst du mal eine Runde mit Lenuccia drehen?«

»Nein danke.«

»Komm schon, du wirst sehen, sie freut sich.«

Nino wurde rot, er sagte:

»Ich kann nicht Lambretta fahren.«

»Das ist ganz leicht, wie Rad fahren.«

»Ich weiß, aber das ist nichts für mich.«

Stefano lachte:

»Rinù, das ist einer, der studiert, lass es gut sein!«

Noch nie hatte ich ihn so fröhlich gesehen. Lila hatte sich eng an ihn geschmiegt und beide Arme um seine Taille geschlungen. Sie drängte ihn:

»Los, wenn ihr euch nicht beeilt, verpasst ihr noch das Boot!«

»Ja, nichts wie los!«, rief Stefano. »Wir müssen morgen arbeiten und können nicht wie ihr in der Sonne liegen und schwimmen gehen. Ciao Lenù, ciao Nino, und macht keine Dummheiten!«

»War sehr schön, dich kennenzulernen«, sagte Rino liebenswürdig.

Sie düsten davon, Lila winkte Nino zu und schrie:

»Und dass du sie mir ja nach Hause bringst!«

›Sie führt sich auf wie meine Mutter‹, dachte ich leicht verstimmt. ›Sie spielt die Erwachsene.‹

Nino griff wieder nach meiner Hand, er sagte:

»Rino ist nett, aber warum hat Lina diesen Idioten geheiratet?«

46

Kurz darauf lernte ich auch seinen Freund Bruno Soccavo kennen, einen ziemlich kleinen Kerl um die zwanzig, mit einer spärlichen Stirn, pechschwarzen Locken und einem angenehmen, aber von einer alten Akne stark vernarbten Gesicht.

Sie begleiteten mich am von der Abenddämmerung weinroten Meer nach Hause. Auf dem ganzen Weg nahm Nino mich nicht mehr bei der Hand, obwohl Bruno uns praktisch allein ließ. Er ging entweder vor uns oder hinter uns, als wollte er uns nicht stören. Da er mich nie ansprach, sprach auch ich ihn nicht an, seine Schüchternheit schüchterte mich ein. Aber als wir uns vor dem Haus verabschiedeten, fragte er unvermittelt: »Sehen wir uns morgen wieder?« Und Nino erkundigte sich, wo wir an den Strand gingen, er bestand auf einer genauen Beschreibung. Ich gab sie ihm.

»Seid ihr vormittags oder nachmittags dort?«

»Vormittags und nachmittags, Lina soll viele Bäder nehmen.«

Er versprach, dass sie uns besuchen kämen.

Überglücklich stürmte ich die Treppe hinauf, doch sobald ich im Haus war, begann Pinuccia mich aufzuziehen.

»Mama«, sagte sie beim Abendessen zu Nunzia, »Lenuccia ist jetzt mit dem Sohn des Dichters zusammen, mit einem spindeldürren Langhaarigen, der glaubt, was Besseres zu sein als wir alle zusammen.«

»Das stimmt doch gar nicht.«

»Na und ob, wir haben gesehen, wie ihr Händchen gehalten habt.«

Nunzia wollte nicht verstehen, dass dies eine Hänselei war, und fasste die Sache mit dem ihr eigenen bekümmerten Ernst auf.

»Was macht Sarratores Sohn denn beruflich?«

»Er studiert.«

»Also wenn ihr euch gern habt, dann müsst ihr noch warten.«

»Da gibt es nichts zu warten, Signora Nunzia, wir sind bloß Freunde.«

»Aber nehmen wir mal an, es kommt dazu, dass ihr euch verlobt, dann muss er erst sein Studium beenden, danach eine angemessene Arbeit suchen, und erst wenn er die gefunden hat, könnt ihr heiraten.«

Da mischte Lila sich belustigt ein:

»Sie will dir sagen, dass du verschimmeln wirst.«

Doch Nunzia wies sie zurecht: »So darfst du nicht mit Lenuccia reden.« Um mich zu trösten, erzählte sie mir, dass sie Fernando mit einundzwanzig Jahren geheiratet hatte und Rino mit dreiundzwanzig bekommen hatte. Dann wandte sie sich an ihre Tochter und sagte ohne Missgunst und nur, um zu betonen, wie die Dinge nun einmal lagen: »Du dagegen hast zu jung geheiratet.« Dieser Satz machte Lila wütend, und sie zog sich in ihr Zimmer zurück. Als Pinuccia anklopfte, um bei ihr zu schlafen, schrie sie sie an, sie solle ihr nicht auf die Nerven gehen: »Du hast dein eigenes Zimmer!« Wie hätte ich in dieser Atmosphäre sagen können: Nino und Bruno haben versprochen, mich am Strand zu besuchen? Ich ließ es sein. ›Wenn es passiert, gut‹, dachte ich, ›und wenn nicht, wozu es ihnen dann sagen?‹ Unterdessen nahm Nunzia ihre Schwiegertochter geduldig in ihrem Bett auf und bat sie, sich die Gereiztheit ihrer Tochter nicht zu Herzen zu nehmen.

Die Nacht reichte nicht aus, um Lila zu besänftigen. Am Montag erwachte sie schlechter gelaunt, als sie es beim Einschlafen gewesen war. »Das ist die Trennung von ihrem Mann«, rechtfertigte Nunzia sie, doch weder Pinuccia noch ich glaubten das. Ich merkte rasch, dass sie es besonders auf mich abgesehen hatte. Sie nötigte mich auf dem Weg zum Strand, ihre Tasche zu tragen, und als wir am Meer angelangt waren, schickte sie mich zweimal zurück, das erste Mal, damit ich ihr ein Tuch holte, das zweite Mal, weil sie eine Nagelschere brauchte. Als ich protestieren wollte, war sie drauf und dran, mir das Geld vorzuhalten, das sie mir gab. Sie unterbrach sich rechtzeitig, doch nicht so schnell, dass ich sie nicht verstand: Es war, als holte jemand zu einer Ohrfeige aus, die er dir dann aber nicht gibt.

Der Tag war sehr heiß, wir waren unentwegt im Wasser. Lila übte viel, um nicht unterzugehen, und drängte mich, bei ihr zu bleiben, damit ich sie notfalls halten konnte. Trotzdem hörte sie mit ihren Gemeinheiten nicht auf. Sie machte mir immer wieder Vorwürfe, sagte, es sei dumm von ihr, sich auf mich zu verlassen, ich könne ja auch nicht schwimmen, wie könnte ich es ihr da beibringen. Sie trauerte dem didaktischen Geschick Donato Sarratores nach und ließ mich schwören, dass wir am folgenden Tag erneut zum Maronti-Strand gehen würden. Währenddessen machte sie dank ihrer fortwährenden Bemühungen große Fortschritte. Sie besaß die Fähigkeit, sich jede Bewegung sofort einzuprägen. Mit dieser Fähigkeit hatte sie gelernt, Schuhe anzufertigen, fachmännisch Salami und Provolone aufzuschneiden und beim Abwiegen zu betrügen. Es war ihr angeboren, sie hätte die Ziselierkunst erlernen können, indem sie nichts weiter tat, als die Handgriffe eines Goldschmieds zu beobachten, und hätte das Gold anschließend besser bearbeitet als er. So kam es, dass sie bereits aufgehört hatte, ängstlich nach Luft zu schnappen, sie gab jeder ihrer Bewegungen nun eine Gemessenheit, als würde sie ihren Körper auf die durchsichtige Oberfläche des Meeres zeichnen. Ihre langen, schlanken Beine und Arme durchfurchten das Wasser in einem ruhigen Rhythmus, ohne Schaum zu schlagen wie Nino und ohne die grobe Anspannung des alten Sarratore.

»Ist es gut so?«

»Ja.«

Es stimmte. Bereits nach wenigen Stunden schwamm sie besser als ich, von Pinuccia ganz zu schweigen, und machte sich über unsere Unbeholfenheit lustig.

Die Schikanen verschwanden schlagartig, als gegen vier Uhr nachmittags der hochaufgeschossene Nino und Bruno, der ihm nur bis zur Schulter reichte, am Strand erschienen, zeitgleich mit einem kühlen Wind, der die Lust am Baden vertrieb.

Pinuccia war die Erste, die sie am Spülsaum zwischen Kindern, die mit Sandschaufeln und Eimerchen spielten, näher kommen sah. Überrascht lachte sie auf und sagte: »Kurz und Lang sind im Anmarsch.« Tatsächlich. Nino und sein Freund kamen, ein Handtuch über der Schulter, Zigaretten und Feuerzeug in der Hand, mit maßvollen Schritten näher, während ihre Blicke uns unter den Badenden suchten.

Eine unverhoffte Stärke erfasste mich, ich rief und fuchtelte mit den Armen, um auf uns aufmerksam zu machen. Also hatte Nino sein Versprechen gehalten. Also hatte er schon am nächsten Tag das Bedürfnis gehabt, mich wiederzusehen. Also war er extra aus Forio gekommen und hatte seinen schweigsamen Gefährten mitgeschleppt, und da er mit Lila und Pinuccia nichts gemein hatte, lag es auf der Hand, dass er diesen Spaziergang nur meinetwegen gemacht hatte, der Einzigen, die nicht verheiratet und nicht einmal in festen Händen war. Ich war glücklich und wurde umso herzlicher und schlagfertiger, je mehr sich dieses Glück aus Bestätigungen speiste – Nino breitete sein Handtuch neben mir aus, machte es sich darauf bequem und wies auf ein Stück des blauen Stoffes, so dass ich, die als Einzige im Sand gesessen hatte, mich gleich zu ihm gesellte.

Lila und Pinuccia dagegen verstummten. Sie hörten vollkommen damit auf, über mich zu spotten, hörten auf, sich zu zanken, und lauschten Nino, der ein paar lustige Anekdoten darüber zum Besten gab, wie er und sein Freund ihr Studentenleben organisierten.

Es brauchte eine Weile, bis Pinuccia sich mit einer Mischung aus Italienisch und Dialekt zu einigen Worten aufraffte. Sie sagte, dass das Wasser schön warm sei, dass der Mann, der frische Kokosnüsse verkaufte, noch nicht vorbeigekommen sei und dass sie großen Appetit darauf habe. Aber Nino, ganz in Anspruch genommen von seinen witzigen Geschichten, achtete kaum auf sie, und so fühlte sich der aufmerksamere Bruno verpflichtet, die Worte einer schwangeren Signora nicht unter den Tisch fallen zu lassen: Aus Sorge, das Baby könnte mit Kokosnussmangel zur Welt kommen, bot er sich an, ihr ein Stück zu holen. Pinuccia gefiel seine vor Schüchternheit erstickte, doch freundliche Stimme, die Stimme eines Menschen, der niemandem etwas zuleide tun will, und begann bereitwillig mit ihm zu plaudern, leise, als wollte sie nicht stören.

Lila hingegen schwieg weiter. Sie kümmerte sich so gut wie gar nicht um die Höflichkeiten, die Pinuccia und Bruno miteinander austauschten, aber ihr entging kein Wort von dem, was Nino und ich uns erzählten. Ihre Aufmerksamkeit störte mich, und so erwähnte ich mehrmals, dass ich gern einen Spaziergang zu den Fumarolen machen würde, in der Hoffnung, dass Nino sagen würde: Gehen wir. Aber er hatte gerade mit seinen Ausführungen über die Misswirtschaft im Bauwesen auf Ischia begonnen, so dass er zwar unwillkürlich zustimmte, dann aber seine Rede fortsetzte. Er bezog Bruno mit ein, vielleicht verstimmt, weil der sich mit Pinuccia unterhielt, und zog ihn als Zeugen für einige Verschandelungen direkt neben dem Haus seiner Eltern heran. Er hatte ein großes Mitteilungsbedürfnis, den Drang, die Früchte seiner Lektüren zusammenzufassen und auch das zu formulieren, was er mit eigenen Augen gesehen hatte. Es war seine Art, seine Gedanken zu ordnen – reden, reden, reden –, aber bestimmt, so dachte ich, auch ein Zeichen von Einsamkeit. Voller Stolz fühlte ich mich ihm verwandt, mit dem gleichen Wunsch, mir eine gebildete Identität zu geben, sie durchzusetzen und zu sagen: Hier ist das, was ich weiß, und hier seht ihr, wie ich mich entwickle. Aber Nino ließ mir keinen Raum dafür, obwohl ich es zugegebenermaßen mehrmals versuchte. Also hörte ich ihm zu wie die anderen, und als Pinuccia und Bruno riefen: »Na, wir machen jetzt jedenfalls einen Spaziergang, wir holen Kokosnüsse!«, schaute ich Lila durchdringend an und hoffte, sie würde sich ihrer Schwägerin anschließen und mich mit Nino endlich allein lassen, damit wir, einer neben dem anderen auf demselben Handtuch, miteinander diskutieren konnten. Aber sie tat keinen Mucks, und als Pina klar wurde, dass sie ganz allein mit einem zwar höflichen, doch immerhin unbekannten Mann herumschlendern sollte, fragte sie mich pikiert: »Lenù, komm, du wolltest doch spazieren gehen, nicht?« Ich antwortete: »Ja, aber lass uns erst zu Ende reden, dann kommen wir vielleicht nach.« Und so ging sie zusammen mit Bruno missmutig in Richtung der Fumarolen davon. Die beiden waren genau gleich groß.

Wir redeten weiter darüber, dass Neapel, Ischia und ganz Kampanien in die Hände von üblen Leuten geraten waren, die sich allerdings als Wohltäter gebärdeten. Als

»Plünderer« bezeichnete sie immer lauter werdend Nino, als »Zerstörer, Blutsauger, Leute, die kofferweise Geld einstecken und keine Steuern zahlen: Bauunternehmer, Anwälte der Bauunternehmer, Camorra-Mitglieder, Monarcho-Faschisten und Christdemokraten, die sich verhielten, als würde der Zement im Himmel gemischt werden und der Herrgott persönlich würde ihn mit einer riesigen Maurerkelle in Blöcken auf die Berge und Küsten schleudern.« Aber dass wir alle drei redeten, wäre zu viel gesagt. Vor allem redete er, während ich von Zeit zu Zeit auf Nachrichten zurückgriff, die ich in den *Cronache meridionali* gelesen hatte. Was Lila betraf, mischte sie sich vorsichtig nur einmal ins Gespräch ein, als nämlich Nino zu seiner Aufzählung der Gauner die Geschäftemacher hinzufügte. Sie erkundigte sich:

»Wer sind die Geschäftemacher?«

Nino unterbrach sich mitten im Satz, er sah sie erstaunt an.

»Na die Kaufleute.«

»Und warum nennst du sie *Geschäftemacher*?«

»Das sagt man eben so.«

»Mein Mann ist ein Geschäftemacher.«

»Ich wollte dich nicht beleidigen.«

»Ich bin nicht beleidigt.«

»Zahlt ihr denn Steuern?«

»Davon habe ich noch nie gehört.«

»Wirklich nicht?«

»Nein.«

»Steuern sind wichtig für die Planung des Wirtschaftslebens einer Gemeinschaft.«

»Wenn du das sagst. Erinnerst du dich noch an Pasquale Peluso?«

»Nein.«

»Er ist Maurer. Ohne den ganzen Zement würde er seine Arbeit verlieren.«

»Ach so.«

»Aber er ist Kommunist. Sein Vater, auch ein Kommunist, hat dem Gericht zufolge meinen Schwiegervater ermordet, der sein Geld mit Schwarzmarktgeschäften und Wucher gemacht hat. Pasquale ist wie sein Vater, nie war er in Sachen Frieden einverstanden, nicht einmal mit seinen Genossen, den Kommunisten. Doch obwohl das Geld meines Mannes direkt aus dem Vermögen meines Schwiegervaters stammt, sind Pasquale und ich dicke Freunde.«

»Ich verstehe nicht, worauf du hinauswillst.«

Selbstironisch verzog Lila das Gesicht.

»Ich auch nicht, ich habe gehofft, es zu verstehen, wenn ich euch zuhöre.«

Das war alles. Mehr sagte sie nicht. Aber sie war beim Reden nicht in ihren üblichen aggressiven Ton verfallen, sie schien ernsthaft daran interessiert zu sein, dass wir ihr halfen zu verstehen, da das Leben im Rione eine verwickelte Angelegenheit war. Sie hatte fast durchgehend Dialekt gesprochen, wie um bescheiden zu signalisieren: »Ich wende keine Tricks an, ich rede, wie ich bin.« Und sie hatte freimütig Einzelheiten zusammengetragen, ohne, wie sonst, nach einem roten Faden zu suchen, der sie zusammenhielt. Und tatsächlich hatten weder Lila noch ich je diesen mit kultureller und politischer Verachtung aufgeladenen Ausdruck gehört: Geschäftemacher. Und tatsächlich wussten weder sie noch ich irgendetwas über Steuern: Unsere Eltern, Freunde, Verlobten, Ehemänner, Verwandten taten so, als gäbe es sie nicht, und in der

Schule lernte man nichts, was auch nur vage mit Politik zu tun hatte. Jedenfalls gelang es Lila trotzdem, diesen bis dahin neuartigen, intensiven Nachmittag über den Haufen zu werfen. Unmittelbar nach diesem Wortwechsel wollte Nino seinen Vortrag fortsetzen, doch er verhaspelte sich und gab nun wieder lustige Geschichten aus dem Zusammenleben mit Bruno zum Besten. Er erzählte, dass sie nur Spiegeleier und Wurst aßen, erzählte, dass sie Unmengen von Wein tranken. Dann schienen ihn seine eigenen Anekdoten verlegen zu machen, und er war erleichtert, als Pinuccia und Bruno mit vom Baden noch nassen Haaren und Kokosnuss essend zurückkamen.

»Das hat wirklich Spaß gemacht«, rief Pina, allerdings mit der Miene eines Menschen, der sagen wollte: Ihr seid zwei riesengroße Miststücke, ihr habt mich allein mit einem Typ losgeschickt, von dem ich nicht weiß, wer er ist.

Als die beiden Jungen sich verabschiedeten, begleitete ich sie noch ein Stück, nur um klarzustellen, dass sie meine Freunde waren und meinetwegen gekommen waren.

Nino sagte mürrisch:

»Lila ist wirklich abgerutscht, wie schade.«

Ich nickte, verabschiedete mich von den beiden und blieb noch einen Moment mit den Füßen im Wasser stehen, um mich zu beruhigen.

Als wir nach Hause gingen, waren Pinuccia und ich fröhlich und Lila nachdenklich. Pinuccia erzählte Nunzia vom Besuch der beiden Jungen und äußerte sich unvermutet erfreut über Bruno, der sich sehr bemüht hatte, um zu verhindern, dass ihr Baby mit Kokosnussmangel zur Welt kam. »Er ist ein anständiger Kerl«, sagte sie, »ein Student, aber nicht zu langweilig. Er scheint sich nicht darum zu kümmern, wie er gekleidet ist, aber alles, was er anhat, von der Badehose bis zum Hemd und zu den Sandalen, ist teures Zeug.« Die Tatsache, dass man Geld auch auf eine andere Art haben konnte als ihr Bruder, als Rino, als die Solaras, hatte ihre Neugier geweckt. Sie sagte einen Satz, der mich beeindruckte: »In der Strandbar hat er mir dies und das gekauft, ohne zu protzen.«

Ihre Schwiegermutter, die während der gesamten Ferien kein einziges Mal ans Meer ging, sondern sich um die Einkäufe kümmerte, um den Haushalt, um das Abendbrot und auch um das Mittagessen, das wir am folgenden Tag stets mit an den Strand nahmen, hörte zu, als erzählte ihre Schwiegertochter ihr von einer verwunschenen Welt. Natürlich bemerkte sie sofort, dass Pinuccia mit ihren Gedanken oftmals woanders war, und warf ihr immer wieder prüfende Blicke zu. Aber wirklich komplett geistesabwesend war Lila. Sie machte keinerlei Scherereien, ließ Pinuccia wieder in ihr Bett und wünschte allen eine gute Nacht. Dann tat sie etwas vollkommen Unerwartetes. Ich hatte mich gerade hingelegt, als sie in meiner Kammer erschien.

»Gibst du mir eins von deinen Büchern?«, fragte sie.

Ich starrte sie verdutzt an. Sie wollte lesen? Wie lange schon hatte sie kein Buch mehr aufgeschlagen, seit drei Jahren oder vier? Und warum wollte sie ausgerechnet jetzt wieder damit anfangen? Ich nahm den Beckett-Band, mit dem ich sonst die Mücken totschlug, und gab ihn ihr. Ich hielt ihn für den verständlichsten Text, den ich hatte.

47

Die Woche verging mit langem Warten und mit Begegnungen, die viel zu schnell vorbei waren. Die beiden Jungen hatten einen Zeitplan, den sie strikt einhielten. Sie standen morgens um sechs auf, lernten bis zum Mittag, machten sich um drei auf den Weg zu uns, gingen um sieben wieder fort, aßen zu Abend und studierten weiter. Nino kam nie allein. Obwohl er und Bruno sich in allem sehr unterschieden, waren sie gut aufeinander eingespielt, und sie schienen uns nur gegenübertreten zu können, indem sie aus der Gegenwart des jeweils anderen Kraft zogen.

Pinuccia stimmte der Theorie über ihre verschworene Gemeinschaft von Anfang an nicht zu. Sie vertrat die Ansicht, sie seien weder besonders eng befreundet noch besonders solidarisch. Ihr zufolge gründete sich ihre Beziehung vollkommen auf die Geduld Brunos, der gutmütig sei und daher klaglos zuließ, dass Nino ihn von morgens bis abends mit dem Mist vollquatschte, der in einem fort aus seinem Mund kam. »Mist, jawohl«, wiederholte sie, doch dann entschuldigte sie sich mit einer Spur Ironie dafür, dass sie die Gespräche, die auch mir sehr gefielen, so bezeichnet hatte. »Ihr seid Studenten«, sagte sie, »da ist es logisch, dass ihr euch nur untereinander versteht. Aber ihr gestattet doch, dass uns das ein bisschen nervt?«

Mich befriedigten ihre Worte sehr. Sie bestätigten im Beisein Lilas, dieser stummen Zeugin, dass Nino und ich ein exklusives Verhältnis hatten, in das sich einzumischen schwierig war. Aber eines Tages sagte Pinuccia abschätzig zu Bruno und Lila: »Kommt, wir lassen die beiden allein, damit sie einen auf intellektuell machen können, wir gehen schwimmen, das Wasser ist herrlich.« *Einen auf intellektuell machen* war eindeutig eine Formulierung, die besagte, dass uns das, was wir redeten, nicht ernsthaft interessierte, dass unser Verhalten nur aufgesetzt, nur eine Pose war. Während mich dieser Ausdruck nicht besonders aufregte, ärgerte er Nino beträchtlich, der sich mitten im Satz unterbrach. Er sprang auf, stürzte sich als Erster ins Wasser, ohne sich um die Temperatur zu scheren, bespritzte uns, während wir fröstelnd hineingingen und ihn baten, damit aufzuhören, und begann dann mit Bruno zu kämpfen, als wollte er ihn ertränken.

›Sieh mal einer an‹, dachte ich. ›Er ist voller großer Gedanken, doch wenn er will, kann er auch ausgelassen und unterhaltsam sein. Warum zeigt er mir dann nur seine ernste Seite? Hat Professoressa Galiani ihm eingeredet, ich würde mich nur für die Schule interessieren? Oder mache ich selbst, mit meiner Brille und mit meiner Redeweise, diesen Eindruck?‹

Nun bemerkte ich mit wachsendem Bedauern, dass der Nachmittag verrann und vor allem Worte zurückließ, die mit Ninos Bedürfnis aufgeladen waren, sich mitzuteilen, und mit meinem Bedürfnis, einen Gedanken vorwegzunehmen und zu hören, dass Nino sich mit meiner Ansicht einverstanden erklärte. Es kam nicht mehr vor, dass er mich bei der Hand nahm, und auch auf den Rand seines Handtuchs lud er mich nicht mehr ein. Als ich Bruno und Pinuccia über irgendeinen Blödsinn lachen sah, beneidete ich sie und dachte: ›Wie gern würde ich mit Nino so lachen. Ich verlange nichts, erwarte nichts, möchte nur ein wenig mehr Vertrautheit, mochte sie auch so respektvoll sein wie die zwischen Pinuccia und Bruno.‹

Lila schien andere Probleme zu haben. Die ganze Woche über verhielt sie sich ruhig. Einen großen Teil des Vormittags verbrachte sie parallel zum Strand hin und her schwimmend im Wasser, stets nur wenige Meter vom Ufer entfernt. Pinuccia und ich leisteten ihr Gesellschaft und beharrten darauf, sie anzuleiten, obwohl sie bereits viel besser schwamm als wir. Aber bald wurde uns kalt, und so liefen wir aus dem Wasser, um uns in den heißen Sand zu legen, während sie weiterübte, mit ruhigen Armbewegungen, leichten Beinstößen und einer rhythmischen Atmung, wie der alte Sarratore es ihr beigebracht hatte. Immer muss sie übertreiben, brummte Pinuccia in der Sonne und streichelte ihren Bauch. Ich richtete mich oft auf und rief: »Genug geschwommen, du bist schon zu lange im Wasser, du wirst dich erkälten!« Doch Lila hörte nicht auf mich und kam erst heraus, als sie ganz fahl war, die Augen weiß, die Lippen blau, die Fingerkuppen runzlig. Ich wartete mit ihrem sonnenwarmen Handtuch am Ufer auf sie, legte es ihr um die Schultern und rubbelte sie energisch ab.

Als die beiden Jungen kamen, die nicht einen Tag ausließen, gingen wir zusammen entweder erneut baden – nur Lila meistens nicht, sie saß auf ihrem Handtuch und schaute uns vom Ufer aus zu –, oder wir gingen alle spazieren, wobei sie zurückblieb und Muscheln sammelte oder sehr aufmerksam zuhörte, fast ohne sich je einzumischen, wenn Nino und ich über die Welt zu reden begannen. Mittlerweile hatten sich kleine Gewohnheiten herausgebildet, und es überraschte mich, wie viel ihr daran lag, dass sie eingehalten wurden. Zum Beispiel kam Bruno immer mit kalten Getränken, die er unterwegs an einer Strandbar gekauft hatte, und eines Tages wies sie ihn darauf hin, dass er mir eine Zitronenlimonade mitgebracht hatte, während ich doch normalerweise Orangenlimonade trank. Ich sagte: »Danke Bruno, das ist schon in Ordnung«, aber sie drängte ihn, sie für mich umzutauschen. Zum Beispiel machten sich Pinuccia und Bruno nachmittags auch irgendwann auf den Weg, um frische Kokosnüsse zu besorgen, und obwohl sie uns fragten, ob wir mitwollten, kam Lila dies nie in den Sinn und Nino und mir auch nicht. So bürgerte es sich ein, dass sie trocken losgingen, vom Baden nass zurückkehrten und Kokosnüsse mit schneeweißem Fruchtfleisch mitbrachten, weshalb Lila sie fragte, als sie sie zufällig einmal vergessen zu haben schienen: »Und was ist heute mit den Kokosnüssen?«

Auch an den Gesprächen zwischen Nino und mir lag ihr viel. Wenn zu lange über dies und jenes gesprochen wurde, verlor sie die Geduld und fragte ihn: »Hast du heute denn nichts Interessantes gelesen?« Nino lächelte erfreut, schweifte ein wenig ab und begann schließlich mit den Themen, die ihm am Herzen lagen. Er redete und redete, aber wirkliche Reibungen gab es nie zwischen uns. Ich war fast immer einer Meinung mit ihm, und wenn Lila etwas einwarf, um zu widersprechen, tat sie es kurz, mit Feingefühl und ohne die Uneinigkeit je zu betonen.

Eines Nachmittags zitierte er einen äußerst kritischen Artikel über das öffentliche Schulwesen und begann übergangslos über die Grundschule herzuziehen, die wir im Rione besucht hatten. Ich pflichtete ihm bei und erzählte von den Stockhieben auf den Handrücken, die Maestra Oliviero uns gegeben hatte, wenn wir einen Fehler gemacht hatten, und auch von den sehr grausamen Leistungswettbewerben, denen sie uns unterzogen hatte. Aber zu meiner Überraschung erklärte Lila, für sie sei die Grundschule ungemein wichtig gewesen, und sie lobte unsere Lehrerin in einem Italienisch, wie ich es schon lange nicht mehr von ihr gehört hatte, so präzise, so intensiv, dass Nino sie kein einziges Mal unterbrach, sondern ihr sehr aufmerksam zuhörte und am Ende allgemeine Betrachtungen über unsere unterschiedlichen Bedürfnisse anstellte und auch darüber, dass ein und dieselbe Erfahrung die Bedürfnisse des einen befriedigen und für die des anderen unzureichend sein konnte.

Auch bei einer anderen Gelegenheit meldete Lila mit guten Manieren und einem gepflegten Italienisch Widerspruch an. Ich bevorzugte zunehmend Gespräche, die sachkundige Maßnahmen theoretisch erörterten, welche, wenn sie rechtzeitig eingeleitet wurden, Probleme lösen, Ungerechtigkeiten beseitigen und Konflikten vorbeugen konnten. Schnell hatte ich dieses Schema der Beweisführung erlernt – darin war ich schon immer gut – und wandte es jedes Mal an, wenn Nino mit Fragen aufwartete, über die er irgendwo gelesen hatte: Kolonialismus, Neokolonialismus, Afrika. Doch eines Nachmittags sagte Lila leise zu ihm, es gebe nichts, was den Konflikt zwischen Reichen und Armen verhindern könne.

»Wieso?«

»Die, die unten sind, wollen nach oben, die, die oben sind, wollen oben bleiben, und so oder so endet es immer damit, dass man sich ins Gesicht spuckt oder tritt.«

»Gerade deshalb ist es so wichtig, die Probleme zu lösen, bevor es zu Gewalttätigkeiten kommt.«

»Und wie? Indem man alle nach oben bringt, indem man alle nach unten bringt?«

»Indem man ein Gleichgewicht zwischen den Klassen findet.«

»Und wo? Treffen sich die von unten auf halbem Weg mit denen von oben?«

»So ungefähr, ja.«

»Und die von oben bewegen sich freiwillig nach unten? Und die von unten verzichten darauf, noch weiter nach oben zu wollen?«

»Wenn man daran arbeitet, alle Probleme gut zu lösen, ja. Überzeugt dich das nicht?«

»Nein. Die Klassen spielen doch nicht Briscola. Sie führen einen Kampf, und es ist ein Kampf auf Leben und Tod.«

»Das ist Pasquales Ansicht«, sagte ich.

»Jetzt ist es auch meine«, antwortete sie ruhig.

Abgesehen von diesen wenigen Augenblicken des Schlagabtauschs gab es zwischen Lila und Nino kaum Gespräche, die nicht durch mich vermittelt waren. Lila sprach ihn nie direkt an, und auch Nino sprach sie nicht an, sie schienen sich gegenseitig in Verlegenheit zu bringen. Viel wohler schien sie sich mit Bruno zu fühlen, dem es, obwohl er wortkarg war, dank seiner Höflichkeit und des freundlichen Tons, mit dem er sie zuweilen Signora Carracci nannte, gelang, eine gewisse Vertrautheit herzustellen. Einmal, zum Beispiel, als wir alle zusammen ausgiebig badeten und Nino zu meiner Überraschung darauf verzichtete, wie üblich weit aufs Meer hinaus zu schwimmen, was mich sonst jedes Mal in Angst versetzte, wandte sie sich an Bruno und nicht an ihn, um sich zeigen zu lassen, nach wie vielen Schwimmstößen sie den Kopf zum Atmen aus dem Wasser nehmen musste. Sofort machte Bruno es ihr vor. Doch Nino ärgerte sich darüber, dass er trotz seiner hervorragenden Schwimmkünste übergangen worden war, mischte sich ein und zog Bruno wegen seiner kurzen Arme und seines armseligen Rhythmus auf. Dann zeigte er Lila, wie man es richtig machte. Sie sah ihm aufmerksam zu und tat es ihm unverzüglich nach. Kurz, am Ende schwamm Lila so gut, dass Bruno sie als die Esther Williams von Ischia bezeichnete, was heißen sollte, dass sie so geschickt geworden war wie die Schwimmerin und Diva aus dem Kino.

Als das Wochenende heranrückte – ich erinnere mich, dass es ein strahlender Samstagmorgen war, die Luft war noch kühl, und der starke Duft der Pinien begleitete uns den ganzen Weg bis zum Strand –, bekräftigte Pinuccia kategorisch:

»Der junge Sarratore ist wirklich unerträglich.«

Ich nahm Nino vorsichtig in Schutz. Fachmännisch erklärte ich, wenn man studiere, wenn man sich für etwas begeistere, habe man den Drang, anderen diese Begeisterung mitzuteilen, und so sei es auch bei Nino. Lila überzeugte das nicht, sie sagte etwas, das ich als beleidigend empfand:

»Wenn man aus Ninos Kopf alles entfernt, was er gelesen hat, findet man überhaupt nichts mehr.«

Ich fuhr auf:

»Das ist nicht wahr! Ich kenne ihn, er hat jede Menge gute Eigenschaften.«

Aber Pinuccia gab ihr vehement Recht. Allerdings sagte Lila, vielleicht weil ihr diese Zustimmung nicht gefiel, sie habe sich wohl nicht richtig ausgedrückt, und drehte die Bedeutung des Satzes plötzlich um, als hätte sie ihn nur zur Probe gesagt und würde ihn nun, da sie ihn hörte, bereuen und Verrenkungen machen, um ihren Fehler auszuwetzen. Nino, stellte sie klar, gewöhne sich gerade an den Gedanken, dass nur die großen Fragen zählten, und falls er es schaffe, werde er sein ganzes Leben bloß ihnen widmen, ohne sich von etwas anderem stören zu lassen. Nicht so wie wir, die wir nur an unsere eigenen Angelegenheiten dächten: Geld, Haushalt, Mann, Kinderkriegen.

Auch diese Auslegung gefiel mir nicht. Was meinte sie damit? Dass für Nino Gefühle für einzelne Menschen nicht zählten, dass es seine Bestimmung war, ohne Liebe, ohne Kinder, ohne Heirat zu leben? Ich zwang mich, zu sagen:

»Aber du weißt doch, dass er eine Freundin hat und dass ihm viel an ihr liegt? Sie schreiben sich jede Woche.«

Pinuccia schaltete sich ein:

»Bruno hat keine Freundin, doch er sucht seine Traumfrau, und sobald er sie findet, heiratet er sie und will viele Kinder.« Schließlich seufzte sie ohne ersichtlichen Zusammenhang: »Diese Woche ist wirklich wie im Flug vergangen.«

»Freust du dich denn nicht? Jetzt kommt dein Mann wieder«, antwortete ich.

Sie schien geradezu beleidigt darüber zu sein, ich könnte es für möglich halten, dass ihr Rinos Rückkehr irgendwie unangenehm sei. Sie rief:

»Natürlich freue ich mich!«

Da fragte mich Lila:

»Und du, freust du dich?«

»Darüber, dass eure Männer wiederkommen?«

»Nein, du hast mich schon verstanden.«

Ich hatte verstanden, aber ich gab es nicht zu. Sie wollte sagen, dass ich anderentags, am Sonntag, während sie mit Stefano und Rino beschäftigt sein würden, die Gelegenheit haben würde, mich mit den beiden Jungen allein zu treffen, und wie eine Woche zuvor würde Bruno sich zudem fast garantiert um seine eigenen Angelegenheiten kümmern, so dass ich den Nachmittag mit Nino verbringen konnte. Und sie hatte Recht, genau das hoffte ich. Seit Tagen dachte ich vor dem Einschlafen an das Wochenende. Lila und Pinuccia würden ihre ehelichen Freuden haben, und ich würde die kleinen Glücksmomente einer bebrillten Junggesellin erleben, die ihr Leben mit Lernen verbringt: einen Spaziergang, Händchenhalten. Oder wer weiß, vielleicht auch mehr. Lachend warf ich die Bemerkung hin:

»Was soll ich denn verstehen, Lila? Habt ihr ein Glück, dass ihr verheiratet seid.«

48

Der Tag schlich dahin. Während Lila und ich ruhig in der Sonne lagen und auf den Moment des Tages warteten, da Nino und Bruno mit kühlen Getränken kommen würden, begann sich Pinuccias Laune grundlos zu verschlechtern. In immer kürzeren Abständen gab sie nervöse Satzfetzen von sich. Mal fürchtete sie, die zwei würden nicht kommen, mal stieß sie hervor, wir könnten unsere Zeit nicht damit verplempern, darauf zu warten, dass sie sich blicken ließen. Als die zwei Jungen mit den üblichen Getränken pünktlich erschienen, war sie kratzbürstig und erklärte, sie sei müde. Wenige Minuten später überlegte sie es sich, immer noch schlechtgelaunt, anders und willigte schnaufend ein, mitzugehen, um Kokosnüsse zu kaufen.

Lila für ihr Teil tat etwas, was mir nicht gefiel. Die ganze Woche hatte sie nicht von dem Buch gesprochen, das ich ihr geliehen hatte, und so hatte ich es vergessen. Doch kaum waren Pinuccia und Bruno gegangen, wartete sie nicht erst darauf, dass Nino uns unterhielt, sondern fragte ihn ohne Umschweife:

»Warst du schon mal im Theater?«

»Ein paarmal.«

»Und hat es dir gefallen?«

»Geht so.«

»Ich war noch nie im Theater, aber ich habe es im Fernsehen gesehen.«

»Das ist nicht dasselbe.«

»Ich weiß, aber besser als nichts.«

Und sie zog das Buch aus der Tasche, das ich ihr gegeben hatte, den Band mit den gesammelten Stücken von Beckett, sie zeigte es ihm.

»Hast du das gelesen?«

Nino nahm das Buch, sah es sich an und musste missmutig zugeben:

»Nein.«

»Also *gibt es* etwas, was du nicht gelesen hast.«

»Ja.«

»Das hier solltest du lesen.«

Lila erzählte uns von dem Buch. Zu meinem Erstaunen gab sie sich große Mühe, sie tat es so wie früher, wählte die Worte so, dass wir die Menschen und Dinge präsent hatten und auch das Gefühl, das sie ihnen zuordnete, während sie sie nachzeichnete, sie festhielt, hier, jetzt, lebendig. Sie sagte, es sei gar nicht nötig, auf den Atomkrieg zu warten, im Buch sei es, als hätte es ihn schon gegeben. Sie erzählte uns lang und breit von einer Frau namens Winnie, die immer wieder ausgerufen habe: *Wieder ein glücklicher Tag*, und auch Lila deklamierte diesen

Satz und war, als sie ihn vortrug, derart bewegt, dass ihre Stimme leicht zitterte. *Wieder ein glücklicher Tag*, unerträgliche Worte, denn nichts, gar nichts in Winnies Leben, erklärte sie uns, nichts in ihren Bewegungen, nichts in ihrem Kopf sei *glücklich* gewesen, nicht an jenem Tag und nicht an den vorangegangenen. Aber, fügte sie hinzu, wer sie noch stärker beeindruckt habe, sei ein gewisser Dan Rooney gewesen. »Dan Rooney«, sagte sie, »ist blind, beklagt sich jedoch nicht darüber, weil er der Meinung ist, das Leben sei ohne Sehkraft besser. Er geht sogar so weit, sich zu fragen, ob das Leben, wenn man taub und stumm werden würde, nicht noch mehr Leben wäre, reines Leben, Leben ohne etwas anderes als Leben.«

»Warum hat dir das gefallen?«, erkundigte sich Nino.

»Ich weiß noch nicht, ob es mir gefallen hat.«

»Es hat dich aber neugierig gemacht.«

»Es hat mich nachdenklich gemacht. Was soll das heißen, dass das Leben mehr Leben ist ohne Sehkraft, ohne Hörvermögen und sogar ohne Worte?«

»Das ist vielleicht bloß ein Gag.«

»Nein, was denn für ein Gag. Darin liegt was, das so viel anderes wachruft, das ist kein Gag.«

Nino antwortete nicht. Er fixierte den Umschlag des Buches, als müsste auch der entschlüsselt werden, und fragte nur:

»Hast du es ausgelesen?«

»Ja.«

»Leihst du es mir?«

Diese Bitte verstörte mich, sie tat mir weh. Nino hatte gesagt, und daran erinnerte ich mich noch genau, Literatur interessiere ihn eigentlich nicht, er lese anderes. Ich hatte Lila diesen Beckett gerade deshalb gegeben, weil ich wusste, dass ich ihn in meinen Gesprächen mit Nino nicht würde verwenden können. Und nun, da sie ihm davon erzählte, hörte er ihr nicht nur zu, er bat sie auch noch, ihm das Buch zu leihen. Ich sagte:

»Es gehört der Galiani, sie hat es mir gegeben.«

»Hast du es gelesen?«, fragte er.

Ich musste zugeben, dass ich es, nein, nicht gelesen hatte, fügte aber gleich hinzu:

»Ich wollte heute Abend damit anfangen.«

»Gibst du es mir, wenn du es aushast?«

»Wenn es dich so interessiert«, sagte ich hastig, »kannst du es ruhig zuerst lesen.«

Nino bedankte sich, kratzte mit dem Fingernagel die Reste einer Mücke vom Umschlag und sagte zu Lila:

»Ich lese es in einer Nacht durch, und morgen sprechen wir darüber.«

»Morgen nicht, da sehen wir uns nicht.«

»Warum nicht?«

»Da bin ich mit meinem Mann zusammen.«

»Ach so.«

Er schien verstimmt zu sein. Ängstlich wartete ich darauf, dass er sich umdrehen und mich fragen würde, ob wir beide uns morgen treffen wollten. Aber mit einer Anwandlung von Unduldsamkeit sagte er:

»Ich kann morgen auch nicht. Brunos Eltern kommen heute Abend, und ich muss in Barano übernachten. Ich komme Montag zurück.«

Barano? Montag? Ich hoffte, er würde mich bitten, ihn am Maronti-Strand zu besuchen. Doch er war geistesabwesend, mit seinen Gedanken vielleicht noch bei Rooney, dem es nicht genügte, blind zu sein, der auch noch taub und stumm sein wollte. Er bat mich nicht, ihn zu besuchen.

49

Noch auf dem Heimweg sagte ich zu Lila:

»Wenn ich dir ein Buch borge, das noch dazu nicht mir gehört, dann nimm es bitte nicht mit an den Strand. Ich kann es der Galiani doch nicht mit Sand darin zurückgeben.«

»Verzeihung«, sagte sie und gab mir fröhlich einen Kuss auf die Wange. Vielleicht um sich zu entschuldigen, wollte sie sowohl meine als auch Pinuccias Tasche tragen.

Allmählich besserte sich meine Laune. Ich vermutete, Nino habe nicht von ungefähr erwähnt, dass er nach Barano musste. Er wollte, dass ich es erfuhr und von mir aus beschloss, ihn dort zu besuchen. ›Er ist eben so‹, sagte ich mir zunehmend erleichtert, ›er braucht es, dass man ihm nachläuft, morgen stehe ich früh auf und gehe zu ihm.‹ Pinuccia dagegen behielt ihre schlechte Laune. Für gewöhnlich regte sie sich leicht auf, beruhigte sich aber auch schnell wieder, besonders jetzt, da die Schwangerschaft nicht nur ihren Körper runder gemacht hatte, sondern auch ihre charakterlichen Ecken und Kanten abgeschliffen hatte. Doch diesmal wurde sie immer mürrischer.

»Hat Bruno was Blödes zu dir gesagt?«, fragte ich sie irgendwann.

»Aber nein.«

»Was ist denn passiert?«

»Nichts.«

»Fühlst du dich nicht wohl?«

»Mir geht's prima, ich weiß selbst nicht, was ich habe.«

»Geh und mach dich zurecht, Rino kommt gleich.«

»Ja.«

Sie blieb aber in ihrem nassen Badeanzug sitzen und blätterte zerstreut in einem Fotoroman. Lila und ich machten uns schön, vor allem Lila putzte sich heraus, als wollte sie auf ein Fest gehen, Pinuccia tat nichts dergleichen. Da sagte auch Nunzia, die sich still für das Abendessen abrackerte, leise zu ihr: »Pinù, was ist, meine Hübsche, gehst du dich denn nicht umziehen?« Keine Antwort. Erst als Pina das Knattern der Lambrettas und die Rufe der beiden Männer hörte, sprang sie auf, lief los, um sich in ihrem Zimmer einzuschließen, und schrie: »Dass ihr sie mir ja nicht hereinlasst!«

Der Abend war verwirrend und irritierte auf unterschiedliche Weise auch die Ehemänner. Stefano, der Lilas permanente Widerborstigkeit inzwischen gewohnt war, sah sich unverhofft einem höchst liebevollen Mädchen gegenüber, das sich bereitwillig und ohne den üblichen Ärger seinen Liebkosungen und Küssen hingab, während Rino, der sich an Pinuccias aufdringliches Getue gewöhnt hatte, das mit ihrer Schwangerschaft noch aufdringlicher geworden war, eine Enttäuschung erlebte, weil seine Frau ihm nicht schon auf der Treppe entgegenlief, er zu ihr ins Schlafzimmer hinaufgehen musste und, als er sie endlich in den Armen hielt, sogleich bemerkte, wie sehr sie sich anstrengen musste, um sich erfreut zu zeigen. Und nicht nur das. Während Lila viel lachte, als die zwei Männer nach einigen Gläsern Wein mit ihren feuchtfröhlichen sexuellen Anspielungen begannen, die ihr Verlangen signalisierten, zog sich Pinuccia abrupt zurück, als Rino ihr lachend etwas ins Ohr raunte, und zischte ihn halb auf Italienisch an: »Hör auf damit, du Bauerntölpel!« Da wurde er wütend: »Bauerntölpel, ich? Ein Bauerntölpel?«, und sie hielt noch einige Minuten durch, bevor ihre Unterlippe zu zittern begann und sie ins Schlafzimmer davonrannte.

»Das ist die Schwangerschaft«, sagte Nunzia. »Du musst Geduld mit ihr haben.«

Schweigen. Rino aß auf, dann schnaufte er und ging zu seiner Frau. Er kam nicht noch einmal zurück.

Lila und Stefano beschlossen, eine Runde mit der Lambretta zu drehen, um sich den Strand bei Nacht anzusehen. Kichernd und knutschend machten sie sich ohne uns auf den Weg. Ich räumte den Tisch ab, wie immer mit Nunzia debattierend, die nicht wollte, dass ich auch nur einen Finger rührte. Wir unterhielten uns darüber, wie sie Fernando kennengelernt hatte und sie sich ineinander verliebt hatten, und sie sagte etwas, was mich sehr beeindruckte: »Dein ganzes Leben lang liebst du Menschen, von denen du nie wirklich weißt, wer sie sind.« Fernando sei sowohl gut als auch schlecht gewesen, und sie sei sehr verliebt in ihn gewesen, habe ihn aber auch gehasst. »Also«, sagte sie nachdrücklich, »kein Grund zur Sorge. Pinuccia hat eine schlechte Phase, sie wird sich wieder fangen; und weißt du noch, wie Lina aus den Flitterwochen zurückkam? Tja, sieh dir die beiden jetzt an. So ist das ganze Leben: Mal fängst du Schläge und mal Küsse.«

Ich ging in meine Kammer und versuchte, Chabod zu Ende zu lesen, aber mir fiel wieder ein, wie fasziniert Nino gewesen war, als Lila ihm von diesem Rooney erzählt hatte, und mir verging die Lust, meine Zeit mit dem Begriff der Nation zu verschwenden. ›Auch Nino ist undurchschaubar‹, dachte ich, ›auch bei ihm ist schwer zu erkennen, wer er ist. Erst sah es so aus, als interessierte Literatur ihn nicht, und dann greift sich Lila irgendein Buch mit Theatertexten, macht ein paar blöde Bemerkungen, und schon ist er begeistert.‹ Ich durchstöberte meine Bücher auf der Suche nach weiteren schöngeistigen Werken, hatte aber keine. Dafür stellte ich fest, dass ein Buch fehlte. Konnte das sein? Professoressa Galiani hatte mir sechs gegeben. Eines hatte jetzt Nino, eines las ich gerade, und auf dem marmornen Fenstersims lagen drei. Wo war das sechste?

Ich schaute überall nach, auch unter dem Bett, und erinnerte mich währenddessen, dass es ein Buch über Hiroshima war. Ich regte mich auf, garantiert hatte Lila es weggenommen, als ich im Bad war, um mich zu waschen. Was war los mit ihr? Hatte sie nach den Jahren in der Schusterwerkstatt, nach Verlobung, Liebe, Salumeria und Mauscheleien mit den Solaras beschlossen, wieder so zu werden, wie sie in der Grundschule gewesen war? Gewiss, ein Anzeichen dafür hatte es schon gegeben: Sie hatte auf dieser Wette bestanden, die unabhängig von ihrem Ausgang ganz sicher ein Weg gewesen war, mir ihren Wunsch mitzuteilen, wieder mit dem Lernen anzufangen. Aber hatte es eine Fortsetzung gegeben, hatte sie sich wirklich bemüht? Nein. Hatte stattdessen Ninos Gerede – sechs Nachmittage am Strand in der Sonne – genügt, um in ihr den Wunsch zu wecken, wieder zu lernen und womöglich erneut in Wettstreit darum zu treten, wer die Beste war? Hatte sie deshalb ein Loblied auf Maestra Oliviero gesungen? Hatte es ihr deshalb gefallen, dass jemand sich sein Leben lang nur für Großes statt für die kleinen Dinge des Lebens begeisterte? Ohne die Tür knarren zu lassen, schlüpfte ich auf Zehenspitzen aus meiner Kammer.

Das Haus war ruhig, Nunzia war schlafen gegangen, Stefano und Lila waren noch nicht zurück. Ich schlich in ihr Zimmer: ein Chaos aus Kleidern, Schuhen, Koffern. Auf einem Stuhl fand ich das Buch, es hieß *Strahlen aus der Asche*. Lila hatte es genommen, ohne mich um Erlaubnis zu bitten, als gehörten meine Sachen ihr, als verdankte ich das, was ich war, ihr, als ginge auch die Aufmerksamkeit der Galiani für meine Bildung auf den Umstand zurück, dass Lila mich mit einer zerstreuten Geste, mit einem kaum angedeuteten Satz in die Lage versetzt hatte, mir dieses Privileg zu erobern. Ich wollte das Buch mitnehmen. Aber ich schämte mich, überlegte es mir anders und ließ es liegen.

50

Der Sonntag war langweilig. Die ganze Nacht über litt ich unter der Hitze, wagte es aber wegen der Mücken nicht, das Fenster zu öffnen. Ich schlief ein, wachte auf, schlief wieder ein. Nach Barano gehen? Mit welchem Ergebnis? Dass ich den Tag mit Ciro, Pino und Clelia spielend verbringen würde, während Nino weit hinausschwamm oder in der Sonne lag, ohne ein Wort zu sagen, in stiller Fehde mit seinem Vater? Ich erwachte spät, um zehn, und kaum hatte ich die Augen aufgeschlagen, erreichte mich von weit her ein Gefühl des Mangels, das mir Angst machte.

Von Nunzia erfuhr ich, dass Pinuccia und Rino schon am Meer waren, während Stefano und Lila noch schliefen. Lustlos tunkte ich Brot in meinen Milchkaffee, ich gab Barano endgültig auf und ging gereizt und niedergeschlagen an den Strand.

Dort fand ich Rino, der in der Sonne schlief, die Haare nass, der schwere Körper bäuchlings im Sand, und Pinuccia, die am Spülsaum auf und ab schlenderte. Ich lud sie zu einem Spaziergang zu den Fumarolen ein, sie lehnte unfreundlich ab. Um zur Ruhe zu kommen, wanderte ich lange allein in Richtung Forio.

Der Vormittag schleppte sich dahin. Nach meiner Rückkehr badete ich und legte mich danach in die Sonne. Zwangsläufig hörte ich Rino und Pinuccia, die sich leise unterhielten, als wäre ich nicht da.

»Fahr nicht weg.«

»Ich muss arbeiten. Die Schuhe müssen bis zum Herbst fertig sein. Hast du sie gesehen, gefallen sie dir?«

»Ja, aber das Zeug, das du auf Lilas Verlangen hinzugefügt hast, ist hässlich, lass das weg.«

»Nein, das sieht gut aus.«

»Merkst du? Alles, was ich sage, ist dir egal.«

»Das stimmt nicht.«

»Na klar, du hast mich nicht mehr lieb.«

»Ich habe dich lieb, du weißt doch, wie sehr du mir gefällst.«

»Von wegen, sieh dir bloß meinen Bauch an.«

»Dein Bauch bekommt zehntausend Küsse von mir. Die ganze Woche lang denke ich nur an dich.«

»Dann geh nicht arbeiten.«

»Das kann ich nicht.«

»Wenn das so ist, fahre ich heute Abend auch zurück.«

»Wir haben die Miete hier schon bezahlt, du musst Urlaub machen.«

»Nein, ich will nicht mehr.«

»Warum denn nicht?«

»Weil ich Alpträume kriege, sobald ich eingeschlafen bin, und dann liege ich die ganze Nacht wach.«

»Auch wenn du bei meiner Schwester schläfst?«

»Dann erst recht. Wenn deine Schwester mich töten könnte, würde sie es tun.«

»Dann schlaf doch bei meiner Mutter.«

»Deine Mutter schnarcht.«

Pinuccias Art war unerträglich. Den ganzen Tag versuchte ich vergeblich, den Grund für diese Quengeleien zu erkennen. Dass sie wenig und schlecht schlief, stimmte. Aber dass sie Rino zum Bleiben bewegen und sogar mit ihm zurückfahren wollte, hielt ich für eine Lüge. Ich sah, dass sie versuchte, ihm etwas mitzuteilen, von dem sie selbst nicht wusste, was es war, und das sie daher nur durch Herumnörgeln ausdrücken konnte. Doch dann kümmerte ich mich nicht mehr darum, ich war mit anderem beschäftigt. Mit Lilas Überschwenglichkeit vor allem.

Als sie mit ihrem Mann am Strand erschien, wirkte sie noch glücklicher als am Abend zuvor. Sie wollte ihm zeigen, wie gut sie schwimmen gelernt hatte, und gemeinsam schwammen sie hinaus – aufs offene Meer, wie Stefano das nannte, obwohl sie sich eigentlich nur wenige Meter vom Ufer entfernten. Sie ließ ihn sofort hinter sich, elegant und präzise in ihren Schwimmzügen und in dem Rhythmus, mit dem sie den Kopf zum Luftholen wenden und den Mund aus dem Wasser heben konnte. Dann hielt sie inne und wartete lachend auf ihn, während er sie mit ungeschickten Bewegungen einholte, den Kopf steil aufgerichtet und gegen das Wasser prustend, das ihm ins Gesicht spritzte.

Lila wurde am Nachmittag noch fröhlicher, als sie eine Runde mit der Lambretta drehten. Auch Rino wollte eine kleine Spritztour unternehmen, und da Pinuccia ablehnte – sie hatte Angst, zu fallen und das Baby zu verlieren –, forderte er mich auf: »Komm du mit, Lenù.« Ich erlebte das zum ersten Mal, Stefano, der voranfuhr, Rino, der ihm folgte, dazu der Wind, dazu die Angst vor einem Sturz oder vor einem Zusammenstoß, dazu die wachsende Erregung, der starke Geruch, den der verschwitzte Rücken von Pinuccias Mann verströmte, die selbstgefällige Großspurigkeit, die Rino veranlasste, alle Regeln zu missachten und jedem, der protestierte, mit den Umgangsformen des Rione zu antworten, indem er scharf bremste und Drohungen ausstieß, stets bereit zu einer Rauferei, um sein Recht durchzusetzen, das zu tun, was er wollte. Es machte Spaß, war ein Wiederaufleben der Gefühle eines kleinen Mädchens aus schlechten Verhältnissen, ganz anders als die Gefühle, die Nino in mir auslöste, wenn er nachmittags mit seinem Freund am Strand näher kam.

Im Laufe dieses Sonntags erwähnte ich die beiden oft, Ninos Namen auszusprechen war mir ein besonderes Vergnügen. Schon bald bemerkte ich, dass sowohl Pinuccia als auch Lila so taten, als hätten nicht wir alle zusammen Bruno und Nino getroffen, sondern nur ich ganz allein. Das führte dazu, dass Stefano mir beim Abschied auftrug, als die beiden Männer zum Fährboot hasteten, Soccavos Sohn zu grüßen, als wäre ich die Einzige, die ihn wiedersehen konnte, und Rino mich mit Bemerkungen aufzog wie: »Wer ist dir lieber, der Sohn des Dichters oder der Sohn des Mortadella-Fabrikanten? Was meinst du, wer von den beiden sieht besser aus?«, ganz als hätten seine Frau und seine Schwester nichts, worauf sie sich stützen könnten, um selbst ein Urteil abzugeben.

Und schließlich ärgerte ich mich darüber, wie sich die zwei Mädchen nach der Abreise ihrer Männer benahmen. Pinuccia wurde fröhlich und wollte sich unbedingt die Haare waschen, die – wie sie lauthals verkündete – voller

Sand seien. Lila lungerte lustlos im Haus herum und legte sich dann in ihr ungemachtes Bett, ohne sich um die Unordnung in ihrem Zimmer zu kümmern. Als ich bei ihr vorbeischaute, um ihr gute Nacht zu sagen, sah ich, dass sie sich nicht einmal ausgezogen hatte: mit zusammengekniffenen Augen und gerunzelter Stirn las sie das Buch über Hiroshima. Ich machte ihr keine Vorwürfe und sagte nur, vielleicht ein wenig schroff:

»Wie kommt's denn, dass du auf einmal wieder Lust hast, zu lesen?«

Sie antwortete: »Das geht dich nichts an.«

51

Am Montag erschien Nino wie ein durch meine Sehnsucht heraufbeschworener Geist nicht wie üblich nachmittags um vier, sondern morgens um zehn. Die Überraschung war groß. Wir drei waren gerade am Strand angekommen, mürrisch, weil jede davon überzeugt war, dass die jeweils anderen das Bad zu lange belegt hatten, und Pinuccia besonders gereizt, weil sie ihre Frisur im Schlaf ruiniert hatte. Sie sprach als Erste, düster, fast schon feindselig. Sie fragte Nino, noch bevor er erklären konnte, wie es kam, dass er seinen Zeitplan umgeworfen hatte:

»Warum ist Bruno denn nicht mitgekommen, hatte er was Besseres zu tun?«

»Seine Eltern sind noch da, sie fahren heute Mittag ab.«

»Kommt er dann nach?«

»Ich glaube, ja.«

»Wenn er nämlich nicht kommt, gehe ich nach Hause schlafen, mit euch dreien ist es mir zu langweilig.«

Während Nino uns erzählte, wie schlimm sein Sonntag in Barano gewesen war, so schlimm, dass er sich am frühen Morgen aus dem Staub gemacht hatte und, da er nicht zu Bruno gehen konnte, direkt zum Strand gekommen war, mischte sie sich ein-, zweimal ein und fragte quengelnd: »Wer kommt mit schwimmen?« Da sowohl Lila als auch ich sie ignorierten, wurde sie ärgerlich und ging allein ins Wasser.

Na wenn schon. Wir hörten lieber gespannt Ninos Aufzählung all dessen zu, was sein Vater ihm angetan hatte. Ein Betrüger sei er, und arbeitsscheu. Er habe sich in Barano einquartiert, nachdem er seine Krankschreibung wegen irgendeines vorgetäuschten Leidens erneut habe verlängern lassen, das ihm übrigens von einem mit ihm befreundeten Arzt der Versorgungskasse regelmäßig attestiert wurde. »Mein Vater«, sagte er angewidert, »ist in allem die komplette Negation der Interessen der Allgemeinheit.« Dann tat er ohne Übergang etwas Unvermutetes. Er beugte sich mit einer so plötzlichen Bewegung zu mir, dass ich zusammenzuckte, und gab mir einen Kuss auf die Wange, einen starken, geräuschvollen Kuss, dem er den Satz nachschickte: »Ich freue mich wirklich, dich zu sehen.« Und als wäre ihm bewusst geworden, dass seine Offenherzigkeit mir gegenüber auf Lila unhöflich wirken könnte, fragte er sie leicht verlegen:

»Darf ich dir auch einen Kuss geben?«

»Natürlich«, antwortete Lila entgegenkommend, und er gab ihr einen zarten Kuss, keinen Schmatz, es war eine kaum wahrnehmbare Berührung. Anschließend begann er aufgeregt über Becketts Theaterstücke zu reden: Ah, wie sehr hätten ihm diese bis zum Hals eingegrabenen Typen gefallen; und wie schön sei der Satz über das Feuer, das die Gegenwart in dir entfacht, gewesen; und obwohl es für ihn schwierig gewesen sei, unter den tausend anregenden Dingen, die Maddie und Dan Rooney gesagt hätten, die von Lila zitierte Stelle genau auszumachen, sei, nun ja, der Gedanke, dass das Leben mehr spürbar sei, wenn man blind, taub, stumm und womöglich ohne Geschmackssinn und ohne Tastsinn sei, an sich objektiv interessant; seiner Meinung nach bedeute das: Schaffen wir alle Filter ab, die uns daran hindern, dieses Dasein in vollen Zügen hic et nunc und wahrhaftig zu genießen.

Lila war verblüfft, sie sagte, sie habe darüber nachgedacht und das Leben im Reinzustand mache ihr Angst. Sie redete recht eindringlich und verkündete: »Das Leben ohne zu sehen und ohne zu sprechen, ohne zu sprechen und ohne zu hören, das Leben ohne eine Hülle, ohne ein Behältnis ist deformiert.« Das sagte sie nicht wortwörtlich, aber mit Sicherheit verwendete sie das Wort »deformiert«, und sie tat es abfällig. Halblaut wiederholte Nino: »Deformiert«, als wäre dies ein Schimpfwort. Dann setzte er seine Reden fort, diesmal noch überdrehter, bis er unversehens sein Hemd auszog und sich in seiner ganzen, sehr dunklen Magerkeit zeigte, uns zwei bei der Hand nahm und uns ins Wasser zog, so dass ich überglücklich kreischte: »Nein, nicht, nein, mir ist kalt, nein«, und er antwortete: »*Endlich wieder so ein glücklicher Tag*«, und Lila lachte.

›Also hat Lila nicht Recht‹, dachte ich froh. ›Also gibt es garantiert einen anderen Nino: nicht den düsteren Jungen, nicht den, der sich nur von Gedanken über den allgemeinen Zustand der Welt anrühren lässt, sondern *diesen Jungen hier*, diesen spielenden Jungen, der uns ins Wasser zerrt, der uns packt, uns festhält, uns an sich zieht, wegschwimmt, sich einholen lässt, sich fangen lässt, sich von uns beiden unter Wasser drücken lässt und so tut, als wäre er besiegt, so tut, als würden wir ihn ertränken.‹

Als Bruno kam, wurde die Stimmung noch besser. Wir gingen alle zusammen spazieren, und Stück für Stück kehrte Pinuccias gute Laune zurück. Sie wollte wieder schwimmen, wollte Kokosnüsse essen. Von nun an und die ganze folgende Woche war es vollkommen normal für uns, dass uns die beiden Jungen schon um zehn Uhr morgens am Strand besuchten und bis zum Sonnenuntergang blieben, wenn wir sagten: »Wir müssen los, sonst regt Nunzia sich auf«, und sie sich damit abfanden, sich zurückzuziehen und ein wenig zu lernen.

Wie vertraut wir nun miteinander waren. Wenn Bruno Lila neckisch mit Signora Carracci anredete, boxte sie ihn scherzhaft gegen die Schulter, lief ihm nach und drohte ihm. Wenn er Pinuccia gegenüber zu viel Ergebenheit zeigte, weil sie ein Kind im Bauch trug, hakte sie sich bei ihm unter und sagte: »Komm schon, gehen wir, ich will eine Limonade.« Und Nino nahm mich nun häufig bei der Hand, legte mir seinen Arm um die Schulter und einen Arm zugleich auch um Lila, griff nach ihrem Zeigefinger, nach ihrem Daumen. Das vorsichtige Abstandhalten hörte auf. Wir waren nun eine Gruppe von fünf jungen Menschen, die sich mit fast nichts amüsieren konnten. Wir spielten ein Spiel nach dem anderen, wer verlor, musste ein Pfand zahlen. Dies waren fast immer Küsse, aber natürlich keine ernstgemeinten Küsse: Bruno musste Lilas sandige Füße küssen, Nino meine Hand, und dann die Wangen, die Stirn, ein Ohr mit einem Schmatzen in die Ohrmuschel. Wir veranstalteten auch lange Wettkämpfe im Tamburinballspielen, der Ball flog, von der straff gespannten Haut des Tamburins abprallend, durch die Luft, und Lila war sehr gut und Nino auch. Aber der Flinkste und Treffsicherste von uns war Bruno. Er und Pinuccia gewannen immer, sowohl gegen Lila und mich als auch gegen Lila und Nino oder gegen Nino und mich. Sie gewannen auch deshalb, weil sich bei uns allen inzwischen eine Art vorsätzliche Freundlichkeit Pinuccia gegenüber eingebürgert hatte. Sie lief, stürmte vorwärts, wälzte sich, ihren Zustand vergessend, im Sand, und so ließen wir sie schließlich gewinnen, schon allein, um sie zu beruhigen. Bruno machte ihr gutmütig Vorwürfe, bedeutete ihr, sich hinzusetzen, sagte »genug jetzt« und rief: »Bravo, ein Punkt für Pinuccia«.

So begann sich eine Spur des Glücks durch unsere Stunden und Tage zu ziehen. Ich hatte nichts mehr dagegen, dass Lila meine Bücher nahm, ja, es war mir sogar angenehm. Ich hatte nichts dagegen, dass sie, wenn die Diskussionen entbrannten, immer häufiger ihre Meinung sagte, dass Nino ihr aufmerksam zuhörte und ihm die Worte für eine Antwort zu fehlen schienen. Ich fand es sogar herrlich, dass er bei solchen Gelegenheiten plötzlich aufhörte, mit ihr zu sprechen, und unversehens mit mir zu reden begann, als würde ihm dies helfen, zu seinen Überzeugungen zurückzufinden.

So war es auch, als Lila sich mit ihrer Lektüre über Hiroshima hervortat. Es entwickelte sich eine sehr spannungsgeladene Diskussion, weil, wie ich verstand, Nino den Vereinigten Staaten zwar kritisch gegenüberstand und ihm nicht gefiel, dass die Amerikaner einen Militärstützpunkt in Neapel unterhielten, er sich aber andererseits von ihrer Lebensart angezogen fühlte und erklärte, sie studieren zu wollen, weshalb er unangenehm berührt war, als Lila sinngemäß sagte, Atombomben über Japan abzuwerfen sei ein Kriegsverbrechen gewesen, ja, mehr noch als ein Kriegsverbrechen – mit Krieg habe das ja so gut wie nichts zu tun –, es sei ein Verbrechen der Anmaßung gewesen.

»Vergiss Pearl Harbor nicht«, sagte er vorsichtig.

Ich wusste nicht, was Pearl Harbor war, aber ich sah, dass Lila es wusste. Sie antwortete, Pearl Harbor und Hiroshima seien nicht miteinander vergleichbar, Pearl Harbor sei ein feiger Kriegsakt gewesen und Hiroshima eine kopflose, unerträglich grausame, durch Rachsucht geprägte Gräueltat, schlimmer, viel schlimmer als die Verheerungen der Nazis. Sie schloss mit der Bemerkung: »Den Amerikanern müsste der Prozess gemacht werden wie den übelsten Verbrechern, wie solchen, die Entsetzliches anrichten, nur um die Überlebenden in Angst und Schrecken zu versetzen und sie in die Knie zu zwingen.« Sie war so in Fahrt, dass Nino, anstatt zum Gegenangriff überzugehen, sehr nachdenklich schwieg. Dann wandte er sich an mich, als wäre sie gar nicht da. Er sagte, weder Grausamkeit noch Rache seien entscheidend gewesen, sondern die dringende Notwendigkeit, dem schrecklichsten aller Kriege ein Ende zu machen und, gerade indem man diese neue, furchtbare Waffe einsetzte, zugleich allen Kriegen überhaupt. Er sprach leise und schaute mir direkt in die Augen, als wäre er nur an meiner Zustimmung interessiert. Es war ein wunderschöner Moment. Auch Nino war wunderschön, als er dies tat. Ich war so gerührt, dass mir die Tränen kamen und ich Mühe hatte, sie zurückzuhalten.

Dann war wieder Freitag, ein sehr heißer Tag, den wir

überwiegend im Wasser verbrachten. Und plötzlich verdarb uns wieder etwas die Laune.

Wir waren auf dem Rückweg zum Haus, hatten uns gerade von den beiden Jungen verabschiedet, die Sonne stand tief und der Himmel war rosigblau, als Pinuccia, die nach den vielen Stunden überdrehter Ungezwungenheit abrupt verstummt war, ihre Tasche auf den Boden warf, sich an den Straßenrand setzte und ein Wutgeheul anstimmte, fast ein Jaulen.

Lila kniff die Augen zusammen und starrte sie an, als hätte sie nicht ihre Schwägerin vor sich, sondern etwas Schlimmes, auf das sie nicht vorbereitet war. Erschrocken kehrte ich um und fragte:

»Pina, was hast du, geht's dir nicht gut?«

»Ich ertrage diesen nassen Badeanzug nicht!«

»Wir haben doch alle einen nassen Badeanzug an.«

»Mich macht er wahnsinnig.«

»Immer mit der Ruhe, na, komm schon! Hast du keinen Hunger mehr?«

»Erzähl mir nichts von Ruhe! Es nervt mich, wenn du von Ruhe redest. Ich halte dich nicht mehr aus, Lenù, dich und deine Ruhe!«

Sie fing wieder mit ihrem Gejaule an, wobei sie sich auf die Schenkel schlug.

Ich merkte, dass Lila sich entfernte, ohne auf uns zu warten. Merkte, dass sie dies nicht aus Ärger oder Gleichgültigkeit tat, sondern wegen etwas Hitzigem in Pinuccias Verhalten, das Lila verbrannt hätte, wäre sie nahe bei uns geblieben. Ich half Pinuccia auf, trug ihre Tasche.

52

Ganz allmählich beruhigte sie sich, schmollte jedoch den ganzen Abend lang, als hätten wir ihr wer weiß was angetan. Als sie auch noch zu Nunzia grob wurde – sie mäkelte auf üble Weise an der Garzeit der Pasta herum –, schnaufte Lila und verfiel unvermutet in einen fürchterlichen Dialekt, um sie mit den absonderlichsten Beschimpfungen zu überhäufen, zu denen sie fähig war. Pina beschloss, diese Nacht bei mir zu schlafen.

Sie warf sich im Schlaf herum. Und zu zweit konnte man in meiner Kammer vor Hitze nicht atmen. Schweißgebadet öffnete ich schließlich das Fenster und wurde von Mücken gequält. Das raubte mir endgültig den Schlaf, ich wartete auf den Tagesanbruch, stand auf.

Nun hatte auch ich eine miserable Laune, einige Mückenstiche verunstalteten mein Gesicht. Ich ging in die Küche, Nunzia war dabei, unsere Wäsche zu waschen. Auch Lila war schon auf, sie hatte ihre Milchsuppe gegessen und las ein weiteres meiner Bücher, wer weiß, wann sie mir das gestohlen hatte. Als sie mich sah, warf sie mir einen fragenden Blick zu und erkundigte sich mit einer aufrichtigen Anteilnahme, die ich nicht erwartet hatte:

»Wie geht es Pinuccia?«

»Keine Ahnung.«

»Bist du wütend?«

»Ja, ich habe kein Auge zugetan, und sieh dir an, was ich im Gesicht habe.«

»Da ist nichts zu sehen.«

»*Du* siehst nichts.«

»Nino und Bruno werden auch nichts sehen.«

»Was hat das denn damit zu tun?«

»Liegt dir viel an Nino?«

»Ich hab' dir doch schon hundertmal gesagt: nein!«

»Immer mit der Ruhe.«

»Ich bin ruhig.«

»Wir müssen auf Pinuccia aufpassen.«

»Pass du doch auf sie auf, sie ist deine Schwägerin, nicht meine.«

»Du bist wütend.«

»Ja, ja und nochmals ja!«

Der Tag war noch heißer als der vorige. Voller Unruhe brachen wir zum Strand auf, die schlechte Laune ging von einer auf die andere über wie eine Infektion.

Auf halbem Weg bemerkte Pinuccia, dass sie ihr Handtuch nicht dabeihatte, und bekam den nächsten Nervenzusammenbruch. Lila setzte ihren Weg mit gesenktem Kopf fort, ohne sich umzudrehen.

»Ich hole es dir«, bot ich mich an.

»Nein, ich geh' wieder zurück, mir ist nicht nach Strand.«

»Fühlst du dich nicht wohl?«

»Mir geht's blendend.«

»Also was dann?«

»Sieh dir an, was ich für einen Bauch gekriegt habe.«

Ich musterte ihren Bauch, dann sagte ich unbedacht:

»Und ich? Siehst du nicht, was für Stiche ich im Gesicht habe?«

Sie schrie, ich sei eine blöde Kuh, und rannte zu Lila.

Am Strand bat sie mich um Verzeihung, leise sagte sie: »Du bist so anständig, dass du mich manchmal zur Weißglut bringst.«

»Ich bin nicht anständig.«

»Ich meine, du bist einfach gut.«

»Ich bin nicht gut.«

Lila, die angestrengt versuchte, uns nicht zu beachten, und in Richtung Forio aufs Meer schaute, sagte kalt:

»Hört schon auf, da kommen sie.«

Pinuccia fuhr auf. »Kurz und Lang«, flüsterte sie mit einer unversehens weichen Stimme und zog sich die Lippen nach, obwohl dies gar nicht nötig gewesen wäre.

Die zwei Jungen standen uns in Sachen schlechter Laune in nichts nach.

Nino schlug einen sarkastischen Ton an und wandte sich an Lila:

»Eure Männer kommen heute Abend?«

»Ja, natürlich.«

»Und was werdet ihr Schönes tun?«

»Essen, trinken und schlafen gehen.«

»Und morgen?«

»Morgen werden wir essen, trinken und schlafen gehen.«

»Bleiben sie auch noch Sonntagnacht?«

»Nein, am Sonntag essen wir, trinken wir, und schlafen tun wir nur am Nachmittag.«

Mich hinter einem selbstironischen Ton versteckend, rang ich mich zu der Bemerkung durch:

»Ich bin frei: Ich esse nicht, ich trinke nicht, ich gehe nicht schlafen.«

Nino sah mich an, als bemerkte er nun etwas, was ihm bisher noch nicht aufgefallen war, er fuhr mir mit seiner Hand über den rechten Wangenknochen, wo ich einen Mückenstich hatte, der dicker war als die anderen. Ernst sagte er zu mir:

»Gut, dann treffen wir uns hier morgen früh um sieben und klettern hoch auf den Berg. Nach unserer Rückkehr dann Strand bis spätabends. Was hältst du davon?«

Mich durchströmte es warm, erleichtert sagte ich:

»Gut, um sieben, um das Essen kümmere ich mich.«

Pinuccia fragte enttäuscht:

»Und wir?«

»Ihr habt eure Männer«, sagte er leise und betonte *Männer*, als spräche er von Kröten, Nattern oder Spinnen, so dass sie abrupt aufstand und ans Wasser ging.

»Sie reagiert zurzeit ein bisschen überempfindlich«, sagte ich entschuldigend, »aber nur, weil sie in anderen Umständen ist, sonst ist sie nicht so.«

Bruno sagte in seiner geduldigen Art:

»Ich geh' mit ihr Kokosnüsse kaufen.«

Wir schauten ihm nach, während er, klein, doch gut gebaut, mit einem kräftigen Oberkörper und starken Oberschenkeln, durch den Sand schlenderte, als hätte die Sonne es versäumt, den Boden, auf den er trat, zum Glühen zu bringen. Als Bruno und Pina sich zur Strandbar aufmachten, sagte Lila:

»Los, gehen wir schwimmen.«

53

Wir gingen alle drei zum Wasser, ich in der Mitte, die beiden links und rechts von mir. Es ist schwer, das plötzliche Gefühl der Erfüllung zu beschreiben, das mich erfasst hatte, als Nino gesagt hatte: Dann treffen wir uns hier morgen früh um sieben. Natürlich bedauerte ich Pinuccias Stimmungsschwankungen, doch es war ein schwaches Bedauern, das mir nichts anhaben konnte. Ich war endlich zufrieden mit mir und freute mich auf den langen, erlebnisreichen Sonntag, der mich erwartete; zugleich war ich stolz darauf, dort zu sein, in jenem Moment, mit den Menschen, die stets eine große Rolle in meinem Leben gespielt hatten, eine Rolle, die nicht einmal mit der meiner Eltern oder meiner Geschwister vergleichbar war. Ich nahm sie beide bei der Hand, stieß einen Freudenschrei aus und zog sie ins kalte Wasser, wobei ich eisige Schaumsplitter aufwirbelte. Wir versanken wie ein einziger Körper.

Kaum waren wir untergetaucht, lösten wir die Verbindung unserer Finger. Die Kälte des Wassers in meinen Haaren, am Kopf, an den Ohren hatte mir noch nie gefallen. Prustend tauchte ich sofort wieder auf. Aber ich sah, dass die beiden bereits losgeschwommen waren, und begann nun ebenfalls zu schwimmen, um sie nicht zu verlieren. Dieses Unterfangen erwies sich sogleich als schwierig. Ich konnte nicht geradeaus schwimmen, den Kopf im Wasser, mit ruhigen Armbewegungen; mein rechter Arm war stärker als der linke, ich kam vom Kurs ab; ich hatte Angst, Salzwasser zu schlucken. Ich versuchte, nicht zurückzufallen und die zwei trotz meiner Kurzsichtigkeit nicht aus den Augen zu verlieren. ›Sie werden warten‹, dachte ich. Mein Herz hämmerte, ich wurde langsamer, trieb schließlich nur noch dahin und sah bewundernd zu, wie sie zielsicher zum Horizont strebten, Seite an Seite.

Vielleicht wagten sie sich zu weit vom Ufer weg. Auch ich war in meinem Überschwang übrigens schon weit über die beruhigende, imaginäre Linie hinausgeschwommen, von der aus ich normalerweise mit wenigen Schwimmzügen wieder an Land kommen konnte und über die auch Lila sich nie hinausbewegt hatte. Doch jetzt war sie dort hinten, im Wettstreit mit Nino. Obwohl sie keine

Übung hatte, gab sie nicht auf, sie wollte mit ihm mithalten, schwamm immer weiter.

Ich begann mir Sorgen zu machen. ›Wenn ihre Kraft nun nicht ausreicht. Wenn ihr schlecht wird. Nino ist stark, er wird ihr helfen. Aber wenn er einen Krampf bekommt, wenn auch er schlappmacht.‹ Ich sah mich um. Die Strömung trieb mich nach links. ›Ich kann nicht hier auf sie warten, ich muss zurück.‹ Ich schaute nach unten, das war ein Fehler. Das Hellblau wurde sofort dunkel, dann schwarz wie die Nacht, trotz der strahlenden Sonne, trotz der glitzernden Wasseroberfläche und trotz der schneeweißen Fasern, die sich über den Himmel zogen. Ich sah die bodenlose Tiefe, spürte ihre flüssige Konsistenz ohne einen festen Halt, empfand sie als ein Totengrab, aus dem blitzschnell wer weiß was emporschießen konnte, mich streifen, mich packen, nach mir schnappen und mich auf den Grund ziehen konnte. Ich versuchte, mich zu beruhigen, ich schrie: Lila. Meine Augen ohne Brille nützten mir nichts, waren vom Funkeln des Wassers besiegt. Ich dachte an den Ausflug mit Nino am nächsten Tag. Kehrte langsam zurück, auf dem Rücken, mit Armen und Beinen paddelnd, bis ich das Ufer erreichte.

Dort setzte ich mich hin, halb ins Wasser, halb aufs Trockene, mit Mühe konnte ich ihre schwarzen Köpfe erkennen, wie herrenlose Bojen auf dem Meer, ich war erleichtert. Lila war nicht nur unversehrt, sie hatte es auch geschafft, sie hatte mit Nino mitgehalten. ›Wie eigensinnig sie ist, wie maßlos, wie mutig.‹ Ich stand auf und ging zu Bruno, der bei unseren Sachen saß.

»Wo ist denn Pinuccia?«, fragte ich.

Er lächelte schüchtern und schien so ein Unbehagen zu überspielen.

»Sie ist gegangen.«

»Und wohin?«

»Nach Hause, sie sagt, sie muss packen.«

»Packen?«

»Sie will abreisen, sie bringt es nicht übers Herz, ihren Mann so lange allein zu lassen.«

Ich nahm meine Sachen, und nachdem ich Bruno gebeten hatte, Nino und vor allem Lila nicht aus den Augen zu lassen, lief ich, noch tropfnass, los, um nachzusehen, was nun schon wieder mit Pinuccia war.

54

Der Nachmittag war katastrophal, und auf ihn folgte ein noch katastrophalerer Abend. Ich sah, dass Pinuccia wirklich packte und Nunzia sie nicht beschwichtigen konnte.

»Mach dir mal keine Sorgen«, sagte sie ruhig. »Rino kann sich seine Unterhosen selbst waschen, er kann selbst kochen, und dann sind da noch sein Vater und seine Freunde. Er denkt doch nicht, dass du dich hier amüsierst, er versteht doch, dass du zur Erholung hier bist, um dann ein schönes, gesundes Kind zur Welt zu bringen. Na komm, ich helfe dir, alles wieder einzuräumen. Ich habe noch nie Urlaub gemacht, aber heutzutage ist ja genug Geld dafür da, Gott sei Dank, und wenn man es auch nicht verplempern sollte, ist ein bisschen Wohlleben doch nicht verkehrt, ihr könnt euch das doch erlauben. Darum bitte, Pinù, meine Liebe: Rino hat die ganze Woche gearbeitet, er ist müde, und er wird gleich hier sein. Zeig dich nicht in diesem Zustand, denn du kennst ihn ja, er macht sich Sorgen, und wenn er sich Sorgen macht, spielt er verrückt, und wenn er verrücktspielt, was kommt dann dabei heraus? Dabei kommt heraus, dass du losfahren willst, um bei ihm zu sein, und er losgefahren ist, um bei dir zu sein, und ihr euch nun, da ihr euch seht und froh sein müsstet, stattdessen in die Haare geratet. Findest du das schön?«

Aber Pinuccia war für die vernünftigen Argumente, die Nunzia ihr auseinandersetzte, nicht zugänglich. Also fing auch ich an, sie ihr aufzuzählen, so dass wir schließlich ihre vielen Sachen aus den Koffern nahmen, aber sie sie wieder zurückpackte, schrie, sich beruhigte und wieder von vorn begann.

Irgendwann kam auch Lila zurück. Sie lehnte sich an den Türpfosten und sah sich mit finsterer Miene und einer langen Querfalte auf der Stirn Pinuccias aufgelöstes Erscheinungsbild an.

»Alles in Ordnung?«, fragte ich sie.

Sie nickte.

»Du kannst ja wirklich schon gut schwimmen.«

Sie antwortete nicht.

Sie wirkte wie jemand, der gezwungen ist, gleichzeitig Freude und Entsetzen zu unterdrücken. Man sah ihr an, dass Pinuccias Theater ihr immer unerträglicher wurde. Ihre Schwägerin inszenierte erneut Abreisepläne, Abschiede, Klagen, weil sie dies und jenes vergessen hatte, und Seufzer um Rino, ihren Rinuccio, das Ganze unlogischerweise durchzogen von dem Bedauern, das Meer verlassen zu müssen, die Düfte der Gärten, den Strand. Trotzdem sagte Lila nichts, nicht einen ihrer bissigen Sätze und auch keinen ihrer sarkastischen Sprüche. Als ginge es nicht darum, sie zur Ordnung zu rufen, sondern um die

Ankündigung eines unmittelbar bevorstehenden Ereignisses, das uns alle bedrohte, kam ihr am Ende nur über die Lippen:

»Sie sind gleich da.«

Da sank Pinuccia neben den geschlossenen Koffern erschöpft aufs Bett. Lila verzog das Gesicht und verschwand, um sich zurechtzumachen. Wenig später erschien sie in einem hautengen, roten Kleid, ihr pechschwarzes Haar hatte sie zusammengebunden. Sie hörte das Knattern der Lambrettas als Erste, schaute aus dem Fenster und winkte überschwenglich. Dann wandte sie sich ernst an Pinuccia und zischte sie so verächtlich wie möglich an:

»Geh dir das Gesicht waschen und zieh den nassen Badeanzug aus!«

Pinuccia sah sie ohne eine Reaktion an. Zwischen den beiden Mädchen schoss etwas blitzschnell hin und her, unsichtbare Pfeile ihrer geheimsten Regungen, ein Durchlöchern mit winzig kleinen Teilchen, abgefeuert aus ihrem tiefsten Innern, eine heftige Erschütterung und ein Beben, was beides eine lange Sekunde dauerte und was ich verblüfft wahrnahm, aber nicht verstehen konnte; die zwei dagegen ja, sie verstanden sich, erkannten sich in irgendetwas, und Pinuccia wusste, dass Lila wusste, dass sie begriff und ihr helfen wollte, und sei es auch mit Verachtung. Darum gehorchte sie ihr.

55

Stefano und Rino marschierten ein. Lila war noch liebenswürdiger als in der vergangenen Woche. Sie umarmte Stefano, ließ sich ebenfalls umarmen und stieß einen Freudenquiekser aus, als er ein Etui aus der Tasche zog, sie es öffnete und ein Goldkettchen mit einem herzförmigen Anhänger darin fand.

Natürlich hatte auch Rino ein kleines Geschenk für Pinuccia mitgebracht, die sich alle Mühe gab, wie ihre Schwägerin zu reagieren, während ihr Blick jedoch ihre qualvolle Überempfindlichkeit deutlich verriet. So brachten Rinos Küsse, seine Umarmungen und das Geschenk die Fassade der glücklichen Ehefrau schon bald zum Einsturz, hinter der sie sich eilends versteckt hatte. Ihr Mund begann zu zittern, der Sturzbach ihrer Tränen brach los, und mit erstickter Stimme sagte sie:

»Ich habe meine Koffer gepackt. Ich will nicht eine Minute länger hierbleiben, ich will stets und ständig nur bei dir sein.«

Rino lächelte, so viel Liebe fand er rührend, er lachte. Dann sagte er: »Auch ich will stets und ständig nur bei dir sein.« Schließlich begriff er, dass seine Frau ihm nicht nur sagen wollte, wie sehr er ihr gefehlt hatte und wie sehr er ihr immer fehlen würde, sondern dass sie wirklich wegwollte, dass alles für ihre Abfahrt bereit war und dass sie mit einem echten, unerträglichen Weinen auf ihrer Entscheidung beharrte.

Sie zogen sich in ihr Zimmer zurück, um darüber zu debattieren, aber die Debatte dauerte nicht lange, Rino kam zu uns zurück und schrie seine Mutter an: »Mama, ich will wissen, was passiert ist!« Und ohne eine Antwort abzuwarten, wandte er sich feindselig auch an seine Schwester: »Wenn das deine Schuld ist, bei Gott, dann schlag ich dir die Fresse ein.« Dann schrie er zu seiner Frau ins Nachbarzimmer hinüber: »Jetzt ist aber genug, du gehst mir auf die Nüsse, komm sofort her, ich bin müde, ich will essen!«

Pinuccia erschien mit verquollenen Augen. Bei ihrem Anblick versuchte Stefano, die Situation scherzend zu entschärfen, umarmte seine Schwester und seufzte: »Jaja, die Liebe, ihr Frauen treibt uns noch in den Wahnsinn.« Dann, als erinnerte er sich plötzlich an die Hauptursache seines eigenen Wahnsinns, küsste er Lila auf den Mund und freute sich angesichts des Unglücks des anderen Paares darüber, wie glücklich sie selbst so unverhofft waren.

Wir setzten uns alle an den Tisch, Nunzia tat uns schweigend auf, einem nach dem anderen. Aber nun hielt Rino es nicht mehr aus, er brüllte, er habe keinen Hunger mehr, und warf den Teller mit den Spaghetti und den Muscheln mitten in die Küche. Ich erschrak, Pinuccia brach wieder in Tränen aus. Auch Stefano vergaß seinen beherrschten Ton und sagte brüsk zu seiner Frau: »Los, wir gehen ins Restaurant.« Unter Nunzias und auch Pinuccias Protesten verließen sie die Küche. In der nun folgenden Stille hörten wir die startende Lambretta.

Ich half Nunzia, den Boden zu wischen. Rino stand auf und verschwand im Schlafzimmer. Pinuccia rannte weg und schloss sich im Bad ein, kam aber wenig später wieder heraus, ging zu ihrem Mann und schloss die Tür hinter sich. Da erst platzte Nunzia, ihre Rolle als beschwichtigende Schwiegermutter vergessend, heraus:

»Hast du gesehen, wozu dieses Miststück meinen Rinuccio treibt? Was ist bloß in sie gefahren?«

Ich sagte, ich wisse es nicht, und das war die Wahrheit, aber ich tröstete Nunzia den ganzen Abend, indem ich Pinuccias Gefühle romantisch verklärte. Ich sagte, wenn ich ein Kind im Bauch hätte, würde ich genau wie sie immer in der Nähe meines Mannes sein wollen, um mich beschützt zu fühlen, um sicher zu sein, dass mein Verantwortungsgefühl als Mutter von seinem als Vater mitgetragen werde. Ich sagte, so wie Lila hier sei, um ein Kind zu empfangen, und man sehe ja, dass die Kur anschlage, dass das Meer ihr guttue – man brauche sich nur mal ihr glückstrahlendes Gesicht anzusehen, wenn Stefano komme –, so sehr sei Pinuccia schon von Liebe erfüllt und sehne sich danach, Rino Tag und Nacht und in jeder Minute all diese Liebe zu schenken, andernfalls trüge sie zu schwer an ihr und würde darunter leiden.

Es war eine angenehme Stunde, Nunzia und ich in der wieder aufgeräumten Küche, dazu die gründlich abgewaschenen, blitzenden Teller und Töpfe und sie, die zu mir sagte: »Wie gut du sprichst, Lenù, man merkt gleich, dass du eine wunderbare Zukunft vor dir hast.« Tränen traten ihr in die Augen, und sie flüsterte, Lila hätte weiter zur Schule gehen sollen, das sei ihre Bestimmung. »Aber mein Mann wollte das nicht«, fügte sie hinzu. »Und ich habe es nicht geschafft, mich durchzusetzen. Damals hatten wir kein Geld, dabei hätte sie so werden können wie du. Stattdessen hat sie geheiratet, hat einen anderen Weg eingeschlagen, und es gibt kein Zurück, das Leben führt uns, wohin es will.« Sie wünschte mir viel Glück. »Mit einem gutaussehenden jungen Mann, der wie du studiert hat«, sagte sie und erkundigte sich, ob mir Sarratores Sohn wirklich gefalle. Ich stritt das ab, vertraute ihr aber an, dass ich am folgenden Tag einen Ausflug auf den Berg mit ihm machen würde. Sie freute sich und half mir, ein paar Brötchen mit Salami und Provolone zu belegen. Die wickelte ich ein und packte sie zusammen mit dem Badetuch für den Strand und mit allem, was ich sonst noch brauchte, in meine Tasche. Nunzia trug mir auf, so vernünftig wie immer zu sein, und wir sagten uns gute Nacht.

Ich zog mich in meine Kammer zurück und las ein wenig, war aber nicht bei der Sache. Wie schön es sein würde, am frühen Morgen aus dem Haus zu gehen, mit der kühlen Luft, den Düften. Wie sehr gefiel mir das Meer und sogar Pinuccia, ihre Tränen, der Streit dieses Abends, die friedenstiftende Liebe, die Woche für Woche zwischen Lila und Stefano wuchs. Und wie sehr sehnte ich mich nach Nino. Und wie wohltuend war es, ihn und meine Freundin jeden Tag um mich zu haben, wir alle drei froh, trotz des Unverständnisses, das manchmal zwischen uns herrschte, trotz unserer schlimmen Gefühle, die nicht immer still auf dem dunklen Grund blieben.

Ich hörte Stefano und Lila zurückkommen. Unterdrücktes Reden und Lachen. Türen wurden geöffnet, geschlossen, wieder geöffnet. Ich hörte den Wasserhahn, die Toilettenspülung. Dann löschte ich das Licht, hörte das sanfte Rauschen des Schilfrohrs, das Geflatter auf dem Hühnerhof, ich schlief ein.

Aber ich erwachte sofort wieder, jemand war in meinem Zimmer.

»Ich bin's«, flüsterte Lila.

Ich spürte, dass sie auf meinem Bett saß, und wollte das Licht anknipsen.

»Nein«, sagte sie. »Ich bleibe nur eine Minute.«

Ich knipste es trotzdem an, setzte mich auf.

Da war sie, vor mir, in einem blassrosa Nachthemdchen. Ihre Haut war so braun, dass ihre Augen nahezu weiß wirkten.

»Hast du gesehen, wie weit ich geschwommen bin?«

»Du warst wirklich gut, aber ich habe mir Sorgen gemacht.«

Stolz schüttelte sie den Kopf und deutete ein Lächeln an, wie um zu sagen, das Meer gehöre nun ihr. Dann wurde sie wieder ernst.

»Ich muss dir was erzählen.«

»Was denn?«

»Nino hat mich geküsst«, sagte sie, und sie sagte es in einem Atemzug wie jemand, der, während er spontan etwas gesteht, versucht, etwas anderes, was noch weniger gestanden werden kann, auch vor sich selbst zu verbergen. »Er hat mich geküsst, aber ich habe die Lippen zusammengekniffen.«

56

Ihre Erzählung war ausführlich. Sie habe sich, erschöpft vom vielen Schwimmen und doch zufrieden, weil sie diesen Beweis ihres Könnens erbracht hatte, auf ihn gestützt, um leichter über Wasser zu bleiben. Aber Nino habe diese Nähe ausgenutzt und seine Lippen heftig auf ihren Mund gepresst. Sie habe ihren Mund sofort fest verschlossen und keine Sekunde nachgegeben, obwohl er versucht habe, ihn mit seiner Zungenspitze zu öffnen. »Du bist ja verrückt«, habe sie gesagt und ihn weggestoßen. »Ich bin verheiratet.« Aber Nino habe geantwortet: »Ich bin schon viel länger in dich verliebt als dein Mann, schon seit wir den Wettbewerb in der Schule hatten.« Lila habe kategorisch von ihm verlangt, das nie wieder zu probieren, und sie seien zum Ufer zurückgeschwommen. »Er hat seinen Mund so heftig auf meinen gedrückt, dass es wehgetan hat«, sagte sie abschließend, »und es tut immer noch weh.«

Sie wartete darauf, dass ich reagierte, aber es gelang mir weder Fragen zu stellen noch einen Kommentar abzugeben. Als sie mich bat, keine Bergwanderung mit ihm zu machen, es sei denn, Bruno komme auch mit, erwiderte ich kalt, würde Nino mich küssen, fände ich nichts Schlimmes dabei, ich sei weder verheiratet noch verlobt. »Nur schade«, fügte ich hinzu, »dass ich mir nichts aus ihm mache. Ein Kuss von ihm wäre für mich, als würden meine Lippen eine tote Ratte berühren.« Dann tat ich so, als könnte ich ein Gähnen nicht unterdrücken, und sie ging, nach einem Blick, in dem zugleich Zuneigung und Bewunderung zu liegen schienen, in ihr Bett. Kaum hatte sie mein Zimmer verlassen, weinte ich ununterbrochen bis zum frühen Morgen.

Heute empfinde ich ein gewisses Unbehagen, wenn ich mich daran erinnere, wie sehr ich gelitten habe, ich habe nicht das geringste Verständnis für mein Ich von damals. Aber in jener Nacht hatte ich das Gefühl, keinerlei Grund zum Weiterleben mehr zu haben. Weil Nino sich so verhalten hatte. Er küsste Nadia, küsste mich, küsste Lila. Wie konnte er derselbe Mensch sein wie der, den ich so ernsthaft, so gedankenvoll liebte. Die Stunden vergingen, ohne dass es mir möglich war, zu akzeptieren, dass er sich so tiefgründig mit den großen Problemen der Weltgeschichte auseinandersetzte und so oberflächlich in Liebesdingen war. Ich begann mich selbst in Frage zu stellen, ich hatte mich getäuscht, mir Illusionen gemacht. Wie hatte es sein können, dass ich, nicht besonders groß, zu füllig und mit Brille, ich, die Fleißige aber nicht Intelligente, ich, die ich mich als gebildet und gutunterrichtet ausgab, ohne es zu sein, geglaubt hatte, ihm zu gefallen, und wenn auch nur einen Urlaub lang? Und hatte ich es denn jemals wirklich geglaubt? Akribisch überprüfte ich mein Verhalten. Nein, ich war nicht fähig, mir meine Wünsche klar und deutlich einzugestehen. Ich war nicht nur darauf bedacht, sie vor anderen zu verhehlen, sondern gab sie auch vor mir selbst nur mit Skepsis zu, ohne Überzeugung. Warum hatte ich Lila nie in aller Klarheit gesagt, was ich für Nino empfand? Und jetzt, warum hatte ich ihr nicht den Schmerz ins Gesicht geschrien, den sie mir mit dem zugefügt hatte, was sie mir mitten in der Nacht anvertraute, warum hatte ich ihr nicht offenbart, dass Nino noch vor ihr auch mich geküsst hatte? Was trieb mich dazu, mich so zu verhalten? Verschleierte ich meine Gefühle, weil ich entsetzt über die Heftigkeit war, mit der ich tief in meinem Innern Dinge, Menschen, Anerkennung und Triumphe herbeisehnte? Fürchtete ich, diese Heftigkeit könnte sich, falls ich nicht das bekommen sollte, was ich wollte, in meiner Brust entladen und sich ihren Weg über schlimmste Empfindungen bahnen wie die, die mich dazu getrieben hatte, Ninos schönen Mund mit dem Körper einer toten Ratte zu vergleichen? War ich deshalb, auch wenn ich vortrat, stets bereit, mich zurückzuziehen? Hatte ich deshalb stets ein nettes Lächeln, ein zufriedenes Lachen parat, wenn die Dinge schlecht liefen? Fand ich deshalb früher oder später trotz allem plausible Rechtfertigungen für den, der mich leiden ließ?

Fragen und Tränen. Der Morgen graute, als ich endlich

das Gefühl hatte, zu verstehen, was geschehen war. Nino hatte ehrlich geglaubt, Nadia zu lieben. Und sicherlich hatte er, beeinflusst von meinem Ansehen bei Professoressa Galiani, mich jahrelang mit aufrichtiger Wertschätzung und Sympathie betrachtet. Doch nun, auf Ischia, war er Lila begegnet und hatte erkannt, dass sie seit unserer Kindheit seine einzige wahre Liebe war – und immer sein würde. Ja, natürlich, so ist es bestimmt gewesen. Und wie sollte ich ihm daraus einen Vorwurf machen? Wo war die Schuld? In der Geschichte der beiden lag etwas Intensives, Erhabenes, eine Wahlverwandtschaft. Ich beschwor Verse und Romane als Beruhigungsmittel herauf. ›Vielleicht‹, so dachte ich, ›nützt mir die Lernerei nur dazu: mich zu beruhigen.‹ Lila hatte diese Flamme in seiner Brust entzündet, er hatte sie über die Jahre in sich getragen, ohne sich dessen bewusst zu sein, und nun war sie aufgelodert. Was blieb ihm übrig, als Lila zu lieben. Auch wenn sie ihn nicht liebte. Auch wenn sie verheiratet und damit unerreichbar war, ihm verboten. Eine Ehe währt für immer, bis über den Tod hinaus. Es sei denn, man bricht sie und verdammt sich so dazu, von der höllischen Windsbraut ruhelos einhergejagt zu werden bis zum Tag des Jüngsten Gerichts. Als der Tag anbrach, glaubte ich, mir Klarheit verschafft zu haben. Ninos Liebe zu Lila war eine unmögliche Liebe. So wie meine zu ihm. Und nur im Rahmen dieser Unerfüllbarkeit wurde der Kuss, den er ihr weit draußen auf dem Meer gegeben hatte, für mich allmählich aussprechbar.

Der Kuss.

Er war keine bewusste Entscheidung gewesen, er war einfach passiert. Zumal Lila wusste, wie man Dinge provoziert. ›Ich aber nicht, was mache ich denn jetzt. Zu der

Verabredung gehen. Wir werden den Monte Epomeo hinaufsteigen. Oder doch nicht. Ich werde heute Abend mit Stefano und Rino zusammen zurückfahren. Werde sagen, meine Mutter habe mir geschrieben und brauche mich. Wie kann ich denn mit ihm klettern gehen, da ich doch weiß, dass er Lila liebt, dass er sie geküsst hat. Und wie könnte ich ihnen Tag für Tag beim gemeinsamen Schwimmen zusehen, während sie sich immer weiter hinauswagen.‹ Ich war fix und fertig, schlief ein. Als ich aus dem Schlaf hochschreckte, hatte die Rezeptsammlung, die mir durch den Kopf gerast war, meinen Schmerz tatsächlich ein wenig gezähmt. Ich hastete zu meiner Verabredung.

57

Ich war mir sicher, dass er nicht kommen würde, doch als ich den Strand erreichte, war er schon da und ohne Bruno. Ich merkte aber, dass er keine Lust hatte, den Weg zum Berg hinauf zu suchen und sich auf unbekannte Pfade zu begeben. Er erklärte sich bereit loszuwandern, falls mir viel daran liegen sollte, doch angesichts der herrschenden Hitze prophezeite er mir eine Anstrengung an der Grenze zum Unerträglichen und schloss aus, dass wir irgendetwas finden würden, was einem schönen Bad im Meer vergleichbar wäre. Ich wurde unruhig, dachte, er sei drauf und dran, mir zu sagen, dass er zurückgehen wolle, um zu lernen. Stattdessen schlug er mir zu meiner Überraschung vor, dass wir uns ein Boot nahmen. Wieder und wieder zählte er sein Geld, da kramte ich meine wenigen Münzen hervor. Er lächelte und sagte zuvorkommend: »Du hast dich schon um die Brötchen gekümmert, das hier übernehme ich.« Wenige Minuten später waren wir auf dem Wasser, er an den Rudern, ich am Heck.

Ich fühlte mich besser. Überlegte, ob Lila mich vielleicht belogen hatte, ob er sie womöglich gar nicht geküsst hatte. Aber ein Teil von mir wusste genau, dass es so nicht war. Ich ja, ich log manchmal, auch (oder besonders) mir selbst gegenüber, doch Lila hatte das, soweit ich mich erinnern konnte, nie getan. Außerdem brauchte ich nur ein wenig zu warten, und Nino selbst sorgte für Klarheit. Als wir das Ufer weit hinter uns gelassen hatten, ließ er die Ruder los und sprang ins Wasser, ich tat es ihm nach. Er schwamm nicht, wie es sonst seine Art war, so weit davon, dass er mit dem leichten Wellengang des Meeres verschmolz. Er sank in die Tiefe, verschwand, tauchte ein Stück weiter wieder auf und tauchte erneut. Da mich die Tiefe nervös machte, schwamm ich ein paar Runden um das Boot, ohne den Mut, mich allzu weit zu entfernen, dann wurde ich müde und zog mich unbeholfen wieder hoch. Wenig später kam er zu mir, setzte sich und begann parallel zur Küste kräftig in Richtung Punta Imperatore zu rudern. Bis dahin hatten wir einige Bemerkungen über die Brötchen, die Hitze, das Meer und darüber ausgetauscht, wie gut wir daran getan hatten, nicht auf den Monte Epomeo zu kraxeln. Zu meiner wachsenden Verwunderung hatte er noch keines der Themen angeschnitten, über die er in Büchern, Zeitschriften und Zeitungen las, obwohl ich aus Angst vor dem Schweigen hin und wieder ein paar Sätze hatte fallenlassen, die seine Leidenschaft für die Dinge der Welt hätten anstacheln können. Doch nichts, ihm ging anderes durch den Kopf. Und wirklich ließ er irgendwann die Ruder sinken, fixierte eine Weile eine Felswand, einen Möwenflug und sagte dann:

»Hat Lina dir nichts erzählt?«

»Was denn?«

Er kniff missmutig die Lippen zusammen, sagte:

»Also gut, dann sage ich dir, was passiert ist. Ich habe sie gestern geküsst.«

Das war der Anfang. Den Rest des Tages redete er nur über sie beide. Wir gingen erneut schwimmen, er erforschte Klippen und Grotten, wir aßen die Brötchen, tranken alles Wasser, das ich mitgebracht hatte, er wollte mir zeigen, wie man rudert, aber wenn wir redeten, gelang es uns nicht, das Thema zu wechseln. Am meisten überraschte mich, dass er kein einziges Mal versuchte, sein persönliches Problem in ein allgemeines zu überführen, wie er es normalerweise gern tat. Nur er und Lila, Lila und er. Er sprach nicht von Liebe. Sprach nicht über die Gründe, weshalb man sich in einen Menschen verliebt und in einen anderen nicht. Stattdessen fragte er mich eindringlich über Lila und ihre Beziehung zu Stefano aus.

»Warum hat sie ihn geheiratet?«

»Weil sie sich in ihn verliebt hat.«

»Das kann nicht sein.«

»Wenn ich's dir doch sage.«

»Sie hat ihn wegen des Geldes geheiratet, um ihre Familie zu unterstützen, um sich selbst abzusichern.«

»Wenn es bloß darum gegangen wäre, hätte sie Marcello Solara heiraten können.«

»Wer ist das?«

»Einer, der viel mehr Geld hat als Stefano und der sich wahnsinnig ins Zeug gelegt hat, um sie zu kriegen.«

»Und sie?«

»Sie wollte ihn nicht.«

»Dann hat sie den Lebensmittelhändler deiner Meinung nach also aus Liebe geheiratet.«

»Ja.«

»Und was ist das für eine Geschichte, dass sie schwimmen gehen soll, um Kinder zu kriegen?«

»Das hat ihr der Doktor geraten.«

»Aber will sie denn welche?«

»Anfangs wollte sie keine, und jetzt weiß ich nicht.«

»Und er?«

»Er ja.«

»Ist er verliebt in sie?«

»Sehr.«

»Und du, hast du so von außen den Eindruck, dass es zwischen den beiden gut läuft?«

»Mit Lina läuft nie irgendwas gut.«

»Und das heißt?«

»Sie hatten vom ersten Tag ihrer Ehe an Probleme, aber wegen Lina, sie kann sich nicht anpassen.«

»Und jetzt?«

»Jetzt läuft es besser.«

»Das glaube ich nicht.«

Er kreiste immer skeptischer um diesen Punkt. Aber ich bestand darauf: Lila habe ihren Mann nie so sehr geliebt wie in diesen Ferien. Und je ungläubiger Nino sich äußerte, umso mehr erhöhte ich die Dosis. Ich sagte ihm unmissverständlich, dass zwischen ihnen nichts laufen könne, ich wolle nicht, dass er sich falsche Hoffnungen mache. Das genügte allerdings nicht, um das Thema zu beenden. Mir wurde immer klarer, dass dieser Tag zwischen Himmel und Meer umso angenehmer für Nino wurde, je ausführlicher ich ihm von Lila berichtete. Für ihn zählte nicht, dass jedes meiner Worte ihm wehtat. Für ihn zählte, dass ich ihm alles mitteilte, was ich wusste, das Gute wie das Schlechte, und dass ich unsere gemeinsamen Minuten und Stunden mit ihrem Namen ausfüllte. Was ich auch tat. Und während mich dies anfangs noch kränkte, änderten sich die Dinge allmählich. An jenem Tag erkannte ich, dass meine Gespräche mit Nino über Lila in den nächsten Wochen eine neue Grundlage für das Verhältnis zwischen uns dreien sein konnten. Weder sie noch ich würden ihn je bekommen. Doch wir konnten für die Dauer der Ferien beide seine Aufmerksamkeit erlangen, Lila als Objekt einer ausweglosen Leidenschaft, ich als kluge Ratgeberin, die sowohl seinen als auch ihren Rausch unter Kontrolle hielt. Mit dieser Theorie der zentralen Rolle tröstete ich mich. Lila war zu mir gelaufen, um mir von Ninos Kuss zu erzählen; und er unterhielt sich, ausgehend von dem Geständnis dieses Kusses, nun einen ganzen Tag mit mir. Sowohl sie als auch er würden mich brauchen.

Nino konnte praktisch nicht mehr auf mich verzichten.

»Meinst du, sie wird mich niemals lieben können?«, fragte er mich irgendwann.

»Sie hat eine Entscheidung getroffen, Nino.«

»Und welche?«

»Ihren Mann zu lieben und ein Kind von ihm zu bekommen. Extra deswegen ist sie ja hier.«

»Und was ist mit meiner Liebe zu ihr?«

»Wenn man geliebt wird, neigt man dazu, die Liebe zu erwidern. Wahrscheinlich freut sie sich. Aber wenn du nicht noch mehr leiden willst, erwarte nichts weiter. Je mehr Lina von Zuneigung und Hochachtung umgeben ist, umso grausamer kann sie werden. Sie war schon immer so.«

Wir verabschiedeten uns nach Sonnenuntergang, und einen Moment lang hatte ich das Gefühl, einen schönen Tag verbracht zu haben. Doch schon auf dem Heimweg kehrte mein Unbehagen zurück. Wie konnte ich nur annehmen, die Qual ertragen zu können, mit Nino über Lila zu reden und mit Lila über Nino und ab dem nächsten Tag auch ihrem Geplänkel, ihren Spielen, ihren Umarmungen, ihren Berührungen zuzuschauen? Ich kam mit dem festen Entschluss zum Haus zurück, zu behaupten, dass meine Mutter mich wieder im Rione haben wollte. Aber kaum hatte ich das Haus betreten, fuhr Lila mich schroff an:

»Wo bist du gewesen? Wir haben dich gesucht. Wir haben dich gebraucht, du solltest uns helfen.«

Ich erfuhr, dass sie keinen guten Tag gehabt hatten. Weil Pinuccia alle drangsaliert hatte. Am Ende hatte sie geschrien, wenn ihr Mann sie nicht zu Hause haben wolle, bedeute das doch, dass er sie nicht liebe, darum wolle sie zusammen mit dem Kind lieber sterben. Da hatte Rino nachgegeben und sie zurück nach Neapel mitgenommen.

58

Erst am nächsten Tag erfuhr ich, was zu Pinuccias Abreise geführt hatte. Ich fand den Abend ohne sie angenehm: kein Gequengel mehr, das Haus wurde ruhig, die Zeit verstrich lautlos. Als ich mich in meine Kammer zurückzog und Lila mir folgte, war unser Gespräch dem Anschein nach frei von Spannungen. Ich hielt mich zurück, darauf bedacht, nichts von dem zu sagen, was ich wirklich fühlte.

»Ist dir klar, warum sie wegwollte?«, fragte Lila und meinte Pinuccia.

»Weil sie bei ihrem Mann sein will.«

Sie schüttelte den Kopf, sagte ernst:

»Sie hat Angst vor ihren Gefühlen bekommen.«

»Was soll das heißen?«

»Sie hat sich in Bruno verliebt.«

Ich staunte, diese Möglichkeit war mir nie in den Sinn gekommen.

»Pinuccia?«

»Ja.«

»Und Bruno?«

»Hat es nicht mal gemerkt.«

»Bist du sicher?«

»Ja.«

»Woher weißt du das?«

»Bruno hat ein Auge auf dich geworfen.«

»Blödsinn.«

»Das hat mir Nino gestern erzählt.«

»Mir hat er heute nichts davon erzählt.«

»Was habt ihr denn gemacht?«

»Wir haben uns ein Boot genommen.«

»Nur du und er?«

»Ja.«

»Worüber habt ihr gesprochen?«

»Über alles mögliche.«

»Auch über das, was ich dir erzählt habe?«

»Was denn?«

»Du weißt schon.«

»Über den Kuss?«

»Ja.«

»Nein, er hat mir nichts davon gesagt.«

Obwohl benommen von den vielen Stunden in der Sonne und vom vielen Baden, gelang es mir, mich nicht zu verplappern. Als Lila schlafen gegangen war, hatte ich das Gefühl, auf meinem Laken zu schwimmen, und die dunkle Kammer schien voller blauer und rötlicher Lichter zu sein. Pinuccia war Hals über Kopf abgereist, weil sie in Bruno verliebt war? Bruno wollte nicht sie, sondern mich? Ich dachte über die Beziehung zwischen Pinuccia und Bruno nach, hörte erneut Sätze, Tonlagen, sah erneut Gesten vor mir, und kam zu dem Schluss, dass Lila richtig gesehen hatte. Auf der Stelle empfand ich eine große Sympathie für Stefanos Schwester, für die Kraft, die sie bewiesen hatte, indem sie sich dazu durchgerungen hatte abzufahren. Aber dass Bruno sich für mich interessierte, glaubte ich nicht. Nie hatte er mich auch nur eines Blickes gewürdigt. Abgesehen davon, dass er, wenn er die von Lila behaupteten Absichten gehabt hätte, selbst zu der Verabredung gekommen wäre und nicht Nino. Oder zumindest wären sie zusammen gekommen. Doch egal, ob wahr oder falsch, er gefiel mir nicht: zu klein, zu krauses Haar, keine Stirn, Wolfszähne. Nein, nein. ›Mich in der Mitte halten‹, dachte ich. ›Das werde ich tun.‹

Am folgenden Tag kamen wir um zehn zum Strand und sahen, dass die beiden Jungen schon dort waren, sie gingen am Wasser auf und ab. Lila erklärte Pinuccias Abwesenheit mit knappen Worten: Sie müsse arbeiten, sie sei mit ihrem Mann zurückgefahren. Weder Nino noch Bruno zeigten das geringste Bedauern, das verstörte mich. Wie konnte man einfach so verschwinden, ohne eine Lücke zu hinterlassen? Pinuccia war zwei Wochen lang mit uns zusammen gewesen. Wir hatten zu fünft Spaziergänge unternommen, hatten geplaudert, herumgealbert, gebadet. In diesen zwei Wochen hatte sie bestimmt etwas erlebt, was sie geprägt hatte, sie würde diesen ersten Urlaub nie mehr vergessen. Aber wir? Wir, die wir ihr auf unterschiedliche Weise viel bedeutet hatten, bemerkten ihre Abwesenheit praktisch nicht. Nino gab keinerlei Kommentar zu dieser plötzlichen Abreise ab. Und Bruno beschränkte sich darauf, ernst zu sagen: »Schade, wir haben uns gar nicht verabschiedet.« Eine Minute später sprach man bereits über etwas anderes, als wäre sie nie auf Ischia, am Citara-Strand gewesen.

Mir gefiel auch die rasche Umverteilung der Rollen nicht. Nino, der sich immer an Lila und mich zugleich gewandt hatte (sehr oft sogar nur an mich), ging sofort dazu über, nur noch mit ihr zu reden, als wäre es nun, da wir zu viert waren, nicht mehr der Mühe wert, uns beide zu unterhalten. Bruno, der sich bis zum vergangenen Samstag ausschließlich um Pina gekümmert hatte, interessierte sich nun ebenso schüchtern und fürsorglich für mich, als gäbe es keinen Unterschied zwischen Pinuccia und mir, nicht einmal den, dass sie verheiratet und schwanger war und ich nicht.

Bei unserem ersten gemeinsamen Strandspaziergang liefen wir anfangs zu viert nebeneinanderher. Aber schon bald erspähte Bruno eine von einer Welle angespülte Muschel, sagte: »Wie schön«, und bückte sich nach ihr. Aus Höflichkeit blieb ich stehen, um auf ihn zu warten, und er schenkte mir die Muschel, die nichts Besonderes war. Nino und Lila hatten ihren Weg inzwischen fortgesetzt, was uns in zwei am Wasser entlangschlendernde Paare verwandelte, die zwei vorn, wir zwei hinten, sie, die sich angeregt unterhielten, ich, die ich versuchte, ein Gespräch mit Bruno zu führen, während Bruno Mühe hatte, dies mit mir zu tun. Ich beschleunigte meinen Schritt, er folgte mir lustlos. Es war schwierig, wirklich in Kontakt zu kommen. Er machte allgemeine Bemerkungen über, was weiß ich, das Meer, den Himmel, die Möwen, aber es war offensichtlich, dass er nur einen vorgefertigten Text aufsagte, einen, der seiner Ansicht nach für mich geeignet war. Mit Pinuccia hatte er wohl über anderes gesprochen, sonst wäre kaum nachzuvollziehen, dass sie mit Vergnügen so viel Zeit zusammen verbracht hatten. Davon abgesehen wäre es auch kompliziert geworden, seine Worte zu entschlüsseln, falls er interessantere Themen angeschnitten hätte. Wenn es darum ging, nach der Uhrzeit zu fragen oder um eine Zigarette oder etwas Wasser zu bitten, hatte er eine klare Stimme und eine deutliche Aussprache. Doch wenn er die Rolle des ergebenen jungen Mannes zu spielen begann (*die Muschel, gefällt sie dir, sieh nur, wie schön sie ist, ich schenke sie dir*), verhaspelte er sich und sprach weder Italienisch noch Dialekt, sondern eine verlegene Sprache, leise und abgehackt, als schämte er sich für das, was er sagte. Ich nickte, verstand aber wenig und spitzte unterdessen die Ohren, um das aufzuschnappen, was Nino und Lila sich erzählten.

Ich vermutete, er würde die ernsten Themen anschneiden, die er studierte, oder sie würde Gedanken aus den Büchern, die sie mir entwendet hatte, zum Besten geben, und ich versuchte häufig, sie einzuholen, um mich in ihre Gespräche zu mischen. Aber jedes Mal, wenn es mir gelang, dicht genug heranzukommen, um einige Sätze aufzufangen, war ich irritiert. Offenbar erzählte er ihr von seiner Kindheit im Rione, und dies mit eindringlicher, fast dramatischer Stimme, und sie hörte zu, ohne ihn zu unterbrechen. Ich hatte das Gefühl, indiskret zu sein, fiel zurück und blieb endgültig hinten, um mich mit Bruno zu langweilen.

Auch als wir alle zusammen beschlossen, schwimmen zu gehen, war ich nicht schnell genug, um das alte Trio wiederherzustellen. Bruno schubste mich ohne Vorwarnung ins Wasser, ich ging unter, und meine Haare, die nicht nass werden sollten, wurden nass. Als ich wieder auftauchte, dümpelten Nino und Lila einige Meter entfernt und setzten ihr ernsthaftes Gespräch fort. Sie blieben viel länger im Wasser als wir, doch ohne sich weit vom Ufer zu entfernen. Sie schienen so gefesselt von dem zu sein, was sie sich zu erzählen hatten, dass sie sogar auf die Prahlerei eines langen Hinausschwimmens verzichteten.

Am späten Nachmittag sprach mich Nino erstmals an. Er fragte mich schroff, als verlangte er geradezu selbst eine ablehnende Antwort:

»Warum treffen wir uns nicht nach dem Abendessen? Wir holen euch ab und bringen euch auch wieder nach Hause.«

Sie hatten uns noch nie gebeten, abends mit ihnen auszugehen. Ich warf Lila einen fragenden Blick zu, aber sie schaute weg. Ich sagte:

»Zu Hause sitzt Lilas Mutter, wir können sie nicht immerzu allein lassen.«

Nino antwortete nicht, und auch sein Freund mischte sich nicht ein, um ihm den Rücken zu stärken. Aber nach unserem letzten Bad sagte Lila, bevor wir uns verabschiedeten:

»Morgen Abend kommen wir nach Forio, um meinen Mann anzurufen. Dann können wir ja zusammen ein Eis essen.«

Ihre Bemerkung ärgerte mich, aber viel mehr ärgerte mich das, was kurz darauf geschah. Kaum hatten sich die zwei Jungen nach Forio auf den Weg gemacht, begann sie, noch während sie ihre Sachen zusammenpackte, mir Vorwürfe zu machen, als wäre ich aus ebenso undurchschaubaren wie unwiderlegbaren Gründen verantwortlich für diesen ganzen Tag, für jede einzelne Stunde, für jedes einzelne Mini-Ereignis, bis hin zu Ninos Frage, bis hin zu dem eindeutigen Widerspruch zwischen meiner Antwort und ihrer:

»Warum warst du andauernd bei Bruno?«

»Ich?«

»Ja, du. Wag es ja nicht, mich noch ein einziges Mal mit diesem Kerl allein zu lassen.«

»Was redest du denn da? Ihr seid doch vorgerannt, ohne auch nur einmal anzuhalten und auf uns zu warten!«

»Wir? Nino war es, der so gerannt ist.«

»Du hättest sagen können, dass du auf mich warten musst.«

»Und du hättest Bruno sagen können: ›Beweg dich, sonst verlieren wir sie aus den Augen.‹ Tu mir einen Gefallen: Da er dir ja so gefällt, geht heute Abend allein aus. Dann kannst du uneingeschränkt sagen und tun, was du willst.«

»Ich bin deinetwegen hier, nicht wegen Bruno.«

»Ich habe nicht den Eindruck, dass du meinetwegen hier bist, du machst doch immer, was dir am besten passt.«

»Wenn du mich hier nicht mehr haben willst, fahre ich morgen früh zurück.«

»Ach ja? Und ich soll dann morgen Abend allein mit den beiden Eis essen?«

»Lila, du warst es doch, die gesagt hat, dass sie mit ihnen Eis essen will.«

»Notgedrungen, ich muss Stefano anrufen, und wie stehen wir dann da, wenn wir sie in Forio treffen?«

In diesem Tonfall ging es auch zu Hause weiter, nach dem Abendessen, in Nunzias Gegenwart. Es war kein richtiger Streit, aber ein doppeldeutiger Schlagabtausch mit gehässigen Spitzen, mit denen wir beide versuchten, uns etwas mitzuteilen, ohne uns zu verstehen. Nunzia, die uns verblüfft zuhörte, sagte irgendwann:

»Morgen Abend essen wir was zusammen, und dann komme ich mit auf ein Eis.«

»Das ist ein weiter Weg«, sagte ich. Aber Lila mischte sich barsch ein:

»Wir müssen ja nicht zu Fuß gehen. Wir nehmen uns eine Ape, wir sind doch reich.«

59

Um uns der neuen Zeiteinteilung der zwei Jungen anzupassen, kamen wir tags darauf schon um neun, statt um zehn zum Strand, aber sie waren nicht da. Lila wurde nervös. Wir warteten, sie ließen sich weder um zehn noch später blicken. Erst am frühen Nachmittag tauchten sie auf, mit burschikosen Verschwörermienen. Sie sagten, da sie den Abend mit uns verbringen würden, hätten sie beschlossen, das Lernen vorzuziehen. Lila reagierte auf eine Art, die vor allem mich befremdete. Sie jagte sie weg. In einen aggressiven Dialekt verfallend zischte sie, sie könnten lernen, wann immer sie wollten, nachmittags, abends, nachts, sofort, kein Mensch halte sie auf. Und da Nino und Bruno sich bemühten, sie nicht ernst zu nehmen, und immer noch lächelten, als wäre ihre Bemerkung nur ein Witz, zog sie ihr Strandkleid an, schnappte sich ungestüm ihre Tasche und ging mit großen Schritten in Richtung Straße. Nino lief ihr nach, kehrte aber wenig später mit einer Leichenbittermiene zurück. Nichts zu machen, sie sei wirklich wütend und habe nicht mit sich reden lassen.

»Das geht vorbei«, sagte ich mit gespielter Gelassenheit und ging mit ihnen schwimmen. Ich trocknete in der Sonne, aß ein Brötchen, plauderte matt und sagte dann, ich müsse auch nach Hause.

»Und heute Abend?«, fragte Bruno.

»Lina muss Stefano anrufen, wir werden kommen.«

Aber ihr Wutausbruch hatte mich sehr aufgeregt. Was sollte dieser Ton, diese Art? Welches Recht hatte sie, sich über eine nicht eingehaltene Verabredung derart zu ärgern. Weshalb konnte sie sich nicht beherrschen und behandelte die beiden, als wären sie Pasquale oder Antonio oder sogar die Solaras? Warum führte sie sich auf wie ein launisches Mädchen und nicht wie Signora Carracci?

Atemlos kam ich nach Hause. Nunzia wusch Handtücher und Badeanzüge, Lila war in ihrem Zimmer, saß auf dem Bett und, auch das war ungewöhnlich, schrieb. Sie hatte ihr Heft auf den Knien, zusammengekniffene Augen und eine gerunzelte Stirn, eines meiner Bücher lag beiseitegeschoben auf dem Betttuch. Wie lange hatte ich sie nicht mehr schreiben sehen.

»Du hast es übertrieben«, sagte ich.

Sie zuckte mit den Schultern, schaute nicht von ihrem Heft auf und schrieb den ganzen Nachmittag weiter.

Am Abend putzte sie sich heraus, als würde ihr Mann kommen, und wir ließen uns nach Forio fahren. Mich erstaunte, dass Nunzia, die nie in die Sonne ging und schneeweiß war, sich von ihrer Tochter einen Lippenstift geliehen hatte, um ein bisschen Farbe auf Lippen und Wangen aufzutragen. Sie wollte vermeiden – sagte sie –, dass sie bereits wie tot aussah.

Wir trafen sofort auf die zwei Jungen, sie standen reglos vor der Bar wie Wachposten am Schilderhaus. Bruno war noch in Shorts, er hatte nur das Hemd gewechselt. Nino trug lange Hosen und ein blendend weißes Hemd, seine widerspenstigen Haare waren so krampfhaft gestriegelt, dass er in meinen Augen nicht mehr so gut aussah. Als sie Nunzia entdeckten, erstarrten sie. Wir setzten uns unter das Vordach neben den Eingang der Bar und bestellten Spumone-Eis. Zu unserer Überraschung fing Nunzia zu reden an und hörte nicht mehr auf. Sie wandte sich ausschließlich an die Jungen. Sie lobte Ninos Mutter, deren Schönheit sie noch in Erinnerung habe, erzählte viele Geschichten aus dem Krieg und Dinge, die im Rione geschehen waren, sie fragte Nino, ob er sich noch daran erinnere. Als er verneinte, antwortete sie kategorisch: »Frag deine Mutter, du wirst sehen, sie erinnert sich.« Lila ließ schon bald Anzeichen von Überdruss erkennen, erklärte, es sei nun Zeit, Stefano anzurufen, und ging in die Bar, wo die Telefonkabinen standen. Nino verstummte, und Bruno löste ihn im Gespräch mit Nunzia unverzüglich ab. ›Jetzt ist er nicht so verlegen wie bei mir, wenn wir allein sind‹, stellte ich verstimmt fest.

»Entschuldigt mich einen Moment«, sagte plötzlich Nino, stand auf und verschwand in der Bar.

Nunzia wurde unruhig, sie flüsterte mir ins Ohr:

»Er wird doch wohl nicht bezahlen? Ich bin die Älteste, also ist das meine Sache.«

Bruno hörte das und sagte, die Rechnung sei schon beglichen, so weit komme es noch, dass er eine Signora bezahlen lasse. Nunzia fügte sich, erkundigte sich nun nach der Wurstfabrik seines Vaters und erzählte stolz von ihrem Mann und ihrem Sohn, die ebenfalls Fabrikanten seien, sie hätten eine Schuhmacherei.

Lila kam noch immer nicht zurück, ich machte mir Sorgen. Ich ließ Nunzia und Bruno reden und ging ebenfalls in die Bar. Seit wann dauerte ein Telefonat mit Stefano so lange? Ich warf einen Blick in die zwei Telefonkabinen, sie waren leer. Ich schaute mich um. So stocksteif, wie ich dastand, störte ich die Söhne des Besitzers, die an den Tischen bedienten. Ich erspähte eine zum Lüften geöffnete Tür, sie führte auf einen Hof. Zaghaft trat ich näher, der Geruch nach alten Reifen vermischte sich mit dem eines Hühnerstalls. Der Hof war leer, aber ich entdeckte an einer Seite der Umgebungsmauer einen Durchgang, hinter dem ein Garten zu erkennen war. Ich durchquerte den mit rostigem Schrott verstopften Hof, und noch bevor ich den Garten betrat, sah ich Lila und Nino. Der helle Schein der Sommernacht umspielte die Bäume. Die beiden schmiegten sich aneinander, küssten sich. Er hatte seine Hand unter ihren Rock geschoben, sie versuchte, sie wegzudrängen, küsste ihn aber währenddessen weiter.

Hastig und in dem Bemühen, kein Geräusch zu machen, wich ich zurück. Ich ging wieder in die Bar, sagte zu Nunzia, Lila sei noch am Telefon.

»Streiten sie sich?«

»Nein.«

Ich hatte das Gefühl zu verbrennen, aber die Flammen waren kalt, und ich spürte keinen Schmerz. ›Sie ist verheiratet‹, dachte ich, ›sie ist seit gut einem Jahr verheiratet.‹

Lila kam ohne Nino zurück. Sie sah tadellos aus, und trotzdem spürte ich die Unordnung, in ihrer Kleidung, an ihrem Körper.

Wir warteten eine Weile, er ließ sich nicht blicken, ich merkte, dass ich sie beide hasste. Lila stand auf und sagte: »Gehen wir, es ist schon spät.« Als wir bereits im Auto saßen, das uns nach Hause bringen sollte, kam Nino angelaufen und verabschiedete sich fröhlich. »Bis morgen!«, rief er so herzlich, wie ich ihn noch nie erlebt hatte. Ich dachte: ›Dass Lila verheiratet ist, stört weder ihn noch sie‹, und diese Feststellung schien mir so widerwärtig wahr zu sein, dass sich mir der Magen umdrehte und ich mir mit der Hand zum Mund fuhr.

Lila legte sich sofort schlafen, ich wartete vergeblich darauf, dass sie kam und mir beichtete, was sie getan hatte und was sie zu tun beabsichtigte. Heute glaube ich, dass nicht einmal sie selbst es wusste.

60

Die nun folgenden Tage ließen die Situation immer klarer werden. Für gewöhnlich war Nino mit einer Zeitung, mit einem Buch gekommen, das geschah nicht mehr. Die flammenden Gespräche über den Zustand der Menschheit verblassten, sie reduzierten sich auf unkonzentrierte Sätze, die den Weg zu persönlicheren Worten suchten. Lila und Nino gewöhnten sich an, lange zusammen zu schwimmen, bis sie vom Ufer aus nicht mehr zu erkennen waren. Oder sie nötigten uns zu ausgedehnten Spaziergängen, die die paarweise Aufteilung besiegelten. Nie, wirklich nie, ging Nino neben mir und Bruno neben Lila. Es wurde normal, dass Lila und Nino zurückblieben. Wenn ich mich abrupt umdrehte, hatte ich stets das Gefühl, ein schmerzhaftes Auseinanderreißen verursacht zu haben. Hände und Köpfe zuckten zurück wie bei einem Tick.

Ich litt, doch ich muss gestehen, mit einem stetigen Rest von Ungläubigkeit, der meinen Kummer wellenartig aufkommen ließ. Ich hatte den Eindruck, einem hohlen Schauspiel der beiden beizuwohnen: Sie spielten ein Liebespaar, wohl wissend, dass sie es nicht waren und auch nicht sein konnten, Nino hatte eine feste Freundin, und Lila war sogar verheiratet. Ich betrachtete sie von Zeit zu Zeit wie gefallene Götter. Einst so brillant, so intelligent und nun so dumm, verwickelt in ein dummes Spiel. Ich nahm mir vor, zu Lila, zu Nino, zu beiden zu sagen: Was glaubt ihr, wer ihr seid? Kommt mit euren Beinen zurück auf den Boden.

Ich konnte es nicht. Nach zwei, drei Tagen änderte sich die Situation abermals. Sie begannen Hand in Hand zu gehen, ohne sich länger zu verstecken, mit einer offensiven Schamlosigkeit, als hätten sie beschlossen, dass es nicht der Mühe wert sei, sich vor uns zu verstellen. Sie stritten sich oft zum Spaß, nur um sich aneinanderklammern, sich angreifen, sich umarmen und gemeinsam über den Sand rollen zu können. Kaum hatten sie unterwegs einen verlassenen Schuppen erspäht, eine alte, heruntergekommene Fabrik, von der nur noch das Gerüst stand, oder einen Pfad, der sich in der wilden Vegetation verlor, gingen sie wie kleine Kinder auf Entdeckungsreise und luden uns nicht ein, ihnen zu folgen. Wortlos verschwanden sie, er vorweg, sie hinterher. Wenn sie sich in die Sonne legten, hielten sie den Abstand so gering wie möglich. Anfangs genügten ihnen eine leichte Berührung der Schultern, ein sanfter Kontakt der Arme, der Beine, der Füße. Später, nach der Rückkehr von ihrem täglichen, endlosen Schwimmausflug, streckten sie sich nebeneinander auf Lilas Handtuch aus, das das größere war, und schon bald legte Nino ungezwungen seinen Arm um ihre Schultern, legte sie ihren Kopf auf seine Brust. Einmal gingen sie sogar so weit, sich lachend auf den Mund zu küssen, ein fröhlicher, schneller Kuss. Ich dachte: ›Er ist verrückt geworden, sie sind verrückt geworden. Wenn sie nun jemand aus Neapel sieht, der Stefano kennt? Wenn nun der Lieferant vorbeikommt, der uns das Haus besorgt hat? Oder wenn es Nunzia nun einfällt, mal einen kurzen Abstecher zum Strand zu machen?‹

Ich konnte so viel Unvernunft einfach nicht fassen, und doch überschritten sie jedes Mal die Grenze. Sich nur tagsüber zu sehen, schien nicht mehr zu genügen, Lila beschloss, dass sie Stefano jeden Abend anrufen müsse, wies aber Nunzia schroff ab, die sich erbot, uns zu begleiten. Sie nötigte mich nach dem Abendessen, mit nach Forio zu kommen. Sie telefonierte in Windeseile mit ihrem Mann, und schon ging es weiter zu einem Spaziergang, sie mit Nino, ich mit Bruno. Wir kehrten nie vor Mitternacht zurück, die zwei Jungen brachten uns über den dunklen Strand nach Hause.

Am Freitagabend, also am Tag vor Stefanos Rückkehr, stritten sie und Nino sich plötzlich nicht zum Schein, sondern ernsthaft. Wir drei saßen am Tisch und aßen Eis, Lila war telefonieren gegangen. Mit düsterer Miene zog Nino mehrere beidseits beschriebene Blatt Papier aus der Tasche und fing ohne eine Erklärung zu lesen an, womit er sich aus dem faden Gespräch zwischen mir und Bruno verabschiedete. Als Lila zurückkehrte, würdigte er sie keines Blickes, steckte die Seiten nicht wieder in die Tasche, sondern las weiter. Lila wartete eine halbe Minute, dann fragte sie fröhlich:

»Ist das so interessant?«

»Ja«, sagte Nino, ohne aufzuschauen.

»Dann lies doch vor, wir wollen das auch hören.«

»Das ist meine Sache, das geht euch nichts an.«

»Was ist es denn?«, fragte Lila, aber es war zu erkennen, dass sie es schon wusste.

»Ein Brief.«

»Und von wem?«

»Von Nadia.«

Mit einer blitzschnellen, unerwarteten Bewegung beugte sie sich vor und riss ihm die Seiten aus der Hand. Nino fuhr auf, als wäre er von einem großen Insekt gestochen worden, tat jedoch nichts, um sich den Brief zurückzuholen, auch nicht, als Lila begann, ihn lauthals und deklamatorisch vorzulesen. Es war ein etwas kindischer Liebesbrief, der Zeile um Zeile süßliche Variationen zum Thema Sehnsucht aneinanderreihte. Bruno hörte stumm zu, mit einem verlegenen Lächeln, und als ich sah, dass Nino keine Anstalten machte, die Sache als Scherz aufzufassen, sondern düster auf seine von den Sandalen gestreiften, dunklen Füße starrte, flüsterte ich Lila zu:

»Das reicht jetzt, gib ihm den Brief zurück.«

Kaum hatte ich das gesagt, brach Lila ab, behielt aber ihre belustigte Miene und gab den Brief nicht zurück.

»Du schämst dich, was?«, fragte sie ihn. »Selbst schuld. Wie kannst du bloß mit einer zusammen sein, die so was schreibt.«

Nino sagte nichts und starrte weiter auf seine Füße. Da mischte sich Bruno ein, auch er belustigt:

»Wenn man sich in jemanden verliebt, unterzieht man ihn vielleicht nicht erst einer Prüfung, um zu sehen, ob er einen Liebesbrief schreiben kann.«

Aber Lila schaute ihn nicht einmal an, sie wandte sich weiter an Nino, als setzten sie vor unseren Augen eine von ihren vertraulichen Diskussionen fort:

»Bist du in sie verliebt? Und wieso? Erklär uns das mal. Weil sie in einem mit alten Büchern und Gemälden vollgestopften Haus am Corso Vittorio Emanuele wohnt? Weil sie mit so einem Stimmchen spricht: Njee-njee-njee? Weil sie die Tochter der Professoressa ist?«

Endlich raffte Nino sich auf, kurz angebunden sagte er:

»Gib mir den Brief zurück!«

»Ich geb' ihn dir nur, wenn du ihn auf der Stelle zerreißt, hier, vor uns.«

Lilas amüsiertem Ton setzte Nino eine todernste Einsilbigkeit mit spürbar aggressiven Schwingungen entgegen.

»Und dann?«

»Dann schreiben wir alle zusammen einen Brief an Nadia, in dem du ihr mitteilst, dass du sie verlässt.«

»Und dann?«

»Dann werfen wir ihn noch heute Abend ein.«

Einen Augenblick lang sagte er nichts, dann stimmte er zu.

»Na los.«

Ungläubig wies Lila auf die Seiten.

»Du zerreißt sie wirklich?«

»Ja.«

»Und du verlässt sie?«

»Ja. Aber unter einer Bedingung.«

»Lass hören.«

»Dass du deinen Mann verlässt. Jetzt. Wir gehen alle zusammen zu dem Telefon dort, und du sagst es ihm.«

Diese Worte versetzten mich in höchste Aufregung, ich wusste nicht gleich, warum. Er hatte seine Stimme so plötzlich erhoben, dass sie sich überschlug. Als Lila ihn so hörte, verengten sich ihre Augen sofort zu zwei Schlitzen, auf eine Art, die mir nur zu vertraut war. Gleich würde sie ihren Ton ändern. Gleich, so dachte ich, wird sie biestig werden. Tatsächlich sagte sie zu ihm: »Was erlaubst du dir.« Sagte: »Was glaubst du, mit wem du hier sprichst.« Sagte: »Was fällt dir ein, diesen Brief, deine Dummheiten mit dieser Nutte aus guter Familie, und mich, meinen Mann, meine Ehe und alles, was mein Leben ausmacht, auf eine Stufe zu stellen? Du spielst dich mächtig auf, aber einen Spaß verstehst du nicht. Du verstehst sogar überhaupt nichts. Nichts, du hast richtig gehört, und jetzt zieh nicht so ein Gesicht. Komm, Lenù, wir gehen schlafen.«

61

Nino unternahm nichts, um uns aufzuhalten, und Bruno sagte: »Wir sehen uns morgen.« Wir nahmen uns eine Ape und ließen uns nach Hause fahren. Aber noch auf dem Weg begann Lila zu zittern, packte meine Hand und drückte sie fest. Sie fing an, mir auf eine chaotische Art alles zu gestehen, was zwischen ihr und Nino vorgefallen war. Sie hatte sich gewünscht, dass er sie küsste, hatte sich küssen lassen. Sie hatte sich gewünscht, seine Hände auf sich zu spüren, hatte sich anfassen lassen. »Ich kann nicht mehr schlafen. Wenn ich einschlafe, schrecke ich wieder hoch, schaue auf die Uhr, hoffe, dass schon Tag ist, dass wir zum Strand gehen müssen. Aber es ist Nacht, ich kann nicht wieder einschlafen, habe alle Worte im Kopf, die er gesagt hat, und alle, die ihm zu sagen ich nicht erwarten kann. Ich habe versucht, dagegen anzukämpfen. Habe mir gesagt: Ich bin nicht wie Pinuccia, ich kann tun, was mir Spaß macht, ich kann anfangen, und ich kann aufhören, es ist nur ein Zeitvertreib. Ich habe die Lippen zusammengepresst, dann habe ich mir gesagt, aber ja doch, was ist schon ein Kuss, und ich habe erfahren, was das ist, ich wusste es nicht – ich schwör's dir, ich wusste es nicht –, und ich konnte nicht mehr ohne. Ich habe ihm meine Hand gegeben, habe meine Finger mit seinen verflochten, ganz fest, und es tat mir weh, mich wieder zu lösen. Wie viele Dinge habe ich versäumt, die jetzt alle auf einmal auf mich einstürzen. Ich spiele die Verlobte und bin doch schon verheiratet. Ich bin aufgewühlt, das Herz schlägt mir bis zum Hals und in den Schläfen. Und mir gefällt alles. Mir gefällt, dass er mich in eine stille Ecke zieht, mir gefällt die Angst, dass jemand uns sehen könnte, mir gefällt der Gedanke, dass wir gesehen werden. Hast du so was auch mit Antonio gemacht? Hast du gelitten, wenn du dich von ihm trennen musstest, und konntest du es kaum erwarten, ihn wiederzusehen? Ist das normal, Lenù? War es bei dir auch so? Ich weiß nicht, wie es angefangen hat und wann. Zuerst gefiel er mir gar nicht. Mir gefiel, wie er geredet und was er gesagt hat, aber körperlich nein. Ich dachte: Wie viel dieser Kerl weiß, ich muss ihm zuhören, muss lernen. Und jetzt, wenn er spricht, kann ich mich nicht mehr konzentrieren. Ich schaue ihm auf den Mund und schäme mich dafür, ich wende den Blick ab. Nach so kurzer Zeit liebe ich alles an ihm wie verrückt: seine Hände, seine feinen Fingernägel, seine Magerkeit, seine Rippen direkt unter der Haut, seinen schlanken Hals, seinen Bart, den er schlecht rasiert und der immer kratzt, seine Nase, die Haare auf seiner Brust, seine langen, dünnen Beine, seine Knie. Ich möchte ihn streicheln. Und mir kommen Dinge in den Sinn, die ich ekelhaft finde, ich finde sie wirklich ekelhaft, Lenù, aber ich möchte sie für ihn tun, um ihm Vergnügen zu bereiten, damit er sich freut.«

Ich hörte ihr bis tief in die Nacht zu, in ihrem Zimmer, bei geschlossener Tür und gelöschtem Licht. Sie lag auf der Fensterseite, und das Mondlicht ließ ihr Haar im Nacken und die hohe Kurve ihrer Hüfte schimmern. Ich lag auf der Türseite, auf Stefanos Seite, und ich dachte: ›Hier schläft ihr Mann jedes Wochenende, auf dieser Seite des Bettes, und er zieht sie an sich, nachmittags, nachts, er umarmt sie. Und doch erzählt sie mir hier, in diesem Bett, von Nino. Die Worte über ihn löschen ihr Gedächtnis aus, tilgen jede Spur der ehelichen Liebe aus diesen Laken. Sie spricht über ihn, und mit diesem Sprechen ruft sie ihn herbei, stellt sie ihn sich dicht neben sich vor, und da sie sich vergessen hat, ist ihr weder ein Fehltritt noch eine Schuld bewusst. Sie vertraut sich mir an, sagt mir Dinge, die sie lieber für sich behalten sollte. Sagt mir, wie sehr sie den Menschen begehrt, den ich schon seit jeher begehre, und sie tut es in der Überzeugung, dass ich aus Mangel an Sensibilität und Scharfsicht und aus einer Begriffsstutzigkeit, die sie dagegen nicht hat, ebendiesen Menschen nie richtig wahrgenommen und seine Qualitäten nicht gesehen hätte. Ich weiß nicht, ob sie böswillig ist oder tatsächlich – durch mein Verschulden, durch meine Neigung, mich zu verstecken – zu der Ansicht gelangt ist, ich wäre seit der Grundschule bis heute taub und blind gewesen, so dass erst sie kommen musste, um hier auf Ischia zu entdecken, welche Kraft der junge Sarratore ausstrahlt. Ach, wie sehr mir diese Anmaßung zuwider ist, sie vergiftet mein Blut. Trotzdem kann ich ihr nicht sagen, sie solle aufhören, ich schaffe es nicht, in meine Kammer rüberzugehen, um still zu schreien, nein, ich bleibe hier, ich unterbreche sie manchmal, und ich versuche, sie zu beruhigen.‹

Ich täuschte eine Distanz vor, die ich nicht hatte. »Das macht das Meer«, sagte ich zu ihr, »die frische Luft, die Ferien. Außerdem versteht Nino sich darauf, dich zu täuschen. So wie er redet, scheint alles ganz leicht zu sein. Aber zum Glück kommt morgen Stefano, und du wirst sehen, dass dir Nino dann wie ein kleiner Junge erscheint. Was er ja auch wirklich ist, ich kenne ihn gut. Für uns scheint er wer weiß wer zu sein, aber wenn man bedenkt, wie er vom Sohn der Galiani behandelt wird – erinnerst du dich? –, ist schnell klar, dass wir ihn überschätzen. Natürlich, verglichen mit Bruno scheint er was Besonderes zu sein, aber alles in allem ist er nur der Sohn eines Eisenbahners, der es sich in den Kopf gesetzt hat, zu studieren. Vergiss nicht, dass Nino einer aus dem Rione ist, da kommt er her. Vergiss nicht, dass du in der Schule viel besser warst als er, obwohl er älter ist als du. Und dann sieh bloß mal, wie er seinen Freund ausnutzt, er lässt ihn alles bezahlen, die Getränke, das Eis.«

Es kostete mich einiges, das alles zu sagen, in meinen Augen waren es Lügen. Und vor allem nützte es wenig. Lila murrte, widersprach vorsichtig, und ich hielt dagegen. Bis sie sich schließlich ernsthaft aufregte und anfing,

Nino in einem Tonfall zu verteidigen, der besagte: Nur ich weiß, was für ein Mensch er ist. Sie fragte mich, warum ich ihr gegenüber immer so herabsetzend von ihm gesprochen hätte. Fragte, was ich gegen ihn hätte. »Er hat dir geholfen«, sagte sie. »Er wollte deinen Blödsinn sogar in einer Zeitschrift abdrucken lassen. Manchmal kann ich dich nicht leiden, Lenù, du machst jeden und alles schlecht, sogar die Leute, die man schon gern hat, wenn man sie bloß ansieht.«

Mir riss der Geduldsfaden, ich ertrug sie nicht länger. Ich hatte schlecht über den Menschen geredet, den ich liebte, damit sie sich besser fühlte, und nun kränkte sie mich. Endlich brachte ich hervor: »Mach, was du willst, ich geh' schlafen.« Aber sie änderte sofort ihren Ton, umarmte mich, hielt mich fest, um mich am Gehen zu hindern, und flüsterte mir ins Ohr: »Sag mir, was ich tun soll.« Ärgerlich schob ich sie weg, murmelte, das müsse sie schon selbst entscheiden, ich könne das nicht für sie tun. »Pinuccia«, sagte ich, »was hat sie gemacht? Am Ende hat sie sich besser benommen als du.«

Sie stimmte mir zu, wir sangen ein Loblied auf Pinuccia, dann seufzte sie unvermittelt:

»Na gut, morgen gehe ich nicht zum Strand, und übermorgen fahre ich mit Stefano nach Neapel zurück.«

62

Es war ein schrecklicher Samstag. Sie war wirklich nicht am Strand und ich auch nicht, aber ich dachte ununterbrochen an Nino und Bruno, die vergeblich auf uns warteten. Und ich traute mich nicht, zu sagen: Ich geh' mal kurz ans Meer, eine Runde schwimmen, ich bin bald zurück. Ich traute mich auch nicht zu fragen: »Was soll ich machen, soll ich packen, fahren wir ab, bleiben wir?« Ich half Nunzia beim Hausputz, beim Kochen für das Mittagessen und für das Abendbrot, wobei ich immer mal wieder nachsah, was Lila tat, die nicht einmal aufstand, die im Bett las und in ihr Heft schrieb, und als ihre Mutter sie zum Essen rief, antwortete sie nicht, und als sie sie erneut rief, schlug sie die Zimmertür so heftig zu, dass das ganze Haus wackelte.

»Zu viel Meer macht unruhig«, sagte Nunzia, während wir allein aßen.

»Ja.«

»Dabei ist sie nicht mal schwanger.«

»Nein.«

Am späten Nachmittag verließ Lila das Bett, aß ein paar Bissen und brachte Stunden im Badezimmer zu. Sie wusch sich die Haare, schminkte sich und zog ein schönes, grünes Kleid an, aber ihre Miene blieb finster. Trotzdem empfing sie ihren Mann liebenswürdig, und als er sie so sah, küsste er sie wie im Kino, ein langer, intensiver Kuss, während Nunzia und ich die Rolle der verlegenen Zuschauer übernahmen. Stefano richtete mir Grüße von meiner Familie aus, sagte, Pinuccia habe mit ihren Zickigkeiten aufgehört, und erzählte ausführlich, wie zufrieden die Solaras mit den neuen Schuhmodellen gewesen seien, die Rino und Fernando entwickelt hatten. Aber diese Bemerkung gefiel Lila nicht, und das Verhältnis zwischen ihnen trübte sich. Bis dahin hatte Lila ein gezwungenes Lächeln aufgesetzt, doch kaum hatte sie den Namen Solara gehört, herrschte sie ihn an, die zwei Brüder interessierten sie nicht, sie habe noch was anderes zu tun, als sich damit zu beschäftigen, was sie dächten oder nicht dächten. Stefano bekam schlechte Laune, runzelte die Stirn. Er sah, dass der Zauber der letzten Wochen verflogen war, antwortete ihr aber mit seinem üblichen, leichten, besänftigenden Lächeln; er habe lediglich erzählt, was im Rione vor sich gehe, sagte er, es sei nicht nötig, einen solchen Ton anzuschlagen. Es half nicht viel. Lila verwandelte den Abend im Nu in einen Dauerkonflikt. Stefano konnte nicht ein Wort sagen, ohne dass sie nicht scharf widersprach. Zankend gingen sie ins Bett, und ich hörte sie streiten, bis ich einschlief.

Im Morgengrauen wachte ich auf. Ich wusste nicht, was ich tun sollte: meine Sachen zusammenpacken und warten, dass Lila einen Entschluss fasste; an den Strand gehen, auf die Gefahr hin, auf Nino zu treffen, was Lila mir nicht verziehen hätte; mir den ganzen Tag lang den Kopf zermartern, wie ich es allein in meiner Kammer bereits tat. Ich beschloss, einen Zettel hinzulegen, auf dem stand, dass ich am Maronti-Strand sei, aber am frühen Nachmittag zurückkäme. Ich schrieb, ich könne Ischia nicht verlassen, ohne mich von Nella verabschiedet zu haben. Ich schrieb das in ehrlicher Absicht, doch heute weiß ich genau, wie mein Kopf funktionierte: Ich vertraute auf mein Schicksal; Lila hätte es mir nicht vorwerfen können, wenn ich auf Nino gestoßen wäre, der womöglich bei seinen Eltern war, weil er um Geld bitten wollte.

Das Ergebnis war ein verpfuschter Tag und eine ziemliche Geldverschwendung. Ich nahm ein Boot und ließ mich zum Maronti-Strand bringen. Ich suchte die Stelle, wo die Sarratores für gewöhnlich ihr Lager aufschlugen, und fand nur ihren Sonnenschirm. Ich schaute mich um, entdeckte Donato im Wasser, und er entdeckte mich. Er fuchtelte grüßend mit den Armen, kam herbeigelaufen, sagte, seine Frau und die Kinder verbrächten den Tag in Forio mit Nino. Ich war zutiefst enttäuscht, das Schicksal war nicht nur ironisch, es war auch höhnisch, es hatte mir den Sohn weggenommen und mich dem schmierigen Gerede des Vaters ausgeliefert.

Als ich versuchte, mich loszueisen, um Nella zu besuchen, ließ Sarratore mich nicht weg, hastig klaubte er seine Sachen zusammen und begleitete mich. Unterwegs schlug er einen süßlichen Ton an und redete ohne jede Verlegenheit über das, was sich früher zwischen uns ereignet hatte. Er bat mich um Verzeihung, flüsterte, das Herz könne man nicht zwingen, sprach seufzend von meiner damaligen und vor allem von meiner jetzigen Schönheit.

»Was für eine Übertreibung«, sagte ich, und wiewohl ich wusste, dass ich ernst und abweisend sein musste, lachte ich nervös auf.

Obgleich mit dem Sonnenschirm und mit seinen Siebensachen beladen, kam er nicht ohne einen etwas atemlosen Redeschwall aus. Im Wesentlichen sagte er, das Problem der Jugend sei, dass sie keine Augen habe, um sich zu sehen, und kein Gefühl, um sich objektiv zu spüren.

»Es gibt Spiegel«, erwiderte ich. »Und die sind objektiv.«

»Spiegel? Ein Spiegel ist das Letzte, dem du vertrauen kannst. Ich wette, du fühlst dich hässlicher, als deine beiden Freundinnen sind.«

»Ja.«

»Dabei bist du viel, viel schöner als sie. Glaub mir. Was für schönes blondes Haar du hast. Und was für eine Haltung. Du musst nur zwei Probleme angehen und lösen: Das erste ist dein Badeanzug, er bleibt weit hinter deinen

Möglichkeiten zurück; und das zweite ist deine Brille. Die ist wirklich nicht das Richtige, Elena, viel zu schwer. Dein Gesicht ist so zart, und von den Dingen, die du lernst, so vorzüglich geformt. Du brauchst ein leichteres Gestell.«

Ich hörte ihm mit stetig abnehmendem Ärger zu, er schien ein Experte für weibliche Schönheit zu sein. Vor allem sprach er mit einer so distanzierten Sachkunde, dass ich irgendwann zu dem Gedanken verleitet wurde: Und wenn es nun stimmt? Vielleicht kann ich mich nicht richtig zur Geltung bringen. Aber mit welchem Geld sollte ich mir denn die passende Kleidung, den passenden Badeanzug, die passende Brille kaufen? Ich wollte mich schon in einem Gejammer über Armut und Reichtum ergehen, als er lächelnd sagte:

»Unabhängig davon wirst du doch, falls du meinem Urteil nicht traust, hoffentlich bemerkt haben, wie mein Sohn dich angesehen hat, als ihr uns besucht habt.«

Erst da bemerkte ich, dass er mich anlog. Seine Worte sollten meiner Eitelkeit schmeicheln, sollten dafür sorgen, dass ich mich gut fühlte, und mich mit meinem Bedürfnis nach Bestätigung in seine Arme treiben. Ich kam mir dumm vor, brüskiert nicht durch ihn und seine Lügen, sondern durch meine eigene Dummheit. Ich war kurz angebunden und zunehmend unhöflich, was ihn erstarren ließ.

Als wir zum Haus kamen, plauderte ich ein wenig mit Nella, ich erzählte ihr, dass wir am Abend vielleicht alle nach Neapel zurückfahren würden und ich mich von ihr verabschieden wollte.

»Schade, dass du wegfährst.«

»Oh ja.«

»Komm, iss mit mir.«

»Ich kann nicht, ich muss los.«

»Aber versprich mir, falls du nicht abreist, mich noch einmal zu besuchen, und dann nicht so kurz. Bleib den ganzen Tag hier und auch über Nacht, du weißt ja, dass ein Bett für dich da ist. Ich hab dir so viel zu erzählen.«

»Danke.«

Sarratore mischte sich ein:

»Wir nehmen dich beim Wort, du weißt ja, wie sehr wir dich lieben.«

Ich brach hastig auf, auch weil ein Verwandter von Nella mit dem Auto nach Porto fuhr und ich mir diese Mitfahrgelegenheit nicht entgehen lassen wollte.

Während der Fahrt begannen Sarratores Worte, obwohl ich sie fortwährend abwehrte, zu meiner Überraschung in mir zu arbeiten. Nein, vielleicht hatte er doch nicht gelogen. Er konnte wirklich hinter die Fassade schauen. Er hatte wirklich beobachten können, wie sein Sohn mich angesehen hatte. Und wenn ich schön war, wenn Nino mich wirklich attraktiv gefunden hatte – und ich wusste, dass es so war: zu guter Letzt hatte er mich geküsst, hatte er meine Hand gehalten –, dann wurde es Zeit, dass ich den Tatsachen ins Auge sah: Lila hatte ihn mir weggenommen; Lila hatte ihn von mir entfernt, um ihn an sich zu ziehen. Vielleicht hatte sie es nicht absichtlich getan, aber getan hatte sie es.

Augenblicklich beschloss ich, dass ich ihn besuchen, ihn um jeden Preis sehen musste. Jetzt, so unmittelbar vor der Abreise, jetzt, da Lila keine Gelegenheit mehr hatte, ihn mit ihren Verführungskünsten an sich zu fesseln, jetzt, da sie selbst entschieden hatte, in das Leben zurückzukehren, das ihr entsprach, konnte das Verhältnis zwischen ihm und mir wiederaufleben. In Neapel. In freundschaftlicher Form. Vielleicht könnten wir uns treffen, um über sie zu reden. Und dann könnten wir zu unseren Gesprächen zurückkehren, zu unseren Lektüren. Ich könnte ihm beweisen, dass ich garantiert besser als Lila, vielleicht sogar besser als Nadia in der Lage war, mich für seine Themen zu begeistern. Ja, ich musste sofort mit ihm sprechen, ihm sagen ›ich reise ab‹, ihm sagen: ›Wir sehen uns im Rione, auf der Piazza Nazionale, in Mezzocannone, wo du willst, aber so bald wie möglich.‹

Ich nahm mir eine Ape und ließ mich nach Forio fahren, zu Brunos Haus. Ich rief, aber niemand antwortete. Mit wachsendem Unbehagen schlenderte ich durch den Ort, dann ging ich zum Strand. Und diesmal entschied das Schicksal anscheinend zu meinen Gunsten. Ich war schon eine ganze Weile unterwegs, als ich ihm begegnete, Nino, der überglücklich war, mich zu sehen, mit einem schlecht gezügelten Glück. Seine Augen zu feurig, seine Bewegungen übertrieben, seine Stimme schrill.

»Ich habe euch gestern und heute gesucht. Wo ist denn Lina?«

»Bei ihrem Mann.«

Er zog einen Umschlag aus der Tasche seiner Shorts und drückte ihn mir mit zu viel Kraft in die Hand.

»Kannst du ihr das geben?«

Ich wurde unwillig.

»Das hat doch keinen Sinn, Nino.«

»Gib ihr das.«

»Wir fahren heute Abend ab, zurück nach Neapel.«

Gequält verzog er das Gesicht, fragte heiser:

»Wer hat das entschieden?«

»Sie.«

»Das glaube ich nicht.«

»Ist aber so, sie hat es mir gestern Abend gesagt.«

Er dachte einen Augenblick nach, dann wies er auf den Umschlag.

»Bitte, gib ihn ihr trotzdem, und zwar gleich.«

»In Ordnung.«

»Schwöre, dass du es tust.«

»Ich hab' doch gesagt: ja.«

Er begleitete mich ein ganzes Stück und sprach denkbar schlecht über seine Mutter und seine Geschwister. »Die reinste Qual«, sagte er. »Zum Glück sind sie nach Barano zurückgefahren.« Ich erkundigte mich nach Bruno. Er winkte ab, der lerne, auch über ihn redete er schlecht.

»Und du lernst nicht?«

»Ich kann nicht.«

Er zog den Kopf zwischen die Schultern, wurde melancholisch. Dann sprach er über die Selbsttäuschungen, denen man sich hingebe, nur weil ein Professor, der selbst Probleme habe, einem einrede, man wäre gut. Er habe eingesehen, dass die Fächer, die er hatte studieren wollen, ihn nie ernsthaft interessiert hätten.

»Wie bitte? So plötzlich?«

»Ein Augenblick genügt, und dein Leben ändert sich von Grund auf.«

Was war bloß los mit ihm, was sollten diese Plattitüden, ich erkannte ihn nicht wieder. Insgeheim schwor ich mir, ihm dabei zu helfen, wieder zu sich zu finden.

»Du bist jetzt zu aufgewühlt und weißt nicht, was du redest«, sagte ich in meinem vernünftigsten Ton. »Aber sobald du wieder in Neapel bist, treffen wir uns, wenn du willst, und dann sehen wir weiter.«

Er nickte, aber kurz darauf platzte er wütend heraus:

»Von der Universität habe ich genug, ich suche mir eine Arbeit.«

63

Er brachte mich beinahe ganz nach Hause, so dass ich befürchtete, wir könnten auf Stefano und Lila treffen. Eilig verabschiedete ich mich und lief die Treppe hinauf.

»Morgen früh um neun!«, rief er.

Ich blieb stehen.

»Wenn wir abreisen, sehen wir uns im Rione, besuch mich dort!«

Energisch schüttelte Nino den Kopf.

»Ihr reist nicht ab«, sagte er, als gäbe er dem Schicksal einen drohenden Befehl.

Ich winkte ihm ein letztes Mal zu und hastete nach oben, voller Bedauern, weil ich nicht hatte nachsehen können, was sich in dem Umschlag befand.

Die Stimmung im Haus war mies. Stefano und Nunzia tuschelten miteinander, und Lila war wohl im Bad oder im Schlafzimmer. Als ich hereinkam, schauten mich die zwei vorwurfsvoll an. Stefano fragte düster und ohne Umschweife:

»Kannst du mir mal erklären, was ihr beiden ausheckt?«

»Was meinst du?«

»Sie sagt, sie hat die Nase voll von Ischia, sie will nach Amalfi.«

»Davon weiß ich nichts.«

Nunzia mischte sich ein, allerdings nicht auf ihre sonst mütterliche Art:

»Lenù, setz ihr keine Flausen in den Kopf, wir können das Geld doch nicht zum Fenster rauswerfen. Wieso denn jetzt Amalfi? Wir haben hier bis Ende September bezahlt.«

Ich regte mich auf, sagte:

»Ihr irrt euch. Ich bin hier diejenige, die macht, was Lina will, und nicht umgekehrt!«

»Dann geh und sag ihr, dass sie Vernunft annehmen soll«, platzte Stefano los. »Nächste Woche komme ich wieder, dann verbringen wir alle zusammen Ferragosto, und du wirst sehen, ich sorge dafür, dass ihr euch gut amüsiert. Aber jetzt will ich keine Sperenzchen mehr. Verdammt noch mal! Sehe ich so aus, als würde ich euch jetzt nach Amalfi fahren? Und wenn euch Amalfi nicht gefällt, wohin bringe ich euch dann, nach Capri? Und danach? Das reicht jetzt, Lenù!«

Sein Ton schüchterte mich ein.

»Wo ist sie denn?«, fragte ich.

Nunzia zeigte in Richtung Schlafzimmer. Ich ging zu Lila, überzeugt davon, gepackte Koffer und meine Freundin reisefertig vorzufinden, auch wenn sie Gefahr lief, nach Strich und Faden verprügelt zu werden. Stattdessen war sie im Unterkleid und schlief in dem ungemachten Bett. Ringsumher herrschte die übliche Unordnung, aber die Koffer standen leer übereinandergestapelt in einer Ecke. Ich rüttelte an ihrer Schulter:

»Lila.«

Sie fuhr auf und fragte mich mit verschlafenen Augen sofort:

»Wo bist du gewesen, hast du Nino gesehen?«

»Ja. Das hier ist für dich.«

Widerstrebend gab ich ihr den Umschlag. Sie öffnete

ihn und nahm ein Blatt Papier heraus. Sie las es und begann schlagartig vor Freude zu strahlen, als hätte die Injektion eines Aufputschmittels ihre Schlaftrunkenheit und ihre Niedergeschlagenheit weggefegt.

»Was steht denn drin?«, fragte ich zaghaft.

»Für mich gar nichts.«

»Was dann?«

»Der ist für Nadia, er verlässt sie.«

Sie steckte den Brief in den Umschlag zurück, gab ihn mir und bat mich, ihn gut zu verstecken.

Irritiert verharrte ich mit dem Brief in der Hand. Nino verließ Nadia? Warum? Weil Lila es von ihm verlangt hatte? Damit sie als Siegerin dastand? Ich war enttäuscht, enttäuscht, enttäuscht. In dem Spiel, das er und die Frau des Lebensmittelhändlers spielten, opferte er Professoressa Galianis Tochter. Ich sagte nichts, sah Lila zu, wie sie sich anzog, sich schminkte. Schließlich fragte ich:

»Warum hast du Stefano um diesen Blödsinn gebeten, nach Amalfi zu fahren? Ich verstehe dich nicht.«

Sie lächelte.

»Ich mich auch nicht.«

Wir verließen das Zimmer. Lila überhäufte Stefano mit Küssen und schmiegte sich fröhlich an ihn, wir beschlossen, ihn zurück nach Porto zu begleiten, Nunzia und ich in einer Ape, er und Lila auf der Lambretta. Während wir auf das Fährboot warteten, aßen wir ein Eis. Lila war liebenswürdig zu ihrem Mann, trug ihm tausend Dinge auf und versprach, ihn jeden Abend anzurufen. Bevor er den Steg betrat, legte er mir seinen Arm um die Schultern und flüsterte mir ins Ohr:

»Entschuldige, ich war wirklich wütend. Ich weiß nicht, wie es diesmal ohne dich ausgegangen wäre.«

Es war ein freundlicher Satz, und doch hörte ich so etwas wie ein Ultimatum heraus, das beinhaltete: Bitte sag deiner Freundin, wenn sie wieder anfängt, meine Geduld überzustrapazieren, dann reißt sie mir.

64

Oben im Brief stand Nadias Adresse auf Capri. Kaum hatte das Boot mit Stefano an Bord abgelegt, schob Lila uns vergnügt in einen Tabakladen, kaufte eine Briefmarke, und während ich mich mit Nunzia unterhielt, schrieb sie die Adresse auf den Umschlag und steckte ihn in den Briefkasten.

Wir bummelten durch Forio, aber ich war zu angespannt, ich redete ununterbrochen mit Nunzia. Erst zu Hause zog ich Lila in meine Kammer und sagte ihr deutlich meine Meinung. Sie hörte mir schweigend zu, mit abwesender Miene, als würde sie den Ernst dessen, was ich ihr erzählte, einerseits verstehen, aber andererseits Gedanken wälzen, die jedes meiner Worte bedeutungslos machten. Ich sagte: »Lila, ich weiß nicht, was du im Sinn hast, aber ich glaube, du spielst mit dem Feuer. Stefano ist jetzt zufrieden abgefahren, und wenn du ihn jeden Abend anrufst, wird er noch zufriedener sein. Doch Vorsicht: In einer Woche kommt er zurück, und dann bleibt er bis zum 20. August. Glaubst du, du kannst so weitermachen? Glaubst du, du kannst mit dem Leben der Menschen spielen? Weißt du, dass Nino sein Studium abbrechen will, dass er sich eine Arbeit suchen will? Was hast du ihm da in den Kopf gesetzt? Und warum hast du von ihm verlangt, er soll seine Freundin verlassen? Willst du ihn zu Grunde richten? Wollt ihr euch beide zu Grunde richten?«

Bei meiner letzten Frage raffte sie sich auf und brach in Lachen aus, allerdings in ein etwas künstliches. Sie schlug einen scheinbar amüsierten Ton an, aber wer weiß. Sie sagte, ich müsse stolz auf sie sein, weil sie mir dazu verholfen hätte, eine sehr gute Figur zu machen. Warum? Weil man sie für rundum feiner gehalten hatte als die ach so feine Tochter meiner Lehrerin. Weil der beste Typ meiner Schule und vielleicht ganz Neapels und vielleicht ganz Italiens und vielleicht der ganzen Welt – wenn man meinen Worten glauben wollte, natürlich – diese ehrenwerte Signorina soeben verlassen habe, und zwar niemand Geringerem zuliebe als ihr, einer Schustertochter mit Grundschulabschluss, einer verheirateten Carracci. Sie sagte dies mit wachsendem Sarkasmus und so, als offenbarte sie mir schließlich einen grausamen Racheplan. Ich muss ein finsteres Gesicht gezogen haben, sie bemerkte es, fuhr aber noch einige Minuten in diesem Ton fort, als könnte sie sich nicht bremsen. Meinte sie es ernst? War das damals ihr wahrer Gemütszustand? Ich rief:

»Für wen veranstaltest du dieses Theater hier? Für mich? Willst du mir weismachen, Nino ist dir zuliebe zu jeder Verrücktheit bereit?«

Das Lachen verschwand aus ihren Augen, ihr Gesicht verdüsterte sich, abrupt änderte sie ihren Ton:

»Nein, das ist gelogen, es ist genau umgekehrt. Ich bin diejenige, die zu jeder Verrücktheit bereit ist, und das ist mir noch nie mit irgendwem passiert, und ich freue mich, dass es mir jetzt passiert.«

Von Unbehagen überwältigt, ging sie schlafen, ohne mir gute Nacht zu sagen.

Ich fiel in einen aufreibenden Halbschlaf und gelangte nach und nach zu dem Schluss, dass ihr letztes Wortrinnsal ehrlicher war als der Redeschwall, der ihm vorangegangen war.

In der darauffolgenden Woche erhielt ich die Bestätigung dafür. Bereits am Montag bemerkte ich, dass Bruno nach Pinuccias Abreise tatsächlich begonnen hatte, sich für mich zu interessieren, und nun annahm, der Zeitpunkt wäre gekommen, sich mir gegenüber so zu verhalten, wie Nino sich Lila gegenüber verhielt. Als wir zusammen badeten, zog er mich ungeschickt an sich, um mich zu küssen, so dass ich viel Wasser schluckte und hustend sofort zum Ufer zurückmusste. Das nahm ich ihm übel, er bemerkte es. Als er sich mit der Miene eines geprügelten Hundes neben mich in die Sonne legte, hielt ich ihm einen kleinen, freundlichen, doch bestimmten Vortrag folgenden Inhalts: Bruno, du bist sehr nett, aber zwischen dir und mir kann es nicht mehr geben als ein Verhältnis wie zwischen Bruder und Schwester. Das betrübte ihn, aber er gab nicht auf. Am selben Abend machten wir nach dem Anruf bei Stefano einen Strandspaziergang zu viert und legten uns in den kalten Sand, um in die Sterne zu schauen, Lila auf die Ellbogen gestützt, Nino mit dem Kopf auf ihrem Bauch, ich mit dem Kopf auf Ninos Bauch, Bruno mit dem Kopf auf meinem Bauch. Wir betrachteten die Sternbilder und verwendeten bewährte Formeln zur Lobpreisung der wunderbaren Architektur des Himmels. Nicht alle, Lila nicht. Sie schwieg, und erst als wir den Katalog des bewundernden Staunens abgearbeitet hatten, sagte sie, der Anblick der Nacht mache ihr Angst, da sei keine Architektur erkennbar, sondern nur wahllos verstreute Glassplitter in dunkelblauem Asphalt.

Das brachte uns alle zum Schweigen, und ich ärgerte mich über ihre neue Angewohnheit, immer als Letzte zu sprechen, was ihr viel Zeit zum Nachdenken gab und ihr ermöglichte, mit einem halben Satz alles zu durchkreuzen, was wir mehr oder weniger unüberlegt gesagt hatten.

»Wieso denn Angst«, rief ich. »Das ist doch wunderschön!«

Bruno schlug sich sofort auf meine Seite. Aber Nino stärkte ihr den Rücken. Mit einer leichten Bewegung bedeutete er mir, seinen Bauch freizugeben, setzte sich auf und begann mit ihr zu diskutieren, als wären sie allein. Der Himmel, der Tempel, die Ordnung, die Unordnung. Am Ende standen sie auf und verschwanden plaudernd in der Dunkelheit.

Ich blieb liegen, doch auf meine Ellbogen gestützt. Ninos warmer Körper diente mir nicht mehr als Kissen, und das Gewicht von Brunos Kopf auf meinem Bauch störte mich. Ich sagte »entschuldige« und berührte kurz sein Haar. Er richtete sich auf, packte mich an der Taille und presste sein Gesicht an meine Brust. Ich sagte leise nein, aber er drückte mich trotzdem in den Sand, suchte meinen Mund und knetete mit einer Hand ungestüm meinen Busen. Da stieß ich ihn heftig zurück, wobei ich schrie: »Hör auf«, und diesmal wurde ich unangenehm, ich zischte ihn an: »Du gefällst mir nicht, wie soll ich es dir denn noch sagen?« Er hielt verlegen inne, setzte sich auf. Mit sehr leiser Stimme fragte er: »Gefalle ich dir denn nicht mal ein kleines bisschen?« Ich versuchte, ihm zu erklären, dass sich so was nicht abmessen ließ:

»Es geht nicht um mehr oder weniger Schönheit, um mehr oder weniger Sympathie. Manche Menschen ziehen mich eben an und andere nicht, ganz unabhängig davon, wie sie wirklich sind.«

»Und ich gefalle dir nicht?«

Ich schnaufte.

»Nein.«

Doch kaum hatte ich diese eine Silbe gesagt, brach ich in Tränen aus, und während ich weinte, stammelte ich in einem fort Dinge wie:

»Siehst du, ich weine ohne Grund, ich bin eine blöde Kuh, es ist nicht der Mühe wert, dass du deine Zeit mit mir verschwendest.«

Er streichelte meine Wange und versuchte erneut, mich zu umarmen, wobei er flüsterte: »Ich möchte dir so viele Geschenke machen, du hast sie verdient, du bist so schön.« Wütend machte ich mich los und kreischte in die Finsternis:

»Lila, komm sofort zurück, ich will nach Hause!«

Die zwei Freunde brachten uns bis zur Treppe, dann verschwanden sie. Noch während Lila und ich im Dunkeln zum Haus hinaufstiegen, sagte ich gereizt:

»Geh, wohin du willst, mach, was du willst, ich komme nicht mehr mit. Bruno hat mich schon zum zweiten Mal begrapscht. Ich will nicht mehr allein mit ihm sein, ist das klar?«

65

Es gibt Momente, in denen nehmen wir Zuflucht zu unsinnigen Formulierungen und stellen absurde Behauptungen auf, um geradlinige Gefühle zu verbergen. Heute weiß ich, dass ich meinen Widerstand gegen Brunos Annäherungsversuche unter anderen Umständen nach einer Weile aufgegeben hätte. Er gefiel mir nicht, natürlich, aber auch Antonio hatte mir nicht besonders gefallen. Männer gewinnt man langsam lieb, unabhängig davon, ob sie dem Typ Mann, für den wir uns in den verschiedenen Phasen des Lebens entschieden haben, mehr entsprechen oder weniger. Bruno Soccavo war in jener Phase seines Lebens höflich und großzügig, es wäre leicht gewesen, ein wenig Zuneigung zu ihm zu fassen. Doch meine Gründe, ihn zurückzuweisen, hatten nichts mit einer realen Widerlichkeit seiner Person zu tun. Die Wahrheit war, dass ich Lila aufhalten wollte. Ich wollte ihr im Weg sein. Ich wollte, dass sie begriff, in welche Situation sie sich trieb und mich trieb. Ich wollte, dass sie zu mir sagte: »Na gut, du hast Recht, ich mache gerade einen Fehler. Ich werde nicht mehr mit Nino im Dunkeln weggehen, ich werde dich nicht mehr mit Bruno allein lassen. Ab sofort benehme ich mich, wie es sich für eine verheiratete Frau gehört.«

Das geschah natürlich nicht. Sie sagte nur: »Ich rede mit Nino darüber, und du wirst sehen, Bruno wird dich nicht mehr belästigen.« Und so trafen wir uns auch weiterhin Tag für Tag um neun Uhr morgens mit den beiden Jungen und trennten uns um Mitternacht von ihnen. Schon am Dienstagabend sagte Nino nach dem Anruf bei Stefano:

»Ihr habt euch noch nie Brunos Haus angesehen. Wollt ihr nicht mit raufkommen?«

Ich lehnte sofort ab und gab vor, Bauchschmerzen zu haben und daher nach Hause zu wollen. Nino und Lila sahen sich unschlüssig an, Bruno sagte nichts. Ich spürte das Gewicht ihrer Unzufriedenheit und fügte verlegen hinzu:

»Vielleicht ein andermal.«

Lila äußerte sich nicht, doch als wir beide allein waren, stieß sie hervor: »Du kannst mir doch nicht das Leben so vermiesen, Lenù!« Ich antwortete: »Wenn Stefano erfährt, dass wir allein zu den beiden nach Hause gegangen sind, ist er nicht nur sauer auf dich, sondern auch auf mich.« Und dabei beließ ich es nicht. Zu Hause stachelte ich Nunzias Unmut an und brachte sie dazu, ihrer Tochter Vorwürfe zu machen: zu viel Sonne, zu viel Meer und dann diese Herumtreiberei bis Mitternacht. Scheinbar mit dem Wunsch, zwischen Mutter und Tochter zu vermitteln, verstieg ich mich sogar zu der Bemerkung: »Signora Nunzia, kommen Sie doch morgen Abend mit und essen Sie ein Eis mit uns. Sie werden sehen, wir tun nichts Schlechtes.« Lila wurde wütend, sagte, sie opfere sich schon das ganze Jahr über auf, immer eingesperrt in der Salumeria, und sie habe ein Recht auf ein bisschen Freiheit. Da verlor auch Nunzia die Ruhe: »Lina, was redest du denn da? Freiheit? Was denn für eine Freiheit? Du bist verheiratet, du bist deinem Mann Rechenschaft schuldig. Lenuccia darf ein bisschen Freiheit wollen, du nicht.« Ihre Tochter verschwand türenschlagend in ihrem Zimmer.

Tags darauf hatte Lila sich durchgesetzt: Ihre Mutter blieb zu Hause, und wir gingen los, um Stefano anzurufen. »Punkt elf seid ihr wieder hier«, sagte Nunzia missmutig zu mir, und ich antwortete: »In Ordnung.« Sie warf mir einen langen, prüfenden Blick zu. Sie war nun alarmiert, sie war unsere Aufpasserin, aber sie passte nicht auf uns auf, sie fürchtete, wir könnten etwas anstellen, dachte aber auch an ihre geopferte Jugend und brachte es nicht übers Herz, uns ein unschuldiges Vergnügen zu verbieten. Um sie zu beruhigen, bestätigte ich: »Um elf.«

Das Telefongespräch mit Stefano dauerte höchstens eine Minute. Als Lila aus der Kabine kam, fragte Nino nach:

»Geht es dir heute Abend besser, Lenù? Kommt ihr mit, um euch das Haus anzusehen?«

»Na los«, redete Bruno mir zu. »Ihr trinkt ein Glas, und dann geht ihr wieder.«

Lila willigte ein, ich sagte nichts. Von außen wirkte das Haus alt und schlecht gepflegt, doch innen war es renoviert: ein weißer, gut beleuchteter Keller voller Wein und Wurstwaren; eine Marmortreppe mit schmiedeeisernem Geländer; massive Türen, an denen goldfarbene Klinken glänzten; Fenster mit ebenfalls goldfarbenen Rahmen; viele Zimmer, gelbe Sofas, ein Fernseher; in der Küche aquamarinblaue Hängeschränke und in den Schlafräumen Schränke groß wie gotische Kathedralen. Zum ersten Mal drang mir deutlich ins Bewusstsein, dass Bruno wirklich reich war, reicher als Stefano. Wenn meine Mutter wüsste, dachte ich, dass mir der studierende Sohn des Mortadella-Fabrikanten Soccavo den Hof gemacht hat, dass ich sogar in seinem Haus zu Gast gewesen bin und dass ich, anstatt Gott für das Glück zu danken, das er mir zuteilwerden ließ, und zu versuchen, mich heiraten zu lassen, Bruno gleich zweimal abgewiesen habe, dann würde sie mich grün und blau schlagen. Andererseits waren es gerade die Gedanken an meine Mutter und ihr schlimmes Bein, die mir das Gefühl gaben, körperlich nicht einmal zu Bruno zu passen. In diesem Haus verließ mich der Mut. Warum war ich hier, was tat ich hier. Lila gab sich unbefangen, lachte viel, ich fühlte mich, als hätte ich Fieber, mit einem bitteren Geschmack im Mund. Ich begann immer ja zu sagen, um die Verlegenheit, nein zu sagen, zu vermeiden. Möchtest du dies trinken, möchtest du, dass ich diese Platte auflege, möchtest du fernsehen, möchtest du ein Eis. Spät fiel mir auf, dass Nino und Lila verschwunden waren, aber als ich es bemerkte, wurde ich unruhig. Wo waren sie abgeblieben? Konnte es sein, dass sie sich in Ninos Schlafzimmer zurückgezogen hatten? Konnte es sein, dass Lila bereit war, auch diese Grenze zu überschreiten? Konnte es sein, dass – ich wollte es nicht einmal denken. Ich sprang auf, sagte zu Bruno:

»Es ist schon spät.«

Er war freundlich, doch mit einem melancholischen Unterton. Er flüsterte: »Bleib doch noch ein bisschen.« Er sagte, er werde am nächsten Tag sehr früh abreisen, er müsse zu einem Familienfest. Sagte, er werde bis Montag fort sein, und diese Tage ohne mich würden eine Qual werden. Zärtlich nahm er meine Hand, sagte, er habe mich sehr lieb, und noch mehr solcher Sätze. Sanft entzog ich ihm meine Hand, und er bemühte sich um keine weitere Berührung. Dafür sprach er nun ausführlich über seine Gefühle zu mir, er, der sonst nicht viele Worte machte, und ich hatte Mühe, ihn zu unterbrechen. Als es mir gelang, sagte ich: »Ich muss wirklich gehen«, und dann, mit lauter werdender Stimme: »Lila, bitte komm jetzt, es ist viertel elf.«

Es vergingen einige Minuten, die zwei tauchten wieder auf. Nino und Bruno begleiteten uns zur Ape, Bruno verabschiedete sich von uns, als führe er nicht für wenige Tage nach Neapel, sondern für den Rest seines Lebens nach Amerika. Auf dem Heimweg sagte Lila in einem angeregten Ton, als handelte es sich um wer weiß was für eine Neuigkeit:

»Nino hat mir erzählt, dass er dich sehr bewundert.«

»Ich ihn nicht«, gab ich sofort unfreundlich zurück. Dann zischte ich sie an:

»Und wenn du nun schwanger wirst?«

Sie sagte mir ins Ohr:

»Keine Gefahr. Wir küssen und umarmen uns bloß.«

»Aha.«

»Und außerdem werde ich nicht schwanger.«

»Einmal ist es schon passiert.«

»Ich sag' dir, ich werde nicht schwanger. Er weiß, wie man das macht.«

»Wer – er?«

»Nino. Er würde ein Präservativ benutzen.«

»Und was ist das?«

»Keine Ahnung, er hat das so genannt.«

»Du weißt nicht, was das ist, und vertraust darauf?«

»Es ist was zum Drüberziehen.«

»Wo – drüber?«

Ich wollte sie zwingen, die Dinge beim Namen zu nennen. Wollte, dass sie genau verstand, was sie mir da erzählte. Erst beteuerte sie, dass sie sich nur küssten, und dann sprach sie von ihm wie von einem, der wusste, wie man verhinderte, dass sie schwanger wurde. Ich war außer mir, verlangte, dass sie sich schämte. Sie dagegen schien sich über alles zu freuen, was ihr geschehen war und noch geschehen würde. Als wir wieder zu Hause waren, war sie sehr freundlich zu Nunzia, wies darauf hin, dass wir sehr früh zurückgekommen seien, und machte sich bettfertig. Doch sie ließ ihre Zimmertür offen, und als sie sah, dass ich schlafen gehen wollte, rief sie mich und sagte: »Bleib doch noch einen Moment, und mach die Tür zu.«

Ich setzte mich aufs Bett, zwang mich aber, durchblicken zu lassen, dass ich sie und alles andere satthatte.

»Was gibt es denn so Wichtiges?«

Sie raunte:

»Ich will zu Nino und bei ihm schlafen.«

Mir blieb der Mund offen stehen.

»Und Nunzia?«

»Warte, reg dich nicht auf. Wir haben nicht mehr viel Zeit, Lenù. Stefano kommt am Samstag, er wird zehn Tage bleiben, dann fahren wir nach Neapel zurück. Und alles wird vorbei sein.«

»Was – alles?«

»Das hier, diese Tage, diese Abende.«

Wir redeten lange, sie schien mir bei vollkommen klarem Verstand zu sein. Sie flüsterte, nie wieder werde sie so etwas erleben. Raunte mir zu, sie liebe ihn, begehre ihn. Sie benutzte das Wort lieben, *amare*, das wir nur aus den Büchern und aus dem Kino kannten und das im Rione kein Mensch verwendete, höchstens, dass ich es im Stillen dachte, wir wählten alle eher den harmloseren Ausdruck *voler bene*. Sie nicht, sie liebte. Liebte Nino. Doch sie wisse nur zu gut, dass diese Liebe unterdrückt werden müsse, dass man ihr jede Gelegenheit, sich zu entfalten, nehmen müsse. Und das werde sie tun, ab Samstagabend werde sie das tun. Sie zweifele nicht daran, dass sie dazu fähig sei, ich solle ihr vertrauen. Aber die wenige Zeit, die noch blieb, wolle sie mit Nino verbringen.

»Ich will eine ganze Nacht und einen ganzen Tag mit ihm im Bett bleiben«, sagte sie. »Ich will in einer Umarmung einschlafen, will ihn nach Belieben küssen, nach Belieben streicheln, auch wenn er schläft. Dann ist es genug.«

»Das geht nicht.«

»Du musst mir helfen.«

»Wie denn?«

»Du musst meiner Mutter erzählen, Nella hätte uns für zwei Tage nach Barano eingeladen und wir könnten dort übernachten.«

Ich schwieg einen Moment. Also hatte sie schon eine Vorstellung, einen Plan. Garantiert hatte sie sich den mit Nino ausgedacht, vielleicht hatte er Bruno extra weggeschickt. Wer weiß, wie lange sie schon das Wie und Wo erörterten. Schluss mit den Diskussionen über Neokapitalismus, über Neokolonialismus, über Afrika, Lateinamerika, über Beckett, Bertrand Russell. Beiwerk. Nino diskutierte über gar nichts mehr. Ihre brillanten Köpfe beschäftigten sich nur noch damit, wie man mit meiner Hilfe Nunzia und Stefano täuschen konnte.

»Du hast sie ja nicht mehr alle«, sagte ich aufgebracht. »Selbst wenn deine Mutter uns glaubt, dein Mann wird uns niemals glauben.«

»Überrede du sie, uns nach Barano fahren zu lassen, und ich überrede sie, Stefano nichts davon zu sagen.«

»Nein.«

»Sind wir keine Freundinnen mehr?«

»Nein.«

»Bist du auch nicht mehr Ninos Freundin?«

»Nein.«

Aber Lila wusste genau, wie sie mich in ihre Geschichten hineinziehen konnte. Und ich konnte nicht widerstehen. Einerseits sagte ich basta, andererseits deprimierte mich der Gedanke, nicht Teil ihres Lebens zu sein, ihrer Art, es sich zu erfinden. Was war dieser Betrug denn anderes als ein weiteres ihrer bizarren, stets hochriskanten

Manöver? Wir zwei zusammen, Schulter an Schulter, im Kampf gegen den Rest der Welt. Wir würden den kommenden Tag darauf verwenden, Nunzias Widerstand zu besiegen. Und tags darauf könnten wir frühmorgens zusammen aus dem Haus gehen. In Forio könnten wir uns trennen. Sie würde sich mit Nino in Brunos Haus zurückziehen, und ich würde mit dem Boot zum Maronti-Strand fahren. Sie würde den ganzen Tag und die ganze Nacht mit Nino verbringen, ich würde Nella besuchen und in Barano schlafen. Am darauffolgenden Tag würde ich mittags nach Forio zurückfahren, wir würden uns bei Bruno treffen und zusammen nach Hause zurückkehren. Perfekt. Je eifriger sie jeden Schritt der Täuschung plante, umso mehr steckte sie auf ihre geschickte Weise auch mich an, sie umarmte mich, sie beschwor mich. Na bitte, wir erlebten wieder ein Abenteuer *zusammen*. Würden *uns* nehmen, was das Leben uns vorenthalten wollte. Na bitte. Oder wäre es mir lieber, wenn sie auf diese Freude verzichtete, wenn Nino darunter leiden würde, wenn sie beide den Verstand verlören und dahin kämen, dass sie ihr Verlangen nicht mit Umsicht lenkten, sondern ihm auf gefährliche Art ausgeliefert wären? Während ich in dieser Nacht ihrer Argumentationskette folgte, verfiel ich irgendwann auf den Gedanken, dass meine Unterstützung ihres Vorhabens nicht nur ein wichtiger Markstein in unserer langen schwesterlichen Freundschaft wäre, sondern auch eine Möglichkeit, meiner Liebe – sie nannte es Freundschaft, aber ich dachte verzweifelt: Liebe, Liebe, Liebe – zu Nino Ausdruck zu verleihen. Und da sagte ich schließlich:

»Einverstanden, ich helfe dir.«

66

Am folgenden Tag tischte ich Nunzia so faustdicke Lügen auf, dass ich mich dafür schämte. In den Mittelpunkt dieser Täuschung stellte ich Maestra Oliviero, die sich in Potenza in einer denkbar schlimmen Verfassung befand, und das war meine Idee, nicht Lilas. Ich sagte: »Gestern habe ich Nella Incardo getroffen, und sie hat mir erzählt, ihre Cousine, die sich noch von ihrer Krankheit erholen muss, ist zu ihr gekommen, um Ferien am Meer zu machen und sich auszukurieren. Morgen Abend gibt Nella ein Fest für die Maestra, zu dem sie Lila und mich eingeladen hat, weil wir ihre besten Schülerinnen gewesen sind. Wir würden wirklich gern hingehen, aber da es bestimmt spät wird, ist das wohl nicht möglich. Allerdings hat Nella gesagt, wir könnten bei ihr übernachten.«

»In Barano?«, fragte Nunzia finster.

»Ja, da findet das Fest statt.«

Schweigen.

»Du kannst ja hingehen Lenù, Lila nicht, ihr Mann würde sich aufregen.«

Lila ließ beiläufig fallen:

»Wir müssen's ihm ja nicht sagen.«

»Aber was redest du denn da!«

»Mama, er ist in Neapel, und ich bin hier, er wird es nie erfahren.«

»Auf die eine oder andere Weise kommt die Wahrheit immer ans Licht.«

»Aber nein.«

»Aber ja, Schluss jetzt, Lina. Keine Diskussion mehr. Wenn Lenuccia dort hinwill, meinetwegen, aber du bleibst hier.«

Wir redeten noch eine gute Stunde so weiter, ich, indem ich darauf hinwies, wie wirklich schlecht es der Maestra gehe, wer weiß, ob das nicht unsere letzte Gelegenheit sei, ihr unsere Dankbarkeit zu bezeigen, und Lila, indem sie sie folgendermaßen drängte: »Und wie viele Lügen hast du Papa erzählt, na sag schon, und das nicht in böser Absicht, sondern in guter, damit du mal einen Moment für dich hattest, um etwas Harmloses, was er dir nie erlaubt hätte, zu tun.« Ein einziges Tauziehen, Nunzia erklärte zunächst, sie habe Fernando nie auch nur eine klitzekleine Lüge erzählt; dann gab sie zu, ihn einmal, zweimal, viele Male belogen zu haben; und schließlich schrie sie Lila wütend und auch mit mütterlichem Stolz an: »Was ist bloß passiert, als du gezeugt wurdest? Ein Unfall, ein Schluckauf, ein Krampf, ist das Licht ausgegangen, eine Lampe durchgebrannt, die Waschschüssel samt Wasser von der Kommode gefallen? Irgendetwas muss ja gewesen sein, wenn du dermaßen unerträglich geworden bist, so ganz anders als die anderen.« Dann wurde sie traurig und schien sanfter zu werden. Aber schon bald fuhr sie wieder auf, sagte, man belüge seinen Mann nicht, bloß um eine Lehrerin zu treffen. Und Lila schrie: »Maestra Oliviero verdanke ich das bisschen, was ich weiß! Was ich gelernt habe, habe ich von ihr gelernt!« Schließlich gab Nunzia nach. Aber sie erlegte uns einen strikten Zeitplan auf: Samstag um Punkt vierzehn Uhr sollten wir wieder zu Hause sein. Keine Minute später. »Und wenn Stefano früher kommt und dich nicht antrifft? Lina, bring mich nicht in Schwierigkeiten. Verstanden?« »Verstanden.«

Wir gingen zum Strand. Lila strahlte vor Freude, umarmte mich, küsste mich und sagte, sie werde mir ihr Leben lang dankbar sein. Doch ich hatte bereits ein schlechtes Gewissen wegen der Einbeziehung Maestra Olivieros, die ich zum Mittelpunkt eines Festes in Barano gemacht hatte, wobei ich sie mir so vorgestellt hatte, wie sie gewesen war, als sie uns voller Tatkraft unterrichtet hatte, und nicht so, wie es ihr dagegen wohl jetzt erging, schlimmer als damals, als ich gesehen hatte, wie sie mit dem Krankenwagen abtransportiert worden war, und schlimmer als bei meinem Besuch bei ihr im Krankenhaus. Die Freude darüber, eine funktionstüchtige Lüge erfunden zu haben, verschwand, mein komplizenhafter Eifer ließ nach, ich wurde missgünstig. Ich fragte mich, warum ich Lila überhaupt half, warum ich sie deckte: Sie wollte schließlich ihren Mann betrügen, wollte das heilige Band der Ehe durchtrennen, wollte sich ihr Ehefrauendasein vom Leib reißen, wollte etwas tun, wofür Stefano ihr den Schädel einschlagen würde, falls er es herausbekäme. Plötzlich fiel mir wieder ein, was sie mit ihrem Hochzeitsfoto angestellt hatte, und mir wurde übel. ›Jetzt‹, dachte ich, ›macht sie es genauso, aber nicht mit einem Bild, sondern mit sich selbst, mit der Person der Signora Carracci. Und auch diesmal zieht sie mich mit hinein, damit ich ihr helfe. Nino ist ein Werkzeug, jawohl. Wie die Schere, der Klebstoff, die Farbe, sie benutzt ihn, um sich zu verstümmeln. In was für eine schlimme Geschichte treibt sie mich da hinein. Und warum lasse ich mich da hineintreiben.‹

Wir trafen ihn wartend am Strand. Ungeduldig fragte er:

»Und?«

Sie sagte:

»Ja.«

Sie liefen fort ins Wasser, um hinauszuschwimmen, ohne mich mitzunehmen, aber ich hätte ohnehin nicht gewollt. Ich fröstelte vor Angst, und wozu sollte ich auch baden gehen? Um allein in Ufernähe zurückzubleiben, aus Furcht vor der Tiefe?

Wind, dazu ein paar Wolkenstreifen, eine leicht rauhe See. Die zwei tauchten ohne zu zögern ins Wasser, Lila mit einem langen Freudenschrei. Sie waren glücklich, erfüllt von ihrer Geschichte, und hatten den Elan von Menschen, die sich erfolgreich nehmen, was sie begehren, koste es, was es wolle. Mit entschlossenen Schwimmzügen verschwanden sie sogleich in den Wellen.

Ich fühlte mich durch einen unerträglichen Freundschaftspakt gebunden. Wie verwickelt das alles war. Ich war es, die Lila nach Ischia gelotst hatte. Ich war es, die sie benutzt hatte, um Nino nachzureisen, ohne Hoffnung übrigens. Ich hatte für das Geld, das sie mir gab, auf den Lohn aus der Buchhandlung in Mezzocannone verzichtet. Ich hatte mich in ihre Dienste begeben und spielte nun die Rolle der Dienstmagd, die ihrer Herrin beisteht. Ich deckte ihren Ehebruch. Bereitete ihn vor. Half ihr, sich Nino zu angeln, sich ihn an meiner Stelle zu angeln, sich vögeln zu lassen – ja, vögeln –, einen ganzen Tag und eine ganze Nacht mit ihm zu ficken und ihm einen zu blasen. In meinen Schläfen begann es zu hämmern, ein-, zwei-, dreimal stieß ich mit der Ferse den Sand weg und fand Gefallen daran, dass in meinem Kopf die mit einem dunkel erahnten Sex überladenen Wörter meiner Kindheit widerhallten. Es verschwand das Gymnasium, es verschwand der Wohlklang der Literatur, der Übersetzungen aus dem Griechischen und dem Lateinischen. Ich starrte auf das glitzernde Meer, auf die langgezogene, fahle Masse, die sich vom Horizont auf den hellblauen Himmel zubewegte, auf den weißen Streifen der Hitze, und ich sah die beiden kaum, Nino und Lila, kleine, schwarze Punkte. Ich erkannte nicht, ob sie weiter auf die Wolkenwand am Horizont zu schwammen oder zurückkehrten. Ich wünschte mir, dass sie ertranken und dass der Tod ihnen die Freuden des nächsten Tages raubte.

67

Ich hörte, dass mich jemand rief, schnellte herum.

»Na, da habe ich doch richtig gesehen!«, sagte neckisch eine männliche Stimme.

»Ich hab' dir doch gesagt, dass sie es ist«, sagte eine weibliche Stimme.

Ich erkannte sie sofort, stand auf. Es waren Michele Solara und Gigliola, in Begleitung von Gigliolas Bruder, einem zwölfjährigen Jungen namens Lello.

Ich empfing sie herzlich, obwohl ich durchaus nicht sagte: Setzt euch doch. Ich hoffte, sie hätten es aus irgendeinem Grund eilig, sie würden gleich wieder gehen, aber Gigliola breitete Micheles und ihr Handtuch sorgfältig auf dem Sand aus, deponierte die Tasche, Zigaretten und Feuerzeug darauf und sagte zu ihrem Bruder: »Leg dich in den heißen Sand, sonst erkältest du dich noch, es ist windig, und deine Badehose ist nass.« Was tun? Ich zwang mich, nicht aufs Meer zu schauen, als könnte auf diese Weise auch ihnen nicht in den Sinn kommen, dorthin zu sehen, und schenkte Michele, der mit seinem typischen unaufgeregten, gleichgültigen Ton zu reden begann, meine hocherfreute Aufmerksamkeit. Sie hätten sich einen Tag freigenommen, in Neapel sei es zu heiß. Fähre am Morgen, Fähre am Abend, frische Luft. Im Geschäft an der Piazza dei Martiri seien doch Pinuccia und Alfonso, das heißt nein, Alfonso und Pinuccia, denn Pinuccia tue nicht viel, während Alfonso tüchtig sei. Sie seien ja auf Pinas Empfehlung nach Forio gekommen. »Ihr werdet sie schon finden«, habe sie gesagt, »ihr müsst nur am Strand entlanggehen.« Und tatsächlich, nach einem weiten Weg habe Gigliola gerufen: »Ist das nicht Lenuccia?« Und da seien sie nun. Ich wiederholte mehrmals: wie schön, und währenddessen trat Michele mit seinen sandigen Füßen versehentlich auf Gigliolas Handtuch, so dass sie ihm Vorwürfe machte – »pass doch ein bisschen auf, ja« –, doch vergeblich. Ich wusste, dass nun, da er mit der Erklärung fertig war, warum sie auf Ischia waren, die eigentliche Frage im Raum stand, ich las sie in seinen Augen, noch bevor er sie aussprach:

»Und wo ist Lina?«

»Im Wasser.«

»Bei diesem Seegang?«

»So schlimm ist es ja nicht.«

Es war unvermeidlich, sowohl er als auch Gigliola drehten sich um und schauten auf das Meer voller Schaumröllchen. Aber sie taten es zerstreut, schon machten sie es sich auf den Handtüchern bequem. Michele stritt mit dem Jungen, der noch einmal baden gehen wollte. »Du bleibst hier«, sagte er. »Willst du vielleicht ertrinken?« Dann drückte er ihm ein Comic-Heft in die Hand und sagte zu seiner Freundin: »Den nehmen wir nicht noch mal mit.«

Gigliola machte mir viele Komplimente:

»Wie gut du aussiehst, ganz braungebrannt, und deine Haare sind noch heller geworden.«

Ich lächelte, wehrte ab, doch mein einziger Gedanke

war: ›Ich muss eine Möglichkeit finden, sie von hier wegzubringen.‹

»Kommt doch zum Ausruhen mit zu uns nach Hause«, schlug ich vor. »Nunzia ist da, sie wird sich sehr freuen.«

Sie lehnten ab, in wenigen Stunden gehe ihr Boot, sie wollten sich lieber noch etwas sonnen und sich dann auf den Weg machen.

»Dann lasst uns zum Strandbad gehen und was essen«, sagte ich.

»Gut, aber warten wir noch auf Lina.«

Wie immer in angespannten Situationen bemühte ich mich, die Zeit mit Worten auszulöschen, und so bestürmte ich sie mit Fragen zu allem, was mir einfiel: Wie ging es Spagnuolo, dem Konditor; wie ging es Marcello, hatte er eine Freundin gefunden; wie gefielen Michele die neuen Schuhmodelle, und was hielt sein Vater davon, was hielt seine Mutter davon, was hielt sein Großvater davon. Irgendwann stand ich auf und sagte: »Ich hole Lina.« Ich ging ans Wasser und schrie: »Lila, komm, Michele und Gigliola sind hier!« Doch es war sinnlos, sie hörte mich nicht. Ich ging zurück und plauderte zur Ablenkung weiter. Ich hoffte, Lila und Nino würden, wenn sie ans Ufer kamen, die Gefahr erkennen und daher jede Intimität vermeiden, bevor Gigliola und Michele sie entdeckten. Doch während Gigliola mir zuhörte, brachte Michele nicht einmal so viel Anstand auf, so zu tun als ob. Er war extra nach Ischia gekommen, um Lila zu treffen und mit ihr über die neuen Schuhe zu reden, dessen war ich mir sicher, und er warf lange Blicke auf das zunehmend bewegte Meer.

Endlich sah er Lila. Er sah sie aus dem Wasser kommen, ihre Hand mit Ninos verflochten, ein Paar, das nicht unbemerkt bleiben konnte, so schön war es, beide hochgewachsen, beide auf natürliche Art elegant, sich anstoßende Schultern, einander zulächelnd. Sie waren so sehr mit sich selbst beschäftigt, dass sie nicht gleich bemerkten, wer bei mir war. Als Lila Michele erkannte und ihre Hand zurückzog, war es zu spät. Vielleicht bemerkte Gigliola nichts, und ihr Bruder las ohnehin in seinem Comic, aber Michele bemerkte es sehr wohl, er drehte sich um und schaute mich an, wie um in meinem Gesicht die Bestätigung dessen zu lesen, was er gerade gesehen hatte. Er fand sie wohl in meinem Erschrecken. Ernst und mit einer Langsamkeit, mit der er handelte, wenn etwas in Angriff genommen werden musste, was Schnelligkeit und Entschlossenheit verlangte, sagte er:

»Zehn Minuten, für eine kurze Begrüßung, dann gehen wir.«

Aber sie blieben länger als eine Stunde. Als Michele den Nachnamen Ninos hörte, den ich mit dem ausdrücklichen Hinweis vorstellte, dass er unser Schulkamerad an der Grundschule und auch mein Schulkamerad am Gymnasium gewesen sei, stellte er ihm eine höchst unangenehme Frage:

»Bist du der Sohn von dem Kerl, der für *Roma* und *Napoli notte* schreibt?«

Nino nickte widerwillig, und Michele fixierte ihn einen langen Moment, als suchte er in Ninos Augen den Beweis für diese Verwandtschaft. Dann sprach er kein Wort mehr mit ihm, er wandte sich ausschließlich an Lila.

Lila war liebenswürdig, ironisch und manchmal boshaft. Michele sagte:

»Dieser Angeber von deinem Bruder behauptet steif und fest, dass er die neuen Schuhe entworfen hat.«

»Stimmt ja auch.«

»Also deshalb sind sie so ein Mist.«

»Du wirst sehen, dass sich dieser Mist noch besser verkauft als der vorige.«

»Kann sein, aber nur, wenn du im Laden arbeitest.«

»Du hast doch Gigliola, die macht das großartig.«

»Gigliola brauche ich in der Bar.«

»Dein Problem, ich muss in der Salumeria bleiben.«

»Du wirst sehen, Signora, dass du an die Piazza dei Martiri versetzt wirst und für alles grünes Licht bekommst.«

»Grünes Licht, rotes Licht, schlag dir das aus dem Kopf, mir geht's gut da, wo ich bin.«

Und so weiter in diesem Ton, sie schienen Pingpong mit Wörtern zu spielen. Gigliola und ich versuchten hin und wieder, auch etwas zu sagen, vor allem Gigliola, die sich darüber aufregte, wie ihr Freund über ihre Zukunft sprach, ohne sie überhaupt zu fragen. Was Nino anging, so war er – wie ich bemerkte – verblüfft oder vielleicht entzückt darüber, dass Lila Michele im Dialekt Paroli bieten konnte, gewandt und unerschrocken.

Schließlich kündigte der junge Solara an, sie müssten los, ihr Sonnenschirm und ihre Sachen seien ziemlich weit weg. Er verabschiedete sich von mir, verabschiedete sich sehr herzlich von Lila und bekräftigte erneut, dass er sie schon im September im Schuhgeschäft erwarte. Zu Nino sagte er dagegen ernst und wie zu einem Laufburschen, dem man aufträgt, eine Schachtel *Nazionali* kaufen zu gehen:

»Sag deinem Vater, er hat einen ziemlich großen Fehler gemacht, als er schrieb, dass ihm die Ausstattung des Geschäfts nicht gefallen hat. Wenn man Geld annimmt, muss man schreiben, dass alles schön ist, sonst fließt kein Geld mehr.«

Nino erstarrte vor Überraschung und vielleicht auch vor Scham, er antwortete nicht. Gigliola streckte ihm die Hand hin, er ergriff sie automatisch. Das Paar brach auf, mit dem Jungen im Schlepptau, der im Gehen seinen Comic weiterlas.

68

Ich war wütend, entsetzt, unzufrieden mit jeder meiner Handlungen, jedem meiner Worte. Kaum waren Michele und Gigliola weit genug entfernt, sagte ich zu Lila, aber so, dass auch Nino es hören konnte:

»Er hat euch gesehen.«

Nino fragte unangenehm berührt:

»Wer ist denn das?«

»Ein Scheiß-Camorra-Typ, der sich einbildet, wer weiß wer zu sein«, sagte Lila verächtlich.

Ich korrigierte sie unverzüglich, Nino sollte Bescheid wissen:

»Er ist der Geschäftspartner ihres Mannes. Er wird Stefano alles erzählen.«

»Was denn alles«, gab Lila zurück. »Es gibt nichts zu erzählen.«

»Du weißt genau, dass sie alles verraten werden.«

»Ja? Ist mir scheißegal.«

»Mir aber nicht.«

»Immer mit der Ruhe. Denn auch wenn du mir nicht hilfst, kommt es, wie es kommen soll.«

Und als wäre ich gar nicht da, begann sie mit Nino Absprachen für den nächsten Tag zu treffen. Doch während sich Lilas Energie durch die Begegnung mit Michele Solara verhundertfacht zu haben schien, wirkte er wie ein Aufziehspielzeug, das abgelaufen war. Er murmelte:

»Wirst du meinetwegen ganz sicher keinen Ärger bekommen?«

Lila streichelte ihm die Wange:

»Willst du nicht mehr?«

Die Liebkosung schien ihn wiederzubeleben:

»Ich mache mir nur Sorgen um dich.«

Wir trennten uns schon bald von Nino und kehrten nach Hause zurück. Unterwegs beschwor ich Katastrophenszenarien herauf – »Michele wird heute Abend mit Stefano reden, Stefano wird schon morgen früh hier angestürzt kommen und dich nicht antreffen, Nunzia wird ihn nach Barano schicken, und auch in Barano wird er dich nicht finden, du wirst alles verlieren, Lila, hörst du, so richtest du nicht nur dich zugrunde, sondern auch mich. Meine Mutter wird mir alle Knochen brechen« –, aber sie hörte mir nur zerstreut zu, lächelte und teilte mir in verschiedenen Versionen stets nur ein und denselben Gedanken mit: »Ich hab dich lieb, Lenù, und das wird immer so sein; darum wünsche ich dir, dass du wenigstens einmal im Leben das erlebst, was ich gerade erlebe.«

Da dachte ich: ›Umso schlimmer für dich.‹ An diesem Abend blieben wir zu Hause. Lila war sehr freundlich zu ihrer Mutter, wollte selbst kochen, wollte, dass sie sich bedienen ließ, räumte den Tisch ab, spülte das Geschirr, setzte sich sogar auf ihren Schoß, schlang ihre Arme um Nunzias Hals und lehnte unversehens melancholisch ihre Stirn gegen die ihrer Mutter. Nunzia, die solche Zärtlichkeiten nicht gewohnt war und sie wohl peinlich fand, brach irgendwann in Tränen aus und sagte schluchzend den von Angst verzerrten Satz:

»Lina, bitte, keine Mutter hat so eine Tochter wie dich, lass mich nicht vor Kummer sterben.«

Lila neckte sie liebevoll und brachte sie zum Schlafen in ihr Zimmer. Am Morgen holte sie mich aus dem Bett, ein Teil von mir war so in Mitleidenschaft gezogen, dass er nicht aufwachen und den Tag nicht zur Kenntnis nehmen wollte. Während uns eine Ape nach Forio brachte, stellte ich ihr weitere Schreckensszenarien, die sie aber vollkommen kaltließen, in Aussicht: »Nella ist verreist«; »Nella hat wirklich Gäste und keinen Platz für mich«; »Die Sarratores beschließen, ihren Sohn hier in Forio zu besuchen«. Sie antwortete immerfort vergnügt: »Wenn Nella verreist ist, wird dich Ninos Mutter aufnehmen«; »Wenn kein Platz ist, kommst du zurück und schläfst bei uns«; »Wenn die ganze Familie Sarratore bei Bruno anklopft, machen wir nicht auf«. Und so ging es immer weiter, bis wir kurz vor neun unser Ziel erreichten. Nino stand wartend am Fenster und lief herbei, um die Haustür zu öffnen. Er nickte mir grüßend zu und zog Lila ins Haus.

Was bis zu dieser Tür noch hätte verhindert werden können, setzte sich nun unaufhaltsam in Gang. Mit Lilas Geld ließ ich mich mit derselben Ape nach Barano fahren. Unterwegs wurde mir klar, dass es mir nicht gelang, die zwei wirklich zu hassen. Ich hatte einen Groll auf Nino, hegte für Lila sicherlich feindselige Gefühle und war sogar fähig, den beiden den Tod zu wünschen, aber eher in der Art eines Zaubers, der uns paradoxerweise alle drei retten konnte. Hassen, nein. Ich hasste vielmehr mich selbst, ich verachtete mich. Ich war da, war dort auf der Insel, der Fahrtwind bestürmte mich mit den starken Düften der Pflanzen, aus denen der nächtliche Dunst aufstieg. Aber es war ein beschämtes Dasein, sich fremden Bedürfnissen beugend. Ich lebte in ihnen, kaum wahrnehmbar. Schon konnte ich die Bilder der Umarmungen, der Küsse in dem leeren Haus nicht mehr wegschieben. Die Leidenschaft der beiden suchte mich heim, brachte mich aus der Fassung. Ich liebte sie beide, daher gelang es mir nicht, mich selbst zu lieben, mich zu spüren, mich mit *meinem* Bedürfnis nach Leben zu behaupten, das die gleiche blinde und taube Kraft hatte wie ihres. So kam es mir vor.

69

Ich wurde von Nella und von Familie Sarratore mit der üblichen Begeisterung empfangen. Ich setzte meine sanfteste Maske auf, die Maske meines Vaters, wenn er Trinkgelder kassierte, die zur Vermeidung von Gefahr einstudierte Maske meiner stets verängstigten, stets untergebenen, stets freundlich beflissenen Vorfahren, und wechselte auf einnehmende Art von Lüge zu Lüge. Ich sagte Nella, mein Entschluss, ihr zur Last zu fallen, sei nicht freiwillig gewesen, sondern aus der Not heraus geboren. Sagte, die Carraccis hätten Besuch, für mich sei diese Nacht dort kein Platz. Sagte, ich hoffte, nicht zu weit damit gegangen zu sein, dass ich so plötzlich hereinplatzte, und falls es Schwierigkeiten gebe, könne ich auch für einige Tage nach Neapel zurückfahren.

Nella umarmte mich, bewirtete mich und beteuerte,

mich im Haus zu haben, sei ihr eine Riesenfreude. Ich ging nicht mit den Sarratores zum Strand, obwohl die Kinder protestierten. Lidia drängte mich, bald nachzukommen, und Donato erklärte, er werde auf mich warten, damit wir gemeinsam schwimmen gehen könnten. Ich blieb bei Nella, half ihr, die Küche aufzuräumen und das Mittagessen zu kochen. Eine Zeitlang wog alles leichter: die Lügen, die Vorstellung des gerade stattfindenden Ehebruchs, meine Komplizenschaft, meine Eifersucht, die sich nicht festlegen ließ, weil ich gleichzeitig auf Lila eifersüchtig war, die sich Nino hingab, und auf Nino, der sich Lila hingab. Währenddessen schien mir Nella weniger schlecht auf die Sarratores zu sprechen zu sein, als das Thema auf sie kam. Sie sagte, die Eheleute hätten ein Gleichgewicht gefunden, und da es ihnen gut gehe, machten sie auch ihr weniger Scherereien. Sie erzählte mir von Maestra Oliviero. Sie habe sie extra angerufen, um ihr zu sagen, dass ich zu Besuch gekommen sei, und die Maestra habe sehr müde, aber zuversichtlicher geklungen. Kurz, eine Weile plätscherten unsere Mitteilungen ruhig dahin. Doch schon wenige Sätze, eine unerwartete Gesprächswendung genügten, um die drückende Last der Situation wieder spürbar zu machen.

»Sie hat dich über die Maßen gelobt«, sagte Nella und meinte die Maestra, »aber als sie hörte, dass du mit deinen beiden verheirateten Freundinnen hier warst, stellte sie mir viele Fragen, vor allem zu Signora Lina.«

»Was hat sie denn gesagt?«

»Sie hat gesagt, dass sie in ihrer gesamten Laufbahn als Lehrerin noch nie eine so gute Schülerin hatte.«

Die Erwähnung von Lilas alter Vorrangstellung ärgerte mich.

»Das stimmt«, sagte ich.

Aber Nella verzog in völliger Ablehnung das Gesicht, ihre Augen begannen zu funkeln.

»Meine Cousine ist eine außergewöhnliche Lehrerin«, sagte sie. »Doch meiner Meinung nach hat sie sich diesmal geirrt.«

»Nein, sie hat sich nicht geirrt.«

»Kann ich dir sagen, was ich denke?«

»Natürlich.«

»Und du nimmst es mir nicht übel?«

»Nein.«

»Signora Lina hat mir nicht gefallen. Du bist viel besser als sie, viel schöner und viel klüger. Ich habe auch mit den Sarratores darüber gesprochen, und sie sehen das genauso.«

»Das sagen Sie nur, weil Sie mich gernhaben.«

»Nein. Sei auf der Hut, Lenù. Ich weiß, dass ihr eng befreundet seid, meine Cousine hat es mir erzählt. Und ich will mich nicht in Dinge einmischen, die mich nichts angehen. Aber mir reicht ein Blick, um einen Menschen einzuschätzen. Signora Lina weiß, dass du besser bist als sie, und deshalb hat sie dich nicht so gern wie du sie.«

Ich setzte ein gespielt skeptisches Lächeln auf:

»Sie kann mich nicht leiden?«

»Das weiß ich nicht. Aber jemanden verletzen, das kann sie, es steht ihr ins Gesicht geschrieben, man braucht sich nur ihre Stirn und ihre Augen anzusehen.«

Ich schüttelte den Kopf und unterdrückte meine Genugtuung. Ach, wenn das alles doch so unkompliziert wäre! Doch ich wusste bereits – wenn auch nicht so, wie ich es heute weiß –, dass alles zwischen uns beiden viel verwickelter war. Daher machte ich Witze, lachte und brachte Nella zum Lachen. Ich sagte, Lila mache beim ersten Mal nie einen guten Eindruck. Schon als kleines Mädchen habe sie Ähnlichkeit mit einem Teufel gehabt, und das sei sie auch wirklich, aber in einem guten Sinn. Sie habe eine schnelle Auffassungsgabe und könne erfolgreich, egal was ihr unterkomme, einen großen Eifer entwickeln. Hätte sie weiter zur Schule gehen dürfen, wäre sie eine Wissenschaftlerin wie Madame Curie geworden oder eine wahrhaft große Romanautorin wie Grazia Deledda oder sogar so eine wie Togliattis Signora, Nilde Iotti. Als Nella die zwei letzten Namen hörte, rief sie »oh Madonna« und bekreuzigte sich ironisch. Dann musste sie kichern, dann noch einmal, und dann konnte sie sich gar nicht mehr halten, sie flüsterte mir ein amüsantes Geheimnis zu, das Sarratore ihr verraten hatte. Ihm zufolge sei Lila von einer fast schon hässlichen Schönheit, einer, von der die Männer zwar hingerissen seien, die ihnen aber auch Angst einflöße.

»Wovor denn Angst?«, fragte ich ebenfalls leise. Und sie noch leiser:

»Angst davor, dass er ihnen nicht steht oder dass er abschlafft oder dass sie ein Messer zückt und ihn abschneidet.«

Sie lachte, begann zu glucksen, Tränen traten ihr in die Augen. Eine ganze Weile konnte sie sich nicht beruhigen, und schon bald spürte ich ein Unbehagen, das ich ihr gegenüber noch nie gehabt hatte. Das war nicht das Lachen meiner Mutter, das ordinäre Lachen einer erfahrenen Frau. In Nellas Lachen lag etwas Züchtiges und zugleich Unmanierliches, es war das Lachen einer alten Jungfer, es bestürmte mich und brachte auch mich zum Lachen, allerdings auf eine gezwungene Art. ›Warum‹, dachte ich,

›macht sich eine anständige Frau wie sie auf diese Weise lustig?‹ Zugleich sah ich mein gealtertes Ich mit so einem Lachen voll boshafter Unschuld in der Brust. Mir ging durch den Kopf: ›Am Ende werde ich auch so lachen.‹

70

Die Sarratores kamen zum Mittagessen. Sie ließen eine Sandspur auf dem Fußboden zurück, den Geruch von Meer und Schweiß und einen unbekümmerten Vorwurf, weil die Kinder vergeblich auf mich gewartet hatten. Ich deckte den Tisch, räumte ihn ab, spülte das Geschirr, ging mit Pino, Clelia und Ciro zu einem Schilfdickicht und half ihnen, Rohr zu schneiden und einen Drachen zu bauen. Mit den Kindern fühlte ich mich wohl. Während ihre Eltern sich ausruhten, während Nella auf der Terrasse im Liegestuhl ein Nickerchen hielt, verflog die Zeit, der Drachen nahm mich ganz in Anspruch, und Nino und Lila kamen mir kaum in den Sinn.

Am späten Nachmittag gingen wir alle, auch Nella, ans Meer, um den Drachen steigen zu lassen. Ich lief am Strand hin und her, gefolgt von den drei Kindern, die mit offenem Mund verstummten, wenn der Drachen sich in die Luft zu erheben schien, und lange Schreie ausstießen, wenn sie sahen, dass er nach einer unberechenbaren Pirouette auf dem Sand aufschlug. Ich versuchte es mehrfach, aber trotz der Ratschläge, die Donato mir von seinem Sonnenschirm aus zurief, gelang es mir nicht, ihn fliegen zu lassen. Schließlich gab ich schweißüberströmt auf und sagte zu Pino, Clelia und Ciro: »Fragt euren Papa.« Von seinen Kindern gezogen, kam Sarratore herbei, kontrollierte das Rohrgestell, das blaue Seidenpapier, die Schnur, prüfte den Wind und lief rückwärts los, mit energischen Hüpfern trotz des schweren Körpers. Die Kinder rannten begeistert neben ihm her, und auch ich wurde wieder munter und lief mit ihnen zusammen, bis die Glückseligkeit, die sie ausstrahlten, sich auch auf mich übertrug. Unser Drachen stieg immer höher, er flog, Laufen war nicht mehr nötig, es genügte, die Schnur zu halten. Sarratore war ein guter Vater. Er zeigte, dass mit seiner Hilfe auch Ciro die Schnur halten konnte, auch Clelia, auch Pino und sogar ich. Er gab sie mir tatsächlich, blieb aber hinter mir und hauchte mir in den Nacken: »Gut so, ja, zieh ein bisschen, lass ein bisschen nach«, und es wurde Abend.

Wir aßen zu Abend, dann machte Familie Sarratore einen Spaziergang durch den Ort, Vater, Mutter und die drei Kinder, sonnenverbrannt und herausgeputzt. Ich blieb, so inständig ich auch eingeladen worden war, bei Nella. Wir räumten auf, sie half mir, in der gewohnten Ecke in der Küche mein Bett aufzubauen, wir setzten uns auf die Terrasse und schnappten frische Luft. Der Mond war nicht zu sehen, am dunklen Himmel bauschten sich ein paar weiße Wolken. Wir plauderten, redeten darüber, wie schön und intelligent die Sarratore-Kinder waren, und Nella schlummerte ein. Da stürzten unversehens der Tag und die anbrechende Nacht auf mich ein. Auf Zehenspitzen verließ ich das Haus und ging hinunter zum Maronti-Strand.

Wer konnte wissen, ob Michele Solara das, was er gesehen hatte, für sich behalten hatte. Wer konnte wissen, ob alles glattging. Wer konnte wissen, ob Nunzia in dem Haus an der Straße nach Cuotto bereits schlief oder ob sie versuchte, ihren Schwiegersohn zu beschwichtigen, der überraschend mit dem letzten Fährboot gekommen war, seine Frau nicht angetroffen hatte und nun außer sich war. Wer konnte wissen, ob Lila ihren Mann angerufen hatte und mit der Sicherheit, dass er in Neapel war, weit weg in ihrer Wohnung im neuen Viertel, nun ohne Angst mit Nino im Bett lag, ein heimliches Paar, ein Paar, das die Nacht genießen wollte. Alles im Leben stand auf der Kippe, reines Risiko, und wer kein Risiko einging, verkümmerte in einer Ecke, ohne mit dem Leben vertraut zu sein. Schlagartig wurde mir klar, warum ich Nino nicht bekommen hatte, warum Lila ihn bekommen hatte. Ich war nicht fähig, mich ernsthaft auf Gefühle einzulassen. Konnte mich nicht über Grenzen ziehen lassen. Ich besaß nicht die emotionale Stärke, die Lila dazu getrieben hatte, alles daranzusetzen, diesen Tag und diese Nacht genießen zu können. Ich blieb zurück, wartend. Sie dagegen nahm sich die Dinge, wollte sie wirklich haben, begeisterte sich, setzte auf alles oder nichts und hatte keine Angst vor Verachtung, Gespött, Geifer, Prügeln. Im Grunde hatte sie Nino verdient, weil sie der Meinung war, ihn zu lieben bedeute, zu versuchen, ihn zu bekommen, und nicht, darauf zu hoffen, dass er sie wollte.

Ich ging den dunklen Weg ganz hinunter. Jetzt schien der Mond zwischen lockeren Wolken mit hellen Rändern, die Nacht duftete intensiv, und man hörte das einschläfernde Rauschen der Wellen. Am Strand zog ich mir die Schuhe aus, der Sand war kalt, ein grauhellblaues Licht dehnte sich bis zum Meer und ergoss sich über seine zitternde Fläche. Ich dachte: ›Ja, Lila hat Recht, die Schönheit der Dinge ist ein Schwindel, der Himmel ist der Thron der Angst. Ich bin am Leben, jetzt und hier, zehn Schritte vom Wasser entfernt, und es ist überhaupt nicht schön, es ist erschreckend. Ich bin mit diesem Strand, mit dem Meer, mit dem Gewimmel sämtlicher Tiergestalten ein Teil des Schreckens des Universums. Ich bin in diesem Moment das unendlich kleine Teilchen, durch das der Schrecken jedes Dinges ein Bewusstsein erhält. Ich. Ich, die ich dem Rauschen des Meeres lausche, die ich die Feuchtigkeit und den kalten Sand spüre. Ich, die ich mir ganz Ischia vorstelle, die umschlungenen Körper von Nino und Lila, dazu Stefano, der allein in der neuen, immer weniger neuen Wohnung schläft, und das Ungestüm, das das Glück von heute begünstigt und die Gewalt von morgen schürt. Ach, es stimmt schon, ich habe zu viel Angst, und darum wünsche ich mir, alles möge schnell vorbei sein, die Gestalten meiner Alpträume mögen meine Seele auffressen. Ich wünsche mir, dass aus dieser Finsternis Meuten wütender Hunde hervorbrechen, Vipern, Skorpione und riesige Seeschlangen. Ich wünsche mir, während ich hier am Meer sitze, dass Mörder aus der Nacht kommen, die meinen Körper zerfleischen. Jawohl, möge ich für meine Unzulänglichkeit bestraft werden, möge mir das Schlimmste geschehen, etwas so Verheerendes, dass ich daran gehindert werde, diese Nacht, den morgigen Tag, die kommenden Stunden und Tage bewältigen zu müssen, die mir mit immer schlagenderen Beweisen meine Unfähigkeit bestätigen würden.‹ Solche Gedanken hatte ich, die übertriebenen Gedanken eines verzagten Mädchens. Ich gab mich ihnen wer weiß wie lange hin. Da sagte jemand: »Lena«, und berührte mit kalten Fingern sacht meine Schulter. Ich zuckte zusammen, mich packte ein so eisiger Schauder, dass mein Atem, als ich herumfuhr und Donato Sarratore erkannte, in meiner Kehle explodierte wie ein Schluck Zaubertrank, so einer, der in den Ritterromanen neue Kräfte und starken Lebensmut verleiht.

71

Donato erzählte mir, Nella sei aufgewacht, habe mich im Haus nicht gefunden und sich Sorgen gemacht. Auch Lidia sei etwas unruhig geworden und habe ihn daher gebeten, mich zu suchen. Der Einzige, der es normal gefunden habe, dass ich nicht zu Hause war, sei er gewesen. Er habe die zwei Frauen beruhigt, habe gesagt: »Geht ruhig schlafen, bestimmt ist sie unterwegs, um am Strand den Mond zu betrachten.« Ihnen zuliebe sei er vorsichtshalber hergekommen, um nachzuschauen. Und hier säße ich ja nun auch und lauschte dem Atem des Meeres, bewunderte die göttliche Schönheit des Himmels.

So in etwa redete er. Er setzte sich zu mir, raunte, er kenne mich so gut, wie er sich selbst kenne. Wir hätten die gleiche Sensibilität für schöne Dinge, die gleiche Neigung, uns an ihnen zu erfreuen, das gleiche Bedürfnis, nach den passenden Worten zu suchen, um auszudrücken, wie süß die Nacht sei, wie bezaubernd der Mond, wie das Meer glitzerte und wie zwei Seelen es vermochten, sich in der Dunkelheit, in der wohlriechenden Luft, zu begegnen und zu erkennen. Als er so redete, spürte ich deutlich die Lächerlichkeit seiner salbungsvollen Stimme, die Plumpheit seiner gedrechselten Poesie, die Schwülstigkeit, hinter der er seinen Drang versteckte, mich zu begrapschen. Aber ich dachte: ›Vielleicht sind wir wirklich aus demselben Holz geschnitzt, vielleicht sind wir wirklich schuldlos zum selben Mittelmaß verdammt.‹ So lehnte ich meinen Kopf an seine Schulter und flüsterte: »Mir ist ein bisschen kalt.« Prompt legte er seinen Arm um meine Taille, zog mich langsam zu sich heran und fragte, ob es so besser sei. Ich hauchte: »Ja«, und Sarratore hob mit Daumen und Zeigefinger mein Kinn an, drückte sanft seine Lippen auf meine, fragte: »Und wie ist das?« Schließlich bedrängte er mich mit kleinen, immer weniger leichten Küssen, wobei er fortwährend raunte: »Und das und das, ist dir noch kalt, ist es so besser, ist das besser?« Sein Mund war warm und feucht, ich akzeptierte ihn mit wachsender Dankbarkeit auf meinem, so dass die Küsse immer länger wurden. Donatos Zunge berührte meine, stieß gegen sie, drang tief in meinen Mund. Ich fühlte mich besser. Bemerkte, dass ich wieder Boden unter meine Füße bekam, dass das Eis zurückwich und schmolz, dass die Angst sich selbst vergaß, dass seine Hände die Kälte fortnahmen, doch langsam, als bestünde sie aus hauchdünnen Schichten und als wäre er so gewandt, sie eine nach der anderen vorsichtig wegzuziehen, ohne sie zu zerreißen, ich bemerkte, dass auch sein Mund diese Fähigkeit besaß, seine Zähne und die Zunge, und dass Sarratore deshalb viel mehr von mir wusste, als Antonio je hätte lernen können; dass er sogar wusste, was ich selbst nicht wusste. Ich hatte ein verborgenes Ich – erkannte ich –, das von Fingern, Mund, Zähnen und Zunge aufgespürt werden konnte. Schicht für Schicht verlor dieses Ich jeden Schlupfwinkel, zeigte sich ohne Scham, und Sarratore bewies, dass er wusste, wie man vermied, dass es entfloh, dass es sich schämte. Er wusste es so zu behandeln, als wäre es das unumschränkte Ziel seiner zärtlichen Regsamkeit, seines mal leichten, mal stürmischen

Drängens. Die ganze Zeit über bereute ich kein einziges Mal, das zugelassen zu haben, was gerade geschah. Ich überlegte es mir nicht anders und war stolz darauf, ich wollte, dass es so war, ich gebot es mir. Hilfreich für mich war vielleicht der Umstand, dass Sarratore seine blumige Sprache zunehmend vergaß, dass er im Unterschied zu Antonio keinerlei Mitwirkung von mir verlangte, nie meine Hand nahm, damit ich ihn berührte, sondern sich darauf beschränkte, mich davon zu überzeugen, dass ihm alles an mir gefiel, und dass er sich meinem Körper mit der Sorgfalt, der Hingabe und dem Stolz eines Mannes widmete, der vollkommen damit beschäftigt ist, zu beweisen, wie gut er die Frauen kennt. Ich hörte ihn auch nicht feststellen *Du bist ja Jungfrau.* Wahrscheinlich war er sich dessen so sicher, dass ihn das Gegenteil überrascht hätte. Als mich eine so fordernde, so egozentrische Lust überkam, dass sie nicht nur die ganze sinnlich wahrnehmbare Welt auslöschte, sondern auch seinen in meinen Augen alten Körper und die Bezeichnungen, mit denen er sich einordnen ließ – *Ninos Vater, Zugschaffner-Dichter-Journalist, Donato Sarratore* –, bemerkte er es und drang in mich ein. Ich spürte, dass er es zunächst behutsam tat, dann mit einem harten, entschiedenen Stoß, der ein Reißen in meinem Bauch verursachte, einen stechenden Schmerz, der sogleich von einem rhythmischen Wogen ausgelöscht wurde, einem Reiben, einem Stoßen, einem Mich-Leeren und Mich-Füllen mit den Stößen eines brennenden Verlangens. Bis er sich plötzlich zurückzog, sich im Sand auf den Rücken drehte und so etwas wie einen erstickten Schrei ausstieß.

Wir schwiegen, das Meer kehrte wieder, der flackernde Himmel, ich war wie betäubt. Das trieb Sarratore erneut in seinen plumpen Gefühlsüberschwang, er glaubte, mich mit zärtlichen Worten wieder zu mir kommen lassen zu müssen. Aber ich ertrug nur wenige Sätze. Ich stand abrupt auf, schüttelte mir den Sand aus den Haaren und vom ganzen Körper und brachte meine Sachen in Ordnung. Als er sich zu der Frage verstieg: »Wo können wir uns morgen treffen?«, antwortete ich ihm auf Italienisch mit ruhiger, selbstsicherer Stimme, er irre sich, er dürfe mich nie wieder besuchen, weder am Citara-Strand noch im Rione. Und da er ein skeptisches Lächeln aufsetzte, sagte ich, das, was Antonio Cappuccio, Melinas Sohn, ihm antun könne, sei nichts im Vergleich zu dem, was Michele Solara ihm antun würde, ein Mann, den ich gut kenne und dem ein Wort von mir genügen würde, um ihn, Sarratore, in Teufels Küche zu bringen. Ich sagte, Michele warte nur darauf, ihm die Fresse einzuschlagen, weil er dafür bezahlt worden sei, über das Geschäft an der Piazza dei Martiri zu schreiben, er seine Arbeit aber nicht gut gemacht habe.

Auf dem ganzen Rückweg drohte ich ihm unaufhörlich, teils weil er es schon wieder mit süßlichen Phrasen versuchte und ich wollte, dass er meine Gefühle ein für alle Mal kannte, und teils weil ich erstaunt war, wie gut mir der Tonfall der Drohungen, die ich von klein auf nur im Dialekt ausgestoßen hatte, auch auf Hochitalienisch gelang.

72

Ich befürchtete, die zwei Frauen noch wach anzutreffen, doch sie schliefen beide. Ihre Besorgnis war nicht so groß, dass sie kein Auge zutun konnten, sie hielten mich für vernünftig und vertrauten mir. Ich fiel in einen tiefen Schlaf.

Tags darauf erwachte ich heiter, und auch als mir Nino, Lila und der Vorfall am Maronti-Strand stückweise wieder einfielen, fühlte ich mich weiterhin gut. Ich plauderte lange mit Nella, frühstückte mit den Sarratores und störte mich nicht an der angeblich väterlichen Liebenswürdigkeit, mit der Donato mich behandelte. Nicht eine Sekunde kam mir der Gedanke, der Sex mit diesem etwas aufgedunsenen, eitlen und schwatzhaften Mann sei ein Fehler gewesen. Ihn hier am Tisch sitzen zu sehen, ihm zuzuhören und mir bewusstzumachen, dass er mich entjungfert hatte, stieß mich allerdings ab. Ich ging mit der ganzen Familie an den Strand, badete mit den Kindern, hinterließ eine Wolke der Sympathie. Pünktlich auf die Minute traf ich in Forio ein.

Ich rief Nino, er erschien sofort am Fenster. Ich wollte nicht hinaufgehen, teils, weil wir so schnell wie möglich aufbrechen mussten, teils, weil ich keine Erinnerung an die Räume bewahren wollte, die Nino und Lila fast zwei Tage lang allein bewohnt hatten. Ich wartete. Lila kam nicht. Plötzlich wurde ich wieder ängstlich, ich stellte mir vor, Stefano hätte es so einrichten können, dass er schon morgens losgefahren war, dass er, einige Stunden früher als vorgesehen, gerade das Boot verließ, dass er womöglich sogar schon auf dem Weg zu unserem Haus war. Ich rief erneut, wieder erschien Nino am Fenster, er bedeutete mir, dass ich nur noch eine Minute zu warten hätte. Eine Viertelstunde später kamen sie herunter, umarmten und küssten sich lange an der Haustür. Lila lief auf mich zu, blieb aber plötzlich stehen, als hätte sie etwas vergessen, kehrte um und küsste ihn noch einmal. Voller Unbehagen schaute ich weg, und wieder verfestigte sich der Gedanke, ich sei missraten, ohne jede Fähigkeit wahrer Anteilnahme. Die zwei erschienen mir dagegen wieder wunderschön, makellos in jeder Bewegung, so dass zu schreien »Lila, wird's bald!« fast der Besudelung eines Traumbildes gleichkam. Sie schien von einer grausamen Kraft fortgezogen zu werden, ihre Hand glitt wie bei einer Tanzfigur langsam von seiner Schulter über den Arm bis zu den Fingern. Schließlich kam sie zu mir.

Unterwegs in der Ape wechselten wir nur wenige Worte.

»Alles in Ordnung?«

»Ja. Und bei dir?«

»Auch.«

Ich erzählte nichts von mir und sie nichts von sich. Aber die Gründe für diese Wortkargheit waren sehr verschieden. Ich hatte keineswegs die Absicht, das, was ich erlebt hatte, in Worte zu fassen. Es war eine nüchterne Tatsache, die meinen Körper betraf, sein physiologisches Reaktionsvermögen. Dass ein winziger Teil eines anderen Körpers erstmals in ihn eingedrungen war, war für mich nicht der Rede wert: Sarratores nächtliche Masse vermittelte mir nichts außer einem Gefühl der Fremdheit, und es war eine Erleichterung, dass sie sich verzogen hatte wie ein Gewitter, das nicht kommt. Dafür schien es mir völlig klar zu sein, dass Lila schwieg, weil ihr die Worte fehlten. Offenbar war sie in einem Zustand ohne Gedanken und Bilder, als hätte sie mit der Loslösung von Nino alles von sich selbst in ihm vergessen, sogar die Fähigkeit, das zu erzählen, was sie erlebt hatte, das, was sie gerade erlebte. Dieser Unterschied zwischen uns machte mich traurig. Ich stöberte in meinem Stranderlebnis, um etwas zu finden, was mit ihrer schmerzvoll-glücklichen Verwirrung mithalten konnte. Dabei stellte ich fest, dass ich am Maronti-Strand, in Barano, nichts zurückgelassen hatte, nicht einmal dieses neue Ich, das sich mir offenbart hatte. Ich hatte alles mitgenommen und spürte daher nicht den Drang zurückzukehren – den ich dagegen in Lilas Augen sah, in ihrem halb offenen Mund und in ihren geballten Fäusten –, den Drang, sich wieder mit dem Menschen zu vereinen, den man hatte verlassen müssen. Mochte meine Verfassung dem Anschein nach auch stabiler sein, gefestigter, fühlte ich mich neben Lila doch sumpfig, wie ein mit zu viel Wasser durchweichtes Land.

73

Zum Glück habe ich ihre Hefte erst später gelesen. Darin gab es viele Seiten über jenen Tag und jene Nacht mit Nino, und auf diesen Seiten stand genau das, was ich nicht zu erzählen hatte. Lila schrieb nicht ein Wort über sexuelle Freuden, nichts, was verwendbar gewesen wäre, um ihr Erlebnis mit meinem vergleichbar zu machen. Sie schrieb vielmehr über Liebe, und sie tat es auf eine überraschende Weise. Sie schrieb, seit dem Tag ihrer Hochzeit bis zu diesen Tagen auf Ischia sei sie, ohne sich dessen bewusst zu sein, kurz davor gewesen, zu sterben. Eingehend beschrieb sie das Gefühl des nahen Todes: Kräfteverfall, Schläfrigkeit, ein starker Druck in der Kopfmitte, wie wenn sich zwischen Gehirn und Schädelknochen eine Luftblase beständig ausdehnte; der Eindruck, dass sich alles schnell bewegte, um wegzustreben, dass das Tempo jeder Bewegung von Menschen und Dingen übertrieben war und sie, Lila, rammte, sie verletzte, ihr physische Schmerzen sowohl im Bauch als auch in den Augen verursachte. Sie schrieb, all das werde von einer Abstumpfung der Sinne begleitet, als hätte man sie in Watte gepackt und ihre Verletzungen kämen nicht aus der realen Welt, sondern aus einem Hohlraum zwischen ihrem Körper und dieser Masse aus saugfähigen Baumwollfasern, in die sie sich eingewickelt fühlte. Andererseits räumte sie ein, der nahe Tod sei ihr so sicher erschienen, dass er ihr den Respekt vor allem genommen habe, besonders vor sich selbst, als wäre gar nichts mehr wichtig und als habe alles es verdient, zerstört zu werden. Manchmal habe sie ein rasender Drang gepackt, sich ohne ein Blatt vor dem Mund zu äußern: sich zum letzten Mal zu äußern, bevor sie wie Melina werden würde, bevor sie genau dann den Stradone überqueren würde, wenn ein Lastwagen käme, so dass sie überfahren und fortgeschleift werden würde. Nino habe diesen Zustand verändert, habe sie dem Tod entrissen. Und er habe es schon getan, als er sie im Haus der Galiani zum Tanzen aufgefordert hatte und sie, erschrocken über dieses Rettungsangebot, abgelehnt hatte. Auf Ischia habe er dann mit jedem Tag mehr die Macht des Retters übernommen. Er habe ihr die Fähigkeit zu fühlen zurückgegeben. Vor allem habe er ihr Selbstwertgefühl wiedererweckt. Ja, wiedererweckt. Zeile um Zeile um Zeile ging es um den Begriff der Auferstehung: ein ekstatisches Sicherheben, das Ende aller Fesseln und dennoch das unsagbare Vergnügen einer neuen Fessel, ein

Wiederaufleben, das auch ein Sichauflehnen gewesen sei: er und sie, sie und er zusammen, die das Leben neu erlernten, das Gift daraus verbannten, das Leben als reine Freude des Denkens und des Seins neu erfanden.

So in etwa. Ihre Worte waren sehr schön, ich gebe hier nur eine Zusammenfassung. Hätte sie mir das alles damals in der Ape anvertraut, hätte ich noch mehr gelitten, denn ich hätte an ihrer Erfüllung die Kehrseite meiner Leere erkannt. Ich hätte begriffen, dass ihr etwas begegnet war, das ich zu kennen glaubte, etwas, von dem ich geglaubt hatte, es für Nino zu empfinden, das ich aber nicht kannte und das ich vielleicht niemals kennenlernen würde, außer in einer dürftigen, abgeschwächten Form. Ich hätte begriffen, dass sie sich nicht leichtfertig einer Sommerspielerei hingab, sondern dass gerade ein extrem heftiges Gefühl in ihr aufstieg, das sie überwältigen würde. Stattdessen konnte ich mich, auf unserem Rückweg zu Nunzia nach unseren Fehltritten, des gewohnten Gefühls der Ungleichheit nicht erwehren, des – in unserer Geschichte regelmäßig wiederkehrenden – Eindrucks, dass ich etwas verlor, was sie dagegen gewann. Daher hatte ich das Bedürfnis, die Rechnung auszugleichen, ihr zu erzählen, wie ich zwischen Himmel und Meer am nächtlichen Maronti-Strand meine Jungfräulichkeit verloren hatte. ›Ich könnte auf die Erwähnung von Ninos Vater verzichten‹, dachte ich, ›könnte einen Seemann erfinden, einen Schmuggler amerikanischer Zigaretten, und ihr schildern, was mir passiert ist, ihr sagen, wie schön es war.‹ Aber ich merkte, dass es mir nicht wichtig war, von mir und meinem Vergnügen zu erzählen, ich wollte meine Geschichte nur loswerden, um Lila dazu zu bringen, die ihre zu erzählen, wollte hören, wie viel Vergnügen sie durch Nino erfahren hatte, wollte es mit meinem vergleichen und mich – so hoffte ich – überlegen fühlen. Zu meinem Glück ahnte ich, dass sie das keinesfalls tun würde, dass nur ich mich dummerweise bloßstellen würde. Und so schwieg ich weiter, wie auch sie weiter schwieg.

74

Nach unserer Rückkehr fand Lila ihre Sprache wieder, zusammen mit einer überdrehten Mitteilsamkeit. Nunzia empfing uns im Stillen erleichtert über unsere Rückkehr und trotzdem feindselig. Sie sagte, sie habe kein Auge zugetan, habe unerklärliche Geräusche im Haus gehört, habe sich vor Geistern und Mördern gefürchtet. Lila umarmte sie, aber Nunzia stieß sie geradezu weg.

»Hast du dich gut amüsiert?«

»Sehr gut, ich will alles anders machen.«

»Was willst du anders machen?«

Lila lachte.

»Ich denke darüber nach, dann sage ich es dir.«

»Sag es vor allem deinem Mann«, sagte Nunzia in einem unverhofft schneidenden Ton.

Ihre Tochter sah sie erstaunt an, mit einem erfreuten und vielleicht auch ein wenig gerührten Erstaunen, als hielte sie diesen Ratschlag für richtig und dringend notwendig.

»Ja«, sagte sie und ging in ihr Zimmer, dann schloss sie sich im Bad ein.

Eine Weile später kam sie wieder heraus, allerdings immer noch im Unterrock, sie winkte mich zu sich ins Zimmer. Widerwillig ging ich zu ihr. Sie heftete ihren fiebrigen Blick auf mich und stieß atemlos einige schnelle Sätze hervor:

»Ich will alles studieren, was er studiert.«

»Er ist auf der Universität, das sind schwierige Sachen.«

»Ich will die gleichen Bücher lesen wie er, will genau verstehen, was er denkt, will nicht für die Universität lernen, sondern für ihn.«

»Lila, spiel jetzt nicht verrückt, wir haben gesagt, du siehst ihn dieses eine Mal, und dann ist es genug. Was ist bloß los mit dir, beruhige dich, Stefano steht gleich vor der Tür.«

»Meinst du, ich könnte alles verstehen, was er versteht, wenn ich mir große Mühe gebe?«

Ich hielt das nicht mehr aus. Was ich bereits wusste, mir aber nicht eingestand, trat in diesem Moment deutlich zutage: Auch sie sah in Nino nun den einzigen Menschen, der in der Lage war, sie zu retten. Sie hatte sich eines alten Gefühls von mir bemächtigt, hatte es sich zu eigen gemacht. Und da ich wusste, wie sie war, hegte ich keinerlei Zweifel: Sie würde alle Hindernisse niederreißen und die Sache bis zum Schluss durchziehen. Ich antwortete schroff:

»Nein. Das ist kompliziertes Zeug, du bist in allem zu weit zurück, du liest keine Zeitung, du weißt nicht, wer an der Regierung ist, du weißt nicht mal, wer in Neapel das Sagen hat.«

»Und du weißt das alles?«

»Nein.«

»Er denkt, dass du es weißt, ich hab's dir gesagt, er bewundert dich sehr.«

Ich spürte, wie ich rot wurde, murmelte:

»Ich versuche zu lernen, und wenn ich was nicht weiß, tue ich so, als wüsste ich es.«

»Auch wenn man nur so tut, lernt man nach und nach dazu. Kannst du mir helfen?«

»Nein, Lila, bestimmt nicht, das darfst du nicht machen. Lass ihn in Ruhe, deinetwegen sagt er schon, er will sein Studium abbrechen.«

»Er wird weiterstudieren, dafür ist er geboren. Trotzdem weiß auch er vieles nicht. Ich lerne das, was er nicht weiß, und sage es ihm, wenn er es braucht, so bin ich ihm nützlich. Ich muss mich verändern, Lenù, sofort.«

Wieder platzte ich heraus:

»Du bist verheiratet, du musst dir das aus dem Kopf schlagen, du bist seinen Anforderungen nicht gewachsen.«

»Und wer ist ihnen gewachsen?«

Ich wollte ihr wehtun, ich sagte:

»Nadia.«

»Die hat er meinetwegen verlassen.«

»Ist damit etwa alles in Ordnung? Ich will kein Wort mehr von dir hören, ihr seid verrückt, alle beide. Macht doch, was ihr wollt!«

Von Unmut zerfressen ging ich in meine Kammer.

75

Stefano kam zur gewohnten Zeit. Wir begrüßten ihn alle drei mit geheuchelter Freude, und er war freundlich, aber etwas angespannt, als plagte ihn hinter seinem wohlwollenden Gesicht eine Sorge. Da an diesem Tag sein Urlaub begann, überraschte es mich, dass er ohne Gepäck gekommen war. Lila bemerkte das offenbar nicht, aber Nunzia sehr wohl, sie fragte ihn: »Du scheinst mir mit den Gedanken woanders zu sein, Ste', hast du Sorgen? Geht es deiner Mutter gut? Und Pinuccia? Und was machen die Schuhe? Was sagen die Solaras, sind sie zufrieden?« Er antwortete, es sei alles in Ordnung, und wir aßen zu Abend, allerdings verlief das Gespräch schleppend. Lila versuchte zunächst, sich gutgelaunt zu geben, aber da Stefano einsilbig und ohne Zeichen der Zuneigung antwortete, ärgerte sie sich und verstummte. Nur Nunzia und ich versuchten auf jede erdenkliche Weise zu verhindern, dass sich das Schweigen festsetzte. Beim Nachtisch fragte Stefano seine Frau mit einem schwachen Lächeln:

»Du gehst mit dem Sohn von Sarratore zusammen baden?«

Mir blieb die Luft weg. Lila antwortete unwirsch:

»Manchmal. Warum?«

»Wie oft? Einmal, zweimal, dreimal, fünfmal, wie oft? Lenù, weißt du es?«

»Einmal«, antwortete ich. »Er kam vor zwei, drei Tagen vorbei, und wir waren alle zusammen im Wasser.«

Stefano hatte noch immer sein schwaches Lächeln im Gesicht, er wandte sich an seine Frau:

»Und du und der Sohn von Sarratore wart so vertraut miteinander, dass ihr Händchen gehalten habt, als ihr aus dem Wasser gekommen seid?«

Lila schaute ihm direkt ins Gesicht:

»Wer hat dir das erzählt?«

»Ada.«

»Und wer hat es Ada erzählt?«

»Gigliola.«

»Und wer hat es Gigliola erzählt?«

»Gigliola hat dich gesehen, du Miststück. Sie ist mit Michele hergekommen, sie wollten euch besuchen. Und es stimmt nicht, dass du und dieses Stück Scheiße zusammen mit Lenuccia baden wart, ihr wart allein, und ihr seid Hand in Hand gegangen.«

Lila stand auf, sie sagte ruhig:

»Ich gehe raus, ich mache einen Spaziergang.«

»Du gehst nirgendwohin. Setz dich und antworte!«

Lila blieb stehen. Plötzlich sagte sie auf Italienisch und mit einem Ausdruck demonstrativer Müdigkeit im Gesicht, das aber – ich sah es – voller Verachtung war:

»Was war ich dumm, dass ich dich geheiratet habe, du taugst überhaupt nichts. Du weißt, dass Michele Solara mich in seinem Geschäft haben will, du weißt, dass Gigliola mich deswegen umbringen würde, falls sie es könnte. Und was machst du, du glaubst ihr? Ich will nichts mehr von dir hören, du lässt dich lenken wie eine Marionette. Lenù, kommst du mit?«

Sie machte Anstalten, zur Tür zu gehen, und ich wollte gerade aufstehen, da sprang Stefano auf und packte sie am Arm, er sagte:

»Du gehst nirgendwohin. Du sollst mir sagen, ob es stimmt, dass du allein mit dem Sohn von Sarratore schwimmen warst, und ob es stimmt, dass ihr Hand in Hand durch die Gegend lauft!«

Lila versuchte, sich loszumachen, schaffte es aber nicht. Sie zischte:

»Lass meinen Arm los, du kotzt mich an!«

Da mischte Nunzia sich ein. Sie machte ihrer Tochter Vorwürfe, sagte, so etwas Schlimmes dürfe sie zu Stefano nicht sagen. Aber gleich darauf schrie sie ihren Schwiegersohn mit einer erstaunlichen Energie an, er solle aufhören, Lila habe ihm schon geantwortet, der Neid habe Gigliola dazu getrieben, solche Dinge zu behaupten, die Tochter des Konditors sei missgünstig, sie habe Angst, ihre Stellung an der Piazza dei Martiri zu verlieren, sie wolle auch Pinuccia von dort vertreiben und die alleinige Herrin und Herrscherin des Ladens werden, sie, die von Schuhen keine Ahnung habe, sie, die noch nicht mal Pasta und Gebäck machen könne, während alles, alles, alles Lila zu verdanken sei, auch die günstige Entwicklung der neuen Salumeria, und darum verdiene ihre Tochter es nicht, so behandelt zu werden, nein, das verdiene sie nicht.

Es war ein ausgemachter Wutausbruch: Ihr Gesicht glühte, sie hatte die Augen aufgerissen, und irgendwann kam sie außer Atem, so vehement reihte sie eines ans andere, ohne Luft zu holen. Aber Stefano hörte ihr überhaupt nicht zu. Seine Schwiegermutter war noch mitten im Satz, als er Lila in Richtung Schlafzimmer stieß und sie anschrie: »Du antwortest mir jetzt, sofort!« Und da sie ihn unflätig beschimpfte und sich an einer Schranktür festhielt, um sich gegen ihn zu stemmen, riss er sie mit einer solchen Gewalt weg, dass die Tür aufsprang, der Schrank gefährlich schwankte, was ein Klirren der verrutschenden Teller und Gläser verursachte, Lila durch die Küche flog und gegen die Wand des Korridors prallte, der zu ihrem Zimmer führte. Einen Augenblick später hatte ihr Mann sie erneut am Arm gepackt, aber so, als hielte er eine Tasse am Henkel, bugsierte sie ins Schlafzimmer und schloss die Tür hinter sich.

Ich hörte, wie sich der Schlüssel im Schloss drehte, und dieses Geräusch erfüllte mich mit Entsetzen. In diesen langen Sekunden hatte ich mit eigenen Augen gesehen, dass Stefano wirklich vom Geist seines Vaters besessen war, dass wirklich der Geist Don Achilles seine Halsadern und das blaue Geflecht unter der Haut an seiner Stirn anschwellen lassen konnte. Aber obgleich ich entsetzt war, spürte ich, dass ich nicht still am Tisch sitzen bleiben durfte, wie Nunzia es tat. Ich klammerte mich an die Türklinke und rüttelte daran, schlug mit der Faust gegen das Holz der Tür und flehte: »Stefano, bitte, das sind doch alles Lügen, lass sie in Ruhe. Stefano, tu ihr nicht weh!« Doch er war inzwischen vollkommen eingesperrt in seiner Wut, man hörte ihn schreien, er wolle die Wahrheit, und da Lila nichts erwiderte und es sogar den Anschein hatte, als wäre sie gar nicht mehr im Zimmer, klang es eine Weile so, als redete er mit sich selbst, als ohrfeigte und schlüge er sich selbst, wobei er Gegenstände zertrümmerte.

»Ich hole die Wirtin«, sagte ich zu Nunzia und lief die Treppe hinunter. Ich wollte die Frau fragen, ob sie einen Zweitschlüssel habe oder ob es einen stämmigen Neffen gebe, der die Tür einschlagen könne. Aber ich klopfte vergeblich, die Frau war nicht da, oder falls sie da war, öffnete sie nicht. Währenddessen drang Stefanos Gebrüll durch die Wände, weiter auf die Straße, durch das Schilf und in Richtung Meer, schien aber trotzdem von niemandem außer mir gehört zu werden; niemand aus den Nachbarhäusern, der sich zeigte, niemand, der herbeigelaufen kam. Das Einzige, was dazukam, allerdings nicht so laut, waren Nunzias Beschwörungen im Wechsel mit ihrer Drohung, sie werde alles Fernando und Rino sagen, wenn Stefano nicht aufhöre, ihrer Tochter wehzutun, und die zwei würden ihn umbringen, wahrhaftigen Gottes.

Ich hastete wieder nach oben, wusste nicht, was ich tun sollte. Mit dem ganzen Gewicht meines Körpers warf ich mich gegen die Tür und schrie, ich hätte die Polizei gerufen, sie wäre auf dem Weg. Da Lila noch immer kein Lebenszeichen von sich gab, kreischte ich: »Lila, geht es dir gut? Bitte, Lila, sag, wie es dir geht!« Da erst hörten wir ihre Stimme. Sie sprach nicht mit uns, sondern mit ihrem Mann, eiskalt:

»Du willst die Wahrheit? Ja, Sarratores Sohn und ich gehen Hand in Hand zusammen baden. Ja, wir schwimmen weit raus, und wir küssen uns und fassen uns an. Ja, ich habe mich hundertmal von ihm vögeln lassen, und da habe ich gemerkt, dass du ein Stück Scheiße bist, dass du nichts taugst, dass du bloß ekelhaftes Zeug verlangen kannst, bei dem mir das Kotzen kommt. Und? Ist das gut so? Bist du jetzt zufrieden?«

Schweigen. Nach diesen Worten tat Stefano keinen Mucks mehr, ich hörte auf, gegen die Tür zu schlagen, Nunzia hörte auf zu weinen. Die Geräusche von draußen kehrten wieder, Autos, die vorbeifuhren, entfernte Stimmen, das Geflatter der Hühner.

Einige Minuten vergingen, und es war Stefano, der wieder zu reden begann, aber so leise, dass wir nicht hören konnten, was er sagte. Immerhin verstand ich, dass er versuchte, sich zu beruhigen. Kurze, zusammenhanglose Sätze, lass mich sehen, was du dir getan hast, sei lieb, hör auf. Lilas Geständnis muss ihm so unerträglich erschienen sein, dass er es am Ende für eine Lüge hielt. Er sah darin ein Mittel, nach dem sie gegriffen hatte, um ihm wehzutun, eine Übertreibung, gleichbedeutend mit einer Ohrfeige, die ihm versetzt worden war, um ihn wieder auf den Boden zurückzuholen, Sätze, die im Kern bedeuteten: Wenn du immer noch nicht begriffen hast, was für haltlose Anschuldigungen du gegen mich erhebst, werde ich dir mal auf die Sprünge helfen, pass also auf.

Für mich waren Lilas Worte dagegen genauso schrecklich wie Stefanos Prügel. Während mich schon die rückhaltlose Brutalität erschreckt hatte, die er hinter freundlichen Umgangsformen und einem sanftmütigen Gesicht zurückhielt, ertrug ich nun Lilas Mut nicht, ihre tollkühne Unverschämtheit, die es ihr ermöglichte, ihm die Wahrheit ins Gesicht zu schreien, als wäre sie eine Lüge. Jedes einzelne Wort von ihr hatte ihn, der es für gelogen hielt, wieder zur Vernunft gebracht und hatte mich, die ich die Wahrheit kannte, schmerzhaft durchbohrt. Als Stefanos Stimme deutlicher herüberklang, hörten Nunzia und ich, dass das Schlimmste vorüber war, Don Achille zog sich von seinem Sohn zurück und überließ ihn wieder seiner sanften, fügsamen Seite. Und Stefano, dieser Seite zurückgegeben, die einen erfolgreichen Kaufmann aus ihm gemacht hatte, war nun bestürzt, begriff schon nicht mehr, was mit seiner Stimme, seinen Händen, seinen Armen geschehen war. Obwohl ihm wahrscheinlich das Bild von Lila und Nino, die Hand in Hand gingen, noch im Kopf herumspukte, musste das, was Lila ihm mit ihrem Wortgewitter offenbart hatte, für ihn unweigerlich die grellen Züge der Unwirklichkeit tragen.

Die Tür wurde nicht geöffnet, der Schlüssel drehte sich bis zum Tagesanbruch nicht im Schloss. Aber Stefanos Tonfall wurde traurig, es klang wie ein niedergeschlagenes Flehen, und draußen warteten stundenlang Nunzia und ich und leisteten uns mit verzagten, kaum hörbaren Sätzen Gesellschaft. Gemurmel drinnen, Gemurmel draußen. »Wenn ich das Rino erzähle«, raunte Nunzia,

»bringt er ihn um, ganz sicher bringt er ihn um.« Und ich flüsterte, als würde ich ihr glauben: »Bitte erzählen Sie es ihm nicht.« Währenddessen dachte ich: ›Rino und sogar Fernando haben seit der Hochzeit keinen Finger mehr für Lila gerührt. Ganz abgesehen davon, dass sie sie seit ihrer, Lilas, Geburt geschlagen haben, sooft sie wollten.‹ Dann überlegte ich weiter: ›Die Männer sind alle gleich, nur Nino ist anders.‹ Und ich seufzte, während meine Erbitterung wuchs: ›Jetzt ist es endgültig klar, dass Lila ihn sich nehmen wird, obwohl sie verheiratet ist, und gemeinsam werden sie sich aus diesem Drecksloch herausarbeiten, während ich für immer und ewig drinbleiben werde.‹

76

Beim ersten Tageslicht kam Stefano aus dem Zimmer, Lila nicht. Er sagte:

»Packt eure Sachen, wir fahren ab.«

Nunzia konnte sich nicht beherrschen, zeigte ihm ärgerlich, was er im Haus der Wirtin kaputtgemacht hatte, und sagte, man müsse ihr eine Entschädigung dafür zahlen. Er antwortete – als wären ihm viele der Worte, die sie ihm Stunden zuvor an den Kopf geworfen hatte, noch im Gedächtnis und als spürte er das dringende Bedürfnis, mal ein paar Dinge klarzustellen –, er habe immer gezahlt, und er werde auch weiterhin zahlen. »Dieses Haus habe ich bezahlt«, begann er mit müder Stimme aufzuzählen. »Eure Ferien habe ich bezahlt, alles was Sie haben, was Ihr Mann hat, was Ihr Sohn hat, habe ich Ihnen gegeben. Also gehen Sie mir nicht auf die Nüsse, packen Sie Ihre Koffer und ab nach Hause.«

Nunzia muckste nicht mehr. Kurz darauf kam Lila aus dem Zimmer, in einem langärmeligen, hellgelben Kleid und mit einer großen Sonnenbrille wie ein Filmstar. Sie sagte kein Wort zu uns. Sie tat es weder in Porto noch auf dem Boot und nicht einmal, als wir im Rione ankamen. Ohne sich zu verabschieden, kehrte sie mit ihrem Mann in ihre Wohnung zurück.

Ich beschloss, mich von nun an nur noch um mich zu kümmern, und seit unserer Rückkehr nach Neapel lebte ich auch danach, ich erlegte mir ein vollkommen distanziertes Verhalten auf. Ich besuchte Lila nicht, besuchte Nino nicht. Ich nahm ohne Widerworte die Szene hin, die meine Mutter mir machte, weil ich auf Ischia, wie sie mir vorwarf, die feine Dame gespielt hatte, ohne daran zu denken, dass es zu Hause an Geld fehlte. Mein Vater stand ihr in nichts nach, obwohl er in einem fort mein gesundes Aussehen und mein goldblondes Haar bewunderte. Kaum herrschte meine Mutter mich in seinem Beisein an, schon sprang er ihr bei. »Du bist erwachsen«, sagte er. »Du weißt, was du zu tun hast.«

Geld verdienen war wirklich dringend nötig. Ich hätte von Lila das verlangen können, was sie mir als Lohn für meinen Aufenthalt auf Ischia versprochen hatte, doch nach meinem Entschluss, mich nicht mehr für sie zu interessieren, und besonders nach den brutalen Worten, die Stefano zu Nunzia gesagt hatte (und in gewisser Weise auch zu mir), ließ ich es bleiben. Aus dem gleichen Grund schloss ich es kategorisch aus, mir von ihr wie im Vorjahr meine Schulbücher kaufen zu lassen. Als ich einmal Alfonso traf, bat ich ihn, ihr auszurichten, ich hätte mir die Bücher für dieses Jahr schon besorgt, und damit war die Angelegenheit für mich erledigt.

Aber nach Ferragosto wurde ich in der Buchhandlung in Mezzocannone vorstellig, und teils, weil ich eine tüchtige, disziplinierte Verkäuferin gewesen war, teils, weil sich mein Äußeres durch Sonne und Meer sehr vorteilhaft verändert hatte, gab mir der Besitzer nach einigem Widerstreben meine Arbeit wieder. Allerdings verlangte er, dass ich zum Schuljahresbeginn nicht kündigte, sondern während der ganzen Zeit des Schulbuchverkaufs weiterarbeitete, wenn auch nur nachmittags. Ich willigte ein und verbrachte lange Tage im Buchladen damit, Lehrer zu bedienen, die mit vollen Taschen kamen, um für wenige Lire die Bücher zu verkaufen, die sie als Freiexemplare von den Verlagen bekommen hatten, und Studenten, die für noch weniger ihre zerlesenen Bücher abgaben.

Eine Woche lang lebte ich in purer Angst, weil ich meine Regel nicht bekam. Ich fürchtete, dass Sarratore mich geschwängert hatte, und war verzweifelt, äußerlich höflich, innerlich düster. Ich verbrachte schlaflose Nächte, suchte aber bei niemandem Rat oder Trost, ich behielt alles für mich. Als ich schließlich eines Nachmittags auf die schmutzige Toilette in der Buchhandlung ging, sah ich das Blut. Es war einer der seltenen glücklichen Momente jener Zeit. Die Menstruation war für mich wie die endgültige, symbolische Auslöschung von Sarratores Eindringen in meinen Körper.

Anfang September fiel mir ein, dass Nino inzwischen aus Ischia zurück sein müsste, und ich begann zu fürchten und zu hoffen, dass er, zumindest für einen kurzen Gruß, vorbeikommen würde. Aber er ließ sich weder in der Via Mezzocannone noch im Rione blicken. Und Lila bekam ich nur manchmal zu Gesicht, wenn sie sonntags an der Seite ihres Mannes im Auto auf dem Stradone vorbeibrauste. Diese wenigen Sekunden genügten, um mich wütend zu machen. Was war geschehen. Wie hatte sie ihre Angelegenheiten geregelt. Nach wie vor hatte sie alles, behielt sie alles: das Auto, Stefano, die Wohnung mit Bad, Telefon und Fernseher, die schönen Kleider, den Wohlstand. Und wer wusste schon, was für Pläne sie sich insgeheim zurechtlegte. Ich wusste, wie sie war, und sagte mir, sie hätte Nino nicht einmal dann aufgegeben, wenn er sie aufgegeben hätte. Aber ich schlug mir diese Gedanken wieder aus dem Kopf und zwang mich zur Einhaltung des Pakts, den ich mit mir selbst geschlossen hatte: mein Leben ohne die beiden zu planen und zu lernen, nicht darunter zu leiden. Zu diesem Zweck konzentrierte ich mich auf eine Art Selbsttraining, um wenig oder gar nicht zu reagieren. Ich lernte, meine Gefühle auf ein Minimum zu reduzieren: Wenn mein Chef seine Finger nicht von mir lassen konnte, stieß ich ihn ohne Empörung zurück; wenn die Kunden unfreundlich waren, machte ich gute Miene zu bösem Spiel; sogar bei meiner Mutter gelang es mir, stets zurückhaltend zu bleiben. Jeden Tag sagte ich mir: Ich bin, was ich bin, und ich kann nichts anderes tun als mich akzeptieren; ich bin so geboren, in dieser Stadt, mit diesem Dialekt, ohne Geld; ich werde geben, was ich geben kann, werde mir nehmen, was ich nehmen kann, werde ertragen, was ertragen werden muss.

77

Dann begann die Schule wieder. Erst als ich am 1. Oktober in den Klassenraum kam, wurde mir bewusst, dass ich nun in der Abiturklasse war, dass ich achtzehn Jahre alt war, dass die in meinem Fall bereits wunderbar lange währende Zeit des Lernens ihrem Ende entgegenging. Umso besser. Ich unterhielt mich viel mit Alfonso darüber, was wir nach dem Abitur machen wollten. Er wusste es ebenso wenig wie ich. »Wir nehmen an Auswahlverfahren teil«, sagte er, aber eigentlich hatten wir keine genaue Vorstellung davon, was ein Auswahlverfahren war, wir sagten *an einem Auswahlverfahren teilnehmen*, *ein Auswahlverfahren gewinnen*, doch der Begriff blieb verschwommen. Musste man eine Arbeit schreiben, eine mündliche Prüfung ablegen? Und was gewann man dann, ein Gehalt?

Alfonso vertraute mir an, dass er heiraten wollte, sobald er irgendein Auswahlverfahren gewonnen hatte.

»Wen, Marisa?«

»Aber ja doch.«

Manchmal erkundigte ich mich vorsichtig nach Nino bei ihm, aber er konnte ihn nicht leiden, sie grüßten sich nicht einmal. Er hatte nie verstehen können, was ich an Nino fand. »Er ist hässlich«, sagte er, »ganz schief, nur Haut und Knochen.« Marisa dagegen sei schön. Um mich nicht zu verletzen, fügte er sofort hinzu: »Du bist auch schön.« Er hatte einen Sinn für Schönheit und vor allem für Körperpflege. Er achtete sehr auf sein Äußeres, duftete nach Friseur, gab Geld für Kleidung aus, ging jeden Tag zum Gewichtheben. Er erzählte mir, wie unterhaltsam es für ihn im Geschäft an der Piazza dei Martiri gewesen sei. Dort sei es nicht wie in der Salumeria. Dort könne man elegant gekleidet sein, ja, das müsse man sogar. Dort könne man Italienisch reden, die Leute seien anständig, seien gebildet. Selbst wenn man sich dort vor den Kunden und Kundinnen hinknien musste, um ihnen die Schuhe anzuziehen, konnte man dies auf charmante Art tun, wie ein Ritter beim Minnedienst. Aber leider gebe es keine Möglichkeit für ihn, in dem Geschäft zu bleiben.

»Warum denn nicht?«

»Tja.«

Anfangs blieb er vage, und ich hakte nicht nach. Dann erzählte er mir, Pinuccia sei nun immer zu Hause, weil sie sich nicht überanstrengen wolle, sie habe jetzt einen Bauch spitz wie ein Torpedo; und auf jeden Fall sei klar, dass sie keine Zeit zum Arbeiten mehr haben werde, wenn das Kind da sei. Das hätte ihm theoretisch den Weg ebnen müssen, die Solaras seien zufrieden mit ihm, womöglich hätte er gleich nach dem Abitur dort anfangen können. Aber es gebe nicht die geringste Chance, und da fiel plötzlich Lilas Name. Als ich ihn hörte, spürte ich ein Brennen im Bauch.

»Was hat sie denn damit zu tun?«

Ich erfuhr, dass sie wie verrückt geworden aus den Ferien zurückgekommen sei. Sie werde weiterhin nicht schwanger, die Badekur habe nicht geholfen, und sie rede wirres Zeug. Einmal habe sie alle Blumentöpfe zerschlagen, die sie auf dem Balkon hatte. Sie habe gesagt, sie gehe in die Salumeria, habe Carmen aber allein gelassen und sei herumgeschlendert. Stefano sei nachts aufgewacht und habe gemerkt, dass sie nicht im Bett war. Sie sei durch die Wohnung gewandert, habe gelesen und geschrieben.

Dann habe sie sich plötzlich beruhigt. Besser gesagt, sie habe ihre ganze Kraft darauf konzentriert, Stefano das Leben zur Hölle zu machen, mit nur einem Ziel: Gigliola in die neue Salumeria zu verfrachten und sich selbst um das Geschäft an der Piazza dei Martiri zu kümmern.

Ich staunte.

»Aber Michele ist derjenige, der sie für den Laden haben möchte«, sagte ich. »Sie will da doch gar nicht hin.«

»So war es mal. Jetzt hat sie es sich anders überlegt, sie setzt Himmel und Hölle in Bewegung, um dort hinzukommen. Das einzige Hindernis ist, dass Stefano was dagegen hat. Aber bekanntlich macht mein Bruder am Ende ja doch das, was sie will.«

Ich fragte nicht weiter nach, auf keinen Fall wollte ich wieder in Lilas Angelegenheiten hineingezogen werden. Aber ich ertappte mich dabei, dass ich kurz überlegte: ›Was hat sie bloß vor, warum will sie auf einmal im Stadtzentrum arbeiten?‹ Dann beließ ich es dabei, von anderen Problemen in Anspruch genommen: dem Buchladen, der Schule, den Prüfungen, den Schulbüchern. Einige kaufte ich mir, doch die meisten stahl ich ohne jeden Skrupel dem Buchhändler. Ich begann wieder eisern zu lernen, vor allem nachts. Nachmittags hatte ich bis zu meiner Kündigung vor den Weihnachtsferien im Buchladen zu tun. Und direkt anschließend hatte Professoressa Galiani persönlich mir einige Privatstunden vermittelt, für die ich mich viel vorbereitete. Zwischen Schule, Privatstunden und Lernen blieb für nichts anderes Raum.

Wenn ich meiner Mutter am Monatsende das Geld gab, das ich verdient hatte, steckte sie es wortlos ein, aber sie stand früh am Morgen auf, um mir das Frühstück zu machen, manchmal sogar ein Zuckerei, das sie so ausgiebig schlug – ich hörte das Klacken des Löffels in der Tasse, während ich noch etwas schlummerte –, dass es mir wie Sahne auf der Zunge zerging, nicht ein Körnchen Zucker war mehr zu spüren. Was die Lehrer am Gymnasium anging, hatte es den Anschein, als müssten sie mich zwangsläufig für die glänzendste Schülerin halten, wohl aufgrund eines trägen Mechanismus des gesamten verstaubten Schulapparats. Problemlos verteidigte ich meine Position als Klassenbeste, und da Nino weg war, gehörte ich nun auch zu den Besten der ganzen Schule. Allerdings bemerkte ich schnell, dass die Galiani, obwohl sie nach wie vor sehr großzügig zu mir war, mir irgendetwas zur Last legte, was sie daran hinderte, so herzlich wie früher zu sein. Zum Beispiel zeigte sie sich, als ich ihr ihre Bücher wiedergab, verärgert darüber, dass sie voller Sand waren, und nahm sie mit, ohne mir zu versprechen, mir weitere zu leihen. Zum Beispiel gab sie ihre Zeitungen nicht mehr an mich weiter, ich zwang mich eine kurze Weile, mir *Il Mattino* zu kaufen, dann ließ ich es sein, er langweilte mich, es war hinausgeworfenes Geld. Und zum Beispiel kam es nicht mehr vor, dass sie mich zu sich nach Hause einlud, obwohl ich ihren Sohn Armando gern wiedergesehen hätte. Trotzdem lobte sie mich weiterhin in der Öffentlichkeit, gab mir gute Noten und empfahl mir wichtige Vorträge und sogar Filme, die in einem Gemeindezentrum in Port'Alba gezeigt wurden. Bis sie mich einmal kurz vor den Weihnachtsferien beim Verlassen der Schule zu sich rief und wir ein Stück gemeinsam gingen. Ohne Umschweife fragte sie mich, was ich von Nino wisse.

»Nichts«, antwortete ich.

»Sei ehrlich.«

»Ich bin ehrlich.«

Nach und nach stellte sich heraus, dass Nino sich nach dem Sommer kein einziges Mal bei ihr oder ihrer Tochter hatte blicken lassen.

»Er hat auf eine üble Art mit Nadia Schluss gemacht«, sagte sie mit mütterlichem Groll. »Er hat ihr einen Brief mit ein paar Zeilen aus Ischia geschickt und ihr sehr wehgetan.« Dann nahm sie sich zurück und fügte, wieder ihrer Rolle als Lehrerin entsprechend, hinzu: »Aber was soll's, ihr seid jung, durch Schmerzen wird man stärker.«

Ich nickte, sie fragte:

»Hat er dich auch verlassen?«

Ich wurde rot.

»Mich?«

»Habt ihr euch denn nicht auf Ischia getroffen?«

»Doch, aber zwischen uns war nichts.«

»Bestimmt nicht?«

»Ganz bestimmt nicht.«

»Nadia ist davon überzeugt, dass er sie deinetwegen verlassen hat.«

Das bestritt ich vehement, ich erklärte mich bereit, mich sofort mit Nadia zu treffen und ihr zu sagen, dass zwischen Nino und mir nie etwas gewesen sei und niemals etwas sein werde. Darüber freute sie sich und versicherte mir, es ihr auszurichten. Natürlich erwähnte ich Lila nicht, und dies nicht nur, weil ich entschlossen war, mich nur um meine Angelegenheiten zu kümmern, sondern auch, weil es mich deprimiert hätte, über sie zu sprechen. Ich versuchte, das Thema zu wechseln, aber sie kam erneut auf Nino zurück. Sie sagte, es kursierten diverse Gerüchte über ihn. Man munkelte, er habe nicht nur die Examen im Herbst versäumt, sondern sogar ganz aufgehört zu studieren; und es wurde beteuert, man habe ihn eines Nachmittags allein und sturzbetrunken die Via Arenaccia entlangtorkeln sehen, wobei er immer mal wieder einen Schluck aus der Flasche genommen habe. Aber Nino, sagte sie abschließend, sei nicht jedem sympathisch, und vielleicht finde jemand Gefallen daran, üble Gerüchte über ihn in die Welt zu setzen. Aber falls sie wahr seien, ach, wie schade.

»Das ist garantiert gelogen«, sagte ich.

»Hoffentlich. Aus diesem Jungen wird man nicht recht schlau.«

»Stimmt.«

»Er ist sehr tüchtig.«

»Ja.«

»Falls du in Erfahrung bringen kannst, was er so treibt, lass es mich wissen.«

Wir verabschiedeten uns, ich lief los, um einem jüngeren Mädchen aus dem Gymnasium, das in Parco Margherita wohnte, Nachhilfe in Griechisch zu geben. Aber das war schwer. In dem großen, ständig im Halbdunkel liegenden Raum, in dem ich respektvoll empfangen wurde, gab es prunkvolle Möbel, Wandteppiche mit Jagdszenen, alte Photos von hochrangigen Militärs und verschiedene andere Zeichen einer Tradition der Autorität und des Wohlstands, die bei meiner blassen, vierzehnjährigen Schülerin eine körperliche und geistige Schlaffheit verursachten und bei mir einige Unduldsamkeit hervorriefen. Diesmal musste ich mich besonders anstrengen, um über Deklinationen und Konjugationen zu wachen. Fortwährend fiel mir Ninos Bild ein, wie Professoressa Galiani es heraufbeschworen hatte: ein abgewetztes Jackett, eine flatternde Krawatte, der wankende Schritt seiner langen Beine, die leere Flasche, die nach einem letzten Schluck auf dem Pflaster der Via Arenaccia zersprang. Was war nach Ischia zwischen ihm und Lila vorgefallen? Entgegen meinen Vermutungen hatte sie offenbar Vernunft angenommen, alles war aus, sie war zur Besinnung gekommen. Aber Nino nicht. Der junge Student, dem auf alles eine wohlsortierte Antwort einfiel, hatte sich in einen Asozialen verwandelt, den die unglückliche Liebe zur Frau des Lebensmittelhändlers aus der Bahn geworfen hatte. Ich erwog, Alfonso noch einmal zu fragen, ob er etwas von ihm gehört hatte. Erwog, persönlich zu Marisa zu gehen und mich bei ihr nach ihrem Bruder zu erkundigen. Aber rasch schlug ich mir das aus dem Kopf. Er wird sich wieder beruhigen, sagte ich mir. War er etwa zu mir gekommen? Nein. Und war Lila etwa zu mir gekommen? Nein. Warum sollte ich mich um ihn kümmern oder um sie, wenn die beiden sich nicht um mich scherten? Ich brachte meine Privatstunde hinter mich und ging meines Weges.

78

Nach Weihnachten erfuhr ich von Alfonso, dass Pinuccia entbunden hatte, sie hatte einen Jungen zur Welt gebracht, der den Namen Fernando erhielt. Ich ging sie besuchen, damit rechnend, sie im Bett anzutreffen, glücklich und mit dem Kind an der Brust. Stattdessen war sie bereits auf den Beinen, allerdings in Nachthemd und Pantoffeln und mit mürrischer Miene. Grob jagte sie ihre Mutter weg, die ihr riet: »Leg dich ins Bett, du darfst dich nicht überanstrengen«, und als sie mich zur Wiege führte, sagte sie düster: »Nie kriege ich irgendwas gut hin, sieh nur, wie hässlich er ist, mich erschreckt nicht nur, ihn anzufassen, sondern schon sein bloßer Anblick.« Und obwohl Maria auf der Türschwelle wie eine Beruhigungsformel flüsterte: »Pina, was sagst du denn da, er ist wunderschön«, wiederholte sie wütend immer wieder: »Er ist hässlich, hässlicher noch als Rino, in dieser Familie sind alle hässlich.« Dann holte sie Luft und rief verzweifelt und mit Tränen in den Augen: »Alles meine Schuld, ich habe mir den falschen Mann ausgesucht, aber als junges Mädchen denkt man ja nicht weiter darüber nach, und jetzt sieh bloß, was für ein Kind ich bekommen habe, es hat die gleiche platte Nase wie Lina!« Übergangslos beschimpfte sie nun ihre Schwägerin auf das Schlimmste.

Von ihr erfuhr ich, dass Lila, diese Nutte, im Geschäft an der Piazza dei Martiri schon seit zwei Wochen nach Belieben schalte und walte. Gigliola habe ihren Platz räumen müssen, sie sei in die Solara-Bar zurückgekehrt; auch sie selbst, Pinuccia, habe gehen müssen, jetzt wer weiß wie lange an das Kind gefesselt; alle hätten nachgeben müssen, zuallererst Stefano, wie üblich. Und nun denke Lila sich jeden Tag was Neues aus: Sie erscheine wie die Assistentin von Quizmaster Mike Bongiorno gekleidet zur Arbeit, und wenn ihr Mann sie nicht mit dem Auto fahre, lasse sie sich anstandslos von Michele chauffieren; sie habe wer weiß wie viel für zwei Gemälde ausgegeben, von denen kein Mensch wisse, was sie darstellten, und habe sie wer weiß warum im Geschäft aufgehängt; sie habe einen Haufen Bücher gekauft und sie anstelle von Schuhen in ein Regal gestellt; sie habe eine Art Salon mit Sofas, Sesseln, Sitzhockern und mit einer Kristallschale eingerichtet, aus der sie jedem Edelschokolade von Gay Odin anbot, als wäre sie nicht dort, um die Schweißfüße der Kunden zu riechen, sondern um die Schlossherrin zu spielen.

»Und das ist noch nicht alles«, sagte sie. »Da ist noch was viel Schlimmeres.«

»Was denn?«

»Weißt du, was Marcello Solara gemacht hat?«

»Nein.«

»Erinnerst du dich noch an die Schuhe, die Stefano und Rino ihm überlassen hatten?«

»Die, die genau nach Linas Entwürfen hergestellt worden waren?«

»Ja, der letzte Dreck, Rino hat immer gesagt, dass sie nicht wasserdicht sind.«

»Was ist denn passiert?«

Pina bestürmte mich atemlos mit einer teilweise wirren Geschichte von Geld, finsteren Machenschaften, Betrug und Schulden. Marcello, der mit den neuen Modellen von Rino und Fernando nicht zufrieden gewesen war, hatte die Schuhe, sicherlich in Abstimmung mit Michele, in die Produktion gegeben, aber nicht in die Schuhmacherei Cerullo, sondern in eine Fabrik in Afragola. Dann hatte er sie zu Weihnachten unter der Marke Solara in die Geschäfte gebracht, speziell in das an der Piazza dei Martiri.

»Und das durfte er?«

»Zwangsläufig, es sind ja seine: Mein Bruder und mein Mann, diese beiden Idioten, haben sie ihm ja geschenkt, er kann damit machen, was er will.«

»Und jetzt?«

»Und jetzt«, sagte sie, »sind in Neapel das Cerullo-Modell und das Solara-Modell im Umlauf. Und das Solara-Modell verkauft sich bestens, besser als das Cerullo-Modell. Und der ganze Gewinn geht an die Solaras. Darum ist Rino äußerst gereizt, denn er hatte jede nur mögliche Konkurrenz erwartet, aber doch nicht ausgerechnet die der Solaras, seiner Geschäftspartner, noch dazu mit einem Schuh, den er eigenhändig angefertigt und dann dummerweise verworfen hatte.«

Marcello fiel mir wieder ein, wie er damals von Lila mit dem Schustermesser bedroht worden war. Er war langsamer als Michele, schüchterner. Warum hatte er es nötig, so gemein zu sein? Die Solaras machten zahllose Geschäfte, manche bei Tageslicht, andere nicht, und sie expandierten immer mehr. Sie hatten seit der Zeit ihres Großvaters einflussreiche Freunde, taten anderen einen Gefallen und erhielten selbst welche. Ihre Mutter verlieh Geld zu Wucherzinsen und hatte ein Buch, vor dem sich der halbe Rione fürchtete, vielleicht inzwischen sogar die Cerullos und die Carraccis. Für Marcello und seinen Bruder waren die Schuhe und das Geschäft an der Piazza dei Martiri folglich nur eine von vielen Quellen, aus denen ihre Familie schöpfte, und sicherlich keine der wichtigsten. Warum also?

Pinuccias Geschichte ärgerte mich zunehmend: Hinter der Fassade des Geldes spürte ich etwas Demütigendes. Marcellos Liebe zu Lila war vergangen, aber die Wunde war geblieben und hatte sich infiziert. Nachdem er jede Abhängigkeit verloren hatte, fühlte er sich so frei, denen wehzutun, die ihn in der Vergangenheit gekränkt hatten. »Rino«, erzählte mir Pinuccia auch wirklich, »ist mit Stefano zu ihnen gegangen, um zu protestieren, doch ohne Erfolg.« Die Solaras hätten sie mit Arroganz behandelt, sie seien es gewohnt, zu tun, was sie wollten, daher sei das Treffen fast ein Monolog gewesen. Am Ende habe

Marcello vage angedeutet, dass ihm und seinem Bruder eine ganze Solara-Serie vorschwebe, die in Variationen die Form der zur Probe gefertigten Schuhe wiederholte. Dann habe er ohne einen ersichtlichen Zusammenhang hinzugefügt: »Warten wir ab, wie sich eure neue Produktion verkauft und ob es sich lohnt, sie auf dem Markt zu halten.« Alles klar? Alles klar. Marcello wollte die Marke Cerullo beseitigen, sie durch die der Solaras ersetzen und Stefano damit einen nicht unerheblichen wirtschaftlichen Schaden zufügen. ›Ich muss weg aus dem Rione, weg aus Neapel‹, dachte ich. ›Was gehen mich ihre Streitereien an?‹ Aber währenddessen fragte ich:

»Und Lina?«

Pinuccias Augen blitzten auf.

»Sie ist ja gerade das Problem.«

Lina habe sich über diese Geschichte lustig gemacht. Als Rino und ihr Mann sich aufgeregt hätten, habe sie sie folgendermaßen aufgezogen: »Ihr habt ihnen doch die Schuhe geschenkt, nicht ich; ihr habt doch mit den Solaras herumgeschachert, nicht ich. Was kann ich denn dafür, dass ihr zwei solche Idioten seid?« Sie sei eine Nervensäge, und es sei nicht zu erkennen, auf welcher Seite sie stehe, auf der ihrer Familie oder auf der der beiden Solaras. Denn als Michele wieder einmal darauf bestanden habe, dass er sie an der Piazza dei Martiri haben wolle, habe sie aus heiterem Himmel eingewilligt und Stefano zugesetzt, damit er sie gehen ließ.

»Aber wieso hat Stefano denn nachgegeben?«, fragte ich.

Pinuccia stieß einen langen, ärgerlichen Seufzer aus. Stefano habe nachgegeben, weil er angesichts der Tatsache, dass Michele so viel an ihr liege und Marcello schon immer eine Schwäche für sie gehabt habe, hoffte, Lila könnte die Dinge wieder ins Lot bringen. Doch Rino traue seiner Schwester nicht, er sei entsetzt, nachts könne er nicht mehr schlafen. Das alte Schuhmodell, das er und Fernando verworfen hätten, das Marcello aber in seiner ursprünglichen Form habe herstellen lassen, finde großen Anklang, es verkaufe sich gut. Was würde geschehen, wenn die Solara-Brüder sich darauf verlegten, direkt mit Lila zu verhandeln, und wenn sie, dieses Miststück von Geburt an, dann für sie neue Schuhe entwerfen würde, nachdem sie es abgelehnt hatte, dies für ihre Familie zu tun?

»Das wird nicht passieren«, sagte ich zu Pinuccia.

»Hat sie dir das gesagt?«

»Nein, ich habe sie seit dem Sommer nicht mehr gesehen.«

»Also?«

»Ich weiß, wie sie ist. Lina begeistert sich für eine Sache und stürzt sich vollkommen hinein. Aber sobald sie sie beherrscht, verliert sie die Lust und kümmert sich nicht mehr darum.«

»Bist du sicher?«

»Ja.«

Maria freute sich über meine Worte und klammerte sich daran, um ihre Tochter zu beruhigen.

»Hast du gehört?«, sagte sie. »Es ist alles in Ordnung, Lenuccia weiß, wovon sie spricht.«

Dabei wusste ich eigentlich gar nichts. Der am wenigsten vorlaute Teil von mir hatte Lilas Unberechenbarkeit deutlich vor Augen, daher konnte ich es kaum erwarten, diese Wohnung wieder zu verlassen. ›Was geht mich das an‹, dachte ich, ›was gehen mich diese armseligen Geschichten an, Marcello Solaras kleinliche Rache, dieses allgemeine Umsichschlagen und die ständige Sorge um Geld, Autos, Wohnungen, Möbel, Nippes und Urlaube? Und wie konnte Lila nach der Zeit auf Ischia, nach Nino wieder mit diesen Camorra-Typen mauscheln? Ich werde das Abitur machen, werde an einem Auswahlverfahren teilnehmen und es schaffen. Ich werde dieses Drecksloch verlassen und so weit weg wie möglich gehen.‹ Gerührt vom Anblick des Kindes, das Maria inzwischen auf den Arm genommen hatte, sagte ich:

»Wie süß.«

79

Aber ich konnte nicht widerstehen. Lange schob ich es hinaus, doch schließlich gab ich auf: Ich fragte Alfonso, ob wir nicht einen Sonntagsspaziergang machen wollten, er, Marisa und ich. Er freute sich sehr darüber, wir gingen in eine Pizzeria in der Via Foria. Ich erkundigte mich nach Lidia, nach den Kindern, besonders nach Ciro, und fragte dann, was Nino denn so treibe. Marisa antwortete mir widerwillig, über ihren Bruder zu reden, rege sie auf. Sie sagte, er habe eine lange, verwirrte Phase hinter sich, und ihr Vater, den sie über alles liebe, hätte es sehr schwer mit ihm gehabt, Nino sei so weit gegangen, handgreiflich gegen ihn zu werden. Was die Ursache für diese Verwirrung gewesen sei, habe man nie herausgefunden. Er habe nicht mehr studieren wollen, habe Italien verlassen wollen. Dann sei plötzlich alles wieder vorbei gewesen. Er sei nun wieder der alte und habe gerade angefangen, seine Examen zu machen.

»Dann geht es ihm also gut?«

»Na ja.«

»Ist er zufrieden?«

»Soweit einer wie er fähig ist, zufrieden zu sein, ja.«

»Und ist er nur mit dem Studium beschäftigt?«

»Du meinst, ob er eine Freundin hat?«

»Nein, ach, gar nicht, ich meine, geht er aus, amüsiert er sich, geht er tanzen?«

»Was weiß denn ich, Lena? Er ist immer unterwegs. Neuerdings ist er verrückt nach Kino, Romanen und Kunst, und die seltenen Male, die er nach Hause kommt, fängt er sofort eine Diskussion mit unserem Vater an, nur um ihn zu beleidigen und sich mit ihm zu streiten.«

Ich war erleichtert, weil Nino wieder zur Vernunft gekommen war, aber auch gekränkt. Kino, Romane, Kunst? Wie schnell ändern sich doch die Menschen, ihre Interessen, ihre Gefühle. Wohlsortierte Sätze, die durch wohlsortierte Sätze ersetzt werden, Zeit ist ein Fluss von nur scheinbar zusammenhängenden Worten, je mehr einer hat, umso mehr häuft er an, und immer so weiter. Ich kam mir dumm vor, hatte die Dinge vernachlässigt, die mir gefielen, um mich dem anzupassen, was Nino gefiel. Jaja, sich mit dem abfinden, was man ist, jeder auf seinem Weg. Ich hoffte nur, Marisa würde ihm nicht erzählen, dass sie mich gesehen und ich nach ihm gefragt hatte. Auch Alfonso gegenüber erwähnte ich Nino und Lila nach diesem Abend nicht mehr.

Ich vergrub mich noch mehr in meinen Pflichten, vervielfachte sie, um die Tage und die Nächte damit zu füllen. In jenem Jahr lernte ich wie besessen, akribisch, und nahm auch neue Nachhilfestunden gegen viel Geld an. Ich erlegte mir eine eiserne Disziplin auf, eine noch viel härtere als die, welche ich in meiner Kindheit aufgebracht hatte. Eine straff eingeteilte Zeit, eine schnurgerade Linie, die vom Morgengrauen bis in die tiefe Nacht verlief. Früher war da Lila gewesen, eine ständige erfreuliche Abzweigung hin zu überraschenden Welten. Nun wollte ich alles, was ich war, aus mir selbst holen. Ich war fast neunzehn Jahre alt, nie mehr würde ich von irgendwem abhängig sein, und nie mehr würde ich irgendwen vermissen.

Das letzte Schuljahr am Gymnasium verflog wie ein einziger Tag. Ich kämpfte mit Astronomie, mit Geometrie, mit Trigonometrie. Es war eine Art Wettrennen mit dem Ziel, alles zu wissen, während ich es doch als erwiesen ansah, dass meine Unzulänglichkeit angeboren und daher nicht zu beseitigen war. Trotzdem gefiel es mir, zu tun, was möglich war. Ich hatte keine Zeit, um ins Kino zu gehen? Ich prägte mir nur die Filmtitel und die Handlung ein. Ich kannte das Archäologische Museum noch nicht? Ich rannte in einem halben Tag durch. Ich hatte noch nie die Gemäldesammlung im Museum von Capodimonte besichtigt? Ich machte eine Stippvisite, zwei Stunden und raus. Ich hatte einfach zu viel zu tun. Was kümmerten mich die Schuhe und das Geschäft an der Piazza dei Martiri? Ich ging dort nie hin.

Manchmal traf ich die zermürbte Pinuccia, die den kleinen Fernando im Kinderwagen vor sich her schob. Ich blieb kurz stehen und hörte mir zerstreut ihr Gejammer über Rino an, über Stefano, über Lila, über Gigliola, über alle. Manchmal traf ich Carmen, die zunehmend verbitterte, weil die Dinge in der neuen Salumeria schlecht liefen, seit Lila weggegangen war und sie, Carmen, mit den Schikanen von Maria und Pinuccia allein gelassen hatte, und ich ließ sie ein paar Minuten lang und breit erzählen, wie sehr ihr Enzo Scanno fehlte, wie sie die Tage zählte und darauf wartete, dass er seinen Armeedienst beendete, wie ihr Bruder Pasquale sich zwischen seiner Arbeit auf der Baustelle und seinem kommunistischen Kampf aufrieb. Manchmal traf ich Ada, die Lila nunmehr verachtete, während sie Stefano sehr schätzte, sie sprach voller Zärtlichkeit von ihm, und das nicht nur, weil er kürzlich ihren Lohn erhöht hatte, sondern auch, weil er ein fleißiger Mann sei, für alle da und für diese Frau zu schade, die ihn behandle wie den letzten Dreck.

Sie erzählte mir auch, dass Antonio wegen eines schlimmen Nervenzusammenbruchs vorzeitig aus der Armee entlassen worden sei.

»Was ist denn passiert?«

»Du weißt doch, wie er ist, deinetwegen hatte er ja auch schon einen Nervenzusammenbruch.«

Ein hässlicher Satz, der mich kränkte, ich versuchte, darüber hinwegzugehen. An einem Sonntag im Winter traf ich Antonio zufällig und hätte ihn fast nicht wiedererkannt, so abgezehrt war er. Ich lächelte ihn an und wartete darauf, dass er stehen blieb, aber er schien mich nicht zu bemerken und ging weiter. Ich rief ihn, er drehte sich mit einem verlorenen Lächeln um.

»Ciao, Lenù.«

»Ciao. Ich freue mich, dich zu sehen.«

»Ich mich auch.«

»Was treibst du so?«

»Nichts.«

»Gehst du nicht in die Autowerkstatt zurück?«

»Die Stelle ist nicht mehr frei.«

»Du bist gut, du wirst woanders was finden.«

»Nein, wenn ich mich nicht auskuriere, kann ich nicht arbeiten.«

»Was hast du denn gehabt?«

»Angst.«

Genau das sagte er: Angst. In Cordenons habe er sich, als er eines Nachts Wache stand, an ein Spiel erinnert, das sein nunmehr verstorbener Vater mit ihm gespielt hatte, als er, Antonio, noch ein kleiner Junge war. Er habe sich Augen und Münder auf die fünf Finger seiner linken Hand gemalt und sie dann bewegt und sprechen lassen, als wären sie Menschen. Es sei ein schönes Spiel gewesen, so dass ihm die Tränen gekommen seien, als es ihm wieder einfiel. Aber in dieser Nacht, während des Wachdienstes, sei ihm gewesen, als wäre die Hand seines Vaters in seine geschlüpft und als hätte er nun echte Menschen, die lachten und sangen, in seinen Fingern, zwar winzig klein, aber voll ausgebildet. Darum habe er Angst bekommen. Er habe seine Hand gegen das Wachhäuschen geschlagen, bis sie blutete, aber die Finger hätten immer weiter gelacht und gesungen, ohne auch nur einen Moment aufzuhören. Es sei erst wieder gut gewesen, als er seinen Dienst beendet habe und schlafen gegangen sei. Etwas Erholung, und am nächsten Tag sei alles wieder in Ordnung gewesen. Aber die panische Angst, die Krankheit seiner Hand könnte wieder auftreten, sei ihm geblieben. Und sie sei tatsächlich zurückgekehrt, in immer kürzeren Abständen, seine Finger hätten begonnen, auch tagsüber zu lachen und zu singen. Bis er durchgedreht sei und man ihn zum Arzt geschickt habe.

»Jetzt ist es vorbei«, sagte er. »Aber es kann jederzeit wieder losgehen.«

»Sag mir, wie ich dir helfen kann.«

Er dachte kurz nach, als erwöge er wirklich eine Reihe von Möglichkeiten. Er flüsterte:

»Mir kann niemand helfen.«

Ich bemerkte sofort, dass er nichts mehr für mich empfand, ich war endgültig aus seinem Kopf verschwunden. Darum gewöhnte ich mir nach dieser Begegnung an, mich jeden Sonntag unter sein Fenster zu stellen und ihn zu rufen. Wir schlenderten über den Hof, redeten über dies und das, und wenn er sagte, er sei müde, verabschiedeten wir uns. Manchmal kam er zusammen mit Melina herunter, die auffällig geschminkt war, und wir gingen spazieren, er, seine Mutter und ich. Manchmal trafen wir beide uns mit Ada und Pasquale und drehten eine größere Runde, aber meistens redeten nur wir drei, Antonio blieb still. Kurz, es wurde eine ruhige Gewohnheit. Ich ging mit ihm zum Begräbnis des Gemüsehändlers Nicola Scanno, der plötzlich an einer Lungenentzündung erkrankt war, so dass Enzo Urlaub erhalten hatte, aber nicht mehr rechtzeitig kam, um ihn noch lebend anzutreffen. Zusammen gingen wir auch zu Pasquale, Carmen und ihrer Mutter Giuseppina, um ihnen unser Beileid auszusprechen, nachdem bekannt geworden war, dass der Vater, der ehemalige Tischler, der Don Achille ermordet hatte, im Gefängnis an einem Herzinfarkt gestorben war. Und wir waren auch zusammen, als wir erfuhren, dass Don Carlo Resta, der Händler für Seifen und Haushaltswaren, in seinem Souterrain totgeprügelt worden war. Wir sprachen lange darüber, der ganze Rione sprach darüber, durch Klatsch und Tratsch wurden Wahrheit und grausame Phantasien verbreitet, jemand sagte, die Schläge hätten nicht ausgereicht, man habe ihm noch eine Feile in die Nase gestoßen. Man schrieb das Verbrechen irgendwelchen Herumtreibern zu, die die Tageseinnahmen gestohlen hätten. Doch Pasquale erzählte uns später, er habe Gerüchte gehört, die seiner Meinung nach wesentlich überzeugender seien: Don Carlo habe Schulden bei der Mutter der Solara-Brüder gehabt, weil er dem Laster des Kartenspiels verfallen gewesen sei und sich wegen seiner Spielschulden an sie gewandt habe.

»Na und?«, sagte Ada, die stets skeptisch reagierte, wenn ihr Verlobter gewagte Hypothesen aufstellte.

»Und er wollte dieser Halsabschneiderin die fällige Summe nicht zahlen, da haben sie ihn umbringen lassen.«

»Ach was, du erzählst aber auch immer einen Blödsinn.«

Wahrscheinlich hat Pasquale übertrieben, aber erstens kam nie heraus, wer Don Carlo Resta ermordet hatte, und zweitens übernahmen für einen Spottpreis ausgerechnet die Solaras das Kellergeschäft mitsamt der ganzen Ware, überließen Don Carlos Frau und seinem ältesten Sohn aber immerhin die Führung des Ladens.

»Aus Großzügigkeit«, sagte Ada.

»Weil das Arschlöcher sind«, sagte Pasquale.

Ich weiß nicht mehr, ob Antonio etwas dazu sagte. Er war angeschlagen von seiner Krankheit, die durch Pasquales Reden irgendwie noch schlimmer wurde. Ihm war, als dehnte sich die Funktionsstörung seines Körpers auf den gesamten Rione aus und als manifestierte sie sich in den schlimmen Ereignissen, die dann folgten.

Das für uns Schrecklichste geschah an einem milden Sonntag im Frühling, als er, Pasquale, Ada und ich unten im Hof auf Carmela warteten, die in die Wohnung hinaufgegangen war, um sich einen Pullover zu holen. Fünf Minuten vergingen, da erschien Carmen am Fenster und rief ihrem Bruder zu:

»Pasquà, ich weiß nicht, was mit Mama ist! Die Badtür ist von innen abgeschlossen, und sie antwortet nicht.«

Pasquale nahm immer zwei Stufen auf einmal, und wir ihm nach. Wir fanden Carmela voller Angst vor der Badezimmertür, Pasquale klopfte mehrmals verlegen und artig an, aber es kam wirklich keine Antwort. Da sagte Antonio auf die Tür weisend zu seinem Freund: »Keine Sorge, ich bring' sie dir wieder in Ordnung«, und er packte die Klinke, so dass sie beinahe abriss.

Die Tür sprang auf. Giuseppina Peluso war eine strahlende, energische, fleißige und liebenswürdige Frau gewesen, die mit allen Widrigkeiten fertig wurde. Nie hatte sie ihren inhaftierten Mann vernachlässigt, gegen dessen Festnahme – wie ich mich erinnerte – sie sich mit allen Kräften gewehrt hatte, als man ihn beschuldigt hatte, Don Achille Carracci ermordet zu haben. Wohlbedacht hatte sie Stefanos Einladung angenommen, das Neujahrsfest von vor vier Jahren gemeinsam zu verbringen, und froh über die Versöhnung der Familien, war sie mit ihren Kindern zu dieser Feier gekommen. Und sie war glücklich gewesen, als ihre Tochter mit Lilas Hilfe Arbeit in der Salumeria im neuen Viertel gefunden hatte. Aber nun, nach dem Tod ihres Mannes, hatten sie offensichtlich ihre Kräfte verlassen, in kurzer Zeit war aus ihr eine schmächtige Frau geworden, ohne ihre frühere Energie und nur noch Haut und Knochen. Sie hatte die Lampe des Badezimmers, einen an einer Kette hängenden Metallteller, abgenommen und eine Wäscheleine aus Draht am Deckenhaken befestigt. Dann hatte sie sich erhängt.

Antonio sah sie als Erster und brach in Tränen aus. Es war leichter, Giuseppinas Kinder Carmen und Pasquale zu beruhigen als ihn. Entsetzt sagte er immer wieder zu mir: »Hast du gesehen, dass sie barfuß war und dass ihre Fußnägel lang waren und dass sie an einem Fuß frischen, roten Nagellack hatte und am anderen nicht?« Ich hatte nicht darauf geachtet, aber er ja. Vom Militärdienst war er trotz seiner Nervenkrankheit mit der noch festeren Überzeugung zurückgekehrt, dass es seine Aufgabe sei, den starken Mann zu spielen, der sich furchtlos als Erster in die Gefahr stürzt und jedes Problem lösen kann. Doch er war labil. Nach diesem Vorfall sah er Giuseppina wochenlang in allen dunklen Hausecken, und es ging ihm noch schlechter als vorher, so dass ich einige meiner Pflichten vernachlässigte, um ihm zu helfen, sich zu beruhigen. Bis zu meiner Abiturprüfung war er der einzige Mensch im Rione, den ich mehr oder weniger regelmäßig traf. Lila dagegen sah ich nur flüchtig, als sie an der Seite ihres Mannes auf Giuseppinas Begräbnis die schluchzende Carmen an sich drückte. Sie und Stefano hatten einen großen Blumenkranz geschickt, auf dessen violettem Band die Beileidsbekundung der Eheleute Carracci zu lesen war.

80

Es lag nicht an den Abiturprüfungen, dass ich Antonio bald nicht mehr traf. Beide Dinge fielen zufällig in dieselbe Zeit, er kam damals zu mir und teilte mir erleichtert mit, er habe einen Job im Auftrag der Solara-Brüder angenommen. Das gefiel mir nicht, es schien mir ein weiteres Symptom seiner Krankheit zu sein. Er hasste die Solaras. Als Junge hatte er sich mit ihnen geprügelt, um seine Schwester zu verteidigen. Er, Pasquale und Enzo hatten Marcello und Michele gründlich verdroschen und ihren Millecento demoliert. Aber vor allem hatte er mich verlassen, weil ich zu Marcello gegangen war und ihn um

Hilfe gebeten hatte, damit er, Antonio, ausgemustert wurde. Warum war er jetzt so eingeknickt? Er gab mir verworrene Erklärungen. Sagte, bei der Armee habe er gelernt, dass man als einfacher Soldat jedem Ranghöheren Gehorsam schulde. Sagte, Ordnung sei besser als Unordnung. Sagte, er habe gelernt, wie man sich von hinten an jemanden heranschleiche und ihn töte, ohne dass der andere einen auch nur kommen höre. Ich begriff, dass seine Krankheit eine große Rolle spielte, dass das eigentliche Problem allerdings die Armut war. Er sei in der Solara-Bar vorstellig geworden und habe nach Arbeit gefragt. Marcello habe ihn erst eine Weile schlecht behandelt, ihm dann aber eine – wie er sich ausdrückte – monatliche Zuwendung angeboten, doch ohne eine konkrete Aufgabe, nur dafür, dass er sich zur Verfügung halte.

»Zur Verfügung?«

»Ja.«

»Zur Verfügung wofür?«

»Keine Ahnung.«

»Lass die Finger von denen, Antò.«

Das tat er nicht. Und wegen dieser Abhängigkeit zerstritt er sich schließlich sowohl mit Pasquale als auch mit Enzo, der noch schweigsamer als vorher von der Armee zurückgekommen war, noch unbeugsamer. Krankheit hin oder her, keiner der beiden konnte Antonio diese Entscheidung verzeihen. Besonders Pasquale nicht, der, obwohl er mit Ada verlobt war, ihm sogar drohte und sagte, ob nun Schwager oder nicht, er wolle ihn nie wiedersehen.

Hastig entzog ich mich diesen Auseinandersetzungen und konzentrierte mich auf das Abitur. Während ich, bisweilen von der Hitze überwältigt, Tag und Nacht lernte, dachte ich an den letzten Sommer zurück, besonders an die Tage im Juli vor Pinuccias Abreise, als Lila, Nino und ich ein glückliches Trio gewesen waren, wie ich zumindest geglaubt hatte. Ich drängte alle Bilder weg und auch das leiseste Wortecho: Ich erlaubte mir keine Ablenkung.

Die Abiturprüfungen waren ein Wendepunkt in meinem Leben. Ich schrieb in zwei Stunden einen Aufsatz über die Rolle der Natur in Giacomo Leopardis Poetik und brachte darin zusammen mit Versen, die ich auswendig kannte, in einem schönen Stil umformulierte Auszüge aus dem Lehrbuch für italienische Literaturgeschichte unter. Aber vor allem gab ich die schriftliche Prüfungsarbeit in Latein und in Griechisch bereits ab, als meine Klassenkameraden einschließlich Alfonso gerade erst mit der Niederschrift begonnen hatten. Das lenkte die Aufmerksamkeit der Prüfer auf mich, besonders die einer alten, spindeldürren Professoressa in einem rosa Kostüm und mit himmelblauen Haaren frisch vom Friseur, die mir oft zulächelte. Zur eigentlichen Wende kam es aber erst bei den mündlichen Examen. Alle Lehrer lobten mich, besonders viel Zustimmung erhielt ich jedoch von der Prüferin mit den blauen Haaren. Sie war sehr beeindruckt von meinem Aufsatz, und zwar nicht nur von dem, was ich darlegte, sondern auch davon, wie ich es darlegte.

»Sie schreiben sehr gut«, sagte sie mit einem für mich nicht zu entschlüsselnden Akzent, der aber auf jeden Fall weit entfernt vom neapolitanischen war.

»Danke.«

»Sind Sie wirklich der Ansicht, dass nichts dazu bestimmt ist, fortzudauern, nicht einmal die Poesie?«

»Das denkt Leopardi.«

»Sind Sie sicher?«

»Ja.«

»Und was denken Sie?«

»Ich denke, dass Schönheit eine Täuschung ist.«

»Wie der Garten bei Leopardi?«

Ich wusste nichts über Gärten bei Leopardi, sagte aber:

»Ja. Wie das Meer an einem wolkenlosen Tag. Oder wie ein Sonnenuntergang. Oder wie der Himmel bei Nacht. Sie ist Puder über dem Grauen. Wischt man ihn ab, bleiben wir allein mit unserem Entsetzen.«

Die Sätze kamen mir leicht über die Lippen, ich trug sie in einem beseelten Ton vor. Übrigens improvisierte ich nicht, sie waren die mündliche Version dessen, was ich im Aufsatz geschrieben hatte.

»Welche Fakultät beabsichtigen Sie zu wählen?«

Ich wusste so gut wie nichts über Fakultäten, dieses Wort war mir ziemlich fremd. Ich wich aus:

»Ich werde an einem Auswahlverfahren teilnehmen.«

»Dann gehen Sie nicht auf eine Universität?«

Meine Wangen brannten, als gelänge es mir nicht, eine Schuld zu verbergen.

»Nein.«

»Müssen Sie arbeiten gehen?«

»Ja.«

Ich wurde entlassen, kehrte zu Alfonso und den anderen zurück. Aber kurz darauf holte mich die Professoressa auf dem Flur ein, erzählte ausführlich von einer Art Internat in Pisa, einem Collegio, wo man gratis studieren konnte, wenn man ein Examen wie das bestand, das ich bereits hinter mir hatte.

»Wenn Sie in einigen Tagen wiederkommen, gebe ich Ihnen alle nötigen Informationen.«

Ich hörte zu, doch so, als würde man mir etwas erzählen, was mich nie wirklich betreffen könnte. Als ich zwei Tage später nur aus Angst, die Professoressa könnte beleidigt sein und mir eine schlechtere Note geben, wieder in die Schule kam, war ich beeindruckt von den genauen Informationen, die sie für mich auf einem Arbeitsblatt notiert hatte. Ich habe sie nicht wiedergesehen, weiß nicht einmal, wie sie heißt, doch ich verdanke ihr sehr viel. Mich unverändert siezend, umarmte sie mich zum Abschied wie selbstverständlich, aber auf maßvolle Weise.

Die Prüfungen waren vorbei, ich schloss mit einem Durchschnitt von Neun ab. Auch Alfonso, der insgesamt eine Sieben erreichte, machte eine gute Figur. Bevor ich das graue, heruntergekommene Gebäude, dessen einziger Vorzug in meinen Augen darin bestand, dass es auch von Nino besucht worden war, ohne Bedauern für immer verließ, sah ich Professoressa Galiani und ging zu ihr, um mich von ihr zu verabschieden. Sie gratulierte mir zu meinem ausgezeichneten Abschluss, allerdings ohne Begeisterung. Sie empfahl mir keine Bücher für den Sommer, fragte mich nicht, was ich nun, mit dem Abitur in der Tasche, tun wolle. Ihr distanzierter Ton ärgerte mich, ich hatte angenommen, zwischen uns wäre nun wieder alles in Ordnung. Wo lag das Problem? Warf sie mich, seitdem Nino ihre Tochter verlassen hatte und sich nicht mehr blicken ließ, für immer mit ihm in einen Topf, dieselbe Sorte substanzloser junger Leute, ziemlich oberflächlich und unzuverlässig? Daran gewöhnt, jedermanns Sympathie zu erlangen und diese Sympathie wie eine funkelnde Rüstung um mich her zu erhalten, verletzte mich das, und ich glaube, ihr Desinteresse spielte eine wichtige Rolle bei der Entscheidung, die ich dann traf. Ohne mit irgendwem darüber zu sprechen (mit wem außer der Galiani hätte ich mich denn auch beraten können?), bewarb ich mich um die Aufnahme an der Scuola Normale Superiore in Pisa. Von nun an bemühte ich mich angestrengt darum, Geld zu verdienen. Da die vornehmen Familien, deren Kindern ich das ganze Jahr über Nachhilfestunden gegeben hatte, zufrieden mit mir gewesen waren und mein Ruf einer guten Lehrerin sich verbreitet hatte, stopfte ich mir die Augusttage mit einer beachtlichen Zahl neuer Schüler voll, die im September zu den Nachprüfungen in Latein, Griechisch, Geschichte, Philosophie und auch Mathematik antreten mussten. Ende des Monats fühlte ich mich reich, ich hatte siebzigtausend Lire zusammengetragen. Fünfzigtausend gab ich meiner Mutter, die mit einer barschen Geste reagierte, sie riss mir dieses ganze Geld förmlich aus der Hand und steckte es sich in den Büstenhalter, als wären wir nicht in unserer Küche, sondern auf der Straße und hätten einen Überfall zu befürchten. Ich verheimlichte ihr, dass ich zwanzigtausend Lire für mich behalten hatte.

Erst am Vortag meiner Abreise sagte ich meiner Familie, dass ich zu einer Prüfung nach Pisa fahren müsse. »Wenn sie mich nehmen«, kündigte ich an, »werde ich dort studieren, ohne eine einzige Lira für irgendwas bezahlen zu müssen.« Ich sprach sehr entschlossen, auf Italienisch, als ließe sich dieses Thema nicht auf den Dialekt reduzieren, als sollten oder dürften mein Vater, meine Mutter, meine Geschwister nicht verstehen, was zu tun ich im Begriff war. Sie beschränkten sich auch darauf, missmutig zuzuhören, ich hatte das Gefühl, in ihren Augen nicht mehr ich zu sein, sondern eine Fremde, die zu ungelegener Zeit zu Besuch gekommen war. Schließlich sagte mein Vater: »Tu, was du nicht lassen kannst, aber mach vorsichtig, wir können dich nicht unterstützen«, dann ging er schlafen. Meine kleine Schwester fragte mich, ob sie mitkommen dürfe. Meine Mutter dagegen sagte nichts, aber bevor sie verschwand, legte sie mir fünftausend Lire auf den Tisch. Ich starrte lange darauf, ohne sie anzurühren. Dann überwand ich meine Bedenken, dass ich nach Lust und Laune Geld verschwendete, und dachte: ›Das ist mein Geld‹, und ich nahm es.

Zum ersten Mal verließ ich Neapel, verließ ich Kampanien. Ich merkte, dass ich Angst vor allem hatte: Angst, den Zug zu verpassen, Angst, pinkeln zu müssen und nicht zu wissen, wo ich das tun könnte, Angst, es könnte Nacht werden und ich würde mich in der fremden Stadt nicht zurechtfinden, Angst, bestohlen zu werden. Ich steckte mein ganzes Geld in den BH, so wie meine Mutter es immer tat, und war stundenlang in wachsamer Sorge, fühlte mich aber zugleich zunehmend frei.

Alles lief bestens, bis auf das Examen selbst, wie mir schien. Die Professoressa mit den blauen Haaren hatte mir verschwiegen, dass es viel schwerer war als das Abitur. Besonders Latein kam mir äußerst kompliziert vor, aber das war nur die Spitze des Eisbergs: Jede Prüfung war Anlass zu einer peniblen Ermittlung meiner Fähigkeiten. Ich schwafelte, stotterte, tat häufig so, als läge mir die Antwort auf der Zunge. Der Italienischprofessor behandelte mich, als wäre ihm schon der Klang meiner Stimme zu viel: *Signorina, statt zu argumentieren, faseln Sie nur herum; Signorina, wie ich sehe, stürzen Sie sich waghalsig auf Fragen, deren schwierigen kritischen Ansatz Sie überhaupt nicht kennen.* Ich verzagte, verlor schnell das Vertrauen in das, was ich sagte. Der Professore bemerkte es und forderte mich mit einem spöttischen Blick auf, ihm von dem zu erzählen, was ich in letzter Zeit gelesen hätte. Ihm schwebte etwas von einem italienischen Autor vor, nehme ich an, aber ich verstand nicht recht und klammerte mich an den ersten mir sicher erscheinenden Halt, also an die Gespräche, die wir im letzten Sommer auf Ischia, am Citara-Strand geführt hatten, über Beckett und über Dan Rooney, der, obwohl er schon blind war, auch noch taub und stumm sein wollte. Die spöttische Miene des Professore verwandelte sich nach und nach in eine verblüffte Grimasse. Er unterbrach mich bald und reichte mich an den Geschichtsprofessor weiter. Der war auch nicht sanfter. Er unterzog mich einer endlosen, zermürbenden Reihe genauestens formulierter Fragen. So dumm hatte ich mich bis dahin noch nie gefühlt, nicht einmal in meinen schlimmsten Schuljahren, als ich mich von meiner schlechtesten Seite gezeigt hatte. Ich konnte auf alles antworten, mit Daten, Fakten, doch immer nur so ungefähr. Als er mir mit noch strengeren Fragen zusetzte, gab ich auf. Am Ende fragte er mich angewidert:

»Haben Sie jemals etwas anderes gelesen als nur das Lehrbuch?«

Ich antwortete:

»Ich habe mich mit dem Begriff der Nation beschäftigt.«

»Wissen Sie noch, wie der Autor des Buches hieß?«

»Federico Chabod.«

»Dann wollen wir mal hören, was Sie davon verstanden haben.«

Er hörte mir einige Minuten aufmerksam zu, dann entließ er mich abrupt und vermittelte mir so das sichere Gefühl, Unsinn erzählt zu haben.

Ich weinte häufig, als hätte ich den vielversprechendsten Teil von mir irgendwo aus Unachtsamkeit verloren. Dann sagte ich mir, zu verzweifeln sei sinnlos, ich hätte doch schon immer gewusst, dass ich eigentlich nicht gut war. Lila ja, die war gut, Nino ja, der war gut. Ich war nur ein Möchtegern und war zu Recht bestraft worden.

Stattdessen erfuhr ich, dass ich das Examen bestanden hatte. Ich würde ein Zimmer für mich haben, ein Bett, das ich nicht abends aufbauen und morgens wieder wegräumen musste, einen Schreibtisch und sämtliche Bücher, die ich brauchte. Ich, Elena Greco, die Tochter des Pförtners, war im Begriff, mich mit neunzehn Jahren aus dem Rione herauszuarbeiten, war im Begriff, Neapel zu verlassen. Allein.

81

Eine Reihe atemloser Tage begann. Nur wenige zerschlissene Kleider, die ich mitnehmen musste, und noch weniger Bücher. Die schmollenden Worte meiner Mutter: »Wenn du Geld verdienst, schick es mir per Post; wer hilft denn jetzt deinen Geschwistern bei den Hausaufgaben? Wegen dir werden sie schlecht in der Schule sein. Aber geh, fahr ruhig weg, wen juckt's. Ich hab' ja schon immer gewusst, dass du dich für was Besseres hältst, besser als ich und alle zusammen.« Und dann die hypochondrischen Worte meines Vaters: »Ich habe Schmerzen, hier, wer weiß, was das ist, komm her zu Papa, Lenù, na komm, wer weiß, ob du mich noch lebend antriffst, wenn du wiederkommst.« Und dann die inständigen Worte meiner Geschwister: »Wenn wir dich besuchen kommen, können wir dann bei dir schlafen, können wir bei dir essen?« Und dann Pasquale, der zu mir sagte: »Pass bloß auf, wohin dich das ganze Studieren führt, Lenù. Vergiss nicht, wer du bist und auf welcher Seite du stehst.« Und dann Carmen, die den Tod ihrer Mutter nicht verkraftete und sehr empfindlich war, mir grüßend zuwinkte und in Tränen ausbrach. Und dann Alfonso, der wie vom Donner gerührt war und flüsterte: »Ich wusste, dass du weiterstudieren würdest.« Und dann Antonio, der, anstatt darauf zu achten, was ich ihm darüber sagte, wo ich hinfuhr und was ich vorhatte, mehrmals wiederholte: »Ich fühl' mich jetzt richtig gut, Lenù, es ist alles weg, das Soldatsein war es, das hat mich krank gemacht.« Und dann Enzo, der mir einfach nur die Hand gab und meine so fest drückte, dass sie noch tagelang wehtat. Und schließlich Ada, die mich nur fragte: »Hast du es Lina erzählt, na, hast du's ihr erzählt?«, dann grinste und mich drängte: »Erzähl's ihr, die platzt vor Neid.«

Ich vermutete, Lila hatte es schon von Alfonso, von Carmen oder von ihrem Mann erfahren, dem Ada garantiert erzählt hatte, dass ich demnächst nach Pisa fuhr. ›Wenn sie nicht gekommen ist, um mir zu gratulieren‹, dachte ich, ›hat sie die Nachricht wahrscheinlich wirklich verärgert.‹ Aber gesetzt den Fall, dass sie von nichts wusste, erschien es mir andererseits unpassend, extra zu ihr zu gehen und es ihr zu sagen, da wir uns seit über einem Jahr bestenfalls grüßten. Ich wollte ihr nicht ein Glück unter die Nase reiben, das sie nicht gehabt hatte. Also schob ich das Problem beiseite und widmete mich letzten Erledigungen. Ich schrieb Nella, was mir widerfahren war, und bat sie um die Adresse Maestra Olivieros, der ich die Neuigkeit mitteilen wollte. Ich besuchte einen Cousin meines Vaters, der mir einen alten Koffer versprochen hatte. Ich machte die Runde durch einige Häuser, in denen ich unterrichtet hatte und in denen ich noch die letzten Honorare abholen musste.

Es war wie eine Gelegenheit, eine Art Abschied von Neapel zu nehmen. Ich überquerte die Via Garibaldi, ging die Via dei Tribunali hinauf und nahm an der Piazza Dante den Bus. Ich fuhr den Vomero hinauf, zunächst zur Via Scarlatti, dann zur Santarella. Ich fuhr mit der Seilbahn zur Piazza Amedeo hinunter. Von den Müttern meiner Schüler wurde ich stets mit Bedauern verabschiedet, manchmal sogar mit großer Herzlichkeit. Man bot mir einen Kaffee an, gab mir das Geld und fast immer ein kleines Geschenk. Als ich meine Runde beendet hatte, bemerkte ich, dass ich mich ganz in der Nähe der Piazza dei Martiri befand.

Ich bog in die Via Filangieri ein, unschlüssig, was ich tun sollte. Mir fiel die Eröffnung des Schuhgeschäfts wieder ein, Lila wie eine vornehme Signora gekleidet, dazu ihre Angst, sich nicht wirklich verändert zu haben, nicht die gleiche Feinheit zu besitzen wie die Mädchen dieses Viertels. ›Ich dagegen‹, ging mir durch den Kopf, ›habe mich wirklich verändert. Ich habe immer dieselben Lumpen an, aber ich habe das Abitur gemacht und bin auf dem Weg nach Pisa, um zu studieren. Ich habe mich nicht äußerlich verändert, sondern tief innen. Der äußere Schein wird bald dazukommen, und er wird kein Schein mehr sein.‹

Ich freute mich über diesen Gedanken, über diese Feststellung. Ich blieb vor dem Schaufenster eines Augenoptikers stehen, begutachtete die Brillenfassungen. ›Ja, ich muss eine andere Brille haben, die ich jetzt habe, verschlingt mein ganzes Gesicht, ich brauche ein leichteres Gestell.‹ Ich entdeckte eines für runde Gläser, große, dünne Ringe. ›Mir die Haare hochstecken. Lernen, mich zu schminken.‹ Ich ließ das Schaufenster hinter mir und kam auf die Piazza dei Martiri.

Zu dieser Stunde hatten viele Geschäfte die Rollläden halb geschlossen, der der Solaras war zu drei Vierteln heruntergelassen. Ich schaute mich um. Was wusste ich von Lilas neuen Gewohnheiten? Nichts. Als sie noch in der neuen Salumeria gearbeitet hatte, war sie mittags nicht nach Hause gegangen, obwohl die Wohnung nur ein paar Schritte entfernt lag. Sie blieb immer im Laden und aß etwas mit Carmen oder plauderte mit mir, wenn ich nach der Schule bei ihr vorbeischaute. Nun, da sie an der Piazza dei Martiri arbeitete, war es noch unwahrscheinlicher, dass sie zum Mittag nach Hause ging, eine unnütze Mühe, ganz abgesehen davon, dass die verfügbare Zeit nicht ausreichte. Vielleicht war sie in einer Kaffeebar, vielleicht schlenderte sie in Begleitung der Verkäuferin, die sie zweifelsohne hatte, die Uferstraße entlang. Oder vielleicht ruhte sie sich im Laden aus. Ich schlug mit der flachen Hand gegen den Rollladen. Keine Antwort. Ich schlug erneut dagegen. Nichts. Ich rief sie, hörte drinnen Schritte, Lilas Stimme fragte:

»Wer ist da?«

»Elena.«

»Lenù!«, hörte ich sie rufen.

Sie zog den Rollladen hoch, erschien vor mir. Es war lange her, seit ich sie auch nur von Weitem gesehen hatte, sie kam mir verändert vor. Sie trug eine weiße Bluse, einen engen blauen Rock und war mit der üblichen Sorgfalt frisiert und geschminkt. Aber ihr Gesicht wirkte breiter und platter, ihr ganzer Körper schien mir breiter und platter zu sein. Sie zog mich herein, ließ den Rollladen wieder herunter. Der prunkvoll erleuchtete Laden hatte sich vollkommen verändert, er sah tatsächlich nicht mehr aus wie ein Schuhgeschäft, sondern wie ein Salon. Sie sagte in einem so aufrichtigen Ton, dass ich ihr glaubte: »Was für ein Glück du hast, Lenù, und wie froh ich bin, dass du hergekommen bist, um dich von mir zu verabschieden.« Natürlich wusste sie schon von Pisa. Sie umarmte mich fest, gab mir zwei dicke Küsse auf die Wangen, ihre Augen füllten sich mit Tränen, und sie wiederholte: »Ich freu' mich wirklich.« Dann rief sie in Richtung Toilettentür:

»He, Nino, du kannst rauskommen, es ist Lenuccia!«

Mir blieb die Luft weg. Die Tür ging auf, und Nino erschien wahrhaftig, mit seiner üblichen Pose, den Kopf gesenkt, die Hände in den Taschen. Doch sein Gesicht war ausgezehrt von der Anspannung. »Ciao«, murmelte er. Ich wusste nicht, was ich sagen sollte, gab ihm die Hand. Er drückte sie schlaff. Währenddessen erzählte mir Lila in wenigen Sätzen viele wichtige Dinge auf einmal: Seit fast einem Jahr träfen sie sich heimlich; sie habe zu meinem Besten beschlossen, mich nicht länger in eine Affäre zu verwickeln, die, wenn sie herauskäme, auch mich in Schwierigkeiten brächte; sie sei seit zwei Monaten schwanger, wolle Stefano alles gestehen, wolle ihn verlassen.

82

Lila sprach in einem Tonfall, den ich nur zu gut an ihr kannte, im Ton der Entschlossenheit, in dem Ton, mit dem sie sich zwang, jedes Gefühl zu verjagen, und sich darauf beschränkte, Fakten und Verhaltensweisen rasch zusammenzuzählen, fast schon geringschätzig, als fürchtete sie, alles könnte seine Konturen verlieren, ausufern und sie überwältigen, sobald sie sich ein Zittern der Stimme oder der Unterlippe leistete. Nino saß mit hängendem Kopf auf dem Sofa und gab höchstens manchmal ein Zeichen der Zustimmung. Sie hielten sich bei der Hand.

Lila sagte, das Ende dieser Treffen unter tausend Ängsten hier im Geschäft sei in dem Moment besiegelt gewesen, als sie den Urintest gemacht und die Schwangerschaft festgestellt habe. Nun bräuchten sie und Nino eine eigene Wohnung, ein eigenes Leben. Sie wolle mit ihm Freundschaften, Bücher, Vorträge, Kino, Theater und Musik teilen. »Ich halte es nicht mehr aus, dass wir getrennt leben«, sagte sie. Sie habe irgendwo etwas Geld versteckt und sei in Verhandlungen über eine kleine Wohnung in Campi Flegrei, nur zwanzigtausend Lire im Monat. Dort würden sie sich in Erwartung des Babys verkriechen.

Was? Ohne Arbeit? Mit Nino, der studieren musste? Ich konnte mich nicht beherrschen, ich sagte:

»Wozu Stefano verlassen? Du bist doch eine ausgezeichnete Lügnerin, du hast ihn schon so oft belogen, das kannst du doch auch weiterhin tun.«

Sie schaute mich mit zusammengekniffenen Augen an. Ich sah, dass sie den Sarkasmus, den Groll und auch die Verachtung deutlich bemerkt hatte, die hinter meinem scheinbar freundschaftlichen Rat steckten. Sie hatte außerdem bemerkt, dass Nino abrupt den Kopf gehoben hatte, dass sein Mund geöffnet war, als wollte er etwas sagen, halte sich aber zurück, um Diskussionen zu vermeiden. Sie erwiderte:

»Das Lügen hat mir geholfen, nicht ermordet zu werden. Aber jetzt lasse ich mich lieber umbringen, als dass ich so weitermache.«

Als ich mich von den beiden verabschiedete und ihnen Glück wünschte, hoffte ich für *mein* Glück, dass ich sie nie wiedersah.

83

Die Jahre an der Normale waren wichtig, aber nicht für die Geschichte unserer Freundschaft. Ich kam voller Schüchternheit und Tolpatschigkeit im Collegio an. Schnell stellte ich fest, dass ich ein Bücher-Italienisch sprach, das manchmal ans Lächerliche grenzte, besonders wenn mir mitten in einem schon allzu geschliffenen Satz ein Wort fehlte und ich die Lücke ausfüllte, indem ich einen dialektalen Ausdruck italianisierte. Ich begann angestrengt, mich zu korrigieren. Ich kannte so gut wie keine Anstandsregeln, redete zu laut, schmatzte beim Essen. Ich musste das Unbehagen der anderen zur Kenntnis nehmen und versuchen, mich zu beherrschen. In dem Bemühen, mich gesellig zu geben, unterbrach ich Gespräche, äußerte mich zu Dingen, die mich nichts angingen, und verlegte mich auf zu vertrauliche Umgangsformen. Ich übte, freundlich, aber distanziert zu sein. Auf eine Frage, an die ich mich nicht mehr erinnere, antwortete mir einmal ein Mädchen aus Rom, indem sie meine Aussprache parodierte, und alle lachten. Ich war verletzt, lachte aber mit und betonte meinen unterschwelligen Dialekt noch, als nähme ich mich fröhlich selbst auf den Arm.

In den ersten Wochen kämpfte ich gegen den Wunsch an, wieder nach Hause zu fahren, und zog mich in meine übliche sanftmütige Bescheidenheit zurück. Aber mit der Zeit begann ich mich abzuheben und mir nach und nach zu gefallen. Ich gefiel den Studentinnen, den Studenten, den Hausmeistern, den Professoren, und das dem Anschein nach mühelos. In Wahrheit plagte ich mich sehr ab. Ich lernte, meine Stimme und meine Gesten zu steuern. Verinnerlichte eine Reihe geschriebener und ungeschriebener Verhaltensregeln. Hielt meinen neapolitanischen Akzent so sehr wie irgend möglich unter Kontrolle. Schaffte es, zu beweisen, dass ich klug war und Achtung verdiente, ohne dabei aber jemals überheblich zu werden, ich nahm meine Unwissenheit mit Selbstironie und tat, als wäre ich selbst erstaunt über meine guten Ergebnisse. Vor allem vermied ich es, mir Feinde zu machen. Wenn eines der Mädchen mich feindselig behandelte, konzentrierte ich meine Aufmerksamkeit auf sie, war liebenswürdig und zugleich zurückhaltend, hilfsbereit, aber in Maßen, und ich änderte mein Verhalten auch dann nicht, wenn sie sanfter wurde und schließlich sie sich um mich bemühte. Dasselbe tat ich mit den Lehrern. Natürlich verhielt ich mich ihnen gegenüber vorsichtiger, doch das Ziel war dasselbe: Wertschätzung, Sympathie und Zuneigung zu erringen. Mit unbeschwertem Lächeln und ergebener Miene strich ich um die Abweisendsten, die Strengsten herum.

Ich absolvierte die Prüfungen pünktlich und lernte mit der üblichen eisernen Selbstdisziplin dafür. Ich hatte panische Angst davor, zu versagen und das zu verlieren, was mir trotz der Schwierigkeiten sofort als das Paradies auf Erden erschienen war: ein eigenes Zimmer, ein eigenes Bett, ein eigener Schreibtisch, ein eigener Stuhl, Bücher, Bücher, Bücher, eine Stadt, die das ganze Gegenteil vom Rione und von Neapel war, ringsumher nur Leute, die studierten und über das, was sie studierten, diskutieren wollten. Ich strengte mich mit einer solchen Beharrlichkeit an, dass kein Lehrer mir je weniger als die Bestnote gab und ich innerhalb eines Jahres zu einer als vielversprechend geltenden Studentin wurde, auf deren respektvollen Gruß man mit Liebenswürdigkeit antworten konnte.

Es gab nur zwei schwierige Situationen und beide in den ersten Monaten. Das Mädchen aus Rom, das sich über meinen Akzent lustig gemacht hatte, fuhr mich eines Morgens in Gegenwart anderer Studentinnen heftig an und schrie, es sei Geld aus ihrer Handtasche verschwunden, ich solle es ihr auf der Stelle zurückgeben, sonst melde sie mich der Internatsleiterin. Mir war klar, dass ich hier nicht mit einem versöhnlichen Lächeln reagieren konnte. Ich versetzte ihr eine brutale Ohrfeige und feuerte eine Salve von Schimpfwörtern im Dialekt auf sie ab. Alle Mädchen erschraken. Ich wurde zu der Sorte Mensch gerechnet, die stets gute Miene zu bösem Spiel machte, und meine Reaktion verwirrte sie. Dem Mädchen aus Rom verschlug es die Sprache, sie betupfte sich die Nase, aus der Blut tropfte, eine ihrer Freundinnen begleitete sie in den Waschraum. Wenige Stunden später kamen die beiden zu mir, und die, die mich bezichtigt hatte, eine Diebin zu sein, entschuldigte sich bei mir, sie habe ihr Geld wiedergefunden. Ich umarmte sie und sagte, ich hielte ihre Entschuldigung für sehr anständig, und das dachte ich wirklich. Ich war so aufgewachsen, dass ich mich nie im

Leben, auch nicht, wenn ich im Unrecht gewesen wäre, entschuldigt hätte.

Die zweite große Schwierigkeit ergab sich, als die Eröffnungsfeier näher rückte, die vor den Weihnachtsferien stattfinden sollte. Es war eine Art Debütantinnenball, dem man sich im Grunde genommen nicht entziehen konnte. Die Mädchen sprachen über nichts anderes: Sämtliche Jungen von der Piazza dei Cavalieri würden kommen, es war eine großartige Gelegenheit des Kennenlernens zwischen der Sektion der Mädchen und der der Jungen. Ich hatte nichts anzuziehen. Es war kalt in diesem Herbst, es schneite viel, und der Schnee verzauberte mich. Aber dann merkte ich, wie unangenehm die Eiseskälte auf den Straßen werden konnte, die Hände ohne Handschuhe, die fühllos wurden, die Füße mit Frostbeulen. Meine Garderobe bestand aus zwei Winterkleidern, die meine Mutter mir einige Jahre zuvor genäht hatte, aus einem von einer Tante geerbten, abgetragenen Mantel, aus einem großen, blauen Schal, den ich mir selbst gestrickt hatte, und aus einem einzigen Paar Schuhe mit halbem Absatz, die mehrmals neu besohlt worden waren. Ich hatte schon genug Probleme, und wie ich das mit diesem Fest regeln sollte, wusste ich nicht. Meine Kommilitoninnen fragen? Die meisten von ihnen ließen sich eigens zu diesem Anlass ein Kleid nähen, und wahrscheinlich hatten sie in ihrer Alltagsgarderobe etwas, womit ich einen guten Eindruck machen konnte. Aber seit meinen Erlebnissen mit Lila ertrug ich den Gedanken nicht mehr, Kleider von anderen Mädchen anzuprobieren und dann festzustellen, dass sie mir nicht standen. Mich also krank stellen? Ich neigte zu dieser Lösung, aber es deprimierte mich, gesund zu sein, mit dem brennenden Wunsch, wie eine Natascha auf dem

Ball mit Fürst Andrej oder mit Kuragin auszusehen, und stattdessen allein zu sein und an die Decke zu starren, während Musik, Stimmengewirr und Gelächter zu mir herüberdringen würden. Am Ende traf ich eine Entscheidung, die wahrscheinlich blamabel war, von der ich aber genau wusste, dass ich sie nicht bereuen würde: Ich wusch mir die Haare, steckte sie hoch, trug etwas Lippenstift auf und zog eines meiner zwei Kleider an, das, dessen einziger Vorzug darin bestand, dunkelblau zu sein.

Ich ging zu dem Fest und fühlte mich anfangs unwohl. Aber meine Garderobe hatte den Vorteil, keinen Neid hervorzurufen, ja sogar Schuldgefühle zu wecken, die zu Solidarität verleiteten. So leisteten mir viele mir wohlgesinnte Mädchen Gesellschaft, und die Jungen forderten mich oft zum Tanz auf. Ich vergaß, wie ich gekleidet war, und sogar den Zustand meiner Schuhe. Zudem lernte ich an diesem Abend Franco Mari kennen, einen nicht gerade hübschen, aber sehr unterhaltsamen Jungen mit einem wachen Verstand, frech und verschwenderisch und ein Jahr älter als ich. Er stammte aus einer steinreichen Familie in Reggio Emilia, war ein engagierter Kommunist und stand den sozialdemokratischen Tendenzen seiner Partei kritisch gegenüber. Mit ihm verbrachte ich fröhlich einen Großteil meiner äußerst knapp bemessenen Freizeit. Er schenkte mir alles mögliche: Kleider, Schuhe, einen neuen Mantel, eine Brille, die mir meine Augen und mein ganzes Gesicht wiedergab, Bücher zur politischen Bildung, die interessierten ihn am meisten. Von ihm erfuhr ich grausame Dinge über den Stalinismus, und er drängte mich, die Bücher Trotzkis zu lesen, durch die sich eine antistalinistische Sensibilität und die Überzeugung herausgebildet habe, dass in der UdSSR weder Sozialismus noch Kommunismus herrsche: Die Revolution sei zum Stillstand gekommen, man müsse sie wiederbeleben.

Mit seinem Geld machte ich auch meine erste Auslandsreise. Wir fuhren nach Paris, zu einem Treffen junger Kommunisten aus ganz Europa. Aber von Paris sah ich wenig, wir verbrachten die ganze Zeit in verqualmten Räumen. Von der Stadt blieb mir der Eindruck, dass die Straßen viel bunter waren als in Neapel oder Pisa, dazu das Unbehagen wegen der Polizeisirenen und das Erstaunen über die vielen Schwarzen sowohl auf den Straßen als auch in den Räumen, in denen Franco eine lange, mit viel Beifall bedachte Rede auf Französisch hielt. Als ich Pasquale von dieser politischen Erfahrung erzählte, wollte er nicht glauben, dass ich – *ausgerechnet du*, sagte er – so etwas unternommen hatte. Dann schwieg er verlegen, als ich mit meinen Lektüren angab und mich nunmehr als Trotzkistin bezeichnete.

Von Franco übernahm ich auch eine Reihe von Gewohnheiten, die durch die Hinweise und Reden einiger Lehrer untermauert wurden: das Verb »studieren« auch dann zu verwenden, wenn man Science-Fiction las; zu jedem studierten Text ausführlichste Karteikarten zu schreiben; jedes Mal begeistert zu sein, wenn ich auf Textstellen stieß, in denen die Auswirkungen sozialer Ungleichheit gut dargelegt waren. Er legte viel Wert auf das, was er meine Umerziehung nannte, und ich ließ mich gern umerziehen. Aber zu meinem großen Bedauern gelang es mir nicht, mich in ihn zu verlieben. Ich hatte ihn gern, hatte seinen unruhigen Körper gern, aber ich verzehrte mich nicht nach ihm. Das Wenige, was ich für ihn fühlte, erschöpfte sich in kurzer Zeit, als er seinen Studienplatz an der Normale verlor. Bei einer Prüfung bekam er nur 19 Punkte und wurde exmatrikuliert. Einige Monate schrieben wir uns. Er versuchte, wieder aufgenommen zu werden, sagte, er tue das nur, um in meiner Nähe zu sein. Ich ermutigte ihn, erneut die Prüfung abzulegen, er fiel durch. Wir schrieben uns noch ein paar Mal, dann hörte ich lange nichts mehr von ihm.

84

Das waren in groben Zügen meine Erlebnisse in Pisa von Ende 1963 bis Ende 1965. Wie leicht es ist, ohne Lila von mir zu erzählen: Die Zeit beruhigt sich, und die herausragenden Ereignisse gleiten im Lauf der Jahre dahin wie Koffer auf dem Gepäckband eines Flughafens; du nimmst sie, setzt sie aufs Papier und fertig.

Komplizierter ist es da schon, zu berichten, was in jenen Jahren sie erlebt hatte. Da wird das Band langsamer, wird schneller, biegt scharf ab, gerät sogar aus der Spur. Die Koffer fallen herunter, öffnen sich, ihr Inhalt verstreut sich hier und dort. Sachen von ihr geraten zwischen meine; um sie aufzusammeln, muss ich auf die Erzählung zurückkommen, die mich betrifft (und die mir ohne Schwierigkeiten von der Hand gegangen war), muss Sätze ausbauen, die mir nun zu künstlich klingen. Hätte Lila, zum Beispiel, je gute Miene zu bösem Spiel gemacht, wenn sie an meiner Stelle auf die Normale gegangen wäre? Und als ich dem Mädchen aus Rom die Ohrfeige gab, inwieweit spielten da Lilas Umgangsformen eine Rolle? Wie schaffte sie es – selbst aus der Entfernung –, meine aufgesetzte Sanftmut wegzufegen, bis zu welchem Punkt war sie es, die mir die nötige Entschlossenheit gab, bis zu welchem Punkt diktierte sie mir sogar die Schimpfwörter? Und die Verwegenheit, mit der ich trotz großer Angst und vieler Skrupel Franco in mein Zimmer zog, woher rührte die, wenn nicht aus ihrem Beispiel? Und die Unzufriedenheit, als ich entdeckte, dass ich ihn nicht liebte, als ich meine Gefühlskälte bemerkte, von wo ging die aus, wenn nicht, als Gegensatz, von der Liebesfähigkeit, die sie bewiesen hatte und noch immer bewies?

Ja, es ist Lila, die mein Schreiben mühsam macht. Mein Leben treibt mich dazu, mir vorzustellen, wie ihres wohl gewesen wäre, wenn ihr zuteilgeworden wäre, was mir zuteilgeworden ist, welchen Gebrauch sie wohl von meinem Glück gemacht hätte. Und ihr Leben taucht beständig in meinem auf, in den Worten, die ich gesagt habe und in denen häufig ihre Worte widerklingen; in jener entschlossenen Geste, die eine Nachahmung einer ihrer Gesten ist; in meinem *Weniger*, das als solches wegen ihres *Mehr* da ist; in meinem *Mehr*, das die Umkehrung ihres *Weniger* ist. Ganz zu schweigen von dem, was sie nie gesagt hat, mir aber zu verstehen gegeben hat, dem, was ich nicht wusste, aber später in ihren Schreibheften las. Und so muss meine Schilderung der Ereignisse Filter, Verweise, Halbwahrheiten und halbe Lügen einrechnen: Daraus ergibt sich eine ganz auf das ungewisse Maß der Worte gegründete, aufreibende Messung der vergangenen Zeit.

Zum Beispiel muss ich zugeben, dass mir Lilas Leid komplett entgangen war. Da sie sich Nino genommen hatte, da sie durch ihre geheimen Kräfte von ihm und nicht von Stefano schwanger geworden war, da sie aus Liebe drauf und dran war, etwas in der Welt, in der wir aufgewachsen waren, Unvorstellbares zu tun – ihren Mann zu verlassen, den kürzlich erworbenen Wohlstand wegzuwerfen, zu riskieren, zusammen mit ihrem Geliebten und mit dem Kind, das sie im Leib trug, ermordet zu werden –, hielt ich sie für glücklich, beschenkt mit dem stürmischen Glück der Romane, der Filme und der Groschenheftchen, dem Einzigen, das mich damals wirklich interessierte, also nicht das eheliche Glück, sondern das Glück der Leidenschaft, das wilde Durcheinander von Gut und Böse, das ihr widerfahren war und nicht mir.

Ich irrte mich. Ich kehre nun zu dem Tag zurück, als Stefano uns aus Ischia fortbrachte, und ich weiß mit Bestimmtheit, dass von dem Augenblick an, da die Fähre sich vom Ufer entfernte und Lila bewusst wurde, dass sie den wartenden Nino morgens nicht mehr am Strand treffen würde, dass sie nicht mehr mit ihm diskutieren, reden, flüstern würde, dass sie nicht mehr gemeinsam schwimmen gehen würden, dass sie sich nicht mehr küssen, umarmen und lieben würden, sie von einem heftigen Kummer gezeichnet war. Ihr ganzes Leben der Signora Carracci – Gleichgewichte und Ungleichgewichte, Strategien, Kämpfe, Kriege und Bündnisse, Scherereien mit Lieferanten und Kunden, die Kunst, beim Abwiegen zu betrügen, und der Eifer, das Geld in der Kassenschublade zu vermehren – entmaterialisierte sich innerhalb weniger Tage, es verlor seine Wahrhaftigkeit. Nur Nino war nun konkret und wahrhaftig und sie, die ihn begehrte, die sich Tag und Nacht nach ihm sehnte, die sich in der Finsternis des Schlafzimmers an ihren Mann klammerte, um den anderen zu vergessen, und sei es auch nur für wenige Minuten. Schlimme Augenblicke. Gerade in diesen Minuten spürte sie die Sehnsucht nach ihm besonders stark und so deutlich in allen Details, dass sie Stefano zurückstieß wie einen Fremden und sich weinend und laut schimpfend an ein Ende des Bettes flüchtete oder ins Bad lief und sich einschloss.

85

Ihr erster Impuls war, nachts zu entwischen und wieder nach Forio zu fahren, aber ihr war klar, dass ihr Mann sie sofort finden würde. Also erwog sie, sich bei ihrem Schwager Alfonso zu erkundigen, ob Marisa wisse, wann ihr Bruder aus Ischia zurückkehrte, fürchtete jedoch, er könnte Stefano von ihrer Erkundigung erzählen, und ließ es sein. Sie suchte sich die Nummer der Sarratores aus dem Telefonbuch heraus und rief an. Donato war am Apparat. Sie sagte, sie sei eine Freundin von Nino, er brach das Gespräch gereizt ab, legte auf. Aus Verzweiflung verfiel sie erneut auf die Idee, das nächste Boot zu nehmen, und war auch schon drauf und dran, als eines Nachmittags Anfang September Nino auf der Schwelle der gedrängt vollen Salumeria erschien, mit Bartstoppeln und vollkommen betrunken.

Lila hielt Carmen zurück, die bereits aufgesprungen war, um den verwirrten jungen Mann wegzujagen, in ihren Augen ein Fremder, der nicht ganz richtig im Kopf war. »Darum kümmere ich mich«, sagte Lila und zog sie weg. Präzise Bewegungen, eine kalte Stimme, die Gewissheit, dass Carmen Peluso Sarratores Sohn nicht erkannt hatte, der nichts mehr von dem kleinen Jungen hatte, mit dem sie zusammen in der Grundschule gewesen waren.

Sie handelte schnell. Äußerlich wirkte sie wie immer, wie eine Frau, die für jedes Problem eine Lösung hat.

Aber in Wahrheit wusste sie nicht mehr, wo sie war. Verblasst waren die Wände voller Lebensmittel, die Straße hatte ihre scharfen Umrisse verloren, die bleichen Fassaden der Neubauten waren verschwommen, und vor allem bemerkte sie das Risiko, das sie einging, nicht. Nino Nino Nino: Sie spürte nichts als Freude und Verlangen. Er stand endlich wieder vor ihr, und jeder seiner Gesichtszüge verkündete klar und deutlich, dass er gelitten hatte und litt und sie gesucht hatte und sie wollte, so sehr, dass er versuchte, sie auf offener Straße zu umarmen, zu küssen.

Sie zog ihn zu sich nach Hause, das schien ihr der sicherste Ort zu sein. Passanten? Sie sah keine. Nachbarn? Sie sah keine. Sie liebten sich, kaum dass Lila die Wohnungstür hinter sich geschlossen hatte. Sie hatte keinerlei Bedenken. Spürte nur das dringende Verlangen, sich Nino zu nehmen, sofort, ihn festzuhalten, ihn bei sich zu halten. Dieses Verlangen ließ auch nicht nach, als sie sich beruhigten. Der Rione, die Nachbarn, die Salumeria, die Straßen, das Rattern der Eisenbahn, Stefano und die vielleicht besorgt wartende Carmen kehrten langsam zurück, doch nur so wie Dinge, die eilends aufgeräumt werden mussten, damit sie nicht nur nicht im Weg waren, sondern, so wahllos aufgestapelt, auch nicht unversehens zusammenfielen.

Nino machte ihr Vorwürfe, weil sie abgereist war, ohne ihm ein Wort zu sagen, presste sie an sich, wollte sie noch einmal. Er verlangte, dass sie augenblicklich fortgingen, gemeinsam, aber er wusste nicht, wohin. Sie antwortete ihm ja, ja, ja und teilte seine Verrücktheit in allem, aber im Gegensatz zu ihm spürte sie die Zeit, die konkret verfließenden Sekunden und Minuten, die die Gefahr erhöhten, dass sie entdeckt wurden. Daher starrte sie, mit ihm nunmehr auf dem Fußboden gelandet, zur Deckenlampe hinauf, die wie eine Drohung direkt über ihnen hing, und während ihre einzige Sorge zunächst nur war, Nino sofort zu haben, mochte danach auf sie niedergehen, was da wolle, dachte sie nun darüber nach, wie sie ihn weiterhin umarmen konnte, ohne dass sich die Lampe von der Decke löste und ohne dass der Fußboden entzweibrach und Nino für immer auf der einen Seite hinabstürzte und sie auf der anderen.

»Hau ab.«

»Nein.«

»Du bist verrückt.«

»Ja.«

»Bitte, ich bitte dich, geh.«

Sie überredete ihn. Sie war darauf gefasst, dass Carmen etwas sagte, dass die Nachbarn tratschten, dass Stefano aus der anderen Salumeria nach Hause kam, um sie zu verprügeln. Das geschah nicht, sie war erleichtert. Sie erhöhte Carmens Lohn, schmiegte sich liebevoll an ihren Mann und erfand Ausreden, um sich heimlich mit Nino zu treffen.

86

Anfangs war das Hauptproblem nicht eine mögliche Tratscherei, die alles kaputtmachen konnte, sondern er, der Geliebte. Ihn interessierte nichts weiter, als sie zu packen, zu küssen, zu beißen, in sie einzudringen. Es hatte den Anschein, als wollte er, als forderte er, das ganze Leben mit seinem Mund auf ihrem zu verbringen und in ihrem

Körper. Er duldete keine Trennungen, hatte eine höllische Angst davor, fürchtete, sie könnte erneut verschwinden. Darum betäubte er sich mit Alkohol, studierte nicht, rauchte Kette. Offenbar gab es für ihn nichts anderes auf der Welt als sie beide, und wenn er auf Worte zurückgriff, dann nur, um ihr seine Eifersucht entgegenzuschreien, um ihr hart damit zuzusetzen, wie unerträglich es für ihn sei, dass sie noch immer mit ihrem Mann zusammenlebte.

»Ich habe alles aufgegeben«, murmelte er matt. »Du dagegen willst gar nichts aufgeben.«

»Was willst du denn tun?«, fragte sie ihn daraufhin.

Durch die Frage irritiert, verstummte Nino, oder er regte sich auf, als würde ihn der Stand der Dinge beleidigen. Verzweifelt sagte er:

»Du willst mich nicht mehr.«

Aber Lila wollte ihn, wollte ihn wieder und wieder, aber sie wollte auch noch mehr, und zwar sofort. Sie wollte, dass er sein Studium wiederaufnahm, wollte, dass er weiterhin frischen Wind in ihren Kopf brachte, wie er es auf Ischia getan hatte. Das Wunderkind aus der Grundschule, das kleine Mädchen, das Maestra Oliviero behext hatte, das die *Blaue Fee* geschrieben hatte, war wieder aufgetaucht und wütete mit neuer Kraft. Nino hatte sie auf dem Grund der Düsternis aufgelesen, in die sie versunken war, und hatte sie dort herausgeholt. Dieses Mädchen drängte jetzt darauf, dass er wieder der junge Gelehrte wurde, der er gewesen war, und sie wachsen ließ, bis sie genügend Kraft hatte, Signora Carracci wegzufegen. Was ihr nach und nach auch gelang.

Ich weiß nicht, was geschah: Nino ahnte wohl, dass er, um sie nicht zu verlieren, mehr sein musste als ein stürmischer Liebhaber. Oder nein, vielleicht nicht, vielleicht bemerkte er ganz einfach, dass die Leidenschaft ihn aushöhlte. Jedenfalls nahm er sein Studium wieder auf. Und Lila freute sich zunächst darüber. Allmählich kam er wieder zu sich, wurde wieder so, wie sie ihn auf Ischia kennengelernt hatte, was ihn ihr noch unentbehrlicher machte. Sie bekam nicht nur Nino zurück, sondern auch einige seiner Worte, seiner Gedanken. Unzufrieden las er Smith, das versuchte sie auch; er las noch unzufriedener Joyce, auch das probierte sie. Sie kaufte die Bücher, von denen er ihr bei den seltenen Gelegenheiten, da sie sich sahen, erzählte. Sie wollte sich darüber unterhalten, dazu kam es nie.

Die zunehmend verwirrte Carmen verstand nicht, was Lila so Dringendes zu erledigen hatte, wenn sie mal mit der einen, mal mit der anderen Ausrede für mehrere Stunden verschwand. Sie beobachtete sie finster, wenn Lila sie sogar während des stärksten Andrangs in der Salumeria mit den vielen Kunden allein ließ und nichts zu sehen und zu hören schien, so sehr war sie in ein Buch vertieft oder damit beschäftigt, etwas in ihre Hefte zu schreiben. Sie musste zu ihr sagen: »Lina, hilfst du mir, bitte?« Erst dann schaute sie auf, fuhr sich mit den Fingerspitzen über die Lippen und sagte ja.

Stefano für sein Teil wechselte ständig zwischen Gereiztheit und Nachgiebigkeit. Während er sich mit seinem Schwager, mit seinem Schwiegervater und mit den Solaras auseinandersetzen musste und sich grämte, weil trotz der Badekur am Meer keine Kinder kamen, machte seine Frau sich über den Schlamassel mit den Schuhen lustig und versenkte sich bis tief in die Nacht in Romane, Zeitschriften und Zeitungen. Diese Sucht hatte sie erneut gepackt, als interessierte das wahre Leben sie nicht mehr.

Er beobachtete sie und verstand nicht, oder er hatte weder Zeit noch Lust, zu verstehen. Angesichts ihres ständigen Wechselns zwischen Ablehnung und friedlicher Entfremdung drängte seit Ischia etwas in ihm, seine aggressivste Seite, zu einer erneuten Auseinandersetzung und einer endgültigen Klärung. Doch seine andere, vorsichtigere, vielleicht feigere Seite hielt ihn zurück, er tat so, als wäre nichts, und dachte: ›Lieber so, als wenn sie dir auf die Nüsse geht.‹ Und Lila, die diesen Gedankengang ahnte, bemühte sich, ihn fest in Stefanos Kopf zu verankern. Wenn sie abends zusammen von der Arbeit nach Hause kamen, behandelte sie ihren Mann ohne Feindseligkeit. Aber nach dem Essen und einer Plauderei zog sie sich behutsam in die Literatur zurück, in einen nur von ihr und Nino bewohnten gedanklichen Freiraum, der Stefano verschlossen blieb.

Was war Nino in jener Zeit für sie? Eine sexuelle Raserei, die sie in einem Zustand fortwährender erotischer Träumerei hielt, ein Aufflammen ihres Denkens, das seinem ebenbürtig sein wollte, und vor allem der abstrakte Entwurf eines heimlichen Liebespaars, in einer Art Refugium eingeschlossen, halb Zufluchtsort zweier Herzen und halb Labor für Gedanken über die Komplexität der Welt, er voll da und aktiv, sie ein an seine Fersen gehefteter Schatten, eine besonnene Souffleuse, eine ergebene Assistentin. Die seltenen Male, da sie nicht nur wenige Minuten, sondern eine Stunde zusammen sein konnten, verwandelte sich diese Stunde in den unerschöpflichen Strom eines sexuellen und verbalen Gebens und Nehmens, in ein umfassendes Wohlbefinden, das zum Zeitpunkt des Abschieds die Rückkehr in die Salumeria und in Stefanos Bett unerträglich machte.

»Ich kann nicht mehr.«

»Ich auch nicht.«

»Und nun?«

»Keine Ahnung.«

»Ich will immer mit dir zusammen sein.«

Oder wenigstens, fügte sie hinzu, jeden Tag ein paar Stunden.

Doch wie sich eine feste Zeit sichern? Nino in ihrer Wohnung zu treffen war höchst gefährlich, ihn auf der Straße zu treffen noch viel mehr. Ganz abgesehen davon, dass Stefano manchmal in der Salumeria anrief, wenn Lila nicht da war, und es schwierig war, dann eine plausible Erklärung zu geben. Eingezwängt zwischen der Ungeduld Ninos und den Vorhaltungen ihres Mannes, begann Lila also, anstatt ihren Realitätssinn zurückzugewinnen und sich mit aller Klarheit einzugestehen, dass sie sich in einer ausweglosen Lage befand, nun so zu handeln, als wäre die Welt eine Kulisse oder ein Schachbrett und als genügte es, eine bemalte Wand oder ein paar Figuren zu verschieben, und schon könnte das Spiel, das Einzige, was wirklich zählte, *Lilas* Spiel, *ihrer beider Spiel*, weitergehen. Was die Zukunft betraf, wurde sie zum Tag danach und dann zum nächsten und dann zum übernächsten. Oder zu plötzlichen Bildern von Mord und Totschlag und Blut, die häufig in ihren Heften auftauchten. Sie schrieb nie: *Man wird mich umbringen*, aber sie notierte Polizeinachrichten, schrieb sie manchmal um. Es waren Geschichten von ermordeten Frauen, sie verweilte beim Wüten des Mörders, bei dem Blut überall. Und sie fügte Einzelheiten hinzu, von denen nichts in den Zeitungen stand: aus den Höhlen gerissene Augen, durch Messerstiche verursachte Verletzungen an der Kehle oder den inneren Organen, die

Klinge, die den Busen durchbohrte, die abgeschnittenen Brustwarzen, der vom Nabel abwärts aufgetrennte Bauch, die Klinge, die in den Genitalien kratzte. Offenbar wollte sie auch der realistischen Möglichkeit eines gewaltsamen Todes ihre Kraft nehmen, indem sie sie auf Worte reduzierte, auf ein kontrollierbares Schema.

87

Derart auf ein Spiel mit möglichem tödlichen Ausgang eingestellt, mischte Lila sich in die Auseinandersetzung zwischen ihrem Bruder, ihrem Mann und den Solara-Brüdern ein. Sie machte sich Micheles Überzeugung zunutze, dass sie am besten dazu geeignet sei, an der Piazza dei Martiri die Geschäfte zu führen. Unvermittelt gab sie ihre ablehnende Haltung ihm gegenüber auf, und nach bissigen Verhandlungen, in denen sie eine unumschränkte Handlungsfreiheit und einen recht stattlichen Wochenlohn durchsetzte, als wäre sie nicht Signora Carracci, willigte sie ein, in dem Schuhgeschäft zu arbeiten. Sie scherte sich nicht um ihren Bruder, der sich durch die neue Marke Solara bedroht fühlte und ihren Schritt als Verrat empfand, und auch nicht um ihren Mann, der zunächst wütend wurde, sie bedrohte und sie dann zu komplizierten Vermittlungen zwischen ihm und den Solara-Brüdern nötigte, über Schulden, die bei deren Mutter aufgenommen worden waren, über Geldsummen, die eingenommen und gezahlt werden mussten. Sie ignorierte auch die honigsüßen Worte Micheles, der in einem fort um sie herumstrich, um unauffällig die Umgestaltung des Ladens zu überwachen, und zugleich darauf drängte, neue Schuhmodelle direkt von ihr zu bekommen, wobei Rino und Stefano übergangen wurden.

Lila hatte längst geahnt, dass ihr Bruder und ihr Vater aus dem Feld geschlagen werden sollten, dass die Solaras alles an sich raffen würden, dass Stefano sich künftig nur über Wasser halten konnte, wenn er sich in eine immer größere Abhängigkeit von ihren krummen Geschäften begab. Aber nachdem sie diese Aussicht zunächst empört hatte, notierte sie nun in ihren Heften, dass das Ganze sie vollkommen kaltließ. Gewiss, um Rino tat es ihr leid, sie bedauerte, dass sein Stern eines Juniorchefs bereits im Sinken war, gerade jetzt, da er Frau und Kind hatte. Aber alle früheren Beziehungen waren in ihren Augen reichlich unbeständig geworden, und ihre Liebesfähigkeit ging nur noch in eine einzige Richtung, alle ihre Gedanken und Gefühle kreisten nunmehr um Nino. Während sie früher aktiv geworden war, um ihrem Bruder zu Reichtum zu verhelfen, tat sie es jetzt ausschließlich, um es Nino recht zu machen.

Als sie das erste Mal in das Geschäft an der Piazza dei Martiri ging, um zu sehen, was man daraus machen könnte, stellte sie betroffen fest, dass an der Wand, an der das Foto von ihr im Brautkleid gehangen hatte, noch der schwarz-gelbliche Fleck von dem Feuer zu sehen war, das es zerstört hatte. Diese Spuren ärgerten sie. ›Mir gefällt nichts von dem, was ich vor Nino erlebt und getan habe‹, dachte sie. Plötzlich wurde ihr bewusst, dass sich an diesem Ort im Zentrum der Stadt aus unerfindlichen Gründen die wichtigsten Ereignisse ihres Krieges zugetragen hatten. Hier hatte sie an dem Abend der Schlägerei mit den jungen Männern aus der Via dei Mille endgültig beschlossen, dass sie sich aus dem Elend herausarbeiten musste. Hier hatte sie diesen Entschluss wieder bereut, hatte das Foto von sich im Brautkleid verunstaltet und verlangt, dass diese Verunstaltung als solche zur Dekoration im Laden bleiben sollte. Hier hatte sie die Anzeichen dafür bemerkt, dass ihre Schwangerschaft nicht fortdauern würde. Hier nun erlitt, von den Solaras geschluckt, das Schuhunternehmen gerade Schiffbruch. Und hier, schließlich, würde ihre Ehe ein Ende finden, sie würde sich Stefano und seinen Namen vom Hals schaffen, mit allem, was sich daraus ergab. »Was für ein Pfusch«, sagte sie zu Michele Solara und zeigte auf den Brandfleck. Dann trat sie auf den Bürgersteig hinaus, um sich die steinernen Löwen in der Mitte der Piazza anzusehen, und bekam Angst vor ihnen.

Sie ließ alles weiß streichen. In dem fensterlosen Toilettenraum ließ sie eine zugemauerte Hintertür, die früher auf den Hof geführt hatte, aufstemmen und ein halbes Milchglasfenster einsetzen, durch das etwas Licht fallen konnte. Sie kaufte zwei Gemälde, die sie in einer Galerie in der Via Chiatamone entdeckt hatte und die ihr gefallen hatten. Sie stellte eine Verkäuferin ein, aber keine aus dem Rione, sondern eine aus Materdei, eine ausgebildete Bürokraft. Sie setzte durch, dass die Nachmittagsstunden von eins bis vier, wenn der Laden geschlossen war, für sie und die Verkäuferin eine absolute Ruhepause waren, wofür das junge Mädchen ihr sehr dankbar war. Sie hielt Michele im Zaum, der zwar jede ihrer Neuerungen unbesehen unterstützte, aber gleichwohl verlangte, genauestens darüber unterrichtet zu werden, was sie tat und was sie ausgab.

Inzwischen isolierte sie ihr Entschluss, an der Piazza dei Martiri zu arbeiten, im Rione noch stärker. Ein Mädchen, das eine gute Partie gemacht und sich aus dem Nichts ein Leben im Wohlstand gesichert hatte, ein schönes Mädchen, das in der Eigentumswohnung ihres Mannes die Dame des Hauses spielen konnte, warum sprang so ein Mädchen morgens aus dem Bett und blieb den ganzen Tag von zu Hause weg, im Stadtzentrum in fremden Diensten und machte Stefano das Leben schwer und auch ihrer Schwägerin, die ihretwegen nun wieder in der neuen Salumeria schuften musste? Vor allem Pinuccia und Gigliola bewarfen, jede auf ihre Weise, Lila mit so viel Dreck, wie sie nur konnten, und das war zu erwarten gewesen. Weniger zu erwarten war gewesen, dass Carmen, die Lila für all das Gute vergötterte, was ihr durch sie zuteilgeworden war, ihr sofort, als Lila die Salumeria verließ, alle Zuneigung entzog, so wie man seine Hand zurückzieht, die von den Reißzähnen eines Tieres berührt wird. Lilas abrupter Wechsel von der Freundin und Kollegin zur Dienerin in den Krallen von Stefanos Mutter gefiel Carmen nicht. Sie fühlte sich verraten, ihrem Schicksal ausgeliefert, und konnte ihren Ärger nicht zurückhalten. Sie begann sogar mit ihrem Freund Enzo zu streiten, der ihre Erbitterung nicht guthieß, den Kopf schüttelte und auf seine lakonische Art mit zwei, drei Worten Lila eher eine Art Unantastbarkeit zusprach, das Privileg, stets triftige, unanfechtbare Gründe zu haben, als dass er sie verteidigte.

»Alles, was ich tue, ist nicht in Ordnung, alles, was sie tut, ist in Ordnung«, zischte Carmen erbost.

»Wer hat das gesagt?«

»Du. Lina denkt, Lina macht, Lina weiß. Und ich? Ich, die durch sie und ihren Weggang im Stich gelassen wurde? Aber natürlich hatte sie ja Recht damit, wegzugehen, und ich beklage mich zu Unrecht. Das ist doch so. Das denkst du doch.«

»Nein.«

Aber trotz dieser einsilbigen Deutlichkeit ließ sich Carmen nicht überzeugen, sie litt. Sie ahnte, dass Enzo alles satthatte, auch sie, und das regte sie noch mehr auf: Seit sein Vater tot war, seit er vom Militär zurück war, erfüllte Enzo seine Pflichten, das übliche Leben, aber gleichzeitig hatte er schon als Soldat angefangen, nachts zu lernen, um wer weiß welchen Abschluss zu bekommen. Jetzt hatte er sich in seinen Kopf zurückgezogen und brüllte wie ein Tier – innerliches Brüllen, äußerliches Schweigen –, und Carmen konnte ihn nicht ertragen, konnte vor allem nicht hinnehmen, dass er nur dann ein wenig Feuer fing, wenn die Rede auf diese Schlampe kam, und das schrie sie ihm ins Gesicht, sie brach in Tränen aus und kreischte:

»Lina kotzt mich an, weil ihr alle zusammen ihr scheißegal seid, doch dir gefällt das ja, ich weiß! Aber wenn ich mich so benehmen würde wie sie, würdest du mir die Fresse einschlagen!«

Ada wiederum hatte sich schon längst auf die Seite ihres Arbeitgebers Stefano geschlagen, gegen seine Frau, die ihn schikanierte, und als Lila ins Stadtzentrum wechselte, um die Luxusverkäuferin zu spielen, ging Ada nur dazu über, noch gehässiger zu werden. Freiheraus, ohne ein Blatt vor den Mund zu nehmen, redete sie mit jedermann schlecht über Lila, doch in erster Linie legte sie sich mit Antonio und Pasquale an. »Sie hat euch alle permanent an der Nase herumgeführt, euch Jungs«, sagte sie. »Weil sie weiß, wie sie euch einwickeln kann, diese Nutte.« Genau so drückte sie sich aus, voller Wut, als stünden Antonio und Pasquale für die ganze Armseligkeit des männlichen Geschlechts. Sie beschimpfte ihren Bruder, weil er sich nicht auf ihre Seite stellte, sie kreischte: »Sei bloß ruhig, du nimmst auch Geld von den Solaras, ihr seid Handlanger der Firma, alle beide, und ich weiß, dass du dich von einer Frau herumkommandieren lässt, dass du ihr hilfst, den Laden umzuräumen, sie sagt, stell dies um, stell das um, und du parierst.« Noch schlimmer behandelte sie ihren Verlobten, Pasquale, mit dem sie sich immer schlechter verstand, in einem fort fuhr sie ihn grob an, sagte: »Du bist dreckig, du stinkst.« Er entschuldigte sich, er sei gerade von der Arbeit gekommen, doch Ada setzte ihm weiter zu, tat es bei jeder Gelegenheit, so dass Pasquale, was Lila betraf, um des lieben Friedens willen nachgab, sonst hätte er die Verlobung lösen müssen. Allerdings – muss man sagen – war da noch etwas: Bisher hatte er sich häufig sowohl über seine Verlobte als auch über seine Schwester aufgeregt, weil die beiden all das Gute, was sie durch Lilas Aufstieg gewonnen hatten, vergessen hatten, aber als er unsere Freundin eines Morgens wie eine Luxusnutte gekleidet und stark geschminkt in dem Giulietta von Michele Solara sitzen sah, der sie zur Piazza dei Martiri fuhr, räumte er ein, dass er nicht verstand, wie sie sich ohne den geringsten finanziellen Zwang an so einen Kerl verkaufen konnte.

Wie üblich bemerkte Lila die um sie her wachsende Feindseligkeit nicht, sie konzentrierte sich auf ihre neue Arbeit. Und die Verkäufe schnellten in die Höhe. Das Geschäft entwickelte sich zu einem Ort, zu dem man zwar durchaus ging, um etwas zu kaufen, aber auch weil man Lust hatte, mit dieser jungen, lebhaften, bildschönen und geistreichen Frau zu plaudern, die zwischen den Schuhen auch Bücher stehen hatte, die diese Bücher auch las und die zusammen mit intelligenten Bemerkungen Pralinen kredenzte, und vor allem hatte es nicht den Anschein, als wollte sie der Frau oder den Töchtern des Rechtsanwalts oder des Ingenieurs, dem Journalisten vom *Mattino*, dem jungen oder dem alten Stutzer, der seine Zeit und sein Geld im Klub verschwendete, Schuhe der Marke Cerullo oder Solara verkaufen, sondern es schien, als würde sie sie nur auf dem Sofa und in den Sesseln Platz nehmen lassen, um über Gott und die Welt zu reden.

Das einzige Hindernis – Michele. Er war ihr während der Öffnungszeiten oft im Weg, und einmal sagte er in seinem typischen, stets ironischen, stets einschmeichelnden Ton zu ihr:

»Du hast den falschen Mann geheiratet, Lina. Ich hatte Recht: Du siehst ja, wie leicht dir der Umgang mit Leuten fällt, die uns noch mal nützlich sein können. Du und ich zusammen, wir erobern Neapel in wenigen Jahren und machen daraus, was wir wollen.«

Dann versuchte er, sie zu küssen.

Sie stieß ihn weg, er nahm es nicht übel. Amüsiert sagte er:

»Auch gut, ich kann warten.«

»Warte, wo du willst, aber nicht hier drin«, gab sie zurück. »Denn wenn du hier wartest, gehe ich gleich morgen zurück in die Salumeria.«

Micheles Besuche wurden seltener, dafür wurden Ninos heimliche Besuche häufiger. Über Monate hatten er und Lila in dem Geschäft an der Piazza dei Martiri endlich ein eigenes Leben, das täglich drei Stunden dauerte, Sonntage und kirchliche Feiertage ausgenommen, eine unerträgliche Zeit. Nino kam um eins durch die Hintertür in der Toilette herein, kaum dass die Verkäuferin den Rollladen zu drei Vierteln heruntergelassen hatte und gegangen war, und er verschwand um Punkt vier durch dieselbe Tür, bevor die Verkäuferin zurückkam. Die seltenen Male, da es Komplikationen gab – Michele kam gelegentlich mit Gigliola vorbei, und in einer Zeit besonderer Spannungen ließ sich sogar Stefano blicken –, zog sich Nino auf die Toilette zurück und machte sich durch die Tür zum Hof davon.

Ich glaube, für Lila war das eine stürmische Probezeit für ein glückliches Leben. Einerseits spielte sie weiterhin eifrig die Rolle der jungen Signora, die dem Schuhgeschäft eine exzentrische Note verlieh, andererseits las sie für Nino, lernte sie für Nino, dachte sie nach für Nino. Und auch die einflussreichen Leute, mit denen sie im Laden gelegentlich einen vertrauten Umgang pflegte, waren in ihren Augen hauptsächlich Beziehungen, die genutzt werden konnten, um ihn zu unterstützen.

Zu jener Zeit veröffentlichte Nino im *Mattino* einen Artikel über Neapel, der ihm in Universitätskreisen zu einem gewissen Ansehen verhalf. Ich bekam nichts davon mit, zum Glück. Hätten sie mich in ihre Geschichte hineingezogen, wie es auf Ischia geschehen war, hätte mich das so niedergeschmettert, dass ich mich niemals mehr davon erholt hätte. Ich hätte vor allem rasch erkannt, dass etliche Zeilen seines Beitrags – nicht die gelehrtesten, aber die Einfälle, die keine große Sachkenntnis erforderten, sondern nur die Fähigkeit, blitzschnell eine Verbindung zwischen weit auseinanderliegenden Dingen herzustellen – von Lila stammten und dass namentlich der Tonfall des Artikels der ihre war. Nino war nie in der Lage gewesen, auf diese Art zu schreiben, und würde es auch künftig nicht sein. Nur sie und ich konnten so schreiben.

88

Dann merkte sie, dass sie schwanger war, und beschloss, dem Versteckspiel an der Piazza dei Martiri ein Ende zu machen. An einem Sonntag im Spätherbst 1963 weigerte sie sich, wie sonst üblich zu ihrer Schwiegermutter zum Mittagessen zu gehen, und begann voller Eifer zu kochen. Als Stefano zur Solara-Bar ging, um Gebäck zu holen, und seiner Mutter und seiner Schwester etwas davon vorbeibrachte, um sich für die sonntägliche Abtrünnigkeit zu entschuldigen, stopfte Lila etwas Unterwäsche, einige Kleider und ein Paar Winterschuhe in einen für die Hochzeitsreise gekauften Koffer und versteckte ihn hinter der Wohnzimmertür. Dann wusch sie alle Töpfe ab, die sie benutzt hatte, deckte sorgfältig den Küchentisch, nahm ein Fleischmesser aus der Schublade und legte es unter ein Wischtuch auf das Spülbecken. Schließlich öffnete sie das Fenster, um die Essensdünste zu vertreiben, schaute hinaus auf die Züge und die glänzenden Gleise und wartete auf ihren Mann. Kälte drang in die Wohnung, das störte sie aber nicht, es gab ihr neue Energie.

Stefano kam heim, sie setzten sich an den Tisch. Verärgert, weil er nicht in den Genuss der Kochkünste seiner Mutter gekommen war, sagte er kein einziges lobendes Wort über das Essen und redete schroffer als sonst über seinen Schwager Rino und zärtlicher als sonst über seinen kleinen Neffen. Er bezeichnete ihn mehrmals als den *Sohn meiner Schwester*, als wäre Rinos Beitrag so gut wie gar nichts wert. Als sie beim Gebäck angelangt waren, aß er drei Stück, sie keines. Stefano wischte sich sorgfältig die Sahne vom Mund und sagte:

»Legen wir uns ein bisschen hin.«

Lila antwortete:

»Ab morgen gehe ich nicht mehr ins Geschäft.«

Stefano war sofort klar, dass der Nachmittag eine Wende zum Schlechten nahm.

»Warum denn nicht?«

»Weil ich keine Lust mehr habe.«

»Hast du dich mit Michele und Marcello verkracht?«

»Nein.«

»Lina, mach keinen Quatsch, du weißt genau, dass dein Bruder und ich uns mit denen jeden Moment die Köpfe einschlagen können, also mach die Sache nicht komplizierter, als sie schon ist.«

»Ich mache gar nichts komplizierter. Aber da gehe ich nicht mehr hin.«

Stefano schwieg, und Lila bemerkte, dass er unruhig war, dass er gern einen Bogen um dieses Thema gemacht hätte. Ihr Mann fürchtete, sie sei im Begriff, ihm von einer Beleidigung seitens der Solara-Brüder zu erzählen, einer unverzeihlichen Demütigung, auf die er reagieren müsste, sobald er davon erfuhr, was zu einem nicht wiedergutzumachenden Bruch führen würde. Den er sich nicht leisten konnte.

»In Ordnung«, sagte er, als er sich endlich durchrang, etwas zu sagen. »Geh da nicht mehr hin, du kommst wieder in die Salumeria.«

Sie antwortete:

»Ich habe auch keine Lust mehr auf die Salumeria.«

Stefano sah sie verdutzt an.

»Willst du zu Hause bleiben? Na wunderbar. Es war schließlich deine Idee, zu arbeiten, ich habe das nie von dir verlangt. Das stimmt doch, oder?«

»Das stimmt.«

»Also bleib zu Hause, mir kann das nur recht sein.«

»Ich will auch nicht zu Hause bleiben.«

Er war kurz davor, aus der Haut zu fahren, es war die einzige Möglichkeit, die er kannte, um die Angst zu vertreiben.

»Wenn du auch nicht zu Hause bleiben willst, darf man dann verdammt noch mal erfahren, was du überhaupt willst?«

Lila antwortete:

»Ich will weg.«

»Weg – wohin?«

»Ich will nicht mehr mit dir leben, ich will dich verlassen.«

Stefano fiel nichts anderes ein als loszulachen. Ihre Worte kamen ihm so ungeheuerlich vor, dass er einige Minuten erleichtert wirkte. Er zwickte sie in die Wange, sagte mit seinem typischen schwachen Lächeln zu ihr, sie seien Mann und Frau, und Mann und Frau verließen sich nicht, er versprach ihr auch, am folgenden Sonntag mit ihr zur Amalfi-Küste zu fahren, dann könnten sie ein wenig ausspannen. Aber sie antwortete ihm ruhig, es gebe keinen Grund, zusammenzubleiben, sie habe sich von Anfang an geirrt, sie habe selbst in ihrer Verlobungszeit für ihn nicht mehr empfunden als ein bisschen Sympathie, sie wisse nun genau, dass sie ihn nie geliebt habe und dass sie es nicht mehr ertragen könne, sich von ihm aushalten zu lassen, ihm dabei zu helfen, Geld zu machen, und mit ihm zu schlafen. Am Ende dieser Rede erhielt sie eine

Ohrfeige, die sie vom Stuhl schleuderte. Sie stand wieder auf, und Stefano stürzte sich auf sie, um sie zu packen, sie lief zum Spülbecken und ergriff das Messer, das sie unter das Wischtuch gelegt hatte. Als er sie erneut schlagen wollte, wandte sie sich ihm zu.

»Tu es, und ich bring' dich um, so wie sie deinen Vater umgebracht haben«, sagte sie.

Stefano hielt inne, verstört über diesen Hinweis auf das Schicksal seines Vaters. Er murmelte etwas wie: »Aber ja doch, bring mich um, tu, was du willst.« Überdrüssig winkte er ab und gähnte, es war ein langes, unbezwingliches Gähnen mit weit aufgerissenem Mund, nach dem seine Augen glänzten. Er drehte ihr den Rücken zu, knurrte noch immer mürrische Sätze – »Na, geh doch, geh, ich hab' dir alles gegeben, hab' dir alles gewährt, und das ist nun der Dank, ich hab' dich aus dem Elend rausgeholt, hab' deinen Bruder und deinen Vater reich gemacht, deine ganze Scheißfamilie« –, kehrte zum Tisch zurück und aß noch ein Stück Kuchen. Dann verließ er die Küche und zog sich ins Schlafzimmer zurück, von wo aus er ihr unversehens zuschrie:

»Du kannst dir nicht mal im Traum vorstellen, wie sehr ich dich liebe.«

Lila legte das Messer auf das Spülbecken und dachte: ›Er glaubt nicht, dass ich ihn verlasse, er würde auch nicht glauben, dass ich einen anderen habe, das schafft er nicht.‹ Trotzdem gab sie sich einen Ruck und ging ins Schlafzimmer hinüber, um ihm von Nino zu erzählen, um ihm zu sagen, dass sie schwanger war. Doch ihr Mann schlief, unvermittelt hatte er sich den Schlaf übergestreift wie eine Tarnkappe. Da zog sie ihren Mantel an, nahm den Koffer und verließ die Wohnung.

89

Stefano schlief den ganzen Tag. Als er erwachte und sah, dass seine Frau nicht da war, tat er so, als ob nichts wäre. So hielt er es bereits seit seiner Kindheit, als sein Vater ihn schon mit seiner bloßen Anwesenheit in Angst und Schrecken versetzt hatte und er sich als Reaktion darauf ein schwaches Lächeln, langsame, lautlose Bewegungen und einen gebührenden Abstand zu allen Dingen der Welt ringsumher antrainiert hatte, um sowohl den Schrecken im Zaum zu halten als auch das Verlangen, ihm mit eigenen Händen die Brust aufzubrechen und ihm das Herz herauszureißen.

Am Abend verließ er das Haus und tat etwas Unvorsichtiges. Er ging zu Ada, seiner Verkäuferin, stellte sich unter ihr Fenster, und obwohl er wusste, dass sie mit Pasquale vermutlich im Kino oder sonstwo war, rief er sie, rief sie mehrmals. Teils erfreut, teils besorgt schaute Ada heraus. Sie war zu Hause geblieben, weil Melina mehr wirres Zeug als gewöhnlich redete und Antonio, seitdem er für die Solaras arbeitete, ständig unterwegs war und keine festen Zeiten hatte. Aber ihr Verlobter war da und leistete ihr Gesellschaft. Trotzdem ging Stefano hinauf, und ohne ein einziges Wort über Lila zu verlieren, verbrachte er den Abend bei den Cappuccios, redete mit Pasquale über Politik und mit Ada über Fragen, die mit der Salumeria zu tun hatten. Als er nach Hause kam, tat er so, als wäre Lila bei ihren Eltern, und bevor er sich ins Bett legte, rasierte er sich sorgfältig. Er schlief die Nacht durch wie ein Stein.

Die Scherereien begannen am nächsten Tag. Die Verkäuferin an der Piazza dei Martiri sagte Michele Bescheid, dass Lila sich nicht hatte blicken lassen. Michele rief Stefano an, und Stefano sagte ihm, seine Frau sei krank. Die Krankheit zog sich tagelang hin, so dass Nunzia vorbeischaute, um zu sehen, ob ihre Tochter sie brauchte. Niemand öffnete ihr, sie kam abends wieder, als die Geschäfte geschlossen hatten. Stefano war gerade von der Arbeit zurück und saß vor dem Fernseher, den er auf volle Lautstärke gestellt hatte. Er fluchte, öffnete die Tür, bot Nunzia einen Platz an. Als sie fragte: »Wie geht es Lina?«, sagte er sofort, dass sie ihn verlassen habe, dann brach er in Tränen aus.

Beide Familien hasteten herbei: Stefanos Mutter, Alfonso, Pinuccia mit dem Kind, Rino, Fernando. Alle waren, aus unterschiedlichen Gründen, entsetzt, aber nur Maria und Nunzia sorgten sich ausdrücklich um Lilas Schicksal und fragten sich, wo sie wohl sein mochte. Die anderen stritten sich über Dinge, die wenig mit ihr zu tun hatten. Rino und Fernando, die auf Stefano wütend waren, weil er nichts tat, um die Schließung ihrer Schuhmacherei zu verhindern, beschuldigten ihn, nie auch nur irgendetwas von Lila begriffen und einen Riesenfehler gemacht zu haben, als er sie in den Laden der Solaras geschickt habe. Pinuccia regte sich auf und schrie ihren Mann und ihren Schwiegervater an, Lila sei schon immer übergeschnappt gewesen und nicht sie sei Stefanos Opfer, sondern Stefano ihres. Als Alfonso sich die Bemerkung erlaubte, man müsse die Polizei einschalten und in den Krankenhäusern nachfragen, erhitzten sich die Gemüter noch mehr, und alle stürzten sich auf ihn, als hätte er sie beschimpft. Vor allem Rino brüllte, das Letzte, was sie gebrauchen könnten, sei, zum Gespött des Rione zu werden. Maria sagte leise: »Vielleicht ist sie für ein paar

Tage zu Lenù gefahren.« Diese Vermutung setzte sich durch.

Sie lagen sich weiter in den Haaren, gaben aber alle außer Alfonso vor, zu glauben, Lila sei wegen Stefano und den Solaras deprimiert gewesen und habe beschlossen, nach Pisa zu fahren. »Ja«, sagte Nunzia sich beruhigend, »so macht sie es immer. Wenn sie Probleme hat, geht sie zu Lenù.« Von dem Moment an regten sich alle über diese gefährliche Reise auf, sie ganz allein im Zug, weit weg, ohne irgendwem Bescheid zu sagen. Andererseits war die Annahme, Lila wäre bei mir, so plausibel und zugleich tröstlich, dass sie auf der Stelle zu einer feststehenden Tatsache wurde. Nur Alfonso sagte: »Ich fahre morgen hin, um zu sehen, was los ist«, wurde aber sofort von Pinuccia zurechtgewiesen: »Wo willst du denn hin, du musst arbeiten«, und auch von Fernando, der brummte: »Lassen wir sie in Frieden, sie soll sich beruhigen.«

Tags darauf war das die Version, die Stefano jedem erzählte, der sich nach Lila erkundigte: »Sie ist zu Lenuccia nach Pisa gefahren, sie will sich erholen.« Doch schon am Nachmittag machte Nunzia sich erneut Sorgen, ging zu Alfonso und fragte ihn, ob er meine Adresse habe. Die hatte er nicht, die hatte niemand, außer meiner Mutter. Also schickte Nunzia Alfonso zu ihr, aber mit einer für sie typischen Feindseligkeit gegen jedermann oder mit der Absicht, mein Studium vor Ablenkungen zu bewahren, gab meine Mutter sie ihm nur unvollständig. (Wahrscheinlich hatte sie sie auch nur so. Meine Mutter konnte kaum schreiben, wir wussten beide, dass diese Adresse nie von ihr gebraucht werden würde.) Jedenfalls schrieben Nunzia und Alfonso mir gemeinsam einen Brief, in dem sie mich mit vielen Umschweifen fragten, ob Lila bei mir sei. Sie adressierten ihn an die Universität Pisa, das war alles, nur mit meinem Vor- und Zunamen, und er erreichte mich mit großer Verspätung. Ich las ihn, regte mich noch mehr über Lila und Nino auf und antwortete nicht.

Unterdessen begann Ada schon am Tag nach Lilas sogenannter Abreise zusätzlich zu ihrer Arbeit in der alten Salumeria und zu der Sorge um ihre ganze Familie und um die Bedürfnisse ihres Verlobten auch noch Stefanos Wohnung in Ordnung zu halten und für ihn zu kochen, was Pasquale ihr gründlich übelnahm. Sie stritten sich, er sagte zu ihr: »Du wirst nicht dafür bezahlt, das Dienstmädchen zu spielen«, und sie konterte: »Lieber das Dienstmädchen spielen als Zeit damit verlieren, mit dir herumzudiskutieren.« Um die Solara-Brüder zu vertrösten, wurde in aller Eile Alfonso zur Piazza dei Martiri geschickt, der sich damit sehr wohlfühlte. Er ging frühmorgens in einer Aufmachung los, als wollte er zu einer Hochzeit, und kam abends hochzufrieden nach Hause, es gefiel ihm, den ganzen Tag im Zentrum zu verbringen. Michele hingegen, der nach dem Verschwinden von Signora Carracci unerträglich geworden war, rief Antonio zu sich und sagte:

»Finde sie.«

Antonio brummte:

»Neapel ist groß, Michè, und Pisa auch, und Italien erst. Wo soll ich denn anfangen?«

Michele antwortete:

»Beim ältesten Sohn von Sarratore.« Dann warf er ihm den Blick zu, den er für alle bereithielt, die in seinen Augen weniger als nichts waren, und sagte: »Solltest du es wagen, herumzuerzählen, dass wir sie suchen, lasse ich dich in die Irrenanstalt von Aversa stecken, da kommst du nie wieder raus. Alles, was du in Erfahrung bringst, alles, was du siehst, darfst du nur mir sagen, ist das klar?«

Antonio nickte.

90

Der Umstand, dass Menschen mehr noch als Dinge ihre Konturen verlieren und formlos zerfließen konnten, war für Lila im Laufe ihres Lebens das Schrecklichste. Sie war erschüttert über die zunehmende Konturlosigkeit ihres Bruders, den sie von allen Familienmitgliedern am meisten liebte, und war bestürzt darüber, wie Stefano sich bei seinem Wandel vom Verlobten zum Ehemann auflöste. Erst aus Lilas Schreibheften habe ich erfahren, wie sehr ihre Hochzeitsnacht sie gezeichnet hatte und wie sehr sie sich vor einer möglichen Entstellung des Körpers ihres Ehemanns gefürchtet hatte, vor seiner Deformation durch die inneren Impulse von Lust und Wut oder, im Gegenteil, von Hinterlist und Feigheit. Besonders nachts hatte sie Angst, aufzuwachen und ihn deformiert im Bett vorzufinden, zu Auswüchsen geworden, die vor zu viel Körpersaft platzten, Fleisch, das aufgelöst herabtropfte und mit ihm alles ringsumher, die Möbel, die ganze Wohnung und auch sie selbst, seine Frau, zerplatzt und aufgesogen von jenem dreckigen Strom lebender Materie.

Als Lila die Tür hinter sich schloss und wie in einer weißen Nebelspur, die sie unsichtbar machte, mit ihrem Koffer durch den Rione ging, die U-Bahn nahm und Campi Flegrei erreichte, hatte sie das Gefühl, einen weichlichen, nunmehr von unklaren Formen bevölkerten Raum hinter sich gelassen zu haben und sich endlich auf eine Struktur zuzubewegen, die sie ganz aufnehmen konnte, wirklich ganz, ohne dass sie zersprang und ohne dass die Gestalten um sie her zersprangen. Sie gelangte auf trostlosen Straßen an ihr Ziel. Schleppte ihren Koffer bis in den zweiten Stock einer Mietskaserne hinauf, bis in eine dunkle, verwahrloste Zwei-Zimmer-Wohnung mit alten, miserabel gearbeiteten Möbeln und einem Bad, in dem sich nichts befand außer einer Klosettschüssel und einem Waschbecken. Um alles hatte sie sich gekümmert, Nino musste sich auf die Examen vorbereiten und saß außerdem an einem neuen Artikel für den *Mattino* und an der Umarbeitung des vorhergehenden zu einem Essay, den zu veröffentlichen sich eine Zeitschrift namens *Nord e Sud* bereit erklärt hatte, nachdem er von den *Cronache meridionali* abgelehnt worden war. Sie hatte die Wohnung besichtigt, hatte sie angemietet, hatte drei Mieten im Voraus bezahlt. Nun, kaum dass sie die Wohnung betreten hatte, empfand sie eine große Freude. Überrascht bemerkte sie, wie vergnügt sie war, weil sie den Menschen verlassen hatte, der doch eigentlich für immer ein Teil von ihr hätte sein sollen. Vergnügt, ja, so schrieb sie es. Nicht im Geringsten vermisste sie die Annehmlichkeiten des neuen Viertels, nahm sie den Schimmelgeruch wahr, sah sie den feuchten Fleck in einer Ecke des Schlafzimmers, bemerkte sie das graue Licht, das mühsam durch das Fenster drang, deprimierte sie die Umgebung, die sofort die Rückkehr in die Armut ihrer Kindheit ahnen ließ. Stattdessen fühlte sie sich, als wäre sie wie durch Zauberei von einem Ort, an dem sie gelitten hatte, verschwunden und an einem anderen, glückverheißenden wiederaufgetaucht. Sie erlebte, glaube ich, erneut die Faszination der Selbstauslöschung: Schluss mit allem, was gewesen war; Schluss mit dem Stradone, den Schuhen, den Salumerias, dem Ehemann, den Solara-Brüdern, der Piazza dei Martiri; Schluss auch mit mir und mit der Braut, mit der Ehefrau, irgendwo verschollen, verloren. Sie hatte von sich nur die Geliebte von Nino bewahrt, der am Abend kam.

Er war sichtlich bewegt. Er umarmte sie, küsste sie, schaute sich verwirrt um. Verriegelte Türen und Fenster, als fürchtete er plötzliche Einbrüche. Sie liebten sich, seit der Nacht in Forio zum ersten Mal wieder in einem Bett. Danach stand er auf, setzte sich an seine Studienaufgaben, beklagte sich häufig über das schwache Licht. Auch sie verließ das Bett, half ihm beim Wiederholen der Lektionen. Nachts um drei gingen sie schlafen, nachdem sie gemeinsam den neuen Artikel für den *Mattino* durchgesehen hatten, und schliefen eng umschlungen ein. Lila fühlte sich in Sicherheit, obwohl es draußen regnete, die Fensterscheiben zitterten und ihr die Wohnung fremd war. Wie neu Ninos Körper war, lang und zart, so ganz anders als Stefanos. Wie erregend sein Geruch war. Sie fühlte sich, als käme sie aus einer Schattenwelt und wäre an einen Ort gelangt, wo das Leben endlich echt war. Am Morgen stürzte sie, kaum dass sie die Füße auf den Boden gesetzt hatte, ins Bad, weil sie sich übergeben musste. Sie schloss die Tür, damit Nino es nicht hörte.

91

Ihr Zusammenleben dauerte dreiundzwanzig Tage. Lilas Erleichterung darüber, alles hinter sich gelassen zu haben, wuchs von Stunde zu Stunde. Sie trauerte keiner der Annehmlichkeiten nach, die sie nach ihrer Heirat genossen hatte, bedauerte die Trennung von ihren Eltern, von ihren Geschwistern, von Rino, von ihrem Neffen nicht. Sorgte sich nicht darum, dass ihnen das Geld ausgehen würde. Für sie zählte nur, dass sie mit Nino aufwachte und mit ihm einschlief, dass sie bei ihm war, wenn er studierte oder schrieb, dass sie lebhafte Diskussionen führten, in denen sich der Aufruhr in ihrem Kopf entlud. Abends gingen sie zusammen aus, ins Kino, oder sie entschieden sich für eine Buchvorstellung, für eine politische Diskussion, und oft wurde es spät, sie kehrten zu Fuß nach Hause zurück, eng umschlungen, um sich vor der Kälte oder vor dem Regen zu schützen, wobei sie sich kabbelten, herumalberten.

Einmal gingen sie zur Lesung eines Autors, der nicht nur Bücher schrieb, sondern auch Filme drehte und Pasolini hieß. Alles, was mit ihm zu tun hatte, löste einen Krawall aus, und Nino konnte ihn nicht leiden, er verzog den Mund, sagte: »Er ist eine Tunte und macht mehr Wind als alles andere«, weshalb er sich etwas sträubte, er wollte lieber zu Hause bleiben und lernen. Aber Lila war neugierig und schleppte ihn mit. Die Veranstaltung fand im selben Kulturverein statt, in den ich einmal sie mitgenommen hatte, als ich einer Empfehlung von Professoressa Galiani gefolgt war. Lila kam begeistert heraus, schob Nino zu dem Schriftsteller, wollte mit ihm sprechen. Aber Nino wurde nervös und bemühte sich nach Kräften, sie wegzuziehen, besonders, als er hörte, dass von der anderen Straßenseite junge Männer Beschimpfungen herüberschrien. »Lass uns verschwinden«, sagte er besorgt. »Der gefällt mir nicht, und die Faschisten gefallen mir auch nicht.« Aber Lila war mit Schlägereien aufgewachsen, sie dachte gar nicht daran, sich aus dem Staub zu machen, und so versuchte er, sie in eine Gasse zu ziehen, aber sie machte sich los, lachte und beantwortete die Beschimpfungen mit Beschimpfungen. Sie folgte Nino erst, aber dann sofort, als sie in der beginnenden Prügelei Antonio unter den Schlägern erkannte. Seine Augen und Zähne glänzten wie aus Metall, doch im Unterschied zu den anderen schrie er nicht. Sie hatte den Eindruck, dass er zu beschäftigt damit war, Fausthiebe auszuteilen, um sie zu bemerken, aber die Sache verdarb ihr trotzdem den Abend. Unterwegs gab es einige Spannungen mit Nino. Sie waren sich nicht einig über das, was Pasolini gesagt hatte, es schien, als wären sie an zwei verschiedenen Orten gewesen und hätten zwei verschiedenen Personen zugehört. Aber nicht nur das. An diesem Abend trauerte er ausgiebig der langen, aufregenden Zeit ihrer heimlichen Treffen im Geschäft an der Piazza dei Martiri nach und spürte gleichzeitig, dass ihn etwas an Lila störte. Sie bemerkte seine gereizte Zerstreutheit und verschwieg ihm, um weitere Spannungen zu vermeiden, dass sie unter den Angreifern einen ihrer Freunde aus dem Rione erkannt hatte, Melinas Sohn.

Schon vom nächsten Tag an hatte Nino immer weniger Lust, mit ihr auszugehen. Anfangs sagte er, dass er lernen müsse, und das war die Wahrheit, dann entschlüpfte ihm die Bemerkung, sie sei bei den Veranstaltungen oftmals zu laut.

»Was soll das heißen?«

»Dass du übertreibst.«

»Inwiefern?«

Ärgerlich zählte er auf:

»Du gibst lauthals Kommentare von dir; wenn dich jemand auszischt, brichst du einen Streit vom Zaun; du belästigst die Redner mit deinem Gequatsche. Das gehört sich nicht.«

Lila hatte stets gewusst, dass sich das nicht gehörte, hatte aber gedacht, dass nun, mit ihm, alles möglich sei, auch mit einem großen Sprung Distanzen zu überwinden, auch mit bedeutenden Persönlichkeiten von Angesicht zu Angesicht zu sprechen. War sie im Geschäft der Solaras etwa nicht in der Lage gewesen, mit einflussreichen Leuten Konversation zu treiben? Hatte er seinen ersten Artikel im *Mattino* etwa nicht mit Hilfe eines ihrer Kunden veröffentlicht? Also? »Du bist zu schüchtern«, sagte sie. »Du hast noch nicht begriffen, dass du besser bist als die und viel wichtigere Dinge machen wirst.« Dann küsste sie ihn.

Aber Nino begann mal mit dieser und mal mit jener Ausrede an den folgenden Abenden allein auszugehen. Wenn er stattdessen zu Hause blieb und lernte, beschwerte er sich darüber, wie viel Lärm die Mietskaserne erzeugte. Oder er schnaufte, weil er seinen Vater um Geld bitten musste und der ihn mit Fragen quälen würde wie etwa: Wo schläfst du, was treibst du überhaupt, wo wohnst du, studierst du noch? Oder er schüttelte über Lilas Fähigkeit den Kopf, weit voneinander entfernte Dinge miteinander zu verbinden, und regte sich darüber auf, anstatt sich wie sonst dafür zu begeistern.

Nach einer Weile war er so schlecht gelaunt, hinkte mit

seinen Examen so hinterher, dass er, um weiter zu studieren, nicht mehr mit ihr zusammen schlafen ging. Lila sagte: »Es ist spät, komm, wir gehen schlafen«, er antwortete zerstreut: »Geh schon vor, ich komme nach.« Er betrachtete die Umrisse ihres Körpers unter den Decken und sehnte sich nach dessen Wärme, hatte aber auch Angst davor. ›Ich habe noch keinen Abschluss‹, dachte er, ›habe keine Arbeit; wenn ich mein Leben nicht wegwerfen will, muss ich mich sehr ins Zeug legen; stattdessen sitze ich hier mit dieser Frau, die verheiratet ist, die schwanger ist, die sich jeden Morgen übergibt, die mir jede Disziplin unmöglich macht.‹ Als er erfuhr, dass der *Mattino* seinen Artikel nicht drucken würde, litt er sehr. Lila tröstete ihn und riet ihm, ihn an andere Zeitungen zu schicken. Aber dann fügte sie hinzu:

»Ich rufe morgen mal an.«

Sie wollte mit dem Redakteur sprechen, den sie im Geschäft der Solaras kennengelernt hatte, und in Erfahrung bringen, was nicht in Ordnung war. Er polterte los:

»Du wirst niemanden anrufen!«

»Warum denn nicht?«

»Weil dieser Mistkerl sich für mich nie interessiert hat, sondern bloß für dich.«

»Das ist nicht wahr.«

»Na und ob, ich bin ja nicht blöd, du machst mir nichts als Probleme.«

»Wie meinst du das?«

»Ich hätte nicht auf dich hören sollen.«

»Was habe ich denn getan?«

»Du hast mich völlig durcheinandergebracht. Weil du wie ein steter Tropfen bist: plick, plick, plick. Solange man nicht macht, was du willst, gibst du keine Ruhe.«

»Den Artikel hast doch du dir ausgedacht und geschrieben.«

»Genau. Und warum wolltest du dann, dass ich ihn viermal überarbeite?«

»*Du* wolltest ihn doch umschreiben!«

»Lina, mal ehrlich: Such dir was, was dir gefällt, verkauf wieder Schuhe, verkauf wieder Salami, aber mach mich nicht kaputt, indem du versuchst, irgendwas zu sein, was du nicht bist.«

Dreiundzwanzig Tage hatten sie zusammengelebt, eine Wolke, in der die Götter sie versteckt hatten, damit sie einander ungestört genießen konnten. Seine Worte trafen sie tief, sie sagte zu ihm:

»Hau ab.«

Wütend zog er sich seine Jacke über den Pullover und knallte die Tür hinter sich zu.

Lila setzte sich aufs Bett und dachte: ›In zehn Minuten ist er wieder da; er hat seine Bücher hiergelassen, seine Notizen, seine Rasierseife und das Rasiermesser.‹ Dann brach sie in Tränen aus: ›Wie konnte ich bloß annehmen, dass ich mit ihm leben könnte, dass ich ihm helfen könnte? Es ist meine Schuld. Nur um meinen Kopf freizubekommen, habe ich ihn was Falsches schreiben lassen.‹

Sie legte sich ins Bett und wartete. Wartete die ganze Nacht, aber Nino kam weder am Morgen zurück noch später.

92

Was ich nun erzähle, habe ich zu verschiedenen Zeiten von verschiedenen Leuten erfahren. Ich beginne mit Nino, der die Wohnung in Campi Flegrei verließ und bei seinen Eltern unterkroch. Seine Mutter behandelte ihn besser, noch viel besser als den verlorenen Sohn. Aber mit seinem Vater geriet er schon nach einer Stunde aneinander, es hagelte Schimpfwörter. Donato schrie ihn im Dialekt an, er könne von zu Hause verschwinden oder bleiben, was er aber auf gar keinen Fall tun dürfe, sei, für einen Monat abzuhauen, ohne irgendwem Bescheid zu sagen, und dann nur zurückzukommen, um sich Geld zu krallen, als hätte er es selbst verdient.

Nino zog sich in sein Zimmer zurück und wälzte viele Gedanken. Obwohl er bereits wieder zu Lila laufen, sie um Verzeihung bitten und ihr seine Liebe ins Gesicht schreien wollte, analysierte er die Lage und kam zu dem Schluss, dass er in eine Falle getappt war, nicht aus eigener Schuld, auch nicht wegen Lila, sondern wegen seiner Begierde. ›Jetzt zum Beispiel‹, dachte er, ›kann ich es kaum erwarten, zu ihr zurückzukehren, sie mit Küssen zu bedecken und mich meiner Verantwortung zu stellen; aber ein Teil von mir weiß nur zu gut, dass das, was ich heute im Überschwang der Verzweiflung getan habe, gut und richtig ist. Lina passt nicht zu mir, Lina ist schwanger, was in ihrem Bauch ist, macht mir Angst; darum darf ich auf keinen Fall zurückgehen, ich muss schnell zu Bruno, muss mir Geld borgen, muss Neapel verlassen, wie Elena es getan hat, und anderswo studieren.‹

Er dachte die ganze Nacht und den folgenden Tag nach, mal von der Sehnsucht nach Lila überwältigt, mal an eiskalte Überlegungen geklammert, die ihm Lilas ungezogene Naivität, ihre zu intelligente Unwissenheit und die Kraft in Erinnerung riefen, mit der sie ihn in nette Gedanken hineinzog, die nach wer weiß was für Eingebungen aussahen, aber eigentlich reine Glückssache waren.

Am Abend telefonierte er mit Bruno und verließ völlig konfus das Haus, um zu ihm zu fahren. Er rannte im Regen zur Haltestelle und erwischte sogleich den richtigen Bus. Aber plötzlich überlegte er es sich anders und sprang an der Piazza Garibaldi wieder heraus. Mit der U-Bahn fuhr er bis Campi Flegrei und konnte es kaum erwarten, Lila in die Arme zu schließen, sie im Stehen zu nehmen, sofort, gleich wenn er in der Wohnung war, an der Wand neben der Tür. Das war jetzt das Wichtigste für ihn, danach würde er darüber nachdenken, was zu tun war.

Es war dunkel, mit langen Schritten lief er durch den Regen. Er achtete nicht auf die dunkle Gestalt, die ihm entgegenkam. Er wurde so heftig gestoßen, dass er hinfiel. Und es begann eine lange Prügelei, Tritte und Fausthiebe, Fausthiebe und Tritte. Sein Widersacher wiederholte unentwegt, doch ohne Wut:

»Lass sie in Ruhe, triff dich nicht mehr mit ihr, und rühr sie nicht mehr an! Sprich mir nach: ›Ich verlasse sie.‹ Sprich mir nach: ›Ich treffe mich nicht mehr mit ihr, und ich rühre sie nicht mehr an.‹ Du Scheißkerl, es macht dir wohl Spaß, anderen die Frau auszuspannen, was. Sprich mir nach: ›Ich habe einen Fehler gemacht, ich verlasse sie.‹«

Gehorsam sprach Nino seinen Text, doch sein Angreifer hörte nicht auf. Eher vor Schreck als vor Schmerz verlor Nino das Bewusstsein.

93

Antonio war es, der Nino verprügelt hatte, erzählte seinem Chef aber so gut wie nichts davon. Als Michele ihn fragte, ob er Sarratores Sohn gefunden habe, sagte er ja. Als er ihn sichtlich besorgt fragte, ob diese Spur ihn zu Lila geführt habe, antwortete er mit nein. Als er ihn fragte, ob er etwas von ihr gehört habe, sagte er, Lila sei unauffindbar und das Einzige, was man absolut ausschließen könne, sei, das Sarratores Sohn irgendwas mit Signora Carracci zu tun habe.

Er log natürlich. Er hatte Nino und Lila ziemlich schnell gefunden, zufällig, an dem Abend, als er den Auftrag erhalten hatte, die Kommunisten zu verprügeln. Er hatte einige Gesichter eingeschlagen und sich dann von der Schlägerei entfernt, um den beiden zu folgen, die sich aus dem Staub gemacht hatten. Er hatte herausgefunden, wo sie wohnten, hatte gesehen, dass sie zusammenlebten, und in den folgenden Tagen alles beobachtet, was sie taten und wie sie lebten. Bei ihrem Anblick hatte er sowohl Bewunderung als auch Neid empfunden. Bewunderung für Lila. ›Wie konnte sie nur ihre Wohnung aufgeben‹, fragte er sich, ›eine wunderschöne Wohnung, und auch ihren Mann, die Salumerias, das Auto, die Schuhe, die Solaras, und das alles für einen Studenten ohne eine Lira, der sie an einem Ort leben lässt, der fast noch schlimmer ist als der Rione? Was treibt dieses Mädchen um: Mut, Wahnsinn?‹ Dann hatte er sich auf den Neid auf Nino konzentriert. Was ihn am meisten schmerzte, war, dass der dürre, hässliche Mistkerl, der mir gefiel, auch Lila gefallen hatte. Was hatte Sarratores Sohn an sich, was hatte der für Vorzüge? Tag und Nacht grübelte er darüber. Er entwickelte eine krankhafte Fixierung, die seine Nerven strapazierte, besonders die der Hände, so dass er sie in einem fort miteinander verflocht und zusammenpresste, als betete er. Schließlich beschloss er, dass er Lila befreien müsse, auch wenn sie damals vielleicht gar nicht befreit werden wollte. ›Aber‹, sagte er sich, ›die Menschen brauchen eine Weile, um zu begreifen, was gut ist und was schlecht, und in einem bestimmten Moment ihres Lebens das für sie zu tun, wozu sie selbst nicht in der Lage sind, gerade das bedeutet, ihnen zu helfen.‹ Michele Solara hatte ihm nicht befohlen, Sarratores Sohn zusammenzuschlagen, das nicht. Antonio hatte ihm das Wichtigste verschwiegen, daher gab es keinen Grund, so weit zu gehen; ihn zu verprügeln war seine eigene Entscheidung gewesen, und er hatte sie teils getroffen, um ihm Lila wegzunehmen und ihr das wiederzugeben, was sie unverständlicherweise weggeworfen hatte, und teils, weil er Lust dazu hatte, aus Ärger nicht über Nino, dieses unwichtige, schlaffe Häufchen weibischer Haut und allzu langer, zarter Knochen, sondern über das, was wir zwei Mädchen in ihm gesehen hatten und in ihm sahen.

Zugegebenermaßen glaubte ich, seine Beweggründe zu verstehen, als er mir das alles später erzählte. Ich war gerührt, streichelte ihm die Wange, um ihn über die schrecklichen Gefühle, die er gehabt hatte, hinwegzutrösten. Er wurde rot, verhaspelte sich und sagte, um mir zu beweisen, dass er kein Scheusal war: »Danach habe ich ihm geholfen.« Er hatte Sarratores Sohn hochgezogen, den halb Bewusstlosen zu einer Apotheke gebracht, ihn dort am Eingang abgesetzt und war in den Rione zurückgekehrt, um mit Pasquale und Enzo zu reden.

Die zwei hatten sich dazu durchringen müssen, sich

mit ihm zu treffen. In ihren Augen war er kein Freund mehr, besonders für Pasquale nicht, obwohl der mit Antonios Schwester verlobt war. Aber Antonio kümmerte das nicht mehr, er tat so, als wäre nichts, und benahm sich, als wäre ihre feindselige Reaktion darauf, dass er sich an die Solara-Brüder verkauft hatte, nichts weiter als ein Schmollen, das ihrer Freundschaft keinen Abbruch tat. Von Nino hatte er nichts erzählt, er hatte sich darauf konzentriert, dass er Lila gefunden hatte und dass man ihr helfen musste.

»Wobei?«, hatte Pasquale in einem aggressiven Ton gefragt.

»Dabei, nach Hause zurückzukehren: Sie war nicht bei Lenuccia, sie wohnt in einem Dreckloch in Campi Flegrei.«

»Allein?«

»Ja.«

»Und wieso hat sie sich dazu entschlossen?«

»Keine Ahnung, ich habe nicht mit ihr gesprochen.«

»Warum denn nicht?«

»Ich habe sie im Auftrag von Michele Solara gesucht.«

»Du bist ein Scheißfaschist.«

»Ich bin gar nichts, ich habe einen Job erledigt.«

»Na toll, und was willst du jetzt von uns?«

»Ich habe Michele nicht erzählt, dass ich sie gefunden habe.«

»Na und?«

»Ich will meinen Posten nicht verlieren, ich muss Geld verdienen. Wenn Michele erfährt, dass ich gelogen habe, entlässt er mich. Ihr müsst Lina zurückholen und sie wieder nach Hause bringen.«

Pasquale beschimpfte ihn erneut heftig, doch auch diesmal reagierte Antonio kaum. Er regte sich erst auf, als sein Schwager in spe sagte, Lila habe gut daran getan, ihren Mann und alles andere zu verlassen; wenn sie sich endlich aus dem Geschäft der Solaras zurückgezogen habe, wenn sie erkannt habe, dass es ein Fehler gewesen sei, Stefano zu heiraten, werde nun ganz bestimmt nicht er derjenige sein, der sie zurückbringe.

»Du willst sie in Campi Flegrei ihrem Schicksal überlassen?«, fragte Antonio verblüfft. »Allein und ohne eine Lira?«

»Wieso, sind wir etwa reich? Lina ist alt genug, sie kennt das Leben. Wenn sie sich so entschieden hat, wird sie ihre Gründe dafür haben, wir sollten sie in Ruhe lassen.«

»Aber sie hat uns immer geholfen, wenn sie es konnte.«

Bei diesem Hinweis auf das Geld, das Lila ihnen gegeben hatte, schämte sich Pasquale. Er brummte etwas Allgemeines über Reiche und Arme, über die Situation der Frauen innerhalb und außerhalb des Rione, und wenn es darum gehe, ihr etwas Geld zu geben, sei er bereit dazu. Aber Enzo, der bis dahin geschwiegen hatte, unterbrach ihn mit einer ärgerlichen Bewegung und sagte zu Antonio:

»Gib mir die Adresse, ich finde heraus, was sie vorhat.«

94

Er fuhr wirklich zu ihr, am nächsten Tag. Er nahm die U-Bahn, stieg in Campi Flegrei aus und suchte ihre Straße und den Hauseingang.

Von Enzo wusste ich damals nur, dass er alles, absolut alles, satthatte: sowohl das Gejammer seiner Mutter als auch die Bürde seiner Geschwister, die Camorra des Obst- und Gemüsemarktes, die Runden mit seinem Karren, die immer weniger Geld einbrachten, Pasquales kommunistisches Geschwätz und auch seine Beziehung mit Carmen. Aber da er ein verschlossenes Wesen hatte, war schwer zu erkennen, was für ein Mensch er war. Von Carmen hatte ich erfahren, dass er heimlich lernte, dass er einen externen Fachschulabschluss als Techniker machen wollte. Damals – vielleicht Weihnachten? – erzählte sie mir auch, er habe sie seit seiner Rückkehr vom Militärdienst im Frühjahr nur viermal geküsst. Verärgert fügte sie hinzu:

»Vielleicht ist er ja kein richtiger Mann.«

Wir Mädchen sagten oft, wenn einer sich nicht sehr um uns bemühte, dass er kein richtiger Mann sei. War Enzo einer, war er es nicht? Ich verstand nichts von gewissen dunklen Tiefen der Männer, keine von uns tat das, daher griffen wir bei jedem unklaren Anzeichen dafür zu dieser Redewendung. Einige Männer, wie die Solara-Brüder, Pasquale, Antonio, Donato Sarratore und auch Franco Mari, mein Freund an der Scuola Normale, begehrten uns auf die unterschiedlichsten Weisen – aggressiv, unterwürfig, achtlos, aufmerksam –, aber zweifellos begehrten sie uns. Andere wie Alfonso, Enzo und Nino zeigten – auf wiederum verschiedene Arten – eine distanzierte Zurückhaltung, als gäbe es zwischen uns und ihnen eine Mauer, und die mühsame Aufgabe, sie einzureißen, käme uns zu. Bei Enzo hatte sich diese Wesensart nach seinem Militärdienst noch verstärkt, und er tat nicht nur nichts, um den Frauen zu gefallen, sondern er tat im Grunde auch nichts, um überhaupt irgendwem zu gefallen. Sein Körper, der ohnehin schon nicht besonders groß war, schien durch eine Art Verdichtung noch kleiner geworden zu sein, er war ein kompakter Kraftblock geworden. Die Haut über seinen Gesichtsknochen hatte sich gespannt wie ein Sonnensegel, und seinen Gang hatte er auf die abgewogenen Schritte seiner Beine reduziert, nichts weiter an ihm bewegte sich, weder die Arme noch der Hals noch der Kopf, nicht einmal seine Haare, die wie ein rotblonder Helm waren. Als er den Entschluss fasste, zu Lila zu gehen, erzählte er es Pasquale und Antonio nicht deshalb, um darüber zu diskutieren, sondern er tat es in Form einer knappen Erklärung, die jede Diskussion abschnitt. Und auch als er in Campi Flegrei ankam, war er nicht unschlüssig. Er fand die Straße, fand den Hauseingang, nahm die Treppe und klingelte forsch an der richtigen Tür.

95

Da Nino weder zehn Minuten noch eine Stunde später zurückkehrte und auch nicht am folgenden Tag, wurde Lila ungehalten. Sie fühlte sich nicht im Stich gelassen, sondern gedemütigt, und obwohl sie sich im Stillen selbst eingestanden hatte, nicht die richtige Frau für ihn zu sein, fand sie es unerträglich, dass er ihr dies mit seinem Verschwinden aus ihrem Leben nach nur dreiundzwanzig Tagen so brutal bestätigt hatte. Vor lauter Wut warf sie alles weg, was er zurückgelassen hatte: Bücher, Unterhosen, Socken, einen Pullover und sogar einen Bleistiftstummel. Sie tat es, bereute es, weinte. Als sie schließlich keine Tränen mehr hatte, fühlte sie sich hässlich, aufgedunsen, dumm und nun armselig wegen der schroffen

Gefühle, die Nino, ausgerechnet Nino, den sie liebte und von dem sie sich wiedergeliebt geglaubt hatte, in ihr auslöste. Die Wohnung offenbarte sich plötzlich als das, was sie war, ein düsterer Ort, durch dessen Wände sämtliche Geräusche der Stadt drangen. Sie bemerkte den Gestank, die Kakerlaken, die vom Treppenhaus hereinkamen, die nassen Flecken an der Decke und spürte zum ersten Mal ihre Kindheit, die sie wieder einholte, aber nicht die Kindheit der Träumereien, sondern die der grausamen Entbehrungen, der Bedrohungen und der Prügel. Und sie entdeckte plötzlich, dass eine Phantasie, die uns schon als kleine Mädchen getröstet hatte – nämlich reich zu werden –, aus ihrem Kopf verschwunden war. Obwohl das Elend in Campi Flegrei ihr schlimmer vorkam als das im Rione unserer Kinderspiele, obwohl sich ihre Lage durch das Kind, das sie erwartete, zugespitzt hatte, obwohl sie das ganze Geld, das sie mitgebracht hatte, innerhalb weniger Tage aufgebraucht hatte, entdeckte sie, dass Reichtum ihr nicht mehr wie eine Belohnung oder wie ein Lösegeld erschien, er sagte ihr nichts mehr. Die Schatztruhen voller Goldstücke und Edelsteine aus den Träumen unserer Kindheit durch die abgegriffenen, stinkenden Geldscheine zu ersetzen, die sich in der Kassenschublade der Salumeria und in der bunten Blechschachtel im Geschäft an der Piazza dei Martiri angehäuft hatten, als Lila dort arbeitete, funktionierte nun nicht mehr, auch das letzte Gefunkel war erloschen. Das Verhältnis zwischen Geld und dem Besitz von Dingen hatte sie enttäuscht. Sie begehrte nichts, weder für sich noch für ihr Kind. Reich zu sein bedeutete für sie, Nino zu haben, und da Nino weg war, fühlte sie sich arm, von einer Armut, die sich mit Geld nicht abschaffen ließ. Da es kein

Mittel gegen ihre neue Situation gab – sie hatte seit ihrer Kindheit zu viele Fehler gemacht, und alle mündeten in diesen letzten: zu glauben, dass Sarratores Sohn nicht ohne sie leben könne, so wie sie nicht ohne ihn, dass ihr gemeinsames Schicksal einzigartig und außergewöhnlich sei und dass das Glück, sich zu lieben, ewig währen und jedes andere Bedürfnis entkräften würde –, fühlte sie sich schuldig und beschloss, nicht mehr aus dem Haus zu gehen, ihn nicht aufzusuchen, nicht zu essen, nicht zu trinken und stattdessen darauf zu warten, dass ihr Leben und das ihres Kindes jede Kontur, jede mögliche Deutlichkeit verloren und sie in ihrem Kopf nichts mehr fand, auch nicht die kleinste Spur dessen, was sie am stärksten verbitterte, nämlich das Bewusstsein des Verlassenseins.

Dann klingelte es an der Tür.

Sie dachte, es sei Nino, sie öffnete. Es war Enzo. Sie war nicht enttäuscht, als sie ihn sah. Dachte, er sei gekommen, um ihr etwas Obst zu bringen, wie er es als kleiner Junge viele Jahre zuvor getan hatte, nachdem er in dem Wettstreit besiegt worden war, der auf Wunsch des Direktors und von Maestra Oliviero veranstaltet worden war, und nachdem er ihr einen Stein an den Kopf geworfen hatte, und sie lachte los. Für Enzo war dieses Lachen ein Zeichen dafür, dass es ihr nicht gut ging. Er trat ein, ließ aber die Tür respektvoll offen. Er wollte nicht, dass die Nachbarn dachten, sie habe Männerbesuch wie eine Hure. Er schaute sich um, warf einen Blick auf ihr derangiertes Äußeres und schloss daraus, obwohl er nicht sehen konnte, was noch nicht zu sehen war, ihre Schwangerschaft nämlich, dass sie wirklich Hilfe brauchte. Auf seine ernste, vollkommen emotionslose Art sagte er, noch bevor sie sich beruhigen konnte und zu lachen aufhörte:

»Wir gehen jetzt.«

»Wohin denn?«

»Zu deinem Mann.«

»Hat er dich geschickt?«

»Nein.«

»Wer schickt dich dann?«

»Niemand schickt mich.«

»Ich komme nicht mit.«

»Dann bleibe ich hier bei dir.«

»Für immer?«

»Bis du es dir anders überlegst.«

»Und deine Arbeit?«

»Die hatte ich satt.«

»Und Carmen?«

»Du bist viel wichtiger als sie.«

»Das sage ich ihr, dann verlässt sie dich.«

»Das sage ich ihr selbst, mein Entschluss steht schon fest.«

Von nun an sprach er distanziert, mit leiser Stimme. Sie antwortete ihm kichernd, spottend, als wäre keines ihrer und seiner Worte wahr und als redeten sie zum Spaß über eine Welt, über Menschen, über Gefühle, die seit Langem nicht mehr existierten. Enzo bemerkte es und sagte eine Weile nichts mehr. Er ging durch die Wohnung, fand Lilas Koffer und packte die Sachen aus den Schubladen und aus dem Schrank hinein. Lila ließ ihn gewähren, weil er für sie nicht Enzo aus Fleisch und Blut war, sondern ein Schatten in Farbe wie im Kino, der, obwohl er redete, doch auf jeden Fall nur ein Lichteffekt war. Als der Koffer gepackt war, stellte sich Enzo wieder vor sie hin und hielt ihr eine höchst überraschende Rede. Auf seine gleichermaßen konzentrierte wie distanzierte Art sagte er:

»Lina, ich liebe dich, seit wir Kinder waren. Ich habe es dir nie gesagt, weil du sehr schön bist und sehr klug und ich dagegen klein, hässlich und unnütz. Du kehrst jetzt zu deinem Mann zurück. Ich weiß nicht, warum du ihn verlassen hast, und ich will es auch nicht wissen. Ich weiß nur, dass du hier nicht bleiben kannst, du bist zu schade, um im Dreck zu leben. Ich bringe dich bis zur Haustür und warte dort. Wenn er dich schlecht behandelt, komme ich hoch und bringe ihn um. Aber das wird er nicht tun, er wird im Gegenteil froh sein, dass du zurückkommst. Lass uns trotzdem eine Vereinbarung treffen: Falls du dich mit deinem Mann nicht einigen kannst, hole ich dich wieder ab, denn ich habe dich zu ihm gebracht. Einverstanden?«

Lila hörte auf zu lachen, kniff die Augen zusammen und hörte ihm erstmals aufmerksam zu. Die Kontakte zwischen ihr und Enzo waren bis dahin äußerst selten gewesen, aber immer, wenn ich dabei gewesen war, hatten sie mich erstaunt. Zwischen den beiden gab es etwas Undefinierbares, was aus der wirren Zeit der Kindheit herrührte. Ich glaube, Enzo vertraute sie, sie spürte, dass sie sich auf ihn verlassen konnte. Als er den Koffer nahm und sich zur offenen Tür wandte, zögerte sie einen Moment, dann folgte sie ihm.

96

Enzo wartete an dem Abend, als er sie nach Hause brachte, tatsächlich unter Lilas und Stefanos Fenstern, und wenn Stefano sie geschlagen hätte, wäre er wahrscheinlich hinaufgegangen und hätte ihn umgebracht. Doch Stefano schlug sie nicht, ja, er empfing sie erfreut in einer sauberen, vollkommen aufgeräumten Wohnung. Er benahm sich, als wäre seine Frau wirklich zu mir nach Pisa gefahren, auch wenn es keinerlei Beweise dafür gab, dass es sich so verhalten hatte. Lila für ihren Teil nahm weder zu dieser Ausrede Zuflucht noch zu einer anderen. Beim Aufwachen am nächsten Tag sagte sie unwirsch zu ihm: »Ich bin schwanger«, und er war so glücklich, dass er, auch als sie hinzufügte: »Das Kind ist nicht von dir«, spontan in ein fröhliches Gelächter ausbrach. Da sie diesen Satz mit zunehmender Wut einmal, zweimal, dreimal wiederholte und auch mit den Fäusten auf ihn losgehen wollte, verlegte er sich darauf, sie zu liebkosen und zu küssen, wobei er sagte: »Genug jetzt, Lina, Schluss, aus, Ende, ich freue mich so sehr. Ich weiß, dass ich dich schlecht behandelt habe, aber jetzt lass uns aufhören, sag nichts Gemeines mehr«, und seine Augen füllten sich mit Freudentränen.

Lila wusste schon lange, dass die Menschen sich belogen, um sich vor der Wahrheit der Fakten zu schützen, war aber erstaunt, dass ihr Mann in der Lage war, sich mit einer derart fröhlichen Überzeugung etwas vorzumachen. Andererseits interessierte sie nun überhaupt nichts mehr, weder was Stefano noch was sie selbst betraf, und nachdem sie noch eine Weile unbewegt wiederholt hatte: »Das Kind ist nicht von dir«, zog sie sich in die Stumpfheit ihrer Schwangerschaft zurück. ›Er schiebt den Schmerz lieber auf‹, dachte sie. ›Na meinetwegen, soll er tun, was ihm Spaß macht. Wenn er nicht jetzt leiden will, wird er später leiden.‹

Also verlegte sie sich darauf, ihm aufzuzählen, was sie wollte und was sie nicht wollte: Sie wollte nicht mehr arbeiten, weder im Geschäft an der Piazza dei Martiri noch in der Salumeria; sie wollte niemanden sehen, Freunde nicht, Verwandte nicht und vor allem die Solaras nicht; stattdessen wollte sie zu Hause die Ehefrau und Mutter spielen. Er willigte ein, davon überzeugt, dass sie innerhalb weniger Tage ihre Meinung ändern würde. Aber Lila zog sich wirklich in die Wohnung zurück, ohne auch nur die geringste Neugier für die undurchsichtigen Geschäfte Stefanos zu zeigen oder für die ihres Bruders und ihres Vaters oder für die Angelegenheiten seiner und ihrer Verwandten.

Einige Male kam Pinuccia mit ihrem Sohn Ferdinando, genannt Dino, vorbei, aber sie öffnete ihr nicht.

Einmal erschien Rino, sehr gereizt, Lila begrüßte ihn und hörte sich von ihm an, wie wütend die Solaras über ihr Verschwinden aus dem Laden gewesen seien, wie schlecht es mit den Cerullo-Schuhen laufe, weil Stefano nur an seine eigenen Geschäfte denke und nicht mehr investiere. Als er endlich schwieg, sagte sie: »Rino, du bist mein großer Bruder, du bist erwachsen, hast Frau und Kind, tu mir einen Gefallen: Lebe dein Leben, ohne andauernd zu mir zu laufen.« Er war sehr betroffen und ging niedergeschlagen weg, nachdem er gejammert hatte, dass alle immer reicher wurden, während er durch die Schuld seiner Schwester, die nicht zur Familie, zum Blut der Cerullos, halte und sich jetzt nur noch wie eine Carracci fühle, Gefahr laufe, das Wenige, was er sich erobert habe, zu verlieren.

Selbst Michele Solara bequemte sich, sie zu besuchen – anfangs sogar zweimal am Tag –, zu Uhrzeiten, von denen er genau wusste, dass Stefano dann nicht da war. Aber sie öffnete ihm nie, saß in der Küche, hielt die Luft an und verhielt sich still, so dass er ihr einmal im Weggehen von der Straße aus zurief: »Was glaubst du denn, wer du bist, du verdammte Nutte, wir hatten eine Abmachung, und die hast du nicht eingehalten!«

Lila ließ nur Nunzia und Stefanos Mutter Maria, die ihre Schwangerschaft aufmerksam begleiteten, gern bei sich ein. Sie musste sich nicht mehr übergeben, behielt aber ihre graue Gesichtsfarbe. Sie hatte das Gefühl, nun eher innerlich als äußerlich dick und aufgedunsen zu sein, als hätte jedes Organ in der Hülle ihres Körpers begonnen, Fett anzusetzen. Ihr Bauch kam ihr vor wie eine Fleischblase, die sich durch den Atem des Babys ausdehnte. Sie hatte Angst vor dieser Ausdehnung, fürchtete, ihr könnte das geschehen, was sie seit jeher am meisten ängstigte: sie könnte platzen, könnte auslaufen. Dann spürte sie auf einmal, dass sie dieses Wesen, das sie in sich hatte, diese absurde Modalität des Lebens, dieses sich ausdehnende Klümpchen, das irgendwann aus ihrer Vagina herauskommen würde wie eine Puppe, dass sie dieses Wesen liebte, und das verhalf ihr zu einem neuen Selbstwertgefühl. Aus Angst vor ihrer Unwissenheit, vor den Fehlern, die sie begehen könnte, begann sie alles darüber zu lesen, was sie finden konnte, was eine Schwangerschaft war, was im Bauch geschah und wie man die Geburt angehen sollte. In jenen Monaten verließ sie das Haus fast nie. Sie kaufte keine Kleider und nichts mehr für die Wohnung und gewöhnte sich stattdessen an, sich von ihrer Mutter wenigstens zwei Zeitungen mitbringen zu lassen und von Alfonso Zeitschriften. Mehr Geld gab sie nicht aus. Als Carmen einmal erschien, um sie um Geld zu bitten, riet sie ihr, sich an Stefano zu wenden, sie habe keines, und Carmen ging verdrossen weg. Lila interessierte sich für nichts und niemanden mehr, nur noch für das Baby.

Das kränkte Carmen, die noch feindseliger wurde. Sie hatte Lila schon nicht verziehen, dass sie ihre gemeinsame Arbeit in der neuen Salumeria aufgekündigt hatte. Und nun verzieh sie ihr nicht, dass sie ihre Geldbörse zugeschnürt hielt. Vor allem aber verzieh sie ihr nicht, dass sie – wie sie herumzuerzählen begann – einfach getan hatte, was ihr passte: Sie war verschwunden, war zurückgekehrt und spielte trotzdem weiterhin die feine Dame, hatte weiterhin eine schöne Wohnung und nun bald auch ein Kind. »Je verhurter eine ist«, sagte sie, »umso mehr kriegt sie.« Ihr dagegen, die von morgens bis abends ohne jede Freude schufte, seien lauter schlimme Dinge widerfahren, eines nach dem anderen. Ihr Vater im Gefängnis gestorben. Ihre Mutter auf eine Art gestorben, über die sie nicht einmal nachdenken wolle. Und nun auch noch das mit Enzo. Er hatte eines Abends vor der Salumeria auf sie gewartet und ihr gesagt, er wolle ihre Beziehung nicht länger fortsetzen. Das war alles, wenige Worte, so wie üblich, und keine Erklärung. Sie war weinend zu ihrem Bruder gelaufen, und Pasquale hatte sich mit Enzo getroffen, um ihn zur Rede zu stellen. Aber darauf hatte Enzo sich nicht eingelassen, weshalb sie nun überhaupt nicht mehr miteinander sprachen.

Als ich zu den Osterferien aus Pisa nach Hause kam und Carmen in unserem kleinen Park traf, schüttete sie mir ihr Herz aus. »Ich blöde Gans«, klagte sie, »habe während seines ganzen Militärdienstes auf ihn gewartet. Ich blöde Gans arbeite von morgens bis abends für einen Hungerlohn.« Sie sagte, sie habe alles so satt. Und ohne einen erkennbaren Zusammenhang begann sie, schimpfend über Lila herzuziehen. Sie ging sogar so weit, ihr ein Verhältnis mit Michele Solara zu unterstellen, den man oft um das Haus hatte herumstreichen sehen, in dem die Carraccis wohnten. »Mit Ehebruch und Geld«, zischte sie, »so kommt die vorwärts.«

Aber nicht ein Wort über Nino. Von dieser Geschichte erfuhr der Rione wie durch ein Wunder nichts. Antonio war es, der mir damals erzählte, dass er ihn verprügelt hatte und dass er Enzo losgeschickt hatte, damit er Lila zurückholte, aber er erzählte es nur mir, und ich bin mir sicher, dass er es sein Leben lang keinem anderen Menschen gesagt hat. Was alles Übrige betraf, so erfuhr ich einiges von Alfonso. Auf meine drängenden Fragen hin sagte er mir, er habe von Marisa gehört, dass Nino zum Studium nach Mailand gegangen sei. Nach diesen Auskünften spürte ich, als ich am Ostersamstag rein zufällig Lila auf dem Stradone begegnete, ein leises Vergnügen bei dem Gedanken, dass ich über die Dinge ihres Lebens besser Bescheid wusste als sie selbst und dass sich aus dem, was ich wusste, leicht ableiten ließ, wie wenig es ihr gebracht hatte, mir Nino wegzunehmen.

Ihr Bauch war schon ziemlich dick und wirkte wie ein Auswuchs an ihrem spindeldürren Körper. Auch ihr Gesicht wies nicht die blühende Schönheit schwangerer Frauen auf, sondern war sogar hässlich und grünlich geworden, die Haut über ihren großen Wangenknochen war straff gespannt. Wir versuchten beide, so zu tun, als ob nichts wäre.

»Wie geht's?«

»Gut.«

»Darf ich mal deinen Bauch anfassen?«

»Ja.«

»Und diese Geschichte?«

»Welche denn?«

»In Ischia.«

»Ist vorbei.«

»Schade.«

»Und was machst du so?«

»Ich studiere, habe ein eigenes Zimmer und alle Bücher, die ich brauche. Ich habe auch so eine Art Verlobten.«

»So eine Art?«

»Ja.«

»Wie heißt er?«

»Franco Mari.«

»Was macht er?«

»Er studiert auch.«

»Diese Brille steht dir wirklich gut.«

»Die hat mir Franco geschenkt.«

»Und das Kleid?«

»Ist auch von ihm.«

»Ist er reich?«

»Ja.«

»Das freut mich. Und was macht das Studium?«

»Ich muss viel pauken. Wenn ich's nicht tue, werfen sie mich raus.«

»Dann pass schön auf.«

»Ich passe auf.«

»Wie schön für dich.«

»Nun ja.«

Sie sagte, im Juli sei es so weit. Ihr Arzt sei derselbe, der sie damals zur Badekur ans Meer geschickt habe. Ein Arzt, nicht die Hebamme aus dem Rione. »Ich habe Angst um das Kind«, sagte sie. »Ich will nicht zu Hause entbinden.« Sie hatte gelesen, dass es besser sei, in eine Klinik zu gehen. Sie lächelte, griff sich an den Bauch. Dann ließ sie eine recht unklare Bemerkung fallen:

»Ich bin nur noch deswegen hier.«

»Ist es schön, das Baby in sich zu spüren?«

»Nein, es ist abscheulich, aber ich behalte es trotzdem gern.«

»Ist Stefano wütend geworden?«

»Er will das glauben, was gut für ihn ist.«

»Und das wäre?«

»Dass ich eine Zeitlang ein bisschen durchgedreht war und zu dir nach Pisa geflüchtet bin.«

Ich stellte mich unwissend und heuchelte Erstaunen:

»Nach Pisa? Du zu mir?«

»Ja.«

»Und wenn er mich fragt, soll ich dann sagen, dass es so war?«

»Mach, was du willst.«

Wir verabschiedeten uns mit dem Versprechen, uns zu schreiben. Aber wir schrieben uns nie, und ich tat nichts, um etwas über ihre Entbindung zu erfahren. Manchmal stieg ein Gefühl in mir auf, das ich unverzüglich wegschob, damit es nicht in mein Bewusstsein drang: Ich wollte, dass ihr etwas zustieß, dass das Kind nicht zur Welt kam.

97

In jener Zeit träumte ich oft von Lila. Einmal saß sie im Bett, mit einem Nachthemd ganz aus grüner Spitze, sie hatte Zöpfe, die sie in Wirklichkeit nie gehabt hatte. In den Armen hielt sie ein rosa gekleidetes Mädchen und sagte in einem fort mit klagender Stimme: »Macht mir ein Foto, aber nur von mir, nicht von der Kleinen.« Ein andermal empfing sie mich erfreut und rief dann ihre Tochter, die meinen Namen hatte. »Lenù«, sagte sie. »Komm, und sag der Tante guten Tag.« Aber was erschien, war eine fette Riesin, die viel älter war als wir, und Lila befahl mir, sie auszuziehen, zu waschen und ihre Windeln und Mullwickel zu wechseln. Beim Erwachen war ich nahe daran, ein Telefon zu suchen, um von Alfonso zu erfahren, ob das Kind gesund zur Welt gekommen und sie froh sei. Aber entweder musste ich studieren, oder ich hatte Prüfungen, und so vergaß ich es wieder. Als ich mich im August beider Pflichten entledigt hatte, kam es dazu, dass ich nicht nach Hause fuhr. Ich schrieb meinen Eltern ein paar Lügen und fuhr mit Franco an die Versilia-Küste, wo seine Familie eine kleine Ferienwohnung hatte. Ich zog zum ersten Mal einen Bikini an: Er passte in eine Hand, und ich fühlte mich verwegen.

Zu Weihnachten erfuhr ich von Carmen, wie schlimm Lilas Entbindung gewesen war.

»Sie wäre fast gestorben«, sagte sie. »Darum musste ihr der Doktor schließlich den Bauch aufschneiden, sonst wäre der Kleine nicht rausgekommen.«

»Sie hat einen Jungen bekommen?«

»Ja.«

»Geht es ihm gut?«

»Er ist bildhübsch.«

»Und sie?«

»Sie ist in die Breite gegangen.«

Ich erfuhr, dass Stefano seinem Sohn gern den Namen seines Vaters, Achille, gegeben hätte, aber Lila dagegen gewesen sei, und das Geschrei des Ehepaars, das man seit Langem nicht mehr gehört hatte, habe durch die ganze Klinik geschallt, so dass die Krankenschwestern sie zurechtgewiesen hätten. Am Ende habe man das Kind Gennaro, also Rino genannt, genauso wie Lilas Bruder.

Ich hörte zu, äußerte mich nicht. Ich war verstimmt, und um dieser Verstimmung Herr zu werden, zwang ich mich zu Zurückhaltung. Carmen sprach mich darauf an:

»Ich rede und rede, und du sagst kein Wort, ich komme mir vor wie die Fernsehnachrichten. Scherst du dich inzwischen einen Dreck um uns?«

»Aber nein.«

»Du bist schön geworden, sogar deine Stimme hat sich verändert.«

»Hatte ich denn eine hässliche Stimme?«

»Du hattest so eine Stimme wie wir.«

»Und jetzt?«

»Jetzt hast du die nicht mehr so.«

Ich blieb zehn Tage im Rione, vom 24. Dezember 1964 bis zum 3. Januar 1965, ging aber kein einziges Mal zu Lila. Ich wollte ihren Sohn nicht sehen, hatte Angst, an seinem Mund, an seiner Nase, an der Form seiner Augen oder seiner Ohren etwas von Nino zu entdecken.

Bei mir zu Hause wurde ich nun behandelt wie eine Respektsperson, die sich herabgelassen hatte, kurz vorbeizukommen, um schnell mal guten Tag zu sagen. Mein

Vater betrachtete mich zufrieden. Ich spürte seinen wohlgefälligen Blick auf mir, aber wenn ich ihn ansprach, geriet er in Verlegenheit. Er fragte mich nicht, was ich studierte, wozu das gut war und als was ich danach arbeiten würde; und das nicht, weil er es nicht wissen wollte, sondern aus Angst, meine Antworten nicht zu verstehen. Meine Mutter dagegen fegte wütend durch die Wohnung, und als ich ihren unverwechselbaren Schritt hörte, dachte ich daran, wie sehr ich mich davor gefürchtet hatte, so zu werden wie sie. Doch zum Glück hatte ich sie weit hinter mir gelassen, und sie spürte es, nahm es mir übel. Auch jetzt, da sie mit mir sprach, schien es, als hätte ich mich schlimmer Dinge schuldig gemacht. Bei jeder Gelegenheit bemerkte ich Missbilligung in ihrer Stimme, aber im Gegensatz zu früher wollte sie nie, dass ich das Geschirr spülte, den Tisch abräumte, die Fußböden wischte. Auch meine Geschwister waren etwas befangen. Sie gaben sich Mühe, Italienisch mit mir zu reden, und häufig korrigierten sie sich verschämt selbst. Aber ihnen versuchte ich zu zeigen, dass ich noch ganz die Alte war, und nach und nach glaubten sie es auch.

Ich wusste nicht, wie ich mir abends die Zeit vertreiben sollte, meine Freunde von früher kamen nicht mehr zusammen. Pasquale war denkbar schlecht auf Antonio zu sprechen und ging ihm überall aus dem Weg. Antonio wollte niemanden sehen, teils weil er keine Zeit hatte (ständig wurde er von den Solaras hierhin und dorthin geschickt), teils weil er nicht wusste, worüber er reden sollte: Über seine Arbeit konnte er nichts sagen, und ein Privatleben hatte er nicht. Ada hastete nach der Salumeria entweder zu ihrer Mutter und ihren Geschwistern, um die sie sich kümmerte, oder sie war müde und niedergeschlagen und ging schlafen, jedenfalls traf sie sich selbst mit Pasquale fast nie mehr, was diesen sehr nervös machte. Carmen hasste inzwischen alles und jeden, vielleicht sogar mich. Sie hasste ihre Arbeit in der neuen Salumeria, die Carraccis, Enzo, der sie verlassen hatte, und ihren Bruder, der sich darauf beschränkt hatte, sich deswegen mit ihm zu streiten, anstatt ihm die Fresse einzuschlagen. Tja, und schließlich Enzo. Enzo, der, wenn er nicht schuftete, um seinen Lebensunterhalt zu verdienen, sich um seine schwer erkrankte Mutter Assunta kümmerte, auch nachts, es jedoch überraschenderweise trotzdem geschafft hatte, seinen Fachschulabschluss als Techniker zu machen – Enzo ließ sich nie blicken. Die Nachricht, dass ihm etwas so extrem Schwieriges gelungen war wie eine externe Prüfung, machte mich neugierig. ›Wer hätte das gedacht‹, sagte ich mir. Bevor ich wieder nach Pisa fuhr, ergriff ich die Initiative und überredete ihn zu einem kleinen Spaziergang. Ich beglückwünschte ihn vielmals zu seinem Abschluss, aber er verzog nur abwiegelnd das Gesicht. Er hatte seine Sprache auf ein solches Minimum reduziert, dass nur ich redete, er sagte so gut wie nichts. Den einzigen Satz, an den ich mich noch erinnere, steuerte er bei, als wir uns verabschiedeten. Ich hatte Lila bis dahin mit keinem Wort erwähnt. Dennoch sagte er plötzlich, als hätte ich über nichts anderes geredet:

»Trotzdem ist Lina die beste Mutter im ganzen Rione.«

Dieses *trotzdem* verdarb mir die Laune. Ich hatte Enzo nie für besonders feinfühlig gehalten, doch nun erkannte ich, dass er die lange Aufzählung stummer Vorwürfe, die ich gegen meine Freundin erhoben hatte, während er neben mir herging, *gehört* hatte – gehört, wie mit lauter Stimme vorgetragen –, so als hätte mein Körper sie wütend skandiert, ohne dass ich mir dessen bewusst gewesen war.

98

Dem kleinen Gennaro zuliebe begann Lila wieder aus dem Haus zu gehen. Sie legte das ganz in Blau oder in Weiß gekleidete Kind in den unhandlichen, riesigen Kinderwagen, ein Geschenk ihres Bruders, der dafür ein Heidengeld ausgegeben hatte, und spazierte allein durch das neue Viertel. Sowie der kleine Rinuccio schrie, ging sie in die Salumeria und stillte ihn unter der ergriffenen Anteilnahme ihrer Schwiegermutter, den gerührten Gratulationen der Kunden und dem Ärger Carmens, die mit gesenktem Kopf arbeitete, ohne ein Wort zu sagen. Lila fütterte das Kind, sobald es weinte. Sie mochte das Gefühl, wenn es sich an ihr festsaugte, wenn ihre Milch zu ihm floss und ihr wohltuend die Brust leerte. Es war die einzige Verbindung, die ihr Wohlbefinden schenkte, und in ihren Schreibheften offenbarte sie ihre Angst vor dem Moment, da es sich loslösen würde.

Als die schönen Tage begannen, ging sie weiter bis zum Park an der Kirche, weil es im neuen Viertel nur gekalkte Wege und ein paar traurige Sträucher und Bäumchen gab. Jeder, der vorbeikam, blieb stehen, um das Baby anzuschauen, und lobte es, was sie sehr freute. Zum Windelnwechseln ging sie in die alte Salumeria, wo die Kunden, kaum dass sie aufgetaucht war, ein großes Hallo um Gennaro veranstalteten. Doch Ada mit ihrer zu sauberen Schürze, ihren geschminkten, dünnen Lippen, ihrem blassen Gesicht, ihren wohlfrisierten Haaren und ihrem herrischen Benehmen selbst Stefano gegenüber verhielt sich immer unverschämter wie die Magd als Herrin, und vielbeschäftigt, wie sie war, tat sie alles, um ihr zu zeigen, dass sie, der Kinderwagen und ihr Sohn im Weg waren. Aber Lila beachtete sie kaum. Viel eher verwirrte sie die mürrische Gleichgültigkeit ihres Mannes, der sich im Privaten dem Kind gegenüber unaufmerksam, wenn auch nicht feindselig verhielt und es in der Öffentlichkeit vor den Kunden, die mit kindischen Stimmchen voller Zärtlichkeit piepsten, es hochnehmen wollten und es abküssten, keines Blickes würdigte, ja, sein Desinteresse sogar deutlich herausstellte. Lila ging ins Hinterzimmer, wusch Gennaro, zog ihn rasch wieder an und kehrte in den Park zurück. Dort betrachtete sie ihren Sohn gerührt und suchte in seinem Gesicht nach Ähnlichkeiten mit Nino, wobei sie sich fragte, ob womöglich Stefano das sah, was sie nicht entdecken konnte.

Sie ließ es aber schnell wieder sein. Im Allgemeinen gingen die Tage über sie hinweg, ohne die geringste Aufregung zu verursachen. Sie kümmerte sich vor allem um ihr Kind, die Lektüre eines Buches kostete sie Wochen, zwei, drei Seiten am Tag. In unserem Park schweifte ihr Blick, wenn der Kleine schlief, manchmal zu den Ästen der Bäume, die neue Knospen ansetzten, und sie notierte etwas in ihr abgewetztes Schreibheft.

Einmal bemerkte sie, dass in der wenige Schritte entfernten Kirche ein Trauergottesdienst stattfand, sie ging mit dem Baby hin und erfuhr, dass es das Begräbnis von Enzos Mutter war. Sie sah ihn, kerzengerade, kreidebleich, ging aber nicht zu ihm, um ihm zu kondolieren. Ein anderes Mal, als sie über einen dicken Band mit grünem Buchrücken gebeugt auf der Bank saß, den Kinderwagen neben sich, tauchte auf einen Stock gestützt eine klapperdürre Alte vor ihr auf, deren Wangen wie von ihrem Atem in den Rachen gesogen wirkten.

»Rate, wer ich bin.«

Lila hatte Mühe, sie zu erkennen, doch schließlich weckten die Augen der Frau in ihr die blitzschnelle Erinnerung an die eindrucksvolle Maestra Oliviero. Aufgeregt sprang sie auf und wollte sie umarmen, doch die Lehrerin entzog sich ihr ärgerlich. Da zeigte Lila ihr das Kind und sagte stolz: »Er heißt Gennaro«, und weil ihr jeder Komplimente zu ihrem Sohn machte, wartete sie darauf, dass auch die Maestra es tat. Aber die Oliviero ignorierte den Kleinen völlig und schien sich nur für das schwere Buch zu interessieren, das ihre ehemalige Schülerin in der Hand hielt, einen Finger als Lesezeichen zwischen den Seiten.

»Was ist das?«

Lila wurde nervös. Das Äußere der Maestra, ihre Stimme, alles hatte sich verändert, aber nicht ihre Augen und ihr barscher Ton, ebender aus der Zeit, als sie ihr von ihrem Pult herunter Fragen gestellt hatte. Also zeigte auch Lila sich unverändert, antwortete zugleich lässig und angriffslustig:

»Es heißt *Ulysses*.«

»Geht es um die Odyssee?«

»Nein, es geht darum, wie seicht das heutige Leben ist.«

»Und weiter?«

»Nichts weiter. Es geht darum, dass wir den Kopf voller Blödsinn haben. Dass wir aus Fleisch, Blut und Knochen sind. Dass ein Mensch so viel wert ist wie der andere. Dass wir nur essen, trinken und ficken wollen.«

Nach diesem letzten Ausdruck wies die Maestra sie zurecht wie in der Schule, und Lila gebärdete sich unverschämt und lachte, so dass die alte Frau noch verdrießlicher wurde. Sie fragte, wie das Buch sei. Lila antwortete, es sei schwierig und sie verstehe nicht alles.

»Warum liest du es dann?«

»Weil das einer gelesen hat, den ich mal kannte. Aber dem hat es nicht gefallen.«

»Und dir?«

»Mir gefällt es.«

»Obwohl es so schwierig ist?«

»Ja.«

»Lies keine Bücher, die du nicht verstehst. Das bekommt dir nicht.«

»Es gibt vieles, was einem nicht bekommt.«

»Bist du nicht zufrieden mit deinem Leben?«

»Geht so.«

»Du warst zu Großem bestimmt.«

»Das habe ich vollbracht: Ich habe geheiratet und ein Kind gekriegt.«

»Das kann jeder.«

»Ich bin wie jeder.«

»Da irrst du dich.«

»Nein, Sie irren sich, Sie haben sich immer geirrt.«

»Du warst schon als Kind ungezogen, und jetzt bist du es immer noch.«

»Offensichtlich haben Sie bei mir versagt.«

Die Oliviero sah sie aufmerksam an, und Lila las in ihrem Gesicht die Angst, einen Fehler gemacht zu haben. Die Lehrerin suchte in ihren Augen nach der Intelligenz, die sie in ihr entdeckt hatte, als Lila ein kleines Mädchen gewesen war, suchte nach der Bestätigung dafür, dass sie sich nicht geirrt hatte. Lila dachte: ›Ich muss sofort alles aus meinem Gesicht nehmen, was ihr Recht geben könnte, ich will nicht, dass sie mir eine Standpauke darüber hält, dass ich nichts aus mir gemacht habe.‹ Aber gleichzeitig fühlte sie sich zum x-ten Mal einer Prüfung unterzogen und fürchtete sich paradoxerweise vor dem Ergebnis. ›Jetzt erkennt sie, dass ich dumm bin‹, dachte sie mit zunehmendem Herzklopfen. ›Jetzt erkennt sie, dass meine ganze Familie dumm ist, dass meine Vorfahren dumm waren und meine Nachkommen dumm sein werden, dass Gennaro dumm sein wird.‹ Sie wurde ärgerlich, steckte ihr Buch in die Tasche, packte den Griff des Kinderwagens und knurrte gereizt, sie müsse los. Diese verrückte Alte, die glaubte noch immer, sie könnte sie gängeln. Sie ließ die Maestra im Park stehen, klein, an den Knauf ihres Stocks geklammert und von einer Krankheit zerfressen, von der sie sich nicht unterkriegen lassen wollte.

99

Lila wurde von dem Drang gepackt, die Intelligenz ihres Sohnes zu fördern. Sie wusste nicht, welche Bücher sie sich dafür kaufen sollte, und bat Alfonso, sich bei den Buchhändlern zu erkundigen. Er brachte ihr einige Werke vorbei, denen sie sich mit großem Eifer widmete. In ihren Schreibheften habe ich Notizen darüber gefunden, wie sie komplizierte Texte las: Mühsam arbeitete sie sich Seite für Seite voran, aber nach kurzer Zeit konnte sie sich nicht mehr auf den Inhalt konzentrieren, sie dachte an anderes. Trotzdem zwang sie ihre Augen, weiter über die Zeilen zu gleiten, ihre Finger blätterten mechanisch die Seiten um, und am Ende hatte sie den Eindruck, dass die Wörter, obwohl sie sie nicht verstanden hatte, gleichwohl in ihren Kopf gedrungen waren und Gedanken transportiert hatten. Von diesem Moment an las sie das Buch von neuem und korrigierte oder erweiterte die Gedanken bei der Lektüre, bis der Text ausgedient hatte und sie sich einen anderen suchte.

Abends kam ihr Mann nach Hause und sah, dass sie nichts gekocht hatte, dass sie das Kind mit selbst ausgedachten Spielen beschäftigte. Er regte sich auf, aber sie zeigte, wie schon seit einer Weile, keine Reaktion. Sie schien ihn nicht zu hören, ganz als lebten nur sie und ihr Kind in der Wohnung, und wenn sie aufstand und zu kochen begann, tat sie es nicht, weil Stefano Hunger hatte, sondern weil auch sie hungrig geworden war.

In diesen Monaten verschlechterte sich ihr Verhältnis nach einer langen Zeit gegenseitiger Duldung erneut. Eines Abends schrie Stefano sie an, er habe genug von ihr, von dem Kind, von allem. Ein andermal sagte er, er habe zu früh geheiratet und ohne zu wissen, was er tat. Doch einmal, als sie antwortete: »Ich weiß auch nicht, was ich hier tue, ich nehme das Kind und verschwinde«, verlor er, anstatt zu schreien: »Dann hau doch ab!«, die Nerven wie schon lange nicht mehr und schlug sie vor den Augen des Kindes, das sie, von dem Geschrei wie betäubt, von seiner Decke auf dem Fußboden aus anstarrte. Während Stefano sie lauthals beschimpfte, drehte sich Lila mit blutender Nase lachend zu dem Kind und sagte auf Italienisch (seit einer Weile sprach sie nur noch Italienisch mit ihm): »Papa spielt ein Spiel, wir machen nur Spaß.«

Ich weiß nicht warum, aber irgendwann begann sie sich auch um ihren Neffen Fernando zu kümmern, der nunmehr Dino gerufen wurde. Möglicherweise weil sie das Bedürfnis hatte, Gennaro mit einem anderen Kind zusammenzubringen. Oder vielleicht auch nicht, vielleicht hatte sie auch Skrupel, sich nur um das eigene Kind zu kümmern, und hielt es für richtig, sich auch mit ihrem Neffen zu beschäftigen. Obwohl Pinuccia Dino weiterhin als den lebenden Beweis für das Desaster ihres Lebens ansah und ihn in einem fort anschrie: »Willst du wohl aufhören, willst du wohl aufhören? Was willst du von mir, willst du mich in den Wahnsinn treiben?«, wobei sie ihn manchmal auch misshandelte, wehrte sie sich energisch dagegen, dass Lila ihn mit zu sich nach Hause nahm und ihn zusammen mit dem kleinen Gennaro in mysteriösen Spielen unterwies. Wütend sagte sie zu ihr: »Kümmere du dich darum, dein Kind großzuziehen, ich kümmere mich um meins, und anstatt hier Zeit zu vergeuden, sorg dich lieber um deinen Mann, sonst bist du ihn los.« Aber da platzte Rino herein.

Für Lilas Bruder war es eine schlimme Zeit. Er stritt sich ständig mit seinem Vater, der die Schuhmacherei schließen wollte, weil er es satthatte, nur zur Bereicherung der Solaras zu schuften, und seiner kleinen Schusterwerkstatt nachtrauerte, ohne zu begreifen, dass man um jeden Preis vorankommen musste. Er stritt sich ständig mit Marcello und Michele, die ihn wie einen lästigen kleinen Jungen behandelten und direkt mit Stefano sprachen, wenn es ums Geld ging. Er stritt sich vor allem mit Letzterem, Geschrei und Geschimpfe, weil sein Schwager ihm keinen Centesimo mehr gab und er Rinos Meinung nach bereits in heimlichen Verhandlungen stand, um das ganze Geschäft mit den Schuhen den Solaras zu überlassen. Er stritt sich mit Pinuccia, die ihn bezichtigte, ihr vorgemacht zu haben, wer weiß wer zu sein, dabei sei er bloß ein Hampelmann, der sich von jedem herumschubsen lasse, von seinem Vater, von Stefano, von Marcello und Michele. Als er also erfuhr, dass Stefano sich über Lila aufregte, weil sie zu sehr Mutter und zu wenig Ehefrau war, und Pinuccia ihr Kind der Schwägerin nicht einmal eine Stunde anvertrauen wollte, begann er das Kind nun erst recht zu seiner Schwester zu bringen. Und da es in der Schuhmacherei immer weniger Arbeit gab, gewöhnte er sich an, manchmal stundenlang in der Wohnung im neuen Viertel zu bleiben und zuzusehen, was Lila mit Gennaro und mit Dino unternahm. Er war fasziniert von ihrer mütterlichen Geduld, davon, wie viel Spaß die Kinder hatten, davon, wie sein Sohn, der zu Hause ständig weinte oder stumpf in seinem Laufstall saß wie ein trübsinniges Hündchen, bei Lila auflebte, rege wurde und glücklich zu sein schien.

»Was machst du bloß mit ihnen?«, fragte er bewundernd.

»Ich lasse sie spielen.«

»Mein Sohn hat auch vorher gespielt.«

»Hier spielt und lernt er.«

»Warum verschwendest du so viel Zeit darauf?«

»Weil ich gelesen habe, dass sich alles, was wir sind, gleich in den ersten Lebensjahren entscheidet.«

»Und meiner macht sich gut?«

»Das siehst du doch.«

»Ja, das sehe ich, er ist klüger als deiner.«

»Meiner ist der kleinere.«

»Glaubst du, dass Dino intelligent ist?«

»Das sind alle Kinder, man muss sie nur fördern.«

»Dann fördere ihn, Lina, und verlier nicht wie sonst

gleich wieder die Lust. Mach ihn zum Klügsten von allen.«

Doch eines Abends kam Stefano früher als sonst und ausgesprochen gereizt nach Hause. Er sah seinen Schwager auf dem Küchenboden sitzen, und anstatt sich darauf zu beschränken, wegen der Unordnung, wegen des Desinteresses seiner Frau und wegen der Aufmerksamkeit, die den Kindern statt ihm vorbehalten war, ein finsteres Gesicht zu ziehen, sagte er zu Rino, das hier sei seine Wohnung, es gefalle ihm nicht, ihn jeden Tag bei sich herumlungern zu sehen, die Schuhmacherei gehe gerade deswegen zum Teufel, weil er so arbeitsscheu sei, auf die Cerullos sei kein Verlass, kurz, entweder du verschwindest auf der Stelle, oder ich jage dich mit Fußtritten raus.

Es kam zu einem Handgemenge. Lila schrie, so dürfe er nicht mit ihrem Bruder sprechen, Rino warf seinem Schwager alles vor, was er ihm gegenüber bisher entweder nur angedeutet oder aber wohlweislich für sich behalten hatte. Es hagelte grobe Beschimpfungen. Die in dem Durcheinander sich selbst überlassenen Kinder rissen sich gegenseitig das Spielzeug weg und brüllten, vor allem der Kleine, der von dem Größeren überwältigt worden war. Rino schrie Stefano mit geschwollenem Hals und Adern wie Stromkabel an, dass es leicht sei, mit einem Vermögen den Chef zu spielen, das Don Achille dem halben Rione gestohlen habe, und fügte hinzu: »Du bist ein Niemand, du bist nur ein Stück Scheiße, dein Vater war wenigstens ein richtiger Gauner, aber du bist ja nicht mal dazu in der Lage!«

Es folgte eine schreckliche Szene, die Lila entsetzt mit ansah. Urplötzlich packte Stefano Rino mit beiden Händen an den Hüften wie ein Balletttänzer seine Partnerin, und obwohl sie die gleiche Statur hatten, den gleichen Körperbau, und obwohl Rino zappelte, schrie und spuckte, hob er ihn mit erstaunlicher Kraft hoch und schleuderte ihn an die Wand. Unmittelbar darauf ergriff er ihn am Arm und schleifte ihn über den Boden bis zur Tür, öffnete sie, stellte ihn wieder auf die Füße und warf ihn die Treppe hinunter, obgleich Rino versuchte, sich zu wehren, obgleich Lila sich wieder aufgerafft hatte, sich an ihn klammerte und ihn beschwor, sich doch zu beruhigen.

Aber damit nicht genug. Stefano fuhr wütend herum, und sie begriff, dass er Dino das Gleiche wie seinem Vater antun wollte, ihn die Treppe hinunterwerfen wollte wie ein Stück Holz. Da sprang sie ihn von hinten an, kniff ihm ins Gesicht, zerkratzte es und schrie: »Es ist ein Kind, Ste', es ist ein Kind!« Er hielt abrupt inne und sagte leise: »Ich hab' die Schnauze gestrichen voll, von allem, ich kann nicht mehr.«

100

Eine schwierige Zeit begann. Rino ging nicht mehr zu seiner Schwester nach Hause, aber Lila wollte nicht darauf verzichten, Rinuccio und Dino zusammen zu betreuen, darum besuchte nun sie ihren Bruder regelmäßig, hinter Stefanos Rücken. Pinuccia nahm es düster hin, und anfangs versuchte Lila ihr zu erklären, was sie machen wollte: Übungen für das Reaktionsvermögen, Lernspiele, sie vertraute ihr sogar an, dass sie am liebsten alle kleinen Kinder des Rione miteinbeziehen würde. Doch Pinuccia antwortete ihr nur: »Du bist ja verrückt, ich scheiß' auf den Mist, den du da veranstaltest. Willst du mir mein

Kind wegnehmen? Willst du es töten und auffressen wie eine Hexe? Nur zu, ich will es nicht haben und wollte es auch nie, dein Bruder hat mein Leben ruiniert, und du ruinierst das Leben meines Bruders.« Dann schrie sie: »Der arme Kerl tut ganz recht daran, dich zu betrügen.«

Lila reagierte nicht.

Sie fragte nicht, was dieser Satz zu bedeuten hatte, sondern machte im Gegenteil eine unwillkürliche Bewegung, wie um eine Fliege zu verscheuchen. Sie nahm Rinuccio, und obwohl es ihr leidtat, auf ihren Neffen verzichten zu müssen, kam sie nicht noch einmal wieder.

Aber in der Einsamkeit ihrer Wohnung merkte sie, dass sie Angst hatte. Es war ihr völlig egal, ob Stefano irgendeine Hure bezahlte, sie hätte sich sogar darüber gefreut, so musste sie es nicht ertragen, dass er sich ihr abends näherte. Doch nach diesem Satz von Pinuccia begann sie sich Sorgen um ihr Kind zu machen. Wenn ihr Mann sich eine andere genommen hatte, die er täglich und stündlich bei sich haben wollte, könnte er den Kopf verlieren, könnte er sie, Lila, wegjagen. Bis dahin war ihr die Möglichkeit einer endgültigen Auflösung ihrer Ehe wie eine Befreiung erschienen, nun aber hatte sie Angst, die Wohnung zu verlieren, das Geld, die Zeit, alles, was ihr gestattete, ihr Kind auf die bestmögliche Weise großzuziehen.

Sie schlief nun kaum noch. Vielleicht waren Stefanos Wutausbrüche nicht nur ein Zeichen für seine angeborene Unausgeglichenheit, für sein aufbrausendes Wesen, das ihm die Maske der Gutmütigkeit vom Gesicht riss. Vielleicht hatte er sich ja tatsächlich in eine andere verliebt, so wie es ihr mit Nino ergangen war, und er konnte den Käfig der Ehe, der Vaterschaft und auch der zwei Salumerias und seiner anderen krummen Geschäfte nicht mehr ertragen. Lila dachte nach, wusste aber nicht, was zu tun war. Sie spürte, dass sie sich der Situation stellen musste, und sei es auch nur, um sie handhaben zu können, und trotzdem schob sie es hinaus, verwarf sie es wieder, zählte sie darauf, dass Stefano sich mit seiner Geliebten vergnügte und sie dafür in Frieden ließ. ›Letzten Endes‹, so dachte sie, ›brauche ich nur ein paar Jahre durchzuhalten, so lange, wie das Kind heranwächst und sich entwickelt.‹

Sie gestaltete ihre Tage so, dass er die Wohnung stets aufgeräumt vorfand, das Abendessen fertig war und der Tisch gedeckt. Aber nach dem Krach mit Rino kehrte Stefano nicht mehr zu seiner alten Sanftmut zurück, war unentwegt missmutig, unentwegt unruhig.

»Was ist denn das Problem?«

»Das Geld.«

»Geld und sonst nichts?«

Stefano brauste auf:

»Was soll das heißen, *und sonst nichts*?«

Für ihn gab es keine anderen Probleme im Leben außer Geld. Nach dem Abendessen machte er die Abrechnung und fluchte in einem fort: Die neue Salumeria warf nicht mehr so viel ab wie früher; die Solara-Brüder, besonders Michele, führten sich auf, als gehörte alles ihnen und als müssten die Gewinne aus dem Schuhverkauf nicht mehr geteilt werden; ohne ihm, Rino und Fernando ein Wort zu sagen, beauftragten sie gegen einen Hungerlohn Schuhmacher aus dem Umland mit der Herstellung der alten Cerullo-Modelle und ließen gleichzeitig die neuen Solara-Modelle von Handwerkern entwickeln, die sich aber eigentlich darauf beschränkten, winzige Änderungen an

Lilas Entwürfen vorzunehmen; auf diese Weise erlitt das kleine Unternehmen seines Schwiegervaters und seines Schwagers tatsächlich Schiffbruch und zog ihn, der in es investiert hatte, mit nach unten.

»Alles klar?«

»Ja.«

»Also pass auf, dass du mir nicht auf die Nüsse gehst!«

Aber Lila überzeugte das nicht. Sie hatte den Eindruck, dass ihr Mann Probleme aufbauschte, die zwar real, doch älteren Datums waren, weil er ihr die wahren Gründe für seine Unausgeglichenheit und für seine immer offenkundigere Feindseligkeit verheimlichen wollte. Er warf ihr alles mögliche vor, insbesondere, dass sie das Verhältnis zu den Solaras noch komplizierter gemacht habe. Einmal schrie er sie an:

»Was hast du mit diesem Mistkerl Michele gemacht, darf man das mal erfahren?«

Sie antwortete:

»Nichts.«

Und er:

»Das kann nicht sein, bei jedem Streit bringt er dich ins Spiel und macht sich über mich lustig. Rede gefälligst mit ihm und finde raus, was er will, sonst muss ich euch beiden die Fresse einschlagen!«

Und Lila aufbrausend:

»Und wenn er mich vögeln will, was soll ich dann tun, mich vögeln lassen?«

Sie bereute sofort, ihn so angeschrien zu haben – manchmal siegte die Verachtung eben über die Vorsicht –, doch nun hatte sie es getan, und Stefano schlug sie ins Gesicht. Diese Ohrfeige zählte nicht viel, er hatte Lila nicht einmal mit der ganzen Hand geschlagen wie sonst immer, sondern nur mit den Fingerspitzen getroffen. Tatsächlich wog das, was er kurz darauf angewidert zu ihr sagte, viel schwerer:

»Du liest und lernst, aber du bist vulgär. Frauen wie dich kann ich nicht ausstehen, du kotzt mich an.«

Von nun an kam er immer später nach Hause. Anstatt sonntags wie üblich bis mittags zu schlafen, ging er früh aus dem Haus und blieb den ganzen Tag weg. Sobald sie auch nur die kleinste Andeutung zu konkreten Problemen des Familienalltags machte, regte er sich auf. So überlegte sie an den ersten warmen Tagen, ob sie mit Rinuccio nicht Ferien am Meer machen sollten, und fragte ihren Mann, wie sie das planen könnten. Er antwortete:

»Du kannst täglich mit dem Bus zum Strand von Torregaveta fahren.«

Sie wagte die Frage:

»Ist es nicht besser, eine Unterkunft zu mieten?«

Er:

»Wozu denn? Damit du von morgens bis abends die Nutte spielen kannst?«

Er verließ das Haus und blieb über Nacht weg.

Wenig später klärte sich alles auf. Lila ging mit dem Kind ins Stadtzentrum, sie suchte ein Buch, das in einem anderen Buch erwähnt wurde, fand es aber nicht. Nach vielem Herumlaufen steuerte sie auf die Piazza dei Martiri zu, um Alfonso, der das Geschäft noch immer begeistert führte, zu bitten, ob er das Buch für sie suchen könnte. Sie traf dort auf einen sehr gut aussehenden, sehr gut gekleideten jungen Mann, einen der schönsten, die sie je gesehen hatte, er hieß Fabrizio. Er war kein Kunde, sondern ein Freund Alfonsos. Lila blieb, um mit ihm zu plaudern, sie entdeckte, dass er sehr viel wusste. Angeregt diskutierten sie über Literatur, über die Geschichte Neapels, darüber, wie man Kinder unterrichten sollte, worüber Fabrizio sehr gut Bescheid wusste, er beschäftigte sich an der Universität mit diesem Thema. Alfonso hörte ihnen die ganze Zeit schweigend zu, und als Rinuccio sich meldete, übernahm er es, ihn zu beruhigen. Dann kamen Kunden, Alfonso kümmerte sich um sie. Lila unterhielt sich noch ein wenig mit Fabrizio, es war lange her, seit sie das Vergnügen eines Gesprächs gehabt hatte, das ihre Gedanken beflügelte. Als der junge Mann gehen musste, küsste er sie mit kindlichem Überschwang auf die Wangen und tat das Gleiche mit Alfonso, zwei laute Schmatzer. Von der Schwelle aus rief er ihr zu:

»Es war sehr schön, mit dir zu reden!«

»Das finde ich auch.«

Lila wurde melancholisch. Während Alfonso weiter die Kunden bediente, fielen ihr die Menschen wieder ein, die sie an diesem Ort kennengelernt hatte, dazu Nino, der herabgelassene Rollladen, das Halbdunkel, die angenehmen Gespräche, er, der Punkt ein Uhr heimlich in den Laden gekommen und nach dem Liebesspiel um vier wieder verschwunden war. Ihr kam dies vor wie ein Traum, wie eine überspannte Phantasie, und sie schaute sich mit Unbehagen um. Sie sehnte sich nicht nach dieser Zeit zurück, sehnte sich nicht nach Nino. Sie spürte nur, dass die Zeit vergangen war, dass das, was wichtig gewesen war, es nun nicht mehr war, dass das Knäuel in ihrem Kopf noch immer da war und sich nicht entwirren wollte. Sie nahm ihr Kind und machte Anstalten zu gehen, als Michele Solara hereinkam.

Er begrüßte sie überschwenglich, spielte mit Gennaro,

sagte, er sei ihr wie aus dem Gesicht geschnitten. Er lud sie auf einen Kaffee ein, entschied, sie in den Rione zurückzufahren. Als sie im Auto saßen, sagte er:

»Verlass deinen Mann, auf der Stelle, noch heute. Ich nehme dich und deinen Sohn auf. Ich habe eine Wohnung auf dem Vomero gekauft, an der Piazza degli Artisti. Wenn du willst, bringe ich dich sofort hin und zeige sie dir, ich habe an dich gedacht, als ich sie ausgesucht habe. Du kannst dort machen, was du willst: Du kannst lesen, schreiben, dir Sachen ausdenken, schlafen, lachen, reden und mit Rinuccio zusammen sein. Ich will nichts weiter als dich ansehen und dir zuhören können.«

Zum ersten Mal in seinem Leben sprach Michele ohne seinen höhnischen Ton. Während er fuhr und redete, warf er ihr von der Seite leicht besorgte Blicke zu, um zu sehen, wie sie reagierte. Lila starrte die ganze Zeit nach vorn auf die Straße und versuchte währenddessen, Gennaro den Schnuller aus dem Mund zu nehmen, ihrer Ansicht nach wollte er ihn zu oft. Doch das Kind schob energisch ihre Hand weg. Als Michele schwieg – sie hatte ihn kein einziges Mal unterbrochen –, fragte sie ihn:

»Bist du fertig?«

»Ja.«

»Und was ist mit Gigliola?«

»Was hat denn Gigliola damit zu tun? Du sagst ja oder nein, und dann sehen wir weiter.«

»Nein, Michè, meine Antwort ist nein. Ich wollte deinen Bruder nicht, und dich will ich auch nicht. Erstens, weil ihr mir alle beide nicht gefallt; und zweitens, weil ihr euch einbildet, ihr könntet alles tun und euch alles nehmen, ohne jeden Respekt.«

Michele reagierte nicht gleich, er brummte etwas über

den Schnuller in der Art: Nun gib ihm den doch, bring ihn nicht zum Weinen. Dann sagte er finster:

»Überleg dir das gut, Lina. Vielleicht bereust du es schon morgen, und dann bist du diejenige, die zu mir kommt und mich anfleht.«

»Wohl kaum.«

»Ach wirklich? Dann hör mir mal zu.«

Er verriet ihr, was längst alle wussten (»Sogar deine Mutter, dein Vater und dieser Mistkerl von deinem Bruder, aber um des lieben Friedens willen sagen die dir nichts«): Stefano habe sich Ada als Geliebte genommen, und das nicht erst vor kurzem. Die Geschichte habe schon vor den Ferien auf Ischia begonnen. »Als du im Urlaub warst«, erzählte er, »war sie jeden Tag bei euch zu Hause.« Nach Lilas Rückkehr hätten die beiden für eine Weile Schluss gemacht. Aber sie hätten es nicht ausgehalten, sie hätten wieder angefangen, hätten sich erneut getrennt, seien wieder zusammengekommen, als sie, Lila, aus dem Rione verschwunden sei. Kürzlich habe Stefano eine Wohnung am Rettifilo gemietet, dort träfen sie sich.

»Glaubst du mir?«

»Ja.«

»Und?«

Was und. Lila verstörte weniger, dass ihr Mann eine Geliebte hatte und dass diese Geliebte Ada war, sondern die Absurdität jedes seiner Worte und jeder seiner Handlungen, als er sie aus Ischia zurückgeholt hatte. Sie erinnerte sich an das Geschrei, die Schläge, die Abfahrt. Sie sagte zu Michele:

»Ihr kotzt mich an. Du, Stefano, ihr alle.«

101

Lila fühlte sich schlagartig im Recht, und das beruhigte sie. An jenem Abend brachte sie Gennaro ins Bett und wartete, dass Stefano nach Hause kam. Er kam kurz nach Mitternacht und sah sie am Küchentisch sitzen. Lila schaute von dem Buch auf, das sie gerade las, sagte, dass sie von Ada wisse, dass sie wisse, wie lange das schon gehe, und dass ihr das alles völlig egal sei. »Wie du mir, so ich dir«, verkündete sie mit einem Lächeln und erklärte erneut – wie oft hatte sie es ihm schon gesagt, zweimal, dreimal? –, dass Gennaro nicht sein Sohn sei. Zum Schluss sagte sie, er könne tun, was er wolle, schlafen, wo und mit wem er wolle. »Hauptsache«, schrie sie plötzlich, »du rührst mich nicht mehr an!«

Ich weiß nicht, was ihr vorschwebte, vielleicht wollte sie die Dinge nur klarstellen. Oder vielleicht rechnete sie mit allem. Rechnete damit, dass er alles zugab, dass er sie anschließend verprügelte, dass er sie aus dem Haus jagte, dass er sie – seine Frau – zwang, die Putzhilfe seiner Geliebten zu werden. Sie war auf jede nur denkbare Aggression gefasst und auf die Anmaßung dessen, der sich wie ein Padrone fühlt und das Geld hat, sich alles zu kaufen. Stattdessen war es unmöglich, auch nur zu einem Wort zu gelangen, das Klarheit schuf und das Scheitern ihrer Ehe besiegelte. Stefano stritt alles ab. Düster, doch ruhig erklärte er, dass Ada nichts weiter sei als die Verkäuferin in seiner Salumeria, dass alle Gerüchte, die über sie beide im Umlauf seien, jeder Grundlage entbehrten. Dann regte er sich auf und schrie, wenn sie noch einmal diese Ungeheuerlichkeiten über seinen Sohn sagte, werde er sie umbringen, bei Gott. Gennaro sei ihm wie aus dem

Gesicht geschnitten, sein vollkommenes Ebenbild, und das sagten alle; ihn in dieser Hinsicht provozieren zu wollen, sei zwecklos. Schließlich – und das war das Überraschendste – erklärte er ihr, wie er es bereits früher getan hatte, mit immer denselben Worten seine Liebe. Er sagte, er werde sie immer lieben, weil sie seine Frau sei, weil sie kirchlich geheiratet hätten und nichts sie trennen könne. Als er sich ihr näherte, um sie zu küssen, und sie ihn zurückstieß, packte er sie, hob sie hoch, trug sie ins Schlafzimmer, wo die Wiege des Kleinen stand, riss ihr alle Kleider vom Leib und drang gewaltsam in sie ein, während sie ihr Schluchzen unterdrückte und ihn leise flüsternd beschwor: »Wir werden Rinuccio wecken, er kann uns sehen, kann uns hören, bitte, lass uns nach nebenan gehen!«

102

Seit jenem Abend musste Lila auf die meisten der kleinen Freiheiten, die ihr geblieben waren, verzichten. Stefano verhielt sich vollkommen unangemessen. Da seine Frau nun über sein Verhältnis mit Ada Bescheid wusste, gab er jede Vorsicht auf: Häufig kam er zum Schlafen nicht nach Hause; jeden zweiten Sonntag fuhr er mit seiner Geliebten im Auto durch die Gegend; in jenem August machte er sogar Urlaub mit ihr, sie fuhren mit dem Spider bis nach Stockholm, während Ada offiziell in Turin war, bei einer Cousine, die bei Fiat arbeitete. Aber gleichzeitig brach eine krankhafte Eifersucht bei ihm aus. Er wollte nicht, dass seine Frau das Haus verließ, zwang sie, die Einkäufe telefonisch zu erledigen, und wenn Lila mit dem Kind für eine Stunde an die frische Luft ging, fragte er sie darüber aus, wen sie getroffen und mit wem sie gesprochen hatte. Er fühlte sich mehr denn je als ihr Mann, und er ließ sie nicht mehr aus den Augen. Es war, als fürchtete er, sein eigener Seitensprung könnte ihr das Recht geben, ihn zu betrügen. Was er bei seinen Treffen mit Ada am Rettifilo tat, stachelte seine Phantasie an und weckte bis ins kleinste Detail Vorstellungen in ihm, in denen Lila mit ihren Liebhabern sogar noch mehr tat. Er fürchtete, durch eine mögliche Untreue ihrerseits der Lächerlichkeit preisgegeben zu werden, während er sich mit der eigenen Untreue brüstete.

Er war nicht auf alle Männer eifersüchtig, er hatte eine eigene Hierarchie. Lila verstand schnell, dass ihn besonders Michele beunruhigte, von dem er sich in allem hintergangen und sich in permanenter Untergebenheit gehalten fühlte. Obwohl sie ihm nie erzählt hatte, dass Michele versucht hatte, sie zu küssen, und er ihr ein andermal angeboten hatte, seine Geliebte zu werden, ahnte Stefano, dass die Beleidigung, ihm seine Frau auszuspannen, ein wichtiges Manöver war, um ihn geschäftlich ruinieren zu können. Andererseits gebot es gerade die Logik des Geschäfts, dass Lila sich zumindest ein wenig freundlich zeigte. Folglich gefiel ihm nichts von dem, was sie tat, egal was es war. Manchmal bedrängte er sie obsessiv: »Hast du Michele getroffen, hast du mit ihm gesprochen, hat er dich gebeten, neue Schuhe zu entwerfen?« Und manchmal schrie er sie an: »Zu diesem Mistkerl darfst du nicht mal ciao sagen, ist das klar?« Er riss ihre Schubfächer auf und durchwühlte sie auf der Suche nach Beweisen für ihren verhurten Charakter.

Noch komplizierter wurde die Situation, als sich erst Pasquale und dann Rino einmischten.

Pasquale erfuhr natürlich als Letzter, sogar noch nach Lila, dass seine Verlobte Stefanos Geliebte war. Niemand hatte es ihm gesagt, er sah die beiden mit eigenen Augen, als sie an einem Sonntag im September spätnachmittags Arm in Arm aus einem Hauseingang am Rettifilo kamen. Ada hatte ihm erzählt, sie müsse sich um Melina kümmern, sie könnten sich nicht treffen. Im Übrigen war er ständig unterwegs, entweder wegen seiner Arbeit oder wegen seines politischen Engagements, weshalb er wenig auf die Ausflüchte und die Rückzüge seiner Verlobten achtete. Der Anblick der beiden war ein entsetzlicher Schmerz, noch dadurch verschärft, dass er ihnen am liebsten sofort die Kehle durchgeschnitten hätte, ihm seine kommunistische Erziehung dies aber verbot. Pasquale war seit kurzem Parteisekretär im Rione, und obwohl er uns Mädchen früher wie alle Jungen, mit denen wir aufgewachsen waren, bei Bedarf zu den Nutten gerechnet hatte, ging dies – da er die aktuellen Entwicklungen verfolgte, die *Unità* las, politische Schriften studierte und Diskussionen in der Parteigruppe leitete – für ihn nun nicht mehr, ja, er bemühte sich sogar, uns mit unseren Gefühlen, unseren Gedanken und unseren Freiheiten im Großen und Ganzen als den Männern nicht unterlegen zu betrachten. Derart hin- und hergerissen zwischen Wut und Weitblick ging er am folgenden Abend noch schmutzig von der Arbeit zu Ada und sagte ihr, er wisse alles. Sie war erleichtert, gab alles zu, weinte und bat ihn um Verzeihung. Als er sie fragte, ob sie es wegen des Geldes getan habe, antwortete sie ihm, sie liebe Stefano und nur sie wisse, was für ein guter, großzügiger, liebenswürdiger Mensch er sei. Das Ergebnis war, dass Pasquale kurz mit der Faust gegen die Wand in der Küche der Cappuccios hieb und weinend nach Hause ging, mit schmerzenden Fingerknöcheln. Dann redete er die ganze Nacht lang mit Carmen. Die zwei Geschwister litten gemeinsam, er wegen Ada, sie wegen Enzo, den sie nicht vergessen konnte. Wirklich zum Schlechten entwickelten sich die Dinge erst, als Pasquale, obwohl er betrogen worden war, entschied, er müsse sowohl Adas als auch Lilas Ehre verteidigen. Als Erstes wollte er klare Verhältnisse schaffen, ging zu Stefano, um mit ihm zu reden, und hielt ihm einen komplizierten Vortrag, der im Kern besagte, er solle seine Frau verlassen, um eine reguläre wilde Ehe mit seiner Geliebten anzufangen. Dann ging er zu Lila und warf ihr vor, es zuzulassen, dass Stefano ihre Rechte als Ehefrau und ihre Gefühle als Frau mit Füßen trat. Eines Morgens – es war halb sieben – stellte sich Stefano ihm in den Weg, als er aus dem Haus kam, um zur Arbeit zu gehen, und bot ihm gutmütig Geld an, damit er ihn, seine Frau und Ada künftig in Ruhe ließe. Pasquale nahm das Geld, zählte es und warf es mit den Worten in die Luft: »Ich arbeite seit meiner Kindheit, ich brauche dich nicht«, dann fügte er wie entschuldigend hinzu, er müsse los, sonst komme er zu spät und werde entlassen. Als er schon ein Stück weg war, überlegte er es sich anders, drehte sich um und schrie den Lebensmittelhändler an, der das auf der Straße verstreute Geld aufsammelte: »Du bist schlimmer als dein Vater, dieses Faschistenschwein!« Sie gerieten sich in die Haare, prügelten sich entsetzlich, und man musste sie trennen, damit sie sich nicht gegenseitig umbrachten.

Scherereien gab es auch von Rinos Seite. Er ertrug es nicht, dass seine Schwester ihre Bemühungen aufgegeben hatte, aus Dino ein hochintelligentes Kind zu machen. Er ertrug es nicht, dass sein Schwager ihm nicht nur keinen Centesimo mehr gab, sondern ihn auch tätlich angegriffen hatte. Er ertrug es nicht, dass nun jeder von dem Verhältnis zwischen Stefano und Ada wusste, mit allen demütigenden Konsequenzen, die das für Lila hatte. Und er reagierte auf unerwartete Weise. Da Stefano Lila schlug, begann er, Pinuccia zu schlagen. Da Stefano eine Geliebte hatte, nahm er sich auch eine. Mit anderen Worten, er begann Stefanos Schwester auf eine Art zu quälen, die die Qualen spiegelte, die seine Schwester durch Stefano erlitt.

Das stürzte Pinuccia in die Verzweiflung, Tränen über Tränen, flehentliche Bitten, sie beschwor ihn, damit aufzuhören. Doch nein. Rino, der auch Nunzia in Angst und Schrecken versetzte, verlor vollkommen den Verstand, sobald seine Frau auch nur den Mund auftat; er schrie sie an: »Ich soll aufhören? Ich soll mich beruhigen? Geh lieber zu deinem Bruder und sag ihm, dass er Ada verlassen soll, dass er Lina respektieren soll, dass wir als Familie zusammenhalten müssen und dass er mir das Geld geben soll, um das er und die Solaras mich beschissen haben und weiter bescheißen.« Das Ergebnis war, dass Pinuccia übel zugerichtet oftmals aus dem Haus und zu ihrem Bruder in die Salumeria rannte und vor Ada und den Kunden schluchzte. Stefano zog sie ins Hinterzimmer, und sie zählte ihm sämtliche Forderungen ihres Mannes auf, schloss aber mit den Worten: »Gib diesem Saukerl überhaupt nichts, komm sofort mit zu uns und bring ihn um.«

103

Ungefähr so war der Stand der Dinge, als ich zu den Osterferien in den Rione kam. Ich lebte seit zweieinhalb Jahren in Pisa, war eine ausgezeichnete Studentin; zu den Feiertagen nach Neapel zu fahren, war für mich zu einer Last geworden, die ich auf mich nahm, um Diskussionen mit meinen Eltern zu vermeiden, besonders mit meiner Mutter. Schon als der Zug in den Bahnhof einfuhr, wurde ich nervös. Ich fürchtete, irgendein Zwischenfall könnte mich davon abhalten, am Ende der Ferien in die Scuola Normale zurückzukehren: eine schwere Krankheit, die mich zu einem Aufenthalt im Chaos eines Krankenhauses zwang, oder ein schreckliches Ereignis, das mich nötigte, mein Studium aufzugeben, weil die Familie mich brauchte.

Ich war vor wenigen Stunden zu Hause angekommen. Meine Mutter hatte mir gerade einen gehässigen Bericht über alle schlimmen Ereignisse um Lila gegeben, über Stefano, Ada, Pasquale, Rino, die kurz vor der Schließung stehende Schuhmacherei und darüber, was für Zeiten das seien, da man in einem Jahr Geld hatte, glaubte, wer weiß was zu sein, sich einen Spider zulegte, und im nächsten Jahr alles wieder verkaufen musste, in Signora Solaras rotem Buch landete und aufhörte, sich aufzuspielen. Da unterbrach sie plötzlich ihre Aufzählung und sagte zu mir: »Deine Freundin hat geglaubt, es wer weiß wie weit gebracht zu haben, eine fürstliche Hochzeit, ein dickes Auto, eine neue Wohnung, und dabei bist du heute viel besser und viel schöner als sie.« Sie verzog das Gesicht, um ihre Freude zu unterdrücken, und gab mir einen Zettel, den sie natürlich schon gelesen hatte, obwohl er für mich war. Lila wollte mich sehen, sie lud mich für den kommenden Tag, Karfreitag, zum Mittagessen ein.

Es war nicht die einzige Einladung, meine Tage waren vollkommen ausgefüllt. Wenig später rief mich Pasquale vom Hof aus, und als wäre ich vom Olymp herabgestiegen und nicht aus der dunklen Wohnung meiner Eltern, wollte er mir seine Gedanken über Frauen darlegen, mir erzählen, wie sehr er litt, und meine Meinung über sein Verhalten hören. Das Gleiche tat am Abend Pinuccia, die sowohl auf Rino als auch auf Lila furchtbar wütend war. Und das Gleiche tat am nächsten Morgen überraschenderweise auch Ada, die vor Hass und vor Schuldgefühlen verging.

Bei allen dreien entschied ich mich für einen zurückhaltenden Ton. Pasquale riet ich zu Gelassenheit, Pinuccia dazu, sich vor allem um ihr Kind zu kümmern, und Ada dazu, herauszufinden, ob das, was sie empfand, wirklich Liebe war. Aber ich muss sagen, dass ich mich trotz der Oberflächlichkeit ihrer Worte besonders für Ada interessierte. Während sie mit mir sprach, schaute ich sie an, als wäre sie ein Buch. Sie war die Tochter der verrückten Melina und Antonios Schwester. In ihrem Gesicht entdeckte ich die Ähnlichkeit mit ihrer Mutter und viele Gemeinsamkeiten mit ihrem Bruder. Sie war ohne Vater aufgewachsen, allen Gefahren schutzlos ausgeliefert, und an harte Arbeit gewöhnt. Jahrelang hatte sie in unseren Wohnblocks die Treppen geputzt, zusammen mit Melina, deren Verstand sich plötzlich getrübt hatte. Die Solara-Brüder hatten sie in ihr Auto gezerrt, als sie ein sehr junges Mädchen war, und ich konnte mir vorstellen, was sie mit ihr gemacht hatten. Daher war es für mich nur normal, dass sie sich in Stefano verliebt hatte, ihren liebenswürdigen

Chef. Sie liebe ihn, sagte sie zu mir, sie beide liebten sich. »Sag Lina«, flüsterte sie mit vor Leidenschaft glänzenden Augen, »dass man seinem Herzen nicht befehlen kann und dass sie zwar seine Frau ist, ich aber diejenige bin, die Stefano alles gegeben hat und noch gibt, alle Aufmerksamkeit und Zuneigung, die ein Mann sich nur wünschen kann, bald auch Kinder, und darum gehört er mir und nicht mehr ihr.«

Ich begriff, dass sie so viel wie irgend möglich ergattern wollte, Stefano, die beiden Salumerias, Geld, Wohnung, Autos. Und ich hielt es für ihr gutes Recht, diesen Kampf zu führen, den wir mehr oder minder alle führten. Ich versuchte nur, sie zu beruhigen, weil sie leichenblass war und gerötete Augen hatte. Und ich freute mich, als ich sah, wie dankbar sie mir war, es gefiel mir, befragt zu werden wie eine Hellseherin und Ratschläge in einem gepflegten Italienisch zu erteilen, das sie ebenso wie Pasquale und ebenso wie Pinuccia in Verlegenheit brachte. ›Da sieht man mal‹, dachte ich voller Sarkasmus, ›wozu die Examen in Geschichte gut sind und die Altphilologie, die Sprachwissenschaft und die Tausende Karteikärtchen, mit denen ich so eisern lerne: Ich kann sie für ein paar Stunden beruhigen.‹ Sie betrachteten mich als überparteiliche Instanz, als frei von negativen Gefühlen und Leidenschaften, als vom Studium sterilisiert. Und ich akzeptierte diese mir zugewiesene Rolle, ohne meine Ängste zu erwähnen, meine Kühnheiten, die Gelegenheiten in Pisa, bei denen ich alles aufs Spiel gesetzt hatte, als ich Franco in mein Zimmer gelassen oder mich in seines geschlichen hatte, und den Urlaub an der Versilia-Küste, in dem wir beide allein zusammengewohnt hatten, als wären wir verheiratet. Ich war zufrieden mit mir.

Aber als die Zeit des Mittagessens näher rückte, wich die Freude dem Unbehagen, nur widerstrebend ging ich zu Lila. Ich fürchtete, sie könnte im Nu die alte Rangordnung wiederherstellen und mir das Vertrauen in meine Entscheidungen nehmen. Ich fürchtete, sie würde mir die Ähnlichkeiten zwischen ihrem kleinen Gennaro und Nino zeigen, um mich daran zu erinnern, dass das Spielzeug, das hätte mir gehören müssen, ihr zugefallen war. Aber so lief es, vorerst, nicht. Rinuccio – so nannte sie ihn immer öfter – nahm mich sofort für sich ein: Er war ein bildhübscher, braunhaariger Junge, Nino hatte sich in seinem Gesicht und seinem Körper noch nicht durchgesetzt, er geriet nach Lila und sogar nach Stefano, als hätten sie ihn zu dritt gezeugt. Was Lila anging, erlebte ich sie so zerbrechlich, wie sie es nur selten gewesen war. Als sie mich sah, kamen ihr die Tränen, und sie begann am ganzen Körper zu zittern, ich musste sie fest umarmen, um sie zu beruhigen.

Mir fiel auf, dass sie sich rasch gekämmt hatte, um keinen schlechten Eindruck auf mich zu machen, dass sie rasch ein wenig Lippenstift aufgetragen und ein Kleid aus perlgrauem Reyon angezogen hatte, das noch aus ihrer Verlobungszeit stammte, und dass sie Absatzschuhe trug. Sie war immer noch schön, doch ihre Gesichtsknochen wirkten nun größer, ihre Augen kleiner, und in ihren Adern schien kein Blut mehr zu fließen, sondern eine trübe Flüssigkeit. Sie war klapperdürr; als ich sie umarmte, spürte ich ihre Knochen, und das enganliegende Kleid betonte ihren aufgedunsenen Bauch.

Anfangs tat sie so, als wäre alles in Ordnung. Sie freute sich darüber, dass ich mich für ihr Kind begeisterte und wie ich mit ihm spielte, wollte mir zeigen, was Rinuccio bereits sagen und tun konnte. Mit einer Ängstlichkeit, die ich an ihr nicht kannte, begann sie mich mit der Terminologie zu überschütten, die sie ihren unsystematischen Lektüren entnommen hatte. Sie zitierte Autoren, von denen ich noch nie gehört hatte, nötigte das Kind zu Übungen, die sie sich für es ausgedacht hatte. Mir fiel auf, dass sie nun eine Art Tick hatte, sie verzerrte den Mund: Sie riss ihn plötzlich auf und presste dann die Lippen aufeinander, als wollte sie die Gefühle zurückhalten, die durch das, was sie gerade sagte, verursacht waren. Für gewöhnlich ging diese Miene mit einer Rötung der Augen einher, einem rosigen Glanz, der durch das Zusammenkneifen der Lippen wie durch einen Federmechanismus unverzüglich wieder zurück in den Kopf gezogen wurde. Mehrmals wiederholte sie, dass sich im Laufe einer Generation alles ändern würde, wenn man sich nur sorgfältig um jedes Kleinkind im Rione kümmerte, es gäbe keine Schlauen und Versager mehr, keine Guten und Schlechten. Dann sah sie ihr Kind an, und ihr kamen erneut die Tränen. »Er hat meine Bücher kaputtgemacht«, sagte sie schluchzend, als hätte Rinuccio es getan, und zeigte sie mir, zerfetzt und in zwei Hälften gerissen. Ich hatte Mühe zu verstehen, dass der Schuldige nicht der Kleine, sondern ihr Mann war. »Er hat sich angewöhnt, in meinen Sachen zu wühlen«, flüsterte sie. »Er will nicht, dass ich einen einzigen eigenen Gedanken fasse, und wenn er herausfindet, dass ich ihm auch nur die kleinste Kleinigkeit verheimlicht habe, schlägt er mich.« Sie stieg im Schlafzimmer auf einen Stuhl, holte eine Blechschachtel vom Schrank und gab sie mir. »Hier ist die ganze Nino-Geschichte«, sagte sie. »Und viele Gedanken, die mir damals durch den Kopf gegangen sind, auch Dinge, die mich und dich betreffen und die wir uns nicht gesagt haben. Nimm das mit, ich habe Angst, dass er es findet und liest. Das will ich nicht, es geht ihn nichts an, es geht niemanden was an, auch dich nicht.«

104

Unwillig nahm ich die Schachtel, ich dachte: ›Wo lasse ich die, was soll ich damit.‹ Wir setzten uns an den Tisch. Ich wunderte mich, dass Rinuccio schon allein aß, dass er ein kleines Holzbesteck benutzte, dass er nach der anfänglichen Schüchternheit Italienisch mit mir sprach, ohne die Wörter zu verstümmeln, dass er auf alle meine Fragen treffend und präzise antwortete und mir seinerseits Fragen stellte. Lila ließ mich mit dem Kleinen reden, aß fast nichts, starrte gedankenverloren auf ihren Teller. Zum Schluss, als ich gehen wollte, sagte sie:

»Ich erinnere mich an nichts mehr von Nino, von Ischia, von dem Geschäft an der Piazza dei Martiri. Und trotzdem habe ich das Gefühl, dass ich ihn mehr liebe als mich selbst. Ich will nicht einmal wissen, wie es ihm ergangen ist, wo er jetzt ist.«

Sie schien mir aufrichtig zu sein, und ich erzählte ihr nichts von dem, was ich wusste.

»Das Schöne an einer verrückten Liebe ist«, warf ich hin, »dass sie nach einer Weile vergeht.«

»Bist du glücklich?«

»So ziemlich.«

»Was für schöne Haare du hast.«

»Na ja.«

»Du musst mir noch einen Gefallen tun.«

»Welchen denn?«

»Ich muss hier weg, bevor Stefano mich und das Kind besinnungslos umbringt.«

»Du machst mir Angst.«

»Du hast Recht, entschuldige.«

»Sag, was soll ich tun?«

»Geh zu Enzo. Richte ihm aus, ich hab's versucht, aber ich hab's nicht geschafft.«

»Das verstehe ich nicht.«

»Nicht so wichtig. Du musst nach Pisa zurück, musst dich um deine eigenen Angelegenheiten kümmern. Sag es ihm, das genügt: *Lina hat es versucht, es aber nicht geschafft.*«

Sie brachte mich mit dem Kind auf dem Arm zur Tür. Sagte:

»Rino, sag ciao zu Tante Lenù.«

Das Kind lächelte und winkte mir zu.

105

Bevor ich abfuhr, besuchte ich Enzo. Als ich ihm sagte: *Lina hat mich gebeten, dir auszurichten, dass sie es versucht, aber nicht geschafft hat*, huschte auch nicht der Schatten eines Gefühls über sein Gesicht, und ich dachte, die Nachricht hätte ihn völlig kaltgelassen. »Es geht ihr sehr schlecht«, fügte ich hinzu. »Aber ich weiß wirklich nicht, was man da tun kann.« Er kniff die Lippen zusammen, seine Miene war ernst. Wir verabschiedeten uns.

Im Zug öffnete ich die Blechschachtel, obwohl ich geschworen hatte, es nicht zu tun. Sie enthielt acht Schreibhefte. Schon nach den ersten Zeilen fühlte ich mich schlecht. In Pisa wuchs mein Unbehagen von Tag zu Tag, von Monat zu Monat mehr. Jedes von Lilas Worten ließ mich kleiner werden. Jeder Satz, auch die, die sie noch als Kind geschrieben hatte, schien meinen Sätzen jeden Sinn zu nehmen, nicht den damaligen, sondern den heutigen. Und zugleich regte jede Seite mich zu eigenen Gedanken, eigenen Ideen, eigenen Texten an, als hätte ich bis dahin in einer zwar emsigen, doch ergebnislosen Stumpfheit gelebt. Ich lernte diese Hefte auswendig, und am Ende spürte ich durch sie die Welt der Scuola Normale stärker, die Freundinnen und Freunde, die mich schätzten, den herzlichen Blick derjenigen unter den Professoren, die mich ermutigten, immer noch mehr zu tun, einen allzu behüteten und daher allzu vorhersehbaren Teil der Welt verglichen mit der stürmischen, die Lila unter den Lebensbedingungen des Rione auf zerknitterten, fleckigen Seiten mit ihren hastigen Zeilen zu erkunden vermochte.

Jede meiner früheren Bemühungen erschien mir sinnlos. Ich erschrak, studierte monatelang schlecht. Ich war allein, Franco Mari hatte seinen Studienplatz an der Normale verloren, es gelang mir nicht, gegen das Gefühl, mangelhaft zu sein, anzukämpfen, das mich überwältigt hatte. Irgendwann wurde mir klar, dass ich schon bald eine schlechte Note erhalten und ebenfalls nach Hause geschickt werden würde. Daher nahm ich eines Abends im Spätherbst die Blechschachtel und ging ohne einen konkreten Plan aus dem Haus. Auf dem Ponte Solferino blieb ich stehen und warf sie in den Arno.

106

Das letzte Jahr in Pisa änderte die Sichtweise, mit der ich die ersten drei Jahre dort gelebt hatte. Mich überkam eine undankbare Abneigung gegen die Stadt, gegen meine Kommilitoninnen und Kommilitonen, gegen die Professoren, gegen die Examen, gegen die eiskalten Tage, gegen die politischen Versammlungen an milden Abenden vor dem Baptisterium, gegen die Filme im Filmklub, gegen das ganze immergleiche Stadtgebiet: Timpano, Lungarno Pacinotti, Via XXIV maggio, Via San Frediano, Piazza dei Cavalieri, Via Consoli del Mare, Via San Lorenzo, immer dieselben und dennoch fremden Wege, auch wenn mich der Bäcker grüßte und die Zeitungsfrau mit mir übers Wetter plauderte, fremd durch die Stimmen, die nachzuahmen ich mich gleichwohl sofort bemüht hatte, und fremd durch die Farben der Steine, der Pflanzen, der Schilder und der Wolken oder des Himmels.

Ich weiß nicht, ob das wegen Lilas Heften geschah. Mit Sicherheit setzte, sofort nachdem ich sie gelesen hatte und lange bevor ich die Schachtel, die sie enthielt, wegwarf, meine Ernüchterung ein. Fort war mein anfänglicher Eindruck, mich inmitten eines unerschrockenen Kampfes zu befinden. Fort war das Herzklopfen bei jeder Prüfung und die Freude, sie mit der Bestnote bestanden zu haben. Fort war das Vergnügen, meine Stimme zu verbessern, meine Gesten, meine Art, mich zu kleiden und zu gehen, als wetteiferte ich um den Preis für die beste Verkleidung, für eine so gut getragene Maske, dass sie *fast* wie ein Gesicht war.

Plötzlich wurde mir dieses *Fast* bewusst. Hatte ich es geschafft? Fast. Hatte ich mich aus Neapel, aus dem Rione herausgearbeitet? Fast. Hatte ich neue Freundinnen und Freunde, die aus gebildeten Kreisen stammten, oftmals aus wesentlich gebildeteren als dem, zu dem Professoressa Galiani und ihre Kinder gehörten? Fast. War ich mit jedem weiteren Examen zu einer Studentin geworden, die von den mich prüfenden, nachdenklichen Professoren gern gesehen war? Fast. Hinter diesem *Fast*, so schien mir, sah ich, wie die Dinge wirklich lagen. Ich hatte Angst. Hatte Angst wie am ersten Tag, als ich in Pisa angekommen war. Ich fürchtete mich vor denen, die ohne dieses Fast, mit Unbefangenheit, gebildet sein konnten.

An der Normale waren das viele. Sie waren nicht nur Studenten, die die Prüfungen mit Bravour bestanden, Latein oder Griechisch oder Geschichte. Diese jungen Leute – beinahe alle männlich, wie übrigens auch die hervorragenden Professoren und die berühmten Namen, die durch diese Lehranstalt gegangen waren – zeichneten sich dadurch aus, dass sie, ohne erkennbare Mühe, um den gegenwärtigen und künftigen praktischen Gebrauch ihres anstrengenden Studiums wussten. Sie kannten ihn aus ihren Familien oder weil sie eine instinktive Orientierung hatten. Sie wussten, wie man eine Zeitung oder eine Zeitschrift machte, wie ein Verlag funktionierte, was eine Radio- oder eine Fernsehredaktion war, wie ein Film entstand, wie die Hierarchien an einer Universität aussahen, was jenseits der Grenzen unserer Dörfer und Städte lag, jenseits der Alpen, jenseits des Meeres. Sie kannten die Namen derer, die wichtig waren, die Leute, die bewundert werden, und die, die verachtet werden mussten. Ich dagegen wusste nichts, für mich war jeder, dessen Name in eine Zeitung oder in ein Buch gedruckt wurde, ein Gott. Wenn jemand mit Bewunderung oder Groll zu mir sagte: Das ist der und der, das ist der Sohn von dem und dem, und das ist der Neffe von dem und dem, schwieg ich oder tat so, als wüsste ich Bescheid. Natürlich ahnte ich, dass diese Namen *wirklich* wichtig waren, trotzdem hatte ich sie noch nie gehört, ich wusste nicht, was ihre Träger Bedeutsames geleistet hatten, auf der Landkarte des Status kannte ich mich nicht aus. Zum Beispiel erschien ich bestens vorbereitet zu den Prüfungen, doch wenn mich der Professor unversehens fragte: »Wissen Sie, auf welchen Werken meine Autorität beruht, dieses Fach an dieser Universität zu unterrichten?«, wusste ich nicht, was ich antworten sollte. Die anderen dagegen waren auf dem Laufenden. Darum bewegte ich mich stets mit der Angst unter ihnen, etwas Falsches zu sagen oder zu tun.

Als Franco Mari sich in mich verliebt hatte, war diese Angst schwächer geworden. Er war mein Lehrer, ich hatte gelernt, mich in seinem Fahrwasser zu bewegen. Franco war sehr fröhlich, aufmerksam zu anderen, unverfroren, kühn. Er war sich so sicher, die richtigen Bücher gelesen und daher Recht zu haben, dass er stets mit Autorität sprach. Ich hatte gelernt, mich privat und seltener auch in der Öffentlichkeit zu artikulieren, und hatte mich dabei auf sein Ansehen gestützt. Und ich war gut, oder zumindest wurde ich es immer mehr. Durch seine Sicherheit stark geworden, konnte ich manchmal noch unverfrorener, manchmal noch erfolgreicher sein als er. Doch obwohl ich große Fortschritte gemacht hatte, war meine Sorge geblieben, nicht mithalten zu können, etwas Falsches zu sagen, zu verraten, wie unwissend und unerfahren ich gerade in den Dingen war, die alle wussten. Und kaum war Franco unfreiwillig aus meinem Leben verschwunden, hatte die Angst wieder zugenommen. Ich hatte die

Bestätigung für das bekommen, was ich unterschwellig bereits wusste. Sein Reichtum, seine gute Erziehung, sein Ansehen als ein unter den Studenten sehr bekannter linker Aktivist, seine Geselligkeit und sogar sein Mut, wenn er mit sorgfältig austarierten Reden Persönlichkeiten widersprach, die in und außerhalb der Universität sehr mächtig waren, hatten ihm eine Aura eingebracht, die sich automatisch auch auf mich als seine Braut oder Freundin oder Gefährtin übertragen hatte, als wäre schon allein die Tatsache, dass er mich liebte, die offizielle Bestätigung meiner Fähigkeiten. Doch von dem Moment an, da er seinen Platz an der Normale verloren hatte, waren seine Verdienste verblasst, sie strahlten nicht mehr auf mich ab. Die Studenten aus gutem Hause luden mich nicht mehr zu sonntäglichen Ausflügen oder Partys ein. Irgendwer hatte auch wieder angefangen, mich wegen meines neapolitanischen Akzents aufzuziehen. Alles, was Franco mir geschenkt hatte, war aus der Mode gekommen und an mir gealtert. Ich hatte schnell erkannt, dass er und seine Präsenz in meinem Leben meinen wirklichen Stand zwar verschleiert, ihn aber nicht verändert hatten, es war mir nicht gelungen, mich tatsächlich zu integrieren. Ich gehörte zu denen, die sich Tag und Nacht abrackerten, die ausgezeichnete Ergebnisse erzielten und denen man sogar mit Sympathie und Achtung begegnete, die aber der hohen Qualität dieses Studiums niemals mit der angemessenen Haltung begegnen würden. Ich würde immer Angst haben: Angst davor, einen falschen Satz zu sagen, einen übertriebenen Ton anzuschlagen, unpassend gekleidet zu sein, kleinliche Gefühle zu offenbaren, keine interessanten Gedanken zu haben.

107

Ich muss zugeben, es war auch aus anderen Gründen eine deprimierende Zeit. Alle an der Piazza dei Cavalieri wussten, dass ich nachts in Francos Zimmer ging, dass ich allein mit ihm in Paris und an der Versilia-Küste gewesen war, und das hatte mir den Ruf eingebracht, eine zu sein, die leicht zu haben ist. Ich konnte nicht einfach erklären, wie viel es mich gekostet hatte, mich an den Gedanken der freien Liebe zu gewöhnen, deren glühender Verfechter Franco war; ich verheimlichte es vor mir selbst, um in seinen Augen frei und unvoreingenommen zu erscheinen. Und ich konnte auch nicht weitererzählen, was er mir wie ein Evangelium verkündet hatte, nämlich dass die Scheinanständigen die Schlimmsten seien, spießige Mädchen, die lieber ihren Arsch hinhielten, als die Sache so zu machen, wie es sich gehörte. Und genauso wenig konnte ich erzählen, dass ich in Neapel eine Freundin hatte, die mit sechzehn schon verheiratet war, sich mit achtzehn einen Geliebten genommen hatte, von ihm schwanger geworden war, zu ihrem Mann zurückgekehrt war und noch allerhand mehr anstellen konnte, kurz, dass es mir, verglichen mit Lilas Turbulenzen, wie eine Lappalie vorkam, mit Franco ins Bett zu gehen. Ich hatte die gemeinen Bemerkungen der Mädchen über mich ergehen lassen müssen und die groben der Jungen, ihre aufdringlichen Blicke auf meinen großen Busen. Ich hatte mit schroffen Manieren die schroffen Manieren zurückweisen müssen, mit denen einige sich angeboten hatten, den Platz meines Exfreundes einzunehmen. Ich hatte mich damit abfinden müssen, dass die von mir verschmähten Bewerber mit vulgären Worten reagierten. Mit zusammengebissenen Zähnen hielt ich aus, ich sagte mir: Das geht vorbei.

Dann, eines Nachmittags, rief mir in einem Café in der Via San Frediano einer meiner abgewiesenen Verehrer vor vielen anderen Studenten ernst hinterher, als ich gerade mit zwei Studienkameradinnen hinausging: »Napoli, vergiss nicht, mir den blauen Pullover zurückzugeben, den ich bei dir vergessen habe!« Gelächter, ich verließ den Raum, ohne zu antworten. Aber ich bemerkte schnell, dass mir einer folgte, der mir wegen seines komischen Aussehens schon in den Vorlesungen aufgefallen war. Er war weder so ein junger, düsterer Intellektueller wie Nino noch so ein Draufgänger wie Franco. Er trug eine Brille, war extrem schüchtern, ein Einzelgänger, mit einer wirren, pechschwarzen Haarmähne, einem ausgesprochen schweren Körper und krummen Beinen. Er folgte mir bis zum Collegio, dann endlich rief er mich. »Greco!«

Wer er auch war, er kannte meinen Namen. Aus Höflichkeit blieb ich stehen. Er stellte sich vor: Pietro Airota, er redete unbeholfen, vollkommen konfus. Er sagte, er schäme sich für seine Gefährten, verachte aber auch sich selbst, weil er zu feige gewesen sei, um einzugreifen.

»Wieso denn einzugreifen?«, fragte ich spöttisch, doch auch erstaunt darüber, dass einer wie er, krumm, mit dicken Brillengläsern, diesen lächerlichen Haaren und der Miene und der Sprache eines Menschen, der immer über Büchern hockt, sich berufen fühlte, den Ritter zu spielen wie die Jungen aus dem Rione.

»Um deinen guten Ruf zu verteidigen.«

»Ich habe keinen guten Ruf.«

Er brummelte etwas, wohl eine Mischung aus Entschuldigungen und einem Abschiedsgruß, und verschwand.

Tags darauf war ich es, die zu ihm ging, ich setzte mich in den Vorlesungen nun immer neben ihn, und wir machten gemeinsam ausgedehnte Spaziergänge. Er überraschte mich: Wie ich hatte er schon mit seiner Diplomarbeit begonnen, wie ich schrieb er sie in Lateinischer Literatur. Doch im Unterschied zu mir sprach er nicht von »Diplom«, er sprach nur von seiner »Arbeit«, und ein-, zweimal entschlüpfte ihm auch das Wort »Buch«, ein Buch, das er gerade abschloss und das er gleich nach seinem Diplom veröffentlichen wollte. Arbeit, Buch? Was redete er da? Trotz seiner zweiundzwanzig Jahre war sein Ton sehr ernst, in einem fort griff er zu hochgelehrten Zitaten, und er benahm sich, als hätte er bereits einen Lehrstuhl an der Normale oder an einer anderen Universität.

»Willst du deine Diplomarbeit wirklich veröffentlichen?«, fragte ich ihn einmal ungläubig.

Er sah mich nicht weniger verwundert an:

»Wenn sie gut ist, ja.«

»Werden denn alle Abschlussarbeiten, die gut sind, veröffentlicht?«

»Warum denn nicht?«

Er schrieb über den Bacchus-Kult, und ich über das vierte Buch der *Aeneis*. Ich sagte leise:

»Vielleicht ist Bacchus interessanter als Dido.«

»Alles ist interessant, wenn du weißt, wie man damit arbeitet.«

Wir sprachen nie über alltägliche Dinge und auch nicht über die Möglichkeit, dass die USA Atomwaffen nach Westdeutschland lieferten, und auch nicht darüber, ob Fellini besser war oder Antonioni, wie ich es mit Franco gewohnt gewesen war, sondern nur über lateinische Literatur, über griechische Literatur. Pietro hatte ein phänomenales Gedächtnis. Er konnte weit voneinander entfernte Texte in einen Zusammenhang bringen und trug sie vor, als hätte er sie vor Augen, aber ohne Besserwisserei, ohne Dünkelhaftigkeit, ganz als wäre es zwischen zwei Menschen, die sich diesen Studien widmeten, das Normalste der Welt. Je öfter ich ihn sah, umso bewusster wurde mir, dass er wirklich klug war, so klug, wie ich nie sein würde, denn dort, wo ich aus Angst vor groben Schnitzern nur vorsichtig war, bewies er eine ruhige Bereitschaft zu wohlüberlegten Gedanken, zu nie gewagten Behauptungen.

Bereits nachdem ich zwei-, dreimal mit ihm auf dem Corso Italia oder zwischen Dom und Camposanto herumgeschlendert war, bemerkte ich, dass sich alles um mich her erneut änderte. Eines Morgens sagte ein Mädchen, das ich kannte, mit freundlichem Groll zu mir:

»Was machst du nur mit den Männern? Jetzt hast du auch noch Airotas Sohn erobert.«

Ich wusste nicht, wer der alte Airota war, doch auf jeden Fall kehrten die respektvollen Töne meiner Studienkameraden zurück, ich wurde erneut zu Partys oder in die Osteria eingeladen. Irgendwann kam mir sogar der Verdacht, dass sie mich einluden, weil ich Pietro im Schlepptau hatte, denn für gewöhnlich blieb er für sich allein. Ich begann herumzufragen, um zu erfahren, welche Verdienste der Vater meines neuen Freundes hatte. Es stellte sich heraus, dass er griechische Literatur in Genua lehrte, aber auch eine Galionsfigur der Sozialistischen Partei war. Diese Nachricht dämpfte mich, ich fürchtete, in Pietros Gegenwart etwas Naives oder Falsches zu sagen oder schon gesagt zu haben. Während er mir weiterhin von seinem Diplom-Buch erzählte, sprach ich aus lauter Angst davor, Unfug zu reden, immer seltener über meine Abschlussarbeit.

Eines Sonntags kam er atemlos zum Collegio, er lud mich zum Mittagessen mit seiner Familie ein, Vater, Mutter und Schwester, die zu Besuch gekommen waren. Ich wurde nervös, versuchte, mich so schön wie möglich zu machen. Ich dachte: ›Ich werde falsche Konjunktive benutzen, sie werden mich unbeholfen finden, das sind angesehene Leute, bestimmt haben sie einen Riesenschlitten mit Chauffeur, was soll ich bloß sagen, bestimmt mache ich ein Trottelgesicht.‹ Aber kaum hatte ich sie gesehen, beruhigte ich mich. Professor Airota war ein Mann von mittlerer Statur in einem ziemlich zerknitterten, grauen Anzug, er hatte ein breites Gesicht mit den Anzeichen von Müdigkeit und trug eine Brille. Als er seinen Hut abnahm, sah ich, dass er eine Glatze hatte. Adele, seine Frau, war dünn, nicht schön, aber vornehm und von einer unauffälligen Eleganz. Der Wagen der Airotas sah genauso aus wie der Millecento, den die Solaras gehabt hatten, bevor sie sich den Giulietta kauften, und von Genua nach Pisa gefahren hatte ihn, wie ich entdeckte, kein Chauffeur, sondern Pietros Schwester Mariarosa, die hübsch war, mit klugen Augen, und mich gleich umarmte und küsste, als wären wir alte Freundinnen.

»Bist du die ganze Strecke von Genua bis hierher gefahren?«, fragte ich sie.

»Ja, ich fahre gern.«

»War es schwer, die Fahrerlaubnis zu machen?«

»Ach was!«

Sie war vierundzwanzig und arbeitete an der Fakultät für Kunstgeschichte an der Universität Mailand, sie forschte über Piero della Francesca. Sie wusste alles über mich, das heißt das, was ihr Bruder wusste, nämlich für welche Studien ich mich interessierte, und damit genug. Das wussten auch Professor Airota und seine Frau Adele.

Ich verbrachte einen schönen Vormittag mit ihnen, fühlte mich wohl. Im Gegensatz zu Pietro redeten sein Vater, seine Mutter und seine Schwester über die verschiedensten Dinge. Professor Airota und seine Tochter führten beim Mittagessen im Restaurant des Hotels, in dem sie wohnten, ein liebevolles Wortgefecht über politische Themen, über die ich bei Pasquale, Nino und Franco etwas aufgeschnappt hatte, über die ich im Grunde aber fast gar nichts wusste. Sätze in der Art wie: Ihr seid in die Falle der Klassenharmonie getappt; du nennst das eine Falle, ich nenne das Vermittlung; eine Vermittlung, in der immer nur die Christdemokraten gewinnen; die Mitte-links-Politik ist kompliziert; wenn sie so kompliziert ist, dann seid doch lieber wieder Sozialisten; der Staat steckt in der Krise und muss dringend reformiert werden; aber ihr reformiert ja gar nichts; was würdest du denn an unserer Stelle tun; Revolution, Revolution und noch mal Revolution; die Revolution macht man, indem man Italien aus dem Mittelalter herausholt: ohne uns Sozialisten in der Regierung wären die Schüler, die in der Schule über Sex reden, im Gefängnis und ebenso die Studenten, die pazifistische Flugblätter verteilen; ich bin ja gespannt, wie ihr das mit dem Nordatlantikpakt regelt; wir sind immer gegen Krieg und gegen jede Form von Imperialismus gewesen; ihr regiert mit den Christdemokraten, bleibt aber antiamerikanisch?

In dieser Art, schnelle Sätze, eine Übung in Polemik, die beiden sichtlich Spaß machte, vielleicht eine alte Tischtradition. Ich sah in den beiden, Vater und Tochter, etwas, was ich nie gehabt hatte und was mir, nun wusste ich es, immer fehlen würde. Was war das. Ich konnte es nicht genau benennen: vielleicht die Übung darin, die Fragen der Welt als meine zutiefst persönlichen zu empfinden; die Fähigkeit, sie als entscheidend wahrzunehmen und nicht als reine Informationen, mit denen man, mit einer guten Note in Aussicht, in einer Prüfung glänzen konnte; eine Geistesart, die nicht alles nur auf meinen individuellen Kampf reduzierte, auf das Bemühen, mich zu behaupten. Mariarosa war freundlich, ihr Vater auch. Beide sprachen in einem besonnenen Ton ohne auch nur eine Spur der verbalen Ausfälle Armando Galianis oder Ninos. Und dennoch brachten sie Hitze in politische Schlagworte, die mir bei anderen Gelegenheiten kalt erschienen waren, weit weg von mir und nur dazu verwendbar, keinen schlechten Eindruck zu machen. Sich gegenseitig anstachelnd wechselten sie übergangslos von den Bombenangriffen auf Nordvietnam zu den Studentenunruhen auf diesem und auf jenem Campus und zu den unzähligen Brandherden des antiimperialistischen Kampfes in Lateinamerika und Afrika. Die Tochter wirkte nun besser unterrichtet als der Vater. Mariarosa wusste ungemein viel und redete, als hätte sie Informationen aus erster Hand, so dass Airota seiner Frau irgendwann einen ironischen Blick zuwarf und Adele zu ihr sagte:

»Du bist die Einzige, die sich noch kein Dessert ausgesucht hat.«

»Ich nehme die Schokoladentorte«, antwortete sie, sich unterbrechend, und verzog freundlich das Gesicht.

Voller Bewunderung sah ich sie an. Sie konnte Auto fahren, wohnte in Mailand, lehrte an der Universität, bot ihrem Vater ohne Groll die Stirn. Und ich dagegen? Die Vorstellung, den Mund aufzumachen, versetzte mich in panische Angst, zugleich aber schämte ich mich für mein Schweigen. Ich hielt es nicht mehr aus und sagte schrill:

»Nach Hiroshima und Nagasaki muss den Amerikanern wegen Verbrechen gegen die Menschlichkeit der Prozess gemacht werden.«

Stille. Die ganze Familie richtete ihre Blicke auf mich. Mariarosa rief »Bravo« und streckte mir die Hand hin, ich drückte sie. Ich fühlte mich ermutigt, und sofort sprudelten die Worte nur so aus mir heraus, Bruchstücke früherer Äußerungen, die ich mir zu verschiedenen Zeiten eingeprägt hatte. Ich redete über Planung und Rationalisierung, über den Abgrund des Bündnisses von Sozialisten und Christdemokraten, über Neokapitalismus, darüber, was eine Struktur ist, über die Revolution, über Afrika, über Asien, über Kindergärten, über Piaget, über das Wegsehen von Polizei und Justiz, über faschistische Fäulnis in allen Strukturen des Staates. Atemlos verhaspelte ich mich. Mein Herz schlug heftig, ich vergaß, mit wem ich zusammen war und wo ich mich befand. Gleichwohl spürte ich um mich her eine wachsende Zustimmung und war froh, dass ich mich aus meiner Deckung herausgewagt hatte, offenbar hatte ich einen guten Eindruck gemacht. Mir gefiel auch, dass niemand aus dieser sympathischen Familie mich, wie es sonst ständig geschah, gefragt hatte, woher ich kam und was mein Vater und meine Mutter taten. Ich war ich, ich, ich.

Auch am Nachmittag setzten wir unsere Diskussionen fort. Und am Abend gingen wir vor dem Essen alle zusammen spazieren. Auf Schritt und Tritt traf Professor Airota Leute, die er kannte. Auch zwei Professoren aus der Universität mit ihren Frauen blieben stehen, um ihn herzlichst zu begrüßen.

108

Aber schon am nächsten Tag fühlte ich mich nicht mehr gut. Die Zeit mit Pietros Eltern hatte mir einmal mehr bewiesen, dass meine Anstrengungen an der Normale ein Fehler waren. Erfolg allein genügte nicht, man brauchte noch etwas anderes, und das hatte ich nicht, ich konnte es auch nicht lernen. Wie peinlich war dieses Anhäufen aufgeregter Worte gewesen, ohne logischen Zusammenhang, ohne Gelassenheit, ohne Ironie, die dagegen Mariarosa, Adele und Pietro unter Beweis stellen konnten. Zwar hatte ich nun die methodische Verbissenheit einer Forscherin, die selbst das kleinste Komma einer Prüfung unterzog, und bewies dies in den Examen und mit der Diplomarbeit, an der ich schrieb. Aber eigentlich blieb ich eine kulturell allzu angepasste Dilettantin, ich besaß keine Rüstung, in der ich ruhig voranschreiten konnte, wie sie es taten. Professor Airota war ein unsterblicher Gott, der seinen Kindern vor dem Kampf Zauberwaffen gegeben hatte. Mariarosa war unbesiegbar. Pietro mit seiner hochgebildeten Höflichkeit vollkommen. Und ich? Ich konnte nur neben ihnen stehen, nur durch ihren Glanz strahlen.

Ich bekam Angst, Pietro zu verlieren. Ich suchte seine Nähe, klammerte mich an ihn, fasste Zuneigung zu ihm. Aber vergeblich wartete ich darauf, dass er mir seine Liebe gestand. Eines Abends küsste ich ihn auf die Wange, da küsste er mich endlich auf den Mund. Nun trafen wir uns an abgelegenen Orten, abends, wenn es etwas dunkler geworden war. Ich berührte ihn, er berührte mich, in mich eindringen wollte er nie. Ich fühlte mich in meine Zeit mit Antonio zurückversetzt, dabei war der Unterschied enorm. Es war aufregend, abends mit Airotas Sohn auszugehen und durch ihn stark zu werden. Manchmal spielte ich mit dem Gedanken, von einem öffentlichen Telefon aus Lila anzurufen. Ich wollte ihr erzählen, dass ich diesen neuen Freund hatte und dass unsere Diplomarbeiten höchstwahrscheinlich veröffentlicht wurden, sie würden genauso wie echte Bücher sein, mit Umschlag, Titel, Namen. Ich wollte ihr von der vagen Möglichkeit erzählen, dass sowohl er als auch ich an der Universität unterrichten würden, dass seine Schwester Mariarosa dies mit vierundzwanzig Jahren schon tat. Ich wollte ihr auch sagen: Du hast Recht, Lila. Wenn man dir die Dinge schon von klein auf richtig beibringt, hast du es später mit allem nicht so schwer, dann wirkst du wie eine, die schon gebildet auf die Welt gekommen ist. Doch am Ende ließ ich es sein. Sie anrufen, wozu denn? Um mir still ihre Geschichten anzuhören? Oder, falls sie mich zu Wort kommen ließe, um ihr was zu sagen? Ich wusste sehr wohl, dass mir niemals dasselbe geschehen würde, was sicherlich Pietro geschah. Vor allem wusste ich, dass er, wie seinerzeit Franco, schon bald verschwinden würde und dass das eigentlich gut so war, denn ich liebte ihn nicht, ich war in den dunklen Gassen und auf den Wiesen nur mit ihm zusammen, um die Angst weniger zu spüren.

109

Kurz vor den Weihnachtsferien 1966 holte ich mir eine schlimme Grippe. Ich rief eine Nachbarin meiner Eltern an – endlich hatten auch im alten Rione ziemlich viele ein Telefon – und sagte Bescheid, dass ich in den Ferien nicht nach Hause kommen würde. Dann versank ich in trostlose Tage mit hohem Fieber und Husten, während das Collegio immer leerer, immer stiller wurde. Ich aß nichts, und sogar das Trinken fiel mir schwer. Eines Morgens, als ich mich erschöpft in einen Halbschlaf hatte fallen lassen, hörte ich laute Stimmen in meinem Dialekt, wie wenn sich die Frauen im Rione von einem Fenster zum anderen ankeiften. Aus der schwärzesten Tiefe meines Kopfes drang mir der wohlbekannte Schritt meiner Mutter ins Bewusstsein. Sie klopfte nicht an, riss die Tür auf und platzte mit Taschen beladen herein.

Unvorstellbar. Sie hatte den Rione nur wenige Male verlassen und dann höchstens, um ins Zentrum zu gehen. Außerhalb von Neapel war sie, soweit ich wusste, nie gewesen. Und doch hatte sie sich in den Zug gesetzt, war durch die Nacht gefahren und hergekommen, um mich mit vorzeitig zubereiteten Weihnachtsleckereien, mit boshaftem Geschwätz in höchster Lautstärke und mit Anweisungen zu überschütten, die mich wie durch Zauberei wieder auf die Beine bringen sollten, damit ich am Abend mit ihr abreiste, denn abreisen musste sie, zu Hause saßen die übrigen Kinder und mein Vater.

Mehr als das Fieber schwächte sie mich. Ich fürchtete, die Internatsleiterin könnte kommen, so laut, wie sie krakeelte und Dinge umräumte, sie polterte achtlos herum. Irgendwann hatte ich den Eindruck, ohnmächtig zu werden, ich schloss die Augen in der Hoffnung, sie würde mir in die grässliche Dunkelheit, in die ich mich hinabgezogen fühlte, nicht folgen. Aber sie machte vor nichts halt. Immer noch im Zimmer unterwegs, hilfsbereit und aggressiv, erzählte sie mir von meinem Vater, von meinen Geschwistern, von den Nachbarn, von den Freunden und natürlich von Carmen, Ada, Gigliola, Lila.

Ich versuchte, nicht hinzuhören, aber sie bedrängte mich mit Sätzen wie: *Verstehst du, was sie gemacht hat, verstehst du, was passiert ist?* Und sie rüttelte an meinem jeweils unter der Bettdecke vergrabenen Arm oder Fuß. Ich merkte, dass ich in meinem durch die Krankheit geschwächten Zustand empfindlicher als sonst auf alles reagierte, was ich an ihr nicht leiden konnte. Es regte mich auf – und das sagte ich ihr –, wie sie mir mit jedem Wort beweisen wollte, dass alle meine Altersgenossinnen es im Vergleich zu mir denkbar schlecht getroffen hatten. »Hör auf«, flüsterte ich. Sie tat nichts dergleichen, in einem fort wiederholte sie: *Du dagegen.*

Noch mehr kränkte es mich allerdings, hinter ihrem mütterlichen Stolz die Angst zu spüren, dass die Dinge sich von einem Augenblick zum anderen ändern könnten, dass ich wieder schlechtere Noten bekam und ihr keinen Anlass mehr zum Angeben bot. Sie hatte wenig Vertrauen in die Beständigkeit der Welt. Darum flößte sie mir Essen ein, wischte mir den Schweiß ab, zwang mich, unzählige Male Fieber zu messen. Hatte sie Angst, ich könnte sterben und sie so meines trophäenhaften Lebens berauben? Hatte sie Angst, ich würde aufgeben, wenn ich nicht mehr bei Kräften war, ich würde gewissermaßen degradiert werden und müsste ruhmlos nach Hause zurückkehren? Geradezu zwanghaft erzählte sie mir von

Lila. Sie ritt so lange auf diesem Thema herum, dass ich plötzlich ahnte, wie sehr sie sie schon als kleines Mädchen im Blick gehabt hatte. ›Auch sie‹, dachte ich, ›auch meine Mutter hat gemerkt, dass sie besser ist als ich, und jetzt wundert sie sich, dass ich sie abgehängt habe, sie glaubt es und glaubt es nicht, sie hat Angst, ihren Rang als *glücklichste Mutter des Rione* zu verlieren. Sieh mal an, wie kämpferisch sie ist, sieh mal an, wie viel Dünkel in ihren Augen liegt.‹ Ich sah, wie viel Energie sie versprühte, und mir ging durch den Kopf, dass ihr Hinken ihr überdurchschnittlich viel Kraft zum Überleben abverlangt haben musste und ihr so auch diese Unerbittlichkeit auferlegt hatte, mit der sie sich innerhalb und außerhalb der Familie bewegte. Mein Vater, was war der dagegen? Ein Schwächling, darin geübt, diensteifrig zu sein und diskret die Hand aufzuhalten, um kleine Trinkgelder zu kassieren. Mit Sicherheit hätte er es nie geschafft, all die Hindernisse zu überwinden und bis in diesen ehrwürdigen Palazzo zu kommen. Ihr war es gelungen.

Als sie gegangen war und wieder Stille einkehrte, war ich einerseits erleichtert, aber durch das Fieber andererseits auch gerührt. Ich stellte mir vor, wie sie allein unterwegs war und jeden Passanten fragte, ob dies der richtige Weg zum Bahnhof sei, sie, zu Fuß, mit ihrem schlimmen Bein, in einer fremden Stadt. Niemals hätte sie Geld für einen Bus ausgegeben, sie, die darauf achtete, nicht einmal fünf Lire zu verschwenden. Aber sie würde es trotzdem schaffen: Sie würde die richtige Fahrkarte kaufen und die richtigen Züge nehmen und auf furchtbar unbequemen Sitzen oder im Stehen durch die Nacht reisen, bis Neapel. Dort würde sie einen weiteren langen Fußweg bis zum Rione zurücklegen, um sich wieder ans Putzen und Kochen zu machen, sie würde den Weihnachts-Aal in Stücke schneiden und die Insalata di rinforzo zubereiten und die Hühnersuppe und die honigsüßen Struffoli, ohne sich auch nur einen Moment auszuruhen, verbissen, aber mit dem Trost irgendwo in ihrem Kopf: »Lenuccia ist besser als Gigliola, als Carmen, als Ada, als Lina, als alle.«

110

Meiner Mutter zufolge war es Gigliolas Schuld, dass Lilas Situation noch unerträglicher wurde. Alles begann an einem Sonntag im April, als die Tochter des Konditors Spagnuolo Ada ins Gemeindekino einlud. Dann schaute sie schon am nächsten Tag nach Ladenschluss bei ihr vorbei und sagte: »Was machst du denn so ganz allein? Komm doch mit zum Fernsehen zu meinen Eltern und bring ruhig auch Melina mit.« Eines ergab das andere, sie bezog sie auch mit ein, wenn sie mit ihrem Verlobten Michele Solara ausging. Oft besuchten sie zu fünft die Pizzeria: Gigliola, ihr kleiner Bruder, Michele, Ada und Antonio. Die Pizzeria lag im Zentrum, in Santa Lucia. Michele fuhr den Wagen, Gigliola prunkte neben ihm, und auf der Rückbank saßen Lello, Antonio und Ada.

Antonio hatte keine Lust, seine Freizeit mit seinem Chef zu verbringen, und erzählte Ada zunächst, er habe zu tun. Aber als Gigliola ihm zutrug, wie sehr sich Michele darüber aufgeregt hatte, dass er sich drückte, zog er den Kopf ein und gehorchte von nun an. Das Gespräch wurde fast immer von den zwei Mädchen bestritten, Michele und Antonio wechselten kein einziges Wort miteinander, häufig verließ Solara sogar den Tisch, um mit dem Besitzer der Pizzeria zu tuscheln, mit dem er verschiedene krumme Geschäfte abwickelte. Gigliolas Bruder aß seine Pizza und langweilte sich still.

Das Lieblingsthema der beiden Mädchen war die Liebe von Ada und Stefano. Sie sprachen über die Geschenke, die er ihr gemacht hatte und noch machte, über die Traumreise nach Stockholm im August des vorangegangenen Jahres (wie viele Lügen hatte Ada dem armen Pasquale erzählen müssen) und darüber, dass Stefano sie in der Salumeria besser behandelte, als wenn sie die Chefin wäre. Ada war gerührt, sie redete und redete. Gigliola hörte ihr zu und sagte hin und wieder etwas wie:

»Die Kirche kann eine Ehe manchmal annullieren.«

Ada hielt inne, runzelte die Stirn.

»Ich weiß, aber das ist schwierig.«

»Schwierig, aber nicht unmöglich. Man muss sich an die Römische Rota wenden.«

»Was ist das?«

»Genau weiß ich das auch nicht, aber die Rota kann sich über alles hinwegsetzen.«

»Wirklich?«

»Ich hab's gelesen.«

Ada war überglücklich über diese unverhoffte Freundschaft. Bisher hatte sie mit ihrer Affäre stillschweigend gelebt, mit vielen Ängsten und vielen Gewissensbissen. Jetzt merkte sie, wie gut es ihr tat, darüber zu reden, es setzte sie ins Recht, löschte die Schuld aus. Getrübt wurde diese Erleichterung nur durch die Feindseligkeit ihres Bruders, und wirklich stritten sie sich auf dem Rückweg in einem fort. Einmal war Antonio drauf und dran, sie zu ohrfeigen, er schrie sie an:

»Warum, verdammt noch mal, erzählst du deine Geschichten überall herum? Ist dir klar, dass du hier die Rolle der Nutte hast und ich die des Zuhälters?«

Sie antwortete im ärgerlichsten Ton, zu dem sie fähig war:

»Weißt du, warum Michele Solara mit uns essen geht?«

»Weil er mein Chef ist.«

»Ja, bestimmt.«

»Warum denn sonst?«

»Weil ich mit Stefano zusammen bin und der was zu sagen hat. Wenn ich mich auf dich verlassen hätte, wäre ich Melinas Tochter gewesen und Melinas Tochter geblieben.«

Antonio verlor die Beherrschung:

»Du bist nicht mit Stefano *zusammen*, du bist seine *Hure*!«

Ada brach in Tränen aus.

»Das ist nicht wahr, Stefano liebt nur mich.«

Eines Abends spitzten sich die Dinge weiter zu. Sie waren zu Hause und mit dem Abendessen fertig. Ada wusch ab, Antonio starrte ins Leere, ihre Mutter trällerte ein altes Lied und kehrte mit zu viel Schwung den Fußboden. Irgendwann fuhr Melina mit dem Besen rein zufällig über die Füße ihrer Tochter, und das war entsetzlich. Es gab einen Aberglauben – ich weiß nicht, ob es ihn immer noch gibt –, dem zufolge eine ledige Frau, der man mit dem Besen über die Füße fegt, niemals heiraten würde. Blitzschnell sah Ada ihre Zukunft vor sich. Sie sprang zurück, als hätte eine Kakerlake sie berührt, und der Teller, den sie in der Hand hatte, flog auf den Boden.

»Du hast über meine Füße gefegt!«, kreischte sie, so dass ihrer Mutter der Mund offen stehenblieb.

»Das hat sie doch nicht mit Absicht gemacht«, sagte Antonio.

»Und ob sie das mit Absicht gemacht hat. Ihr wollt bloß nicht, dass ich heirate, es passt euch gut, dass ich mich für euch abrackere, ihr wollt mich für immer hierbehalten.«

Melina versuchte, ihre Tochter zu umarmen, während sie nein, nein, nein sagte, doch Ada stieß sie grob weg, so dass die Frau zurücktaumelte, gegen einen Stuhl stieß und in die Tellerscherben fiel.

Antonio eilte seiner Mutter zu Hilfe, aber Melina schrie nun vor Angst, sie hatte Angst vor ihrem Sohn, vor ihrer Tochter, vor allem ringsumher. Und Ada schrie im Gegenzug noch lauter als sie:

»Aber ihr werdet schon sehen, dass ich heirate, schon bald sogar, und wenn Lina nicht von allein verschwindet, werde ich sie aus dem Weg räumen, und zwar endgültig!«

Da verließ Antonio türschlagend das Haus. Er war schwermütiger als sonst, versuchte in den folgenden Tagen, sich von dieser neuen Tragödie in seinem Leben fernzuhalten, bemühte sich, taub und stumm zu sein, machte einen Bogen um die alte Salumeria, und wenn er Stefano Carracci zufällig begegnete, schaute er weg, bevor seine Lust, ihn zu verprügeln, größer wurde. Er fühlte sich krank im Kopf, wusste nicht mehr, was richtig war und was falsch. War es richtig gewesen, Lina nicht an Michele auszuliefern? War es richtig gewesen, Enzo zu beauftragen, sie wieder nach Hause zu holen? Wäre die Situation seiner Schwester eine andere, wenn Lina nicht zu ihrem Mann zurückgekehrt wäre? ›Alles geschieht willkürlich‹, überlegte er, ›ohne Gut und Böse.‹ Doch an diesem Punkt verfitzten sich seine Gedanken, und als wollte er sich von einem Alptraum befreien, begann er bei der erstbesten Gelegenheit wieder mit Ada zu streiten. Er schrie sie an: »Dieser Kerl ist verheiratet, du Miststück, er hat ein kleines Kind, du bist schlimmer als unsere Mutter, du weißt ja überhaupt nicht, was los ist.« Darum rannte Ada zu Gigliola und klagte: »Mein Bruder ist verrückt geworden, mein Bruder will mich umbringen.«

So kam es, dass Michele Antonio eines Nachmittags zu sich rief und ihn für einen langen Auftrag nach Deutschland schickte. Er widersprach nicht, gehorchte sogar gern und reiste ab, ohne sich von seiner Schwester oder von Melina zu verabschieden. Er rechnete fest damit, dass man ihn im Ausland, wo die Leute redeten wie die Nazis im Gemeindekino, erstechen oder erschießen würde, und das war ihm ganz recht so. Unerträglicher, als ermordet zu werden, war für ihn, weiterhin das Leiden seiner Mutter und das von Ada vor Augen zu haben, ohne etwas tun zu können.

Der Einzige, den er noch einmal sehen wollte, bevor er in den Zug stieg, war Enzo. Als Antonio zu ihm kam, hatte er gerade viel zu tun. Damals versuchte er, alles zu verkaufen, den Esel, den Karren, den kleinen Laden seiner Mutter, den Gemüsegarten an der Eisenbahn. Einen Teil des Erlöses wollte er einer ledigen Tante geben, die sich angeboten hatte, sich um seine Geschwister zu kümmern.

»Und du?«, fragte Antonio.

»Ich suche mir eine neue Arbeit.«

»Willst du dein Leben ändern?«

»Ja.«

»Das machst du richtig.«

»Es muss sein.«

»Ich dagegen bin eben, was ich bin.«

»Blödsinn.«

»Doch, aber das ist in Ordnung so. Jetzt muss ich weg, und ich weiß noch nicht, wann ich wiederkomme. Kannst du bitte ab und zu nach meiner Mutter sehen, nach meiner Schwester und nach meinen kleinen Brüdern?«

»Wenn ich im Rione bleibe, ja.«

»Wir haben einen Fehler gemacht, Enzù, wir hätten Lina nicht nach Hause zurückholen sollen.«

»Kann sein.«

»Alles ist das reinste Chaos, nie weiß man, was man machen soll.«

»Ja.«

»Ciao.«

»Ciao.«

Sie gaben sich nicht einmal die Hand. Antonio ging zur Piazza Garibaldi und stieg in den Zug. Er machte eine lange, unerträgliche Reise, eine Nacht und einen Tag lang, mit vielen wütenden Stimmen, die ihm durch den Körper liefen. Schon nach wenigen Stunden war er todmüde, seine Füße kribbelten. Er war nicht mehr verreist, seit er vom Militärdienst zurückgekommen war. Hin und wieder stieg er aus, um am Trinkbrunnen einen Schluck Wasser zu nehmen, hatte aber große Angst, dass der Zug ohne ihn weiterfuhr. Später erzählte er mir, am Bahnhof in Florenz sei er so deprimiert gewesen, dass er gedacht habe: »Ich steige hier aus und fahre zu Lenuccia.«

III

Nach Antonios Abreise wurde der Zusammenhalt zwischen Gigliola und Ada noch enger. Gigliola redete Melinas Tochter das ein, was diese seit einer Weile ohnehin schon dachte, nämlich dass sie nicht länger warten sollte; Stefanos eheliche Verbindung musste gesprengt werden. »Lina muss aus der Wohnung verschwinden«, sagte sie zu Ada. »Und du musst dort einziehen. Wenn du zu lange wartest, verfliegt der Zauber, und du verlierst alles, auch deine Arbeit in der Salumeria, denn Lina wird wieder an Boden gewinnen und Stefano zwingen, dich wegzujagen.« Gigliola ging sogar so weit, ihr zu verraten, dass sie aus Erfahrung sprach, sie habe genau das gleiche Problem mit Michele. »Wenn ich warte, bis er sich dazu durchringt, mich zu heiraten«, flüsterte sie ihr zu, »werde ich alt und grau, darum liege ich ihm ständig in den Ohren: Entweder wir heiraten bis zum Frühjahr 1968, oder ich verlasse ihn, und er kann sich verpissen.«

Daher begann Ada Stefano mit einem direkten, klebrigen Verlangen zu umgarnen, das ihm das Gefühl gab, ein besonderer Mann zu sein, und zwischen ihren Küssen raunte sie: »Du musst dich entscheiden, Ste', entweder ich oder sie; ich sage ja nicht, dass du sie mit dem Kind auf die Straße setzen sollst, es ist dein Sohn, und du hast Verpflichtungen; aber mach es doch so, wie es heutzutage so viele Schauspieler und Prominente machen: Gib ihr ein bisschen Geld und damit hat es sich. Im Rione wissen inzwischen sowieso alle, dass eigentlich ich deine Frau bin, also will ich immer, immer, immer bei dir sein.«

Stefano willigte ein und umarmte sie fest in dem unbequemen Bett am Rettifilo, aber dann tat er nicht viel, außer nach Hause zu kommen und mit Lila herumzuschreien, mal weil keine sauberen Socken da waren, mal weil er gesehen hatte, dass sie mit Pasquale oder einem anderen geredet hatte.

Da begann Ada zu verzweifeln. An einem Sonntagmorgen begegnete sie Carmen, die ihr mit anklagenden Tönen von ihren Arbeitsbedingungen in den beiden Salumerias erzählte. Ein Wort gab das andere, und sie begannen sich das Maul über Lila zu zerreißen, die sie beide aus unterschiedlichen Gründen als die Ursache für all ihr Unglück betrachteten. Schließlich konnte Ada nicht an sich halten und schilderte ihr, wie ihr zumute war, dabei außer Acht lassend, dass Carmen die Schwester ihres Exfreundes war. Und Carmen, die es kaum erwarten konnte, nun ihrerseits am Netz aus Klatsch und Tratsch mitzuknüpfen, hörte höchst bereitwillig zu, schaltete sich oft ein, um das Feuer noch zu schüren, und versuchte, mit ihren Ratschlägen sowohl Ada, die Pasquale betrogen hatte, als auch Lila, die sie, Carmen, im Stich gelassen hatte, möglichst viel zu schaden. Aber ich muss sagen, abgesehen von diesem Groll empfand sie auch das Vergnügen, es mit einer Person, ihrer Freundin aus Kindheitstagen, zu tun zu haben, die es immerhin bis zur Rolle der Geliebten eines verheirateten Mannes geschafft hatte. Denn sosehr wir Mädchen aus dem Rione auch von klein auf hatten Ehefrauen werden wollen, hatten wir doch, als wir heranwuchsen, fast immer mit den Geliebten sympathisiert, die uns lebhafter, kämpferischer und vor allem moderner erschienen waren. Andererseits hofften wir, die rechtmäßige Ehefrau (im Allgemeinen eine äußerst boshafte oder jedenfalls seit Langem untreue Frau) werde schwer erkranken und sterben, so dass die Geliebte ihren Status ändern und ihren Liebestraum damit krönen könnte, selbst Ehefrau zu werden. Wir waren also auf der Seite des Regelverstoßes, aber nur, damit die Gültigkeit der Regel erneut bestätigt wurde. Daher ging Carmen, wenn auch mit vielen hinterlistigen Einflüsterungen, voller Leidenschaft auf Adas Geschichte ein, war ehrlich bewegt und sagte eines Tages in aller Aufrichtigkeit zu ihr: »Du darfst so nicht weitermachen, du musst dieses Miststück wegjagen, Stefano heiraten und ihm deinerseits Kinder schenken. Frag doch mal die Solaras, ob sie einen bei der Römischen Rota kennen.«

Ada fügte Carmens Empfehlungen sofort zu Gigliolas Ratschlägen hinzu und wandte sich eines Abends in der Pizzeria unumwunden an Michele:

»Hast du Verbindungen zu dieser Römischen Rota?«

Er antwortete spöttisch:

»Keine Ahnung, ich kann ja mal nachfragen, ein Freund findet sich immer. Aber nimm du dir jetzt, was dir gehört, das ist das Vordringlichste. Und mach dir keine Sorgen: Wenn dir einer was anhaben will, schick ihn zu mir.«

Micheles Worte hatten viel Gewicht, Ada fühlte sich unterstützt, noch nie in ihrem Leben hatte sie so viel Zustimmung erfahren. Trotzdem reichten Gigliolas Dauerbeschuss, Carmens Ratschläge, das unverhoffte Schutzversprechen einer sehr einflussreichen männlichen Autorität und selbst ihre Wut darüber, dass Stefano im August nicht wie im Vorjahr eine Auslandsreise hatte machen wollen, sondern sie nur ein paarmal im Sea Garden gewesen waren, nicht aus, um Ada zum Angriff zu bewegen. Dazu bedurfte es einer neuen, konkreten Tatsache: der Entdeckung, dass sie schwanger war.

Die Schwangerschaft erfüllte Ada mit einem ungestümen Glück, aber sie behielt die Neuigkeit für sich, nicht einmal Stefano erzählte sie davon. Eines Nachmittags zog sie ihren Kittel aus und verließ die Salumeria, wie um etwas frische Luft zu schnappen, ging jedoch zu Lila.

»Ist was passiert?«, fragte Signora Carracci, als sie ihr die Tür öffnete.

Ada antwortete:

»Nichts, was du nicht schon weißt.«

Sie trat ein und erzählte ihr, im Beisein des Kindes, alles mögliche. Sie begann ruhig, redete über Schauspieler und auch Radsportler, bezeichnete sich als eine Art Dame in Weiß wie die von Fausto Coppi, eine modernere allerdings, und führte die Römische Rota zum Beweis dafür an, dass selbst die Kirche und Gott in bestimmten Fällen die Ehe für nichtig erklärten, wenn die Liebe sehr stark sei. Da Lila ihr zuhörte, ohne sie zu unterbrechen, was Ada nun wirklich nicht erwartet hätte – sie hoffte im Gegenteil sogar, Lila würde ein einziges Wort sagen, damit sie sie blutig schlagen konnte –, wurde sie nervös und begann, durch die Zimmer zu laufen, anfangs, um ihr zu zeigen, dass sie schon oft in der Wohnung gewesen war und sich bestens darin auskannte, und dann, um ihr vorzuwerfen: »Das ist ja ekelhaft, das Geschirr nicht abgewaschen, dazu der ganze Staub, und die Socken und Unterhosen noch auf dem Boden, nicht zu fassen, dass der arme Mann so leben muss.« Mit unbezähmbarer Hektik sammelte sie schließlich die Schmutzwäsche vom Schlafzimmerboden auf und schrie: »Ab morgen komme ich hier aufräumen. Du kannst ja noch nicht mal das Bett machen, hier, sieh mal, Stefano kann es nicht leiden, wenn das Laken so umgeschlagen wird, er hat mir erzählt, dass er dir das schon tausendmal erklärt hat, aber du, Fehlanzeige!« Plötzlich hielt sie konfus inne und sagte leise:

»Du musst hier verschwinden, Lina, wenn du nicht gehst, bringe ich dein Kind um.«

Lila konnte nur antworten:

»Du benimmst dich genauso wie deine Mutter, Ada.«

Das waren ihre Worte. Heute überlege ich, wie ihre Stimme damals war: Lila war nie zu ergriffenen Tönen fähig gewesen, für gewöhnlich sprach sie wohl mit eisiger Bosheit oder distanziert. Doch Jahre später erzählte sie mir, dass sie sich, als sie Ada in diesem Zustand bei sich zu Hause gesehen hatte, daran erinnert hatte, wie Melina, die verlassene Geliebte, geschrien hatte, als Familie Sarratore aus dem Viertel weggezogen war, und sie hatte noch einmal das aus dem Fenster fliegende Bügeleisen vor Augen gehabt, das um ein Haar Nino getötet hätte. Die hoch aufschlagende Flamme des Leidens, die sie damals sehr beeindruckt hatte, da war sie wieder und loderte nun in Ada; nur dass sie diesmal nicht von Sarratores Frau angefacht worden war, sondern von ihr, Lila. Eine schlimme Spiegelung, die uns Mädchen damals allen entging. Aber ihr nicht, und so ist es wahrscheinlich, dass anstelle von Groll, anstelle ihrer üblichen Entschlossenheit, jemandem wehzutun, Bitterkeit in ihr hervorgerufen wurde, und Mitleid. Sicherlich versuchte sie, Adas Hand zu ergreifen, und sagte:

»Setz dich hin, ich mache dir einen Kamillentee.«

Aber Ada sah in allen Worten Lilas, vom ersten bis zum letzten, und besonders in dieser Geste eine Beleidigung. Sie schnellte zurück, verdrehte die Augen auf beeindruckende Weise, so dass nur noch das Weiß zu sehen war, und kreischte, als ihre Pupillen wieder erschienen:

»Willst du damit sagen, dass ich verrückt bin? So verrückt wie meine Mutter? Dann nimm dich lieber in Acht, Lina. Rühr mich nicht an, scher dich weg und mach dir selbst einen Kamillentee. Ich bringe inzwischen diesen Saustall hier in Ordnung.«

Sie fegte aus, wischte die Böden, machte das Bett erneut und sagte die ganze Zeit über nichts mehr.

Lila schaute ihr zu und fürchtete, sie könnte kaputtgehen wie ein Roboter, der einer zu großen Beschleunigung ausgesetzt ist. Dann nahm sie ihr Kind und ging aus dem Haus, sie lief lange durch das neue Viertel, sprach mit Rinuccio, zeigte ihm Dinge, benannte sie und dachte sich Geschichten aus. Aber sie tat es mehr, um ihre Angst unter Kontrolle zu halten, als um das Kind zu beschäftigen. Sie kehrte erst nach Hause zurück, nachdem sie von weitem gesehen hatte, dass Ada aus dem Eingang gekommen und davongelaufen war, als wäre sie spät dran.

112

Als Ada atemlos und in höchster Aufregung wieder zur Arbeit kam, fragte Stefano sie finster, doch ruhig: »Wo bist du gewesen?« Sie antwortete in Gegenwart der Kunden, die auf ihre Bedienung warteten: »Deine Wohnung aufräumen, das war ja ekelhaft.« Und an das Publikum vor dem Ladentisch gewandt: »Auf der Kommode lag so viel Staub, dass man seinen Namen draufschreiben konnte!«

Stefano sagte kein Wort, was die Kunden enttäuschte. Als sich das Geschäft leerte und es Zeit wurde, zu schließen, machte Ada sauber und fegte aus, wobei sie ihren Geliebten unentwegt aus den Augenwinkeln beobachtete. Vergeblich, er saß an der Kasse, machte die Abrechnung und rauchte amerikanische Zigaretten mit kräftigem Aroma. Als er den letzten Stummel ausdrückte, nahm er die Stange, um den Rollladen herunterzuziehen, was er aber von innen tat.

»Was machst du denn da?«, fragte Ada alarmiert.

»Wir gehen über den Hof raus.«

Danach schlug er sie so oft ins Gesicht, zunächst mit der Handfläche, dann mit dem Handrücken, dass sie sich auf den Ladentisch stützte, um nicht in Ohnmacht zu fallen. »Wie kannst du es wagen, zu mir nach Hause zu gehen?«, sagte er mit einer vom Wunsch, nicht zu schreien, erstickten Stimme. »Wie kannst du es wagen, meine Frau und meinen Sohn zu belästigen?« Dann endlich merkte er, dass ihm fast das Herz zersprang, und er versuchte, sich zu beruhigen. Es war das erste Mal, dass er sie schlug. Bebend stammelte er: »Mach das nie wieder«, ging weg und ließ sie blutend im Laden zurück.

Am nächsten Tag erschien Ada nicht zur Arbeit. Übel zugerichtet, wie sie war, tauchte sie bei Lila auf, und als Lila die blauen Flecken in ihrem Gesicht sah, ließ sie sie sofort herein.

»Mach mir einen Kamillentee«, sagte Melinas Tochter.

Lila machte ihn ihr.

»Dein Kind ist hübsch.«

»Ja.«

»Stefano wie aus dem Gesicht geschnitten.«

»Nein.«

»Es hat seine Augen und seinen Mund.«

»Nein.«

»Wenn du deine Bücher lesen musst, dann mach das

ruhig, um den Haushalt und um Rinuccio kümmere ich mich.«

Lila musterte sie, diesmal fast schon belustigt, dann sagte sie:

»Mach, was du willst, aber komm meinem Kind nicht zu nahe.«

»Keine Sorge, ich tue ihm nichts.«

Ada machte sich an die Arbeit: Sie räumte auf, spülte das Geschirr, wusch Wäsche, hängte sie in der Sonne auf, kochte das Mittagessen, bereitete das Abendbrot. Irgendwann hörte sie auf, fasziniert davon, wie Lila mit Rinuccio spielte.

»Wie alt ist er?«

»Zwei Jahre und vier Monate.«

»Er ist noch klein. Du überforderst ihn.«

»Nein, er tut das, was er kann.«

»Ich bin schwanger.«

»Was sagst du da?«

»Es stimmt.«

»Von Stefano?«

»Natürlich.«

»Weiß er es schon?«

»Nein.«

Da erkannte Lila, dass ihre Ehe wirklich am Ende war, aber wie immer, wenn sie einen unmittelbar bevorstehenden Umbruch bemerkte, spürte sie weder Bedauern noch Angst, noch Besorgnis. Als Stefano kam, fand er seine Frau lesend im Wohnzimmer vor, Ada in der Küche beim Spielen mit dem Kind, die Wohnung köstlich duftend und blitzblank wie ein einziges, großes Schmuckstück. Ihm wurde klar, dass die Prügel nichts genutzt hatten, er wurde kreideweiß, und es verschlug ihm den Atem.

»Hau ab«, sagte er leise zu Ada.

»Nein.«

»Was hast du vor?«

»Ich bleibe hier.«

»Willst du mich wahnsinnig machen?«

»Ja, dann sind wir schon zwei.«

Lila klappte ihr Buch zu, nahm wortlos das Kind und zog sich in das Zimmer zurück, in dem ich früher gelernt hatte und in dem nun Rinuccio schlief. Stefano flüsterte seiner Geliebten zu:

»So treibst du mich in den Ruin. Ada, du liebst mich gar nicht, du willst bloß, dass ich meine ganze Kundschaft verliere, du willst mich an den Bettelstab bringen, obwohl du weißt, dass die Lage ohnehin schon nicht rosig ist. Bitte, sag mir, was du willst, und ich gebe es dir.«

»Ich will immer mit dir zusammen sein.«

»Ja, aber nicht hier.«

»Doch, hier.«

»Hier ist mein Zuhause, hier ist Lina, hier ist Rinuccio.«

»Von jetzt an bin ich auch hier: Ich bin schwanger.«

Stefano setzte sich hin. Schweigend betrachtete er den Bauch der vor ihm stehenden Ada, als würde er durch ihr Kleid, ihr Höschen, ihre Haut hindurchsehen, als würde er das bereits voll ausgebildete Kind sehen, ein vollkommen fertiges Lebewesen, das im Begriff war, ihn anzuspringen. Da klingelte es an der Tür.

Es war ein Kellner aus der Solara-Bar, ein erst kürzlich eingestellter, sechzehnjähriger Junge. Er richtete Stefano aus, dass Michele und Marcello ihn sofort sehen wollten. Stefano raffte sich auf, angesichts des Gewitters, das er im Haus hatte, betrachtete er diese Aufforderung im ersten Moment als Rettung. Er sagte zu Ada: »Du rührst dich nicht vom Fleck.« Sie lächelte ihn an und nickte. Er ging hinaus und raste mit dem Auto zu den beiden Solaras. ›Was habe ich mir da bloß eingebrockt‹, dachte er. ›Was mache ich denn jetzt? Wenn mein Vater noch am Leben wäre, würde er mir mit einer Eisenstange die Beine zerschmettern.‹ Die Frauen, die Schulden, Signora Solaras rotes Buch. Irgendwas hatte nicht funktioniert. Lina. Sie hatte ihn ruiniert. ›Und was zum Teufel wollen denn Marcello und Michele um diese Zeit so dringend?‹

Sie wollten, wie er erfuhr, die alte Salumeria. Das sagten sie nicht, ließen es aber durchblicken. Marcello sprach nur von einem weiteren Darlehen, das sie ihm durchaus gewähren würden. »Allerdings«, forderte er, »müssen die Cerullo-Schuhe endgültig zu uns kommen, Schluss jetzt mit diesem Nichtstuer von deinem Schwager, der ist absolut unzuverlässig. Und wir brauchen eine Sicherheit, einen Betrieb, eine Immobilie, denk drüber nach.« Damit ging er weg, er sagte, er habe zu tun. Nun war Stefano mit Michele allein. Sie diskutierten lange, um zu sehen, ob sich die kleine Fabrik von Rino und Fernando retten ließ, ob man ohne das auskommen konnte, was Marcello eine Sicherheit genannt hatte. Aber Michele schüttelte den Kopf:

»Sicherheiten brauchen wir schon, Skandale sind nicht gut fürs Geschäft.«

»Ich weiß nicht, was du meinst.«

»Aber ich. Welche ist dir lieber, Lina oder Ada?«

»Das geht dich nichts an.«

»Nein, Ste', wenn's ums Geld geht, gehen mich deine Angelegenheiten sehr wohl was an.«

»Was soll ich sagen, so unter uns Männern, du weißt doch, wie das ist. Lina ist meine Frau, das mit Ada ist was anderes.«

»Also ist dir Ada lieber?«

»Ja.«

»Dann bring die Sache in Ordnung, danach sehen wir weiter.«

Es vergingen viele sehr schwarze Tage, bevor Stefano für sich einen Ausweg aus dieser festgefahrenen Situation fand. Streitereien mit Ada, Streitereien mit Lila, die Arbeit zum Teufel, die alte Salumeria häufig geschlossen, der Rione, der beobachtete, sich alles merkte und sich noch immer erinnert. Das schöne Brautpaar. Das Cabrio. Soraya fährt mit dem Schah von Persien vorüber, John und Jacqueline fahren vorüber. Am Ende fügte sich Stefano und sagte zu Lila:

»Ich habe eine recht nette Wohnung gefunden, die sich gut für dich und Rinuccio eignet.«

»Wie großzügig von dir.«

»Ich komme zweimal in der Woche, um bei dem Kind zu sein.«

»Von mir aus brauchst du es gar nicht mehr zu sehen, schließlich ist es nicht von dir.«

»Du Miststück, du treibst mich noch dazu, dir die Fresse einzuschlagen!«

»Wenn du willst, schlag mir die Fresse ein, daran bin ich längst gewöhnt. Aber kümmere dich lieber um dein eigenes Kind, ich kümmere mich um meins.«

Er schnaufte, wurde wütend, versuchte tatsächlich, sie zu schlagen. Schließlich sagte er:

»Die Wohnung liegt auf dem Vomero.«

»Wo?«

»Ich bringe dich morgen hin und zeig' sie dir. An der Piazza degli Artisti.«

Augenblicklich fiel Lila der Vorschlag ein, den Michele Solara ihr vor einer Weile unterbreitet hatte: *»Ich habe eine Wohnung auf dem Vomero gekauft, an der Piazza degli Artisti. Wenn du willst, bringe ich dich sofort hin und zeige sie dir, ich habe an dich gedacht, als ich sie ausgesucht habe. Du kannst dort machen, was du willst: Du kannst lesen, schreiben, dir Sachen ausdenken, schlafen, lachen, reden und mit Rinuccio zusammen sein. Ich will nichts weiter als dich ansehen und dir zuhören können.«* Ungläubig schüttelte sie den Kopf und sagte zu ihrem Mann:

»Du bist wirklich ein Arschloch.«

113

Nun sitzt Lila verbarrikadiert in Rinuccios Zimmer, sie überlegt, was zu tun ist. In die Wohnung ihrer Eltern will sie nicht mehr zurück, die Last ihres Lebens gehört ihr, sie will nicht wieder zur kleinen Tochter werden. Auf ihren Bruder kann sie nicht zählen. Rino ist nicht ganz bei Trost, er spielt Pinuccia übel mit, um sich an Stefano zu rächen, und hat angefangen, sich auch mit seiner Schwiegermutter Maria zu streiten, weil er verzweifelt ist, abgebrannt, hochverschuldet. Sie zählt nur auf Enzo: Sie hat ihm vertraut und sie vertraut ihm weiterhin, auch wenn er sich nie hat blicken lassen und sogar aus dem Rione verschwunden zu sein scheint. Sie denkt: ›Er hat mir versprochen, mich hier rauszuholen.‹ Doch manchmal hofft sie, er werde sein Versprechen nicht halten, sie hat Angst, ihn in Schwierigkeiten zu bringen. Eine mögliche Auseinandersetzung mit Stefano kümmert sie nicht, ihr Mann hat bereits auf sie verzichtet, und außerdem ist er feige, auch wenn er die Kraft eines wilden Tieres hat. Vielmehr fürchtet sie sich vor Michele Solara. ›Nicht heute, nicht morgen, aber wenn ich überhaupt nicht mehr daran denke, wird er vor mir auftauchen, und wenn ich mich nicht beuge, wird er mich dafür bezahlen lassen, und er wird jeden bezahlen lassen, der mir geholfen hat. Darum ist es besser, wenn ich verschwinde, ohne andere mit hineinzuziehen. Ich muss eine Arbeit finden, egal was, um das bisschen zu verdienen, das ich brauche, um dafür zu sorgen, dass das Kind etwas zu essen und ein Dach über dem Kopf hat.‹

Schon allein der Gedanke an ihren Sohn raubt ihr die Kraft. ›Was hat sich wohl in Rinuccios Kopf festgesetzt: Bilder, Worte.‹ Sie macht sich Sorgen wegen der Stimmen, die ihn unkontrolliert erreicht haben. ›Wer weiß, ob er meine Stimme gehört hat, als ich ihn im Bauch hatte. Wer weiß, wie sie auf sein Nervensystem gewirkt hat. Er hat sich geliebt gefühlt, hat sich abgelehnt gefühlt, hat meine Aufregung gespürt. Wie schützt man ein Kind. Indem man es ernährt. Es liebt. Ihm Dinge beibringt. Als Filter für jeden Eindruck wirkt, der es für immer beeinträchtigen könnte. Ich habe seinen leiblichen Vater verloren, der nichts von ihm weiß und es niemals lieben wird. Stefano, der nicht sein Vater ist und es trotzdem ein wenig liebte, hat uns aus Liebe zu einer anderen Frau und zu einem leiblicheren Kind verkauft. Was wird diesem Kind geschehen. Rinuccio weiß nun schon, dass er mich nicht verliert, wenn ich in ein anderes Zimmer gehe, ich bin weiterhin da. Er setzt sich vorsichtig mit Gegenständen und mit den Einbildungen von Gegenständen auseinander, mit dem Außen und dem Innen. Er kann mit Löffel und Gabel essen. Er bearbeitet die Dinge und formt sie, er formt sie um. Er ist vom Wort zum Satz übergegangen. Auf Italienisch. Er sagt nicht mehr *er*, er sagt *ich*. Er kennt die Buchstaben des Alphabets. Er setzt sie so zusammen, dass er seinen Namen schreiben kann. Er liebt Farben. Er ist fröhlich. Aber all die Wut. Er hat erlebt, wie ich beschimpft und geschlagen wurde. Er hat erlebt, wie ich Dinge zertrümmert und selbst auch geschimpft habe. Im Dialekt. Ich kann hier nicht mehr bleiben.‹

114

Vorsichtig verließ Lila das Zimmer, doch erst, als Stefano weg war, als Ada weg war. Sie machte Rinuccio etwas zu essen, aß selbst auch eine Kleinigkeit. Sie wusste, dass der Rione tratschte, dass Gerüchte schnell die Runde machten. An einem späten Nachmittag im November klingelte das Telefon.

»Ich bin in zehn Minuten da.«

Sie erkannte ihn, und ohne großes Erstaunen antwortete sie:

»Ist gut.« Dann: »Enzo.«

»Ja.«

»Du musst das nicht tun.«

»Ich weiß.«

»Die Solaras haben ihre Finger im Spiel.«

»Die Solaras können mich mal.«

Genau zehn Minuten später war er da. Er kam herauf, sie hatte ihre Sachen und die des Kindes in zwei Koffer gepackt und im Schlafzimmer auf dem Nachttisch ihren ganzen Schmuck zurückgelassen, auch den Verlobungsring und den Ehering.

»Jetzt gehe ich zum zweiten Mal weg«, sagte sie zu ihm, »aber diesmal kehre ich nicht mehr zurück.«

Enzo schaute sich um, er war nie in dieser Wohnung gewesen. Sie zog ihn am Arm:

»Stefano könnte plötzlich auftauchen, das macht er manchmal.«

»Und wo ist das Problem?«

Er berührte Gegenstände, die er für teuer hielt, eine Blumenvase, einen Aschenbecher, funkelndes Silberzeug. Er blätterte in einem kleinen Schreibblock, in dem Lila notierte, was sie für das Kind und den Haushalt besorgen musste. Dann warf er ihr einen prüfenden Blick zu, fragte sie, ob ihre Entscheidung endgültig sei. Sagte, er habe in einer Fabrik in San Giovanni a Teduccio Arbeit gefunden und sich dort eine Wohnung genommen, drei Zimmer, die Küche ein bisschen dunkel. »Aber alles, was dir Stefano geboten hat«, fügte er hinzu, »wirst du nicht mehr haben. Das kann ich dir nicht bieten.« Am Ende gab er zu bedenken:

»Vielleicht hast du Angst, weil dein Entschluss nicht feststeht.«

»Mein Entschluss steht fest«, sagte sie und nahm mit einer ungeduldigen Bewegung Rinuccio auf den Arm. »Und ich habe vor nichts Angst. Lass uns gehen.«

Er blieb noch. Riss einen Zettel aus dem Einkaufsblock und schrieb etwas darauf. Den Zettel ließ er auf dem Tisch liegen.

»Was hast du da aufgeschrieben?«

»Die Adresse in San Giovanni.«

»Warum denn?«

»Wir spielen hier doch nicht Verstecken.«

Endlich nahm er die Koffer und ging die Treppe hinunter. Lila schloss die Tür ab und ließ den Schlüssel im Schloss stecken.

115

Über San Giovanni a Teduccio wusste ich nichts. Als man mir erzählte, dass Lila mit Enzo dorthin gezogen war, fiel mir als Einziges die Fabrik des Vaters von Ninos Freund Bruno Soccavo ein, die Wurstwaren herstellte und dort in der Gegend lag. Diese Gedankenverbindung ärgerte mich. Seit Langem hatte ich nicht mehr an den Sommer in Ischia gedacht. Nun aber wurde mir bewusst, dass die glücklichen Momente jener Ferien verblasst waren, während ihre unangenehmen Seiten stärker hervorgetreten waren. Ich bemerkte, dass mich jeder Ton, jeder Duft von damals abstieß. Was mir in meiner Erinnerung aber überraschenderweise am unerträglichsten erschien, so sehr, dass ich deswegen viel weinte, war der Abend mit Donato Sarratore am Maronti-Strand. Nur der Kummer darüber, was sich damals gerade zwischen Nino und Lila abgespielt hatte, konnte mich dazu gebracht haben, ihn als angenehm zu empfinden. Mit dem Abstand, den ich nach der langen Zeit hatte, erkannte ich, dass dieses erste Penetrationserlebnis in der Finsternis, auf dem kalten Sand, mit diesem banalen Mann, der der Vater des Jungen war, den ich liebte, entwürdigend gewesen war. Ich schämte mich dafür, und dieses Schamgefühl verband sich mit diversen anderen Schamgefühlen, die ich hatte.

Ich arbeitete Tag und Nacht an meiner Diplomarbeit, malträtierte Pietro damit, dass ich ihm vorlas, was ich geschrieben hatte. Er war freundlich, schüttelte den Kopf, kramte aus seinem Gedächtnis Zitate von Vergil und anderen Autoren hervor, die mir nützlich sein konnten. Ich notierte mir alle seine Worte und verarbeitete sie, allerdings widerstrebend. Ich schwankte zwischen entgegengesetzten Gefühlen. Ich suchte Hilfe, aber es demütigte mich, ihn darum zu bitten, ich war ihm dankbar und war zugleich ablehnend, vor allem konnte ich es nicht ausstehen, dass er alles tat, damit seine Großzügigkeit mich nicht bedrückte. Noch unruhiger machte es mich, dem Assistenten, der uns beide betreute, einem Mann um die vierzig, ernst, aufmerksam, manchmal sogar gesellig, meine Forschungsergebnisse zugleich mit Pietro oder aber vor ihm oder nach ihm zu unterbreiten. Ich sah, dass Pietro behandelt wurde, als hätte er bereits einen Lehrstuhl inne, und ich wie eine normale, hervorragende Studentin. Aus Wut, aus Stolz und aus Angst, eine angeborene Minderwertigkeit an mir feststellen zu müssen, verzichtete ich oft darauf, mit dem Assistenten zu reden. ›Ich muss besser sein als Pietro‹, dachte ich. ›Er weiß so viel mehr als ich, aber er ist grau, er hat keine Phantasie.‹ Seine Vorgehensweise, seine Methode, die er mir freundlich nahelegen wollte, war zu vorsichtig. Also zerriss ich meine Arbeit und begann wieder von vorn, ich verfolgte einen Gedanken, den ich für völlig neu hielt. Als ich wieder zu dem Lehrer kam, wurde ich zwar angehört und auch gelobt, doch ohne Nachdruck, als wäre meine Plackerei nur ein gut gespieltes Spiel. Ich begriff schnell, dass Pietro Airota eine Zukunft hatte und ich nicht.

Hinzu kam meine Ahnungslosigkeit. Der Assistent war freundlich zu mir, er sagte:

»Sie sind eine Studentin mit enormer Sensibilität. Denken Sie über eine Lehrtätigkeit nach Ihrem Abschluss nach?«

Ich glaubte, er meinte eine Lehrtätigkeit an der Universität, und schreckte freudig auf, meine Wangen glühten. Ich sagte, ich liebe sowohl das Unterrichten als auch die Forschung, sagte, ich würde mich gern weiter mit dem vierten Buch der *Aeneis* beschäftigen. Er bemerkte sofort, dass ich ihn missverstanden hatte, und geriet in Verlegenheit. Er reihte allgemeine Sätze über das Vergnügen, ein Leben lang zu lernen, aneinander und empfahl mir eine Ausschreibung, die im Herbst stattfinden sollte, wenige angebotene Stellen in den Lehrerbildungsinstituten.

»Wir brauchen«, spornte er mich mit lauter werdender Stimme an, »ausgezeichnete Dozenten, die ausgezeichnete Lehrer ausbilden.«

Mehr nicht. Scham, Scham, Scham. Diese Anmaßung, die in mir gewachsen war, dieser Ehrgeiz, wie Pietro zu sein. Das Einzige, was ich mit ihm teilte, waren unsere kleinen sexuellen Begegnungen, wenn es dunkel wurde. Er keuchte, rieb sich an mir, verlangte nichts, was ich ihm nicht spontan gewährte.

Ich steckte fest. Eine Zeitlang konnte ich meine Arbeit nicht weiterschreiben, ich starrte auf die Buchseiten, ohne die Zeilen zu sehen. Ich blieb im Bett und starrte an die Decke, fragte mich, was ich tun sollte. Fast am Ziel aufgeben, in den Rione zurückkehren. Meinen Abschluss machen, an einer mittleren Schule unterrichten. Professoressa. Ja. Mehr als die Oliviero. Ebenbürtig mit der Galiani. Oder vielleicht nicht, vielleicht ein bisschen weniger. Professoressa Greco. Im Rione würde ich als wichtige Persönlichkeit gelten, die Pförtnertochter, die schon von klein auf alles wusste. Nur ich, die ich Pisa und die wichtigen Professoren kennengelernt hatte und Pietro, Mariarosa, ihren Vater, würde genau wissen, dass ich nicht sehr weit gekommen war. Ein großer Kraftakt, viele Hoffnungen, schöne Augenblicke. Mein Leben lang würde ich den Zeiten mit Franco Mari nachtrauern. Wie angenehm waren die Monate, die Jahre mit ihm gewesen. Anfangs hatte ich ihre Bedeutung nicht erkannt, und nun wurde ich melancholisch. Der Regen, die Kälte, der Schnee, die Frühlingsdüfte am Arno und in den blühenden, kleinen Straßen der Stadt, die Begeisterung, die wir gegenseitig auf uns übertragen hatten. Ein Kleid aussuchen, die Brille. Sein Vergnügen, mich zu verändern. Und Paris, die aufregende Reise ins Ausland, die Cafés, die Politik, die Literatur, die Revolution, die schon bald kommen sollte, auch wenn die Arbeiterklasse sich gerade anpasste. Und er. Sein Zimmer bei Nacht. Sein Körper. Alles vorbei, nervös wälzte ich mich im Bett herum, konnte nicht einschlafen. ›Ich mache mir doch was vor‹, dachte ich. War es denn damals wirklich so schön? Ich wusste sehr wohl, dass es auch damals Scham gegeben hatte. Und Unbehagen, und Demütigungen, und Widerwillen: akzeptieren, erdulden, sich zwingen. War es möglich, dass selbst die glücklichen Momente der Lust einer strengen Prüfung nie standhielten? Möglich. Die Schwärze des Maronti-Strandes erstreckte sich rasch auch auf Francos Körper und dann auch auf Pietros. Ich entzog mich meinen Erinnerungen.

Irgendwann begann ich mich mit der Ausrede, in Verzug zu sein und Gefahr zu laufen, meine Diplomarbeit nicht rechtzeitig fertigzubekommen, seltener mit Pietro zu treffen. Eines Morgens kaufte ich mir ein kariertes Schulheft und fing an, in der dritten Person aufzuschreiben, was mir an jenem Abend am Strand bei Barano passiert war. Dann schrieb ich, immer noch in der dritten Person, über das, was mir auf Ischia noch passiert war. Dann erzählte ich ein wenig von Neapel und vom Rione. Dann änderte ich Namen, Orte und Situationen. Dann stellte ich mir eine dunkle, im Leben der Hauptfigur verborgene Kraft vor, eine Wesenheit, die die Fähigkeit besaß, die Welt um sie her mit den Farben einer Knallgasflamme zusammenzuschweißen: eine blauviolette Kuppel, unter der sich funkensprühend alles wunderbar für sie fügte, die aber rasch zerbrach und in sinnlose, graue Teile zerfiel. Ich brauchte zwanzig Tage, um diese Geschichte zu schreiben, eine Zeit, in der ich mich mit niemandem traf und nur zum Essen das Haus verließ. Schließlich las ich mir einige Seiten nochmals durch, sie gefielen mir nicht, und ich ließ das Ganze sein. Doch inzwischen war ich ruhiger geworden, als wäre die Scham von mir auf dieses Heft übergegangen. Ich ging wieder unter Leute, schloss eilig meine Arbeit ab, traf mich wieder mit Pietro.

Seine Freundlichkeit, seine Fürsorge rührten mich an. Zur Verteidigung seiner Diplomarbeit kamen seine ganze Familie und viele Freunde seiner Eltern aus Pisa. Überrascht bemerkte ich, dass ich keinerlei Missgunst mehr gegen das hegte, was Pietro erwartete, gegen den vorgezeichneten Weg seines Lebens. Ich war sogar froh darüber, dass er ein so angenehmes Schicksal vor sich hatte, und war seiner Familie dankbar, weil sie mich zu dem anschließenden Fest einlud. Besonders Mariarosa kümmerte sich sehr um mich. Hitzig diskutierten wir über den faschistischen Putsch in Griechenland.

Ich verteidigte meine Arbeit in der darauffolgenden Prüfungsperiode. Ich vermied es, meine Eltern zu benachrichtigen, fürchtete, meine Mutter könnte sich verpflichtet fühlen, zu kommen, um mich zu feiern. Vor den Professoren erschien ich in einem der Kleider, die Franco mir geschenkt hatte, in einem, das mir noch akzeptabel zu sein schien. Nach langer Zeit war ich wirklich einmal zufrieden mit mir. Kurz vor meinem dreiundzwanzigsten Geburtstag war ich nichts weniger als eine Dottoressa, ich hatte ein Diplom in Philologie, Bestnote mit Auszeichnung. Mein Vater war über die fünfte Klasse nicht hinausgekommen, meine Mutter hatte mit der zweiten aufgehört, keiner meiner Vorfahren hatte, soweit ich wusste, je fließend lesen und schreiben können. Was für einen erstaunlichen Kraftakt hatte ich da geleistet.

Abgesehen von einigen Studienkameradinnen gratulierte mir vor allem Pietro. Ich weiß noch, dass es sehr heiß war. Nach den üblichen Studentenritualen ging ich auf mein Zimmer, um mich etwas frisch zu machen und meine Diplomarbeit abzulegen. Pietro wartete unten auf mich, er wollte mich zum Essen ausführen. Ich sah mich im Spiegel und fühlte mich schön. Ich nahm das Heft mit der Geschichte, die ich geschrieben hatte, und steckte es in meine Handtasche.

Es war das erste Mal, dass Pietro mich in ein Restaurant einlud, Franco hatte das oft getan und mir alles über die Anordnung von Besteck und Gläsern beigebracht. Er fragte mich:

»Sind wir verlobt?«

Ich lächelte, sagte:

»Ich weiß nicht.«

Er zog ein Päckchen aus der Tasche und gab es mir. Leise sagte er:

»Das ganze Jahr über dachte ich, wir sind es. Aber wenn du anderer Ansicht bist, betrachte das hier als ein Geschenk zu deinem Diplom.«

Ich wickelte das Päckchen aus, ein grünes Schmuckkästchen kam zum Vorschein. Darin war ein Ring mit kleinen Brillanten.

»Der ist wunderschön«, sagte ich.

Ich probierte ihn an, die Größe stimmte. Ich dachte an die Ringe, die Stefano Lila geschenkt hatte, viel wertvollere als dieser hier. Aber er war die erste Kostbarkeit, die ich bekam, Franco hatte mir viel geschenkt, doch niemals Schmuck, der einzige Schmuck, den ich besaß, war das silberne Armband meiner Mutter.

»Ja, wir sind verlobt«, sagte ich, beugte mich über den Tisch und küsste ihn auf den Mund. Er wurde rot und sagte leise:

»Ich habe noch ein Geschenk.«

Er gab mir einen Umschlag, es waren die Druckfahnen seines Diplom-Buches. ›Wie schnell das ging‹, dachte ich liebevoll und sogar mit etwas Fröhlichkeit.

»Ich habe auch etwas für dich.«

»Was denn?«

»Nur eine Kleinigkeit, aber ich weiß nicht, was von mir, das wirklich von mir ist, ich dir sonst schenken könnte.«

Ich zog das Heft aus meiner Tasche, gab es ihm.

»Es ist ein Roman«, sagte ich, »ein Unikat: das einzige Exemplar, der einzige Versuch, die einzige Kapitulation. Ich werde keinen weiteren schreiben.« Lachend fügte ich hinzu: »Es sind sogar ein paar gewagte Stellen darin.«

Er wirkte verblüfft. Bedankte sich, legte das Heft auf den Tisch. Ich bereute sofort, es ihm geschenkt zu haben. Ich dachte: ›Er ist ein seriöser Wissenschaftler, hat eine Familie mit großen Traditionen hinter sich, veröffentlicht gerade eine Abhandlung über den Bacchus-Kult, die seine Karriere begründen wird. Ich bin selbst schuld, ich hätte ihn nicht mit so einem Geschichtchen in Verlegenheit bringen dürfen, das noch nicht mal mit der Schreibmaschine getippt ist.‹ Trotzdem spürte ich auch diesmal keinen Ärger, er war er, ich war ich. Ich sagte ihm, ich hätte mich am Lehrerbildungsinstitut beworben, sagte ihm, ich würde nach Neapel zurückkehren, sagte ihm lachend, unsere Verlobung werde einen schweren Stand haben, ich in einer Stadt in Süditalien, er in einer Stadt im Norden. Aber Pietro lachte nicht, hatte schon alles klar im Kopf, erläuterte mir seinen Plan: zwei Jahre, um an der Universität Fuß zu fassen, dann werde er mich heiraten. Er legte sogar das Datum fest: September 1969. Als wir hinausgingen, vergaß er das Heft auf dem Tisch. Amüsiert wies ich ihn darauf hin: »Mein Geschenk?« Er war verwirrt und lief zurück, um es zu holen.

Wir gingen lange spazieren. Am Arno-Ufer küssten wir uns, umarmten wir uns, und ich fragte ihn, halb im Ernst, halb im Spaß, ob er sich in mein Zimmer schleichen wolle. Er schüttelte den Kopf, dann küsste er mich wieder leidenschaftlich. Zwischen ihm und Antonio lagen ganze Bibliotheken, doch die beiden ähnelten sich.

116

Bei meiner Rückkehr nach Neapel war mir, als wäre ein kaputter Regenschirm bei einem Windstoß plötzlich über meinem Kopf zusammengeklappt. Ich kam im Hochsommer im Rione an. Am liebsten hätte ich mir sofort eine Arbeit gesucht, doch da ich ein Diplom in der Tasche hatte, war es unpassend geworden, dass ich wie früher herumlief, um eine kleine Anstellung zu finden. Andererseits hatte ich kein Geld und fand es beschämend, meinen Vater und meine Mutter darum zu bitten, die sich schon genug für mich geopfert hatten. Ich wurde schnell nervös. Alles störte mich, die Straßen, die hässlichen Fassaden der Wohnblocks, der Stradone und der kleine Park, obwohl ich anfangs jeden Stein, jeden Geruch mit Rührung wahrgenommen hatte. ›Wenn Pietro nun eine andere findet‹, dachte ich, ›und wenn ich die Ausschreibung nicht gewinne, was soll ich dann machen? Ich kann unmöglich für immer an diesem Ort gefangen und unter diesen Leuten bleiben.‹

Meine Eltern und meine Geschwister waren sehr stolz auf mich, wussten aber, wie ich bemerkte, nicht, aus welchem Grund. Wozu war ich gut, warum war ich zurückgekommen, wie konnten sie den Nachbarn beweisen, dass ich der Stolz der Familie war? Genau genommen wurde ihr Leben durch mich nur komplizierter, denn ich verstopfte die kleine Wohnung zusätzlich, ließ den abendlichen Aufbau der Betten noch beschwerlicher werden und störte einen Alltagstrott, in dem ich nicht mehr vorgesehen war. Außerdem war ich ständig in ein Buch vertieft, im Stehen oder in der einen oder anderen Ecke sitzend, ein überflüssiges Denkmal der Gelehrsamkeit, eine hochtrabend nachdenkliche Person, die nicht zu stören sich alle auferlegten, aber von der sie sich auch fragten: Was hat sie vor?

Meine Mutter widerstand eine Weile, bevor sie mich über meinen Freund ausfragte, auf dessen Existenz sie eher vom Ring an meinem Finger geschlossen hatte als von etwaigen vertraulichen Bemerkungen meinerseits. Sie wollte wissen, was er tat, wie viel er verdiente, wann er sich in Begleitung seiner Eltern bei uns zu Hause vorstellen würde und wo ich wohnen würde, wenn ich erst einmal verheiratet war. Zunächst gab ich ihr einige Auskünfte: Er sei Dozent an der Universität, im Augenblick verdiene er gar nichts, er veröffentliche gerade ein Buch, das von den Professoren als sehr wichtig angesehen werde, wir wollten in zwei Jahren heiraten, seine Familie lebe in Genua, wahrscheinlich würde ich auch dorthin ziehen oder jedenfalls dahin, wo er sich niederlassen werde. Aber da sie mich so gespannt ansah und mir immer wieder dieselben Fragen stellte, hatte ich den Eindruck, dass sie zu sehr mit ihren Vorurteilen beschäftigt war, um mir zuzuhören. Ich war mit einem verlobt, der nicht gekommen war und auch nicht kam, um bei ihnen um meine Hand anzuhalten, mit einem, der sehr weit weg wohnte, der unterrichtete, aber nicht bezahlt wurde, der ein Buch herausbrachte, aber nicht berühmt war? Wie üblich wurde sie unruhig, auch wenn sie mir nun keine Szenen mehr machte. Sie versuchte, ihre Missbilligung zurückzuhalten, vielleicht fühlte sie sich nun auch nicht mehr in der Lage, sie mir mitzuteilen. Tatsächlich war die Sprache selbst zu einem Zeichen der Fremdheit geworden. Ich drückte mich für meine Mutter viel zu kompliziert aus, obwohl ich mich bemühte, Dialekt zu sprechen, und wenn ich es bemerkte und meine Sätze vereinfachte, wurden sie durch die Vereinfachung unnatürlich und damit unklar. Außerdem hatten die Anstrengungen, die ich unternommen hatte, um den neapolitanischen Dialekt aus meiner Sprache zu verbannen, zwar die Pisaner nicht überzeugt, aber sie überzeugten nun meine Mutter, meinen Vater, meine Geschwister und den ganzen Rione. Auf der Straße, in den Geschäften, auf dem Treppenabsatz vor unserer Wohnung behandelten mich die Leute mit einer Mischung aus Respekt und Hänselei. Sie begannen mich hinter meinem Rücken La Pisana zu nennen, die aus Pisa.

In dieser Zeit schrieb ich lange Briefe an Pietro, die er mit noch längeren beantwortete. Zunächst wartete ich darauf, dass er mein Heft zumindest erwähnte, dann vergaß auch ich es. Wir schrieben uns nichts Konkretes, ich habe diese Briefe noch. Sie enthalten nicht das kleinste nützliche Detail, mit dem sich das alltägliche Leben von damals rekonstruieren ließe, wie viel ein Brot oder eine Kinokarte gekostet hatten oder was ein Pförtner oder ein Professor verdient hatten. Wir konzentrierten uns auf, was weiß ich, ein Buch, das er gelesen hatte, auf einen Artikel, der interessant für unsere Studien war, auf ungemein kluge Gedanken von ihm oder von mir, auf verschiedene Unruhen unter den Studenten an den Universitäten und auf neoavantgardistische Strömungen, über die ich nichts wusste, mit denen er sich zu meiner Überraschung jedoch bestens auskannte und die ihn so amüsierten, dass er schrieb: »Ich würde gern ein kleines Buch aus zusammengeknülltem Papier machen, aus solchem, auf dem du einen Satz anfängst, der dann nicht funktioniert, so dass du es wegwirfst. So etwas sammle ich gerade, ich würde es gern so veröffentlichen, wie es ist, zerknautscht, mit der zufälligen Verästelung der Knitterfalten, die mit den abgebrochenen Satzfetzen verflochten sind. Vielleicht ist das ja wirklich die einzige Literatur, die heute möglich ist.« Diese letzte Bemerkung verletzte mich sehr. Ich erinnere mich, dass ich argwöhnte, dies sei seine Art, mir mitzuteilen, dass er mein Heft gelesen hatte und dass das literarische Geschenk, das ich ihm gemacht hatte, in seinen Augen nicht auf der Höhe der Zeit war.

In diesen Wochen zermürbender Hitze vergiftete die Müdigkeit von Jahren meinen Körper, ich hatte keine Energie. Ich erkundigte mich hier und dort nach dem Gesundheitszustand von Maestra Oliviero, hoffte, es gehe ihr gut, ich könnte sie sehen und aus ihrer Freude über meinen guten Studienabschluss etwas Kraft schöpfen. Ich erfuhr, dass ihre Schwester sie abgeholt und wieder mit nach Potenza genommen hatte. Ich fühlte mich sehr allein. So sehr, dass ich Lila nachtrauerte und unserer turbulenten Rivalität. Ich bekam Lust, sie zu besuchen und den Abstand zu ermessen, der nun zwischen uns lag. Aber ich tat es nicht. Ich beschränkte mich auf kleinliche, müßiggängerische Nachforschungen darüber, was man im Rione über sie dachte, über die Gerüchte, die im Umlauf waren.

Als Erstes wollte ich zu Antonio. Er war nicht da, es hieß, er sei in Deutschland geblieben, irgendwer behauptete, er habe eine bildschöne Deutsche geheiratet, platinblond, dick, mit blauen Augen, und er sei Vater von Zwillingen.

Also sprach ich mit Alfonso, ich ging oft zu ihm ins Geschäft an der Piazza dei Martiri. Er sah wirklich gut aus, wie ein sehr vornehmer Hidalgo, und sprach ein äußerst gepflegtes Italienisch mit gefälligen dialektalen Einschüben. Durch ihn florierte das Geschäft der Solaras. Sein Gehalt war zufriedenstellend, er hatte eine Wohnung in der Via Ponte di Tappia gemietet und weinte dem Rione, seinen Geschwistern, dem Geruch und der Schmierigkeit in den Salumerias keine Träne nach. »Nächstes Jahr heirate ich«, kündigte er ohne große Begeisterung an. Seine Beziehung zu Marisa hatte gehalten, hatte sich gefestigt, es fehlte nur noch der letzte Schritt. Ich war ein paar Mal mit ihnen aus, es ging ihnen gut zusammen, Marisa hatte ihre frühere, wortpralle Lebhaftigkeit verloren und schien nun vor allem darauf zu achten, nichts zu sagen, was ihn verärgern konnte. Ich erkundigte mich nicht nach ihrem Vater, ihrer Mutter, ihren Geschwistern. Nach Nino fragte ich sie ebenfalls nicht, und sie erzählte mir nicht von ihm, ganz als wäre er auch aus ihrem Leben für immer verschwunden.

Ich traf mich auch mit Pasquale und seiner Schwester Carmen. Er arbeitete nach wie vor als Maurer hier und da in Neapel und Umgebung, und sie war noch immer in der neuen Salumeria angestellt. Beiden war es besonders wichtig, mir sofort zu erzählen, dass sie neu verliebt seien. Pasquale war heimlich mit der ältesten, doch blutjungen Tochter der Kurzwarenhändlerin zusammen, und Carmen hatte sich mit dem Tankwart vom Stradone verlobt, einem anständigen Mann um die vierzig, der sie sehr liebte.

Ich ging auch zu Pinuccia, die fast nicht wiederzuerkennen war. Sie war ungepflegt, nervös, spindeldürr, schicksalsergeben und trug Spuren der Prügel, die sie noch immer von Rino bekam, weil der sich an Stefano rächen wollte, und in ihren Augen und in den tiefen Falten um ihren Mund sah man die noch auffälligeren Zeichen eines Unglücks, das kein Ventil fand.

Schließlich fasste ich mir ein Herz und machte Ada ausfindig. Ich rechnete damit, sie noch verwelkter als Pinuccia anzutreffen, gedemütigt durch ihre Rolle als Mätresse. Stattdessen lebte sie in der Wohnung, die Lilas gewesen war, und sah phantastisch aus, sie wirkte sorglos und hatte vor kurzem ein Mädchen zur Welt gebracht, das Maria hieß. »Auch während der Schwangerschaft habe ich ununterbrochen gearbeitet«, sagte sie stolz. Und ich konnte mich mit eigenen Augen davon überzeugen, dass sie die eigentliche Chefin der beiden Salumerias war, sie lief zwischen beiden hin und her und kümmerte sich um alles.

Jeder meiner Freunde aus Kindheitstagen erzählte mir etwas über Lila, aber Ada schien von allen am besten unterrichtet zu sein. Vor allem war sie diejenige, die mir gegenüber mit dem größten Verständnis und fast schon mit Sympathie über sie sprach. Sie war glücklich, glücklich mit ihrem Kind, mit ihrem Wohlstand, mit ihrer Arbeit und mit Stefano, und mir schien, für all dieses Glück war sie Lila aufrichtig dankbar. Verwundert rief sie aus:

»Dass ich idiotische Sachen gemacht habe, gebe ich ja zu. Aber noch idiotischer haben sich Lina und Enzo benommen. Sie waren so unvorsichtig mit allem, auch mit sich selbst, dass sie mir, Stefano und sogar dieser Arschgeige Michele Solara Angst gemacht haben. Wusstest du, dass Lina überhaupt nichts mitgenommen hat? Wusstest du, dass sie mir ihren ganzen Schmuck dagelassen hat? Wusstest du, dass sie auf einen Zettel geschrieben haben, wohin sie gezogen sind, die genaue Anschrift, die Hausnummer, alles, wie um zu sagen: Na kommt doch, macht, was ihr wollt, wen juckt das schon?«

Ich fragte nach dieser Adresse, notierte sie mir. Während ich schrieb, sagte sie:

»Wenn du sie siehst, sag ihr, dass nicht ich es bin, die Stefano davon abhält, seinen Sohn zu sehen: Er hat zu viel um die Ohren, und auch wenn es ihm leidtut, er schafft es nicht. Sag ihr auch, die Solaras, besonders Michele, vergessen nie etwas. Sag ihr, sie soll niemandem trauen.«

117

Enzo und Lila zogen mit einem gebrauchten Fiat 600, den er kürzlich gekauft hatte, nach San Giovanni a Teduccio. Die ganze Fahrt über wechselten sie kein Wort miteinander, kämpften aber gegen das Schweigen an, indem sie beide mit dem Kind redeten, Lila so, als würde sie mit einem Erwachsenen sprechen, und Enzo mit einsilbigen Bemerkungen wie: na, was, ja. Sie kannte San Giovanni kaum. Einmal war sie mit Stefano dort gewesen, sie hatten im Zentrum angehalten, um einen Kaffee zu trinken, und das Viertel hatte einen angenehmen Eindruck auf Lila gemacht. Aber Pasquale, der häufig dort war, sei es als Maurer, sei es als militanter Kommunist, hatte ihr gegenüber einmal sehr unzufrieden über die Gegend gesprochen, unzufrieden als Arbeiter und unzufrieden als Kommunist. »Das ist ein Dreckloch«, hatte er gesagt. »Eine Kloake. Je mehr Reichtum produziert wird, umso größer wird das Elend, und wir können einfach nichts ändern, obwohl wir stark sind.« Aber Pasquale war allem gegenüber stets äußerst kritisch und daher wenig glaubwürdig. Während der Fiat auf kaputten Straßen an heruntergekommenen Gebäuden und kürzlich erbauten Hochhäusern vorbeifuhr, redete Lila sich lieber ein, dass sie ihr Kind gerade an einen hübschen, kleinen Ort am Meer brachte, und dachte nur darüber nach, was sie, um Klarheit zu schaffen und um aufrichtig zu sein, Enzo nun gleich sagen wollte.

Aber vor lauter Nachdenken sagte sie es nicht. »Später«, nahm sie sich vor. So kamen sie zu der Wohnung, die Enzo gemietet hatte, im zweiten Stock eines bereits schäbigen Neubaus. Die Zimmer waren halbleer, er sagte, er habe zunächst das Nötigste gekauft, aber ab dem nächsten Tag wolle er alles besorgen, was sie brauchten. Lila beruhigte ihn, er habe schon so viel getan. Erst als sie vor dem Ehebett stand, entschied sie, dass es an der Zeit sei, zu reden. In einem herzlichen Ton sagte sie zu ihm:

»Enzo, ich achte dich sehr, das war schon so, als wir noch klein waren. Und du hast etwas getan, wofür ich dich bewundere: Du hast angefangen, dich aus eigener Kraft weiterzubilden, du hast einen Abschluss gemacht, ich weiß, wie viel Ausdauer man dazu braucht, ich habe sie nie gehabt. Du bist auch der großzügigste Mensch, den ich kenne. Was du für Rinuccio und mich tust, würde kein anderer tun. Aber ich kann nicht mit dir schlafen. Und das nicht, weil wir uns höchstens zwei-, dreimal gesehen haben, ohne dass andere dabei waren. Und auch nicht, weil du mir nicht gefällst. Es ist nur so, dass ich kein Gefühl habe, ich bin wie die Wand hier oder wie dieser Tisch. Also wenn du unter einem Dach mit mir leben kannst, ohne mich anzufassen, gut so. Wenn du das aber nicht kannst, verstehe ich das und suche mir morgen früh eine andere Bleibe. Du sollst wissen, dass ich dir für das, was du für mich getan hast, immer dankbar sein werde.«

Enzo hörte ihr zu, ohne sie zu unterbrechen. Schließlich sagte er auf das Bett zeigend:

»Bleib du hier, ich nehme die Campingliege.«

»Nein, ich will die Liege.«

»Und Rinuccio?«

»Ich habe da noch eine andere Liege gesehen.«

»Schläft er denn allein?«

»Ja.«

»Du kannst so lange bleiben, wie du willst.«

»Bist du sicher?«

»Absolut.«

»Ich will nicht, dass irgendwas Hässliches unsere Beziehung kaputtmacht.«

»Keine Sorge.«

»Entschuldige.«

»Schon gut. Und falls dein Gefühl zufällig zurückkommt, weißt du ja, wo du mich findest.«

118

Ihr Gefühl kam nicht zurück, sie hatte sogar zunehmend den Eindruck, eine Unbeteiligte zu sein. Die stickige Luft in den Zimmern. Die schmutzige Wäsche. Die Tür zum Bad, die nicht richtig schloss. Ich kann mir vorstellen, dass ihr San Giovanni wie ein Abgrund am Rand des Rione erschien. Sie war so damit beschäftigt gewesen, sich in Sicherheit zu bringen, dass sie nicht darauf geachtet hatte, wohin sie ihre Füße setzte, und in ein tiefes Loch gefallen war.

Rinuccio machte ihr sofort Sorgen. Der sonst so heitere Junge bekam nun tagsüber Wutanfälle, wobei er nach Stefano rief, und wachte nachts weinend auf. Die Aufmerksamkeit seiner Mutter und ihre Art, mit ihm zu spielen, beruhigten ihn zwar, konnten ihn aber nicht mehr begeistern und begannen sogar ihn zu stören. Lila erfand neue Spiele, seine Augen leuchteten auf, er küsste sie, wollte seine Hände auf ihre Brust legen, stieß Freudenquiekser aus. Doch dann stieß er sie zurück, spielte allein oder döste auf einer Decke auf dem Fußboden vor sich hin. Auf der Straße wurde er nach zehn Schritten müde, sagte, sein Knie tue ihm weh, wollte auf den Arm, und wenn sie es ablehnte, ihn hochzunehmen, warf er sich schreiend auf den Boden.

Anfangs blieb Lila konsequent, aber dann gab sie Stück für Stück nach. Da er sich nachts nur beruhigte, wenn er auf ihre Liege kommen durfte, erlaubte sie ihm, bei ihr zu schlafen. Wenn sie einkaufen gingen, trug sie ihn auf dem Arm, obwohl er ein wohlgenährtes, schweres Kind war und sie schon mit Taschen beladen. Vollkommen erschöpft kam sie nach Hause.

Schnell merkte sie wieder, wie das Leben ohne Geld war. Keine Bücher, keine Zeitschriften und Zeitungen. Da man förmlich zusehen konnte, wie Rinuccio wuchs, passte ihm bald nichts mehr von dem, was sie für ihn mitgenommen hatte. Auch sie hatte nur wenig zum Anziehen. Aber sie tat so, als ob nichts wäre. Enzo schuftete den ganzen Tag und gab ihr das nötige Geld, doch er verdiente schlecht und musste außerdem seine Verwandten unterstützen, die sich um seine Geschwister kümmerten. So konnten sie kaum die Miete, Licht und Gas bezahlen. Lila schien das nicht zu kümmern. In ihrer Vorstellung war das Geld, das sie gehabt und verschwendet hatte, eins mit der Armut ihrer Kindheit, es hatte keine Substanz, weder als es da war noch als es nicht da war. Wesentlich mehr schien sie die mögliche Zerstörung der Erziehung zu beunruhigen, die sie ihrem Sohn gegeben hatte, und sie bemühte sich, ihn wieder so tatkräftig, aufgeweckt und offen werden zu lassen, wie er bis vor kurzem noch gewesen war. Aber Rinuccio schien sich nur noch wohlzufühlen, wenn sie ihn auf dem Treppenabsatz mit dem Kind der Nachbarin spielen ließ. Dort zankte er sich, besudelte er sich, lachte er, aß Dreck und wirkte glücklich. Lila beobachtete ihn von der Küche aus und behielt ihn und seinen kleinen Freund wie von der Tür zur Treppe eingerahmt im Blick. ›Er ist klug‹, dachte sie, ›klüger als der andere, obwohl der ein bisschen größer ist. Vielleicht muss ich akzeptieren, dass ich ihn nicht unter einer Glasglocke halten kann, dass ich ihm zwar das Nötige mitgegeben habe, er aber nun allein weitermachen wird, dass er jetzt Prügel austeilen, anderen ihre Sachen wegreißen und sich schmutzig machen muss.‹

Eines Tages erschien Stefano auf dem Treppenabsatz. Er kam aus der Salumeria und hatte beschlossen, seinen Sohn zu besuchen. Rinuccio begrüßte ihn freudig, und er spielte ein wenig mit ihm. Aber Lila bemerkte, dass ihr Mann sich langweilte, dass er es kaum erwarten konnte, wieder zu gehen. Früher hatte es so ausgesehen, als könnte er ohne sie und das Kind nicht leben, doch da saß er nun, schaute auf die Uhr und gähnte, sehr wahrscheinlich war er gekommen, weil seine Mutter oder sogar Ada ihn geschickt hatte. Liebe und Eifersucht, alles war vergangen, er regte sich nicht mehr auf.

»Ich gehe ein bisschen mit dem Kind spazieren.«

»Pass auf, er will ständig auf den Arm genommen werden.«

»Dann trage ich ihn.«

»Nein, lass ihn selbst laufen.«

»Ich mache, was ich für richtig halte.«

Er ging mit dem Kleinen aus dem Haus, eine halbe Stunde später war er wieder da und sagte, er müsse schnell in die Salumeria zurück. Er versicherte, Rinuccio hätte überhaupt nicht gequengelt und auch nicht verlangt, auf den Arm genommen zu werden. Bevor er ging, sagte er:

»Wie ich höre, kennt man dich hier als Signora Cerullo.«

»Das bin ich ja auch.«

»Ich habe dich bloß deswegen nicht umgebracht und tue es auch jetzt nicht, weil du die Mutter meines Sohnes bist. Aber du und dieser Mistkerl von deinem Freund, ihr lebt gefährlich.«

Lila lachte und sagte provozierend:

»Du Arschloch spielst den Schläger ja bloß bei denen, die dir nicht die Fresse polieren können.«

Dann begriff sie, dass ihr Mann auf Solara angespielt hatte, und schrie ihm, während er hinunterging, vom Treppenabsatz nach:

»Sag Michele, ich spuck' ihm ins Gesicht, wenn er sich hier blicken lässt!«

Stefano antwortete nicht und ging hinaus auf die Straße. Er besuchte sie, glaube ich, höchstens noch vier- oder fünfmal. Bei der letzten Begegnung mit seiner Frau schrie er sie wütend an:

»Du bist eine Schande für deine Familie. Nicht mal deine Mutter will noch was mit dir zu tun haben!«

»Da sieht man mal, dass sie nie begriffen haben, was für ein Leben ich bei dir hatte.«

»Ich habe dich behandelt wie eine Königin.«

»Na dann sitze ich doch lieber in der Gosse.«

»Wenn du noch ein Kind machst, musst du abtreiben. Du trägst meinen Namen, und ich will nicht, dass es dann als mein Kind gilt.«

»Ich mache keine Kinder mehr.«

»Wieso denn nicht? Hast du beschlossen, nicht mehr zu ficken?«

»Ach, leck mich!«

»Ich hab' dich jedenfalls gewarnt.«

»Rinuccio ist ja auch nicht dein Sohn und trägt trotzdem deinen Namen.«

»Du Nutte, wenn du das andauernd sagst, dann stimmt es also. Ich will weder dich noch ihn jemals wiedersehen!«

In Wahrheit glaubte er ihr nicht. Aber er tat so als ob, aus Opportunismus. Ein ruhiges Leben war ihm lieber als das emotionale Chaos, das Lila in ihm auslöste.

119

Lila erzählte Enzo ausführlich von den Besuchen ihres Mannes. Er hörte aufmerksam zu und gab fast nie einen Kommentar dazu ab. Wie immer hielt er sich mit allen Gefühlsäußerungen zurück. Er erzählte ihr auch nicht von seiner Arbeit in der Fabrik und ob es ihm dort gut ging oder nicht. Er verließ das Haus morgens um sechs, kam abends um sieben wieder. Aß etwas, spielte ein wenig mit dem Kleinen, hörte sich an, was Lila erzählte. Sobald sie sagte, dass Rinuccio etwas dringend brauchte, kehrte er am nächsten Tag mit dem nötigen Geld zurück.

Er forderte sie nie auf, von Stefano zu verlangen, dass er etwas zum Unterhalt des Kindes beisteuerte, forderte sie nicht auf, sich eine Arbeit zu suchen. Er schaute sie einfach nur an, als lebte er einzig und allein für diese Abendstunden, wenn er mit ihr in der Küche saß und ihr zuhörte. Irgendwann stand er auf, sagte gute Nacht und zog sich ins Schlafzimmer zurück.

Später hatte Lila eine folgenschwere Begegnung. Sie war eines Nachmittags allein aus dem Haus gegangen, Rinuccio hatte sie bei der Nachbarin gelassen. Da hörte sie hinter sich ein hartnäckiges Hupen. Aus einer Luxuslimousine winkte ihr jemand zu.

»Lina!«

Sie sah genauer hin. Erkannte das Wolfsgesicht von Bruno Soccavo, Ninos Freund.

»Was machst du denn hier?«, fragte er.

»Ich wohne hier.«

Fürs Erste erzählte sie ihm so gut wie nichts von sich, damals waren solche Geschichten schwer zu erklären. Sie erwähnte Nino nicht, und er tat es auch nicht. Dafür fragte sie ihn, ob er mit seinem Studium fertig sei, er sagte, er habe beschlossen, nicht mehr zu studieren.

»Bist du verheiratet?«

»Ach wo.«

»Verlobt?«

»Jeden zweiten Tag.«

»Was machst du beruflich?«

»Nichts, ich habe Leute, die für mich arbeiten.«

Da kam ihr die Idee, ihn halb im Spaß zu fragen:

»Würdest du mir einen Job geben?«

»Dir? Wozu brauchst du denn einen Job?«

»Um zu arbeiten.«

»Willst du etwa in die Salami- und Mortadellaproduktion?«

»Warum denn nicht?«

»Und dein Mann?«

»Ich habe keinen Mann mehr. Aber ich habe ein Kind.«

Bruno sah sie forschend an, um zu erkennen, ob sie Witze machte. Er war irritiert, wich aus. »Das ist keine schöne Arbeit«, sagte er. Dann redete er geflissentlich über Beziehungsprobleme im Allgemeinen, über seine Mutter, die sich in einem fort mit seinem Vater streite, und über eine heftige Liebe, die er, Bruno, kürzlich mit einer verheirateten Frau erlebt habe, sie habe ihn jedoch verlassen. Eine für Bruno ungewöhnliche Redseligkeit, er lud sie in eine Kaffeebar ein und erzählte ihr weiter von sich. Als Lila schließlich sagte, dass sie gehen müsse, fragte er sie:

»Hast du deinen Mann wirklich verlassen? Hast du wirklich ein Kind?«

»Ja.«

Er runzelte die Stirn, schrieb etwas auf eine Serviette.

»Geh zu diesem Mann, er ist morgens ab acht da. Zeig ihm das hier.«

Lila lächelte irritiert:

»Die Serviette?«

»Ja.«

»Und das soll reichen?«

Er nickte, plötzlich eingeschüchtert von ihrem spöttischen Ton. Er sagte leise:

»Das war ein wunderschöner Sommer damals.«

Sie sagte:

»Für mich auch.«

Das alles habe ich erst später erfahren. Ich wollte eigentlich sofort zu der Adresse in San Giovanni fahren, die mir Ada gegeben hatte, aber auch mir passierte etwas Entscheidendes. Eines Morgens las ich lustlos einen langen Brief von Pietro, und unten auf der letzten Seite teilte er mir in wenigen Zeilen mit, dass er meinen Text (wie er es nannte) seiner Mutter zu lesen gegeben habe. Adele habe er so gefallen, dass sie ihn mit der Schreibmaschine abtippen ließ und ihn an einen Mailänder Verlag schickte, für den sie seit Jahren übersetzte. Dort habe man ihn für gut befunden, man wolle ihn veröffentlichen.

Es war ein später Vormittag im Herbst, ich erinnere mich an sein graues Licht. Ich saß am Küchentisch, den meine Mutter gerade benutzte, um die Wäsche zu bügeln. Das alte Bügeleisen fuhr energisch über den Stoff, das Holz bebte unter meinen Ellbogen. Ich starrte lange auf diese Zeilen. Leise, nur um mich davon zu überzeugen, dass das Ganze real war, sagte ich auf Italienisch: »Mama, hier steht, dass sie einen Roman veröffentlichen wollen, den ich geschrieben habe.« Meine Mutter hielt inne, nahm das Bügeleisen von der Wäsche, stellte es senkrecht ab.

»Du hast einen Roman geschrieben?«, fragte sie im Dialekt.

»Ich glaube ja.«

»Hast du ihn nun geschrieben oder nicht?«

»Ja.«

»Kriegst du Geld dafür?«

»Keine Ahnung.«

Ich ging hinaus, zur Solara-Bar, wo man einigermaßen

bequem Ferngespräche führen konnte. Nach zahlreichen Versuchen – Gigliola, die mir vom Tresen aus jedes Mal zurief: »Los, sprich!« – meldete sich Pietro, der aber arbeiten musste und in Eile war. Er sagte, über diese Sache wisse er nicht mehr als das, was er mir schon geschrieben hatte.

»Du hast es gelesen?«, fragte ich aufgeregt.

»Ja.«

»Aber du hast gar nichts dazu gesagt.«

Er brabbelte etwas von wenig Zeit, Forschung, Verpflichtungen.

»Wie ist es?«

»Gut.«

»Gut und weiter nichts?«

»Gut. Sprich mit meiner Mutter darüber. Ich bin Philologe, kein Literat.«

Er gab mir die Nummer seiner Eltern.

»Ich will sie nicht anrufen, das ist mir peinlich.«

Ich bemerkte eine leichte Gereiztheit, was bei ihm, der stets höfliche Umgangsformen hatte, selten war. Er sagte:

»Du hast einen Roman geschrieben, jetzt steh auch dazu.«

Ich kannte Adele Airota kaum, hatte sie alles in allem viermal gesehen, und wir hatten nur einige Floskeln miteinander gewechselt. Die ganze Zeit über hatte ich gedacht, sie wäre eine wohlhabende, gebildete Mutter und Hausfrau – die Airotas sprachen nie über sich, sie benahmen sich, als wäre ihr Wirken in der Welt nur von sehr geringem Interesse, dabei setzten sie es als selbstverständlich voraus, dass es allen bekannt war –, und erst bei diesem Gespräch wurde mir klar, dass sie eine Arbeit hatte und dass sie Macht ausüben konnte. Ängstlich rief ich an, das Dienstmädchen meldete sich und gab sie mir. Ich wurde herzlich begrüßt, aber sie siezte mich, und ich siezte sie. Alle im Verlag seien von der hohen Qualität meines Buches überzeugt, sagte sie, und soviel sie wisse, sei ein Vertragsentwurf schon unterwegs.

»Vertrag?«

»Natürlich. Oder sind Sie mit anderen Verlagen im Geschäft?«

»Nein. Aber ich habe das, was ich geschrieben habe, nicht mal durchgesehen.«

»Sie haben nur eine Fassung geschrieben, aus einem Guss?«, fragte sie mit einem leicht ironischen Unterton.

»Ja.«

»Ich versichere Ihnen, dass man es so veröffentlichen kann.«

»Ich muss es noch überarbeiten.«

»Haben Sie Vertrauen: Ändern Sie nicht ein Komma, da ist Ehrlichkeit, Natürlichkeit und etwas Geheimnisvolles im Stil, wie man es nur in wahren Büchern findet.«

Sie beglückwünschte mich erneut, wenn auch mit verstärkter Ironie. Wie ich wisse, sagte sie, sei auch die *Aeneis* ohne Feinschliff geblieben. Sie ging davon aus, dass ich das Schreiben lange geübt hätte, fragte mich, ob ich noch mehr in der Schublade hätte, und zeigte sich erstaunt, als ich ihr gestand, dass dies das Erste sei, was ich geschrieben hätte. »Talent und Glück«, rief sie aus. Sie erzählte mir, dass sich im Verlagsprogramm eine unerwartete Lücke ergeben habe und man meinen Roman nicht nur für hervorragend, sondern auch für einen Glücksfall halte. Man wolle ihn im Frühjahr herausbringen.

»So schnell?«

»Haben Sie etwas dagegen?«

Ich verneinte hastig.

Gigliola, die hinter dem Tresen stand und das Gespräch mitangehört hatte, fragte mich anschließend neugierig:

»Was ist denn los?«

»Weiß nicht«, antwortete ich und ging schnell hinaus.

Von ungläubiger Freude überwältigt, schlenderte ich durch den Rione, in meinen Schläfen pochte es. Mit meiner Antwort hatte ich Gigliola nicht schroff abfertigen wollen, ich wusste es wirklich nicht. Was hatte diese unverhoffte Nachricht zu bedeuten, diese wenigen Zeilen von Pietro, die Worte eines Ferngesprächs, nichts wirklich Sicheres? Und was bedeutete ein Vertrag, bedeutete er Geld, bedeutete er Rechte und Pflichten, lief ich Gefahr, mich in Schwierigkeiten zu bringen? ›In ein paar Tagen werde ich sehen, dass sie es sich anders überlegt haben‹, dachte ich. ›Dann werden sie das Buch nicht mehr veröffentlichen wollen. Sie werden meine Geschichte noch mal lesen, und wer sie gut fand, wird sie nichtssagend finden, wer sie nicht gelesen hat, wird sich über den aufregen, der sie publizieren wollte, alle werden sauer auf Adele Airota sein, und Adele Airota wird es sich ebenfalls anders überlegen, das Ganze wird ihr peinlich sein, sie wird mir die Schuld an dieser Blamage zuschieben und ihren Sohn überreden, mich zu verlassen.‹ Ich kam an der alten Bibliothek des Rione vorbei: Wie lange war ich schon nicht mehr dort gewesen. Ich ging hinein, sie war leer, es roch nach Staub und Langeweile. Gedankenverloren schlenderte ich die Regalreihen entlang und strich mit den Fingerspitzen über zerfledderte Bücher, ohne auf den Titel oder den Autor zu achten, nur so, um sie zu berühren. Altes Papier, gekräuselte Baumwollbändchen, Buchstaben, Druckerschwärze. Bücher, ein schwindelerregendes Wort. Ich suchte *Betty und ihre Schwestern*, fand es. War es möglich, dass das gerade wirklich geschah? Möglich, dass mir – mir – gerade das zuteilwurde, was Lila und ich hatten zusammen machen wollen? In wenigen Monaten würde es bedrucktes Papier geben, das gebunden, verleimt und mit meinen Worten versehen sein würde, und auf dem Umschlag dann mein Name, Elena Greco, ich, die Bruchstelle in einer langen Kette von Analphabeten und Ungebildeten, ein dunkler Name, der sich mit Licht aufladen würde, für alle Ewigkeit. In einigen Jahren – drei, fünf, zehn, zwanzig – würde mein Buch in diesen Regalen landen, in der Bibliothek des Rione, in dem ich geboren war, man würde es katalogisieren, und die Leute würden es ausleihen, um zu erfahren, was die Tochter des Pförtners geschrieben hatte.

Ich hörte die Toilettenspülung, wartete darauf, dass Maestro Ferraro erschien, noch genauso wie damals, als ich ein kleines, fleißiges Mädchen gewesen war: mit seinem hageren, nun vielleicht faltenreicheren Gesicht, das Bürstenhaar über der niedrigen Stirn schneeweiß, aber immer noch dicht. Das war einer, der würdigen konnte, was mir gerade geschah, der meinen heißen Kopf und das wilde Pochen in meinen Schläfen nur zu gut verstehen würde. Doch aus dem Waschraum kam ein Fremder, ein kleiner, rundlicher Mann um die vierzig.

»Wollen Sie Bücher ausleihen?«, fragte er. »Dann beeilen Sie sich, ich schließe gleich.«

»Ich wollte zu Maestro Ferraro.«

»Ferraro ist im Ruhestand.«

Mich beeilen, er musste schließen.

Ich ging. Gerade jetzt, da ich eine Schriftstellerin wurde, gab es niemanden im ganzen Rione, der sagen konnte: Da hast du ja was ganz Besonderes geschafft.

121

Ich hatte nicht damit gerechnet, Geld zu bekommen. Aber ich erhielt den Vertrag und stellte fest, dass mir der Verlag, sicherlich durch Adeles Fürsprache, einen Vorschuss von zweihunderttausend Lire zahlte, einhunderttausend bei Vertragsabschluss und einhunderttausend bei Erscheinen des Buches. Meiner Mutter blieb die Luft weg, sie konnte es nicht fassen. Mein Vater sagte: »Um so viel Geld zu verdienen, brauche ich Monate.« Die beiden begannen im Rione und auch außerhalb anzugeben: »Unsere Tochter ist jetzt reich, sie ist Schriftstellerin, sie heiratet einen Professor von der Universität.« Ich blühte auf, lernte nicht mehr für die Ausschreibung am Lehrerinstitut. Sobald ich das Geld hatte, kaufte ich mir ein Kleid und Schminke, ging zum ersten Mal in meinem Leben zum Friseur und fuhr nach Mailand, in eine Stadt, die ich nicht kannte.

Es fiel mir schwer, mich auf dem Bahnhof zurechtzufinden. Schließlich nahm ich die richtige U-Bahn und kam aufgeregt am Verlagshaus an. Ich gab dem Pförtner unzählige Erklärungen, die er nicht von mir verlangt hatte, und während ich redete, las er sogar seine Zeitung weiter. Ich fuhr mit dem Fahrstuhl nach oben, klopfte und trat ein. Ich war geblendet von der Sauberkeit. Mein Kopf war mit allem vollgestopft, was ich studiert hatte und was ich zur Schau stellen wollte, um zu beweisen, dass ich, obwohl ich eine Frau war und obwohl man mir meine Herkunft ansah, eine Person war, die sich das Recht erobert hatte, dieses Buch zu veröffentlichen, und von der mit ihren dreiundzwanzig Jahren nun nichts, nichts, nichts mehr in Frage gestellt werden durfte.

Ich wurde freundlich empfangen, von Büro zu Büro geführt. Ich sprach mit dem Lektor, der sich um mein Manuskript kümmerte, einem alten, glatzköpfigen Mann mit sehr angenehmen Gesichtszügen. Wir unterhielten uns mehrere Stunden, er lobte mich sehr, zitierte häufig und mit großem Respekt Adele Airota, zeigte mir die Änderungen, die er mir empfahl, und überließ mir ein Exemplar des Textes mit seinen Anmerkungen. Als wir uns verabschiedeten, sagte er mit ernster Stimme: »Das ist eine gute Geschichte, eine moderne Geschichte, sehr gekonnt aufgebaut und mit einem stets überraschenden Stil. Aber das ist nicht das Entscheidende. Ich lese Ihr Buch jetzt zum dritten Mal, und auf jeder Seite findet sich etwas Kraftvolles, ohne dass ich erkennen kann, woher es kommt.« Ich wurde rot, bedankte mich. Ah, was ich geschafft hatte und wie schnell alles ging, wie sehr ich doch gefiel und mich beliebt machte, wie ich über mein Studium reden konnte und darüber, wo ich es absolviert hatte, über meine Arbeit zum vierten Buch der *Aeneis*: Mit liebenswürdiger Bestimmtheit wies ich liebenswürdige Bemerkungen zurück, indem ich gekonnt Professoressa Galiani, ihre Kinder und Mariarosa imitierte. Eine hübsche, sympathische Angestellte namens Gina fragte mich, ob ich ein Hotel brauchte, und besorgte mir eines in der Via Garibaldi, nachdem ich genickt hatte. Zu meinem großen Erstaunen stellte ich fest, dass alles auf Rechnung des Verlags ging, jeder Centesimo, den ich fürs Essen ausgeben würde, und sogar die Zugfahrkarten. Gina bat mich, eine Spesenabrechnung einzureichen, dann werde mir alles erstattet, und trug mir Grüße für Adele auf. »Sie hat mich angerufen«, sagte sie. »Sie hält große Stücke auf Sie.«

Tags darauf fuhr ich nach Pisa, ich wollte Pietro in die Arme schließen. Im Zug ging ich eine nach der anderen die Anmerkungen des Lektors durch, und froh betrachtete ich mein Buch mit den Augen dessen, der es gelobt hatte und daran arbeitete, es noch zu verbessern. Hochzufrieden mit mir erreichte ich mein Ziel. Mein Verlobter brachte mich bei einer älteren wissenschaftlichen Assistentin für griechische Literatur unter, die ich ebenfalls kannte. Am Abend führte er mich zum Essen aus, und zu meiner Überraschung zeigte er mir mein Manuskript. Auch er hatte ein Exemplar und hatte Notizen darin gemacht, die wir gemeinsam durchgingen. Sie entsprachen seiner üblichen Strenge und bezogen sich hauptsächlich auf die Wortwahl.

»Ich werde darüber nachdenken«, sagte ich und bedankte mich bei ihm.

Nach dem Essen suchten wir uns ein stilles Plätzchen auf einer Wiese. Nach einem nervtötenden Gefummel in der Kälte, behindert durch Mäntel und Wollpullover, verlangte er von mir, ich solle die Seiten, auf denen die Protagonistin am Strand ihre Unschuld verliert, gründlich überarbeiten. Verblüfft sagte ich:

»Aber das ist eine wichtige Stelle.«

»Du hast doch selbst gesagt, dass sie etwas gewagt ist.«

»Im Verlag hatten sie nichts dagegen.«

»Sie werden später mit dir darüber sprechen.«

Ich ärgerte mich, sagte, auch darüber würde ich noch

nachdenken, und fuhr am nächsten Tag missmutig nach Neapel zurück. Wenn diese Stelle schon Pietro befremdet hatte, der jung und sehr belesen war und ein Buch über den Bacchus-Kult geschrieben hatte, was würden nach der Lektüre dann erst meine Mutter und mein Vater sagen, meine Geschwister, der Rione? Im Zug verbiss ich mich in den Text, arbeitete die Anmerkungen des Lektors und auch Pietros ein und strich, was ich streichen konnte. Ich wollte, dass das Buch gut wurde, dass es niemandem missfiel. Ich bezweifelte, dass ich je ein zweites schreiben würde.

122

Zu Hause erwartete mich eine schlechte Nachricht. Meine Mutter hatte in der Überzeugung, es wäre ihr gutes Recht, einen Blick in meine Post zu werfen, wenn ich nicht da war, ein Paket geöffnet, das aus Potenza gekommen war. Darin hatte sie eine Anzahl von Heften aus meiner Grundschulzeit und einen Zettel der Schwester von Maestra Oliviero gefunden. Die Maestra, war dort zu lesen, sei zwanzig Tage zuvor friedlich eingeschlafen. Sie habe in der letzten Zeit oft an mich gedacht und verfügt, dass die Grundschulhefte, die sie zur Erinnerung aufgehoben hatte, an mich zurückgeschickt werden sollten. Ich war noch erschütterter als meine Schwester Elisa, die seit Stunden bitterlich weinte. Das regte meine Mutter auf, die zunächst ihre jüngere Tochter anschrie und dann mit lauter Stimme sagte, damit ich, ihre Älteste, es auch ja hörte: »Diese blöde Kuh hat sich immer für eine bessere Mutter gehalten, als ich es bin.«

Den ganzen Tag lang dachte ich an Maestra Oliviero und daran, wie stolz sie gewesen wäre, wenn sie von meinem Diplom mit Bestnote und von dem Buch erfahren hätte, das ich nun veröffentlichte. Als alle schlafen gegangen waren, zog ich mich in die Stille der Küche zurück und blätterte ein Heft nach dem anderen durch. Was für eine gute Lehrerin die Maestra für mich gewesen war, was für eine schöne Schrift sie mir geschenkt hatte. Schade, dass meine erwachsene Hand sie hatte kleiner werden lassen, dass die Schnelligkeit die Buchstaben vereinfacht hatte. Ich lächelte über die wütend angestrichenen Rechtschreibfehler, über das *gut*, das *ausgezeichnet*, das sie akribisch an den Rand geschrieben hatte, wenn sie eine schöne Formulierung oder die korrekte Lösung einer schwierigen Aufgabe gefunden hatte, und über die stets guten Noten, die sie mir gegeben hatte. War sie wirklich eine bessere Mutter für mich gewesen als meine Mutter? Seit einer Weile war ich mir da nicht mehr so sicher. Aber sie hatte sich für mich einen Weg vorstellen können, den meine Mutter sich eben nicht vorstellen konnte, und hatte mich gezwungen, ihn zu gehen. Dafür war ich ihr dankbar.

Als ich das Paket schon wegräumen und schlafen gehen wollte, entdeckte ich in einem der Hefte ein weiteres, schmächtiges Heftchen, etwa zehn karierte Seiten, die mit einer Stecknadel zusammengehalten und zusammengefaltet waren. Ich fühlte eine plötzliche Leere in mir, erkannte *Die blaue Fee* wieder, die Erzählung, die Lila vor so vielen Jahren, vor wie vielen?, dreizehn, vierzehn, geschrieben hatte. Wie hatte mir damals das mit Buntstiften bemalte Deckblatt gefallen, die schön gezeichneten Titelbuchstaben. Damals hatte ich es für ein richtiges

Buch gehalten und war neidisch gewesen. Ich faltete das Heftchen in der Mitte auseinander. Die Nadel war verrostet und hatte das Papier braun verfärbt. Erstaunt entdeckte ich, dass die Maestra neben einen Satz geschrieben hatte: *wunderschön*. Also hatte sie es gelesen? Also hatte es ihr gefallen? Ich blätterte Seite für Seite um, sie waren voll mit ihren *bravo*, ihren *gut* und *sehr gut*. Ich wurde wütend. ›Du alte Hexe‹, dachte ich, ›warum hast du uns nicht gesagt, dass es dir gefallen hat, warum hast du Lila diese Freude nicht gegönnt? Was hat dich dazu getrieben, dich für meine Bildung einzusetzen und für ihre nicht? Reicht es zu deiner Rechtfertigung aus, dass der Schuster es abgelehnt hatte, seine Tochter zur Aufnahmeprüfung für die Mittelschule gehen zu lassen? Wie viel Unzufriedenheit hattest du in dir, dass du sie auf ihr abladen musstest?‹ Ich begann *Die blaue Fee* von Anfang an zu lesen, überflog die blasse Tinte, die Schrift, die der meinen von damals sehr ähnlich war. Aber schon bei der ersten Seite bekam ich Bauchschmerzen, und sofort brach mir der Schweiß aus. Doch erst am Ende gestand ich mir ein, was ich bereits nach wenigen Zeilen begriffen hatte. Lilas kindliche Seiten waren das heimliche Herz meines Buches. Wer wissen wollte, woher seine Wärme kam und woher der starke, doch unsichtbare Faden rührte, der die Sätze verband, müsste auf dieses Heftchen eines kleinen Mädchens zurückgreifen, nur zehn Seiten, eine verrostete Stecknadel, ein mit leuchtenden Farben ausgemaltes Deckblatt, ein Titel und nicht einmal ein Namenszug.

123

Ich schlief die ganze Nacht nicht, wartete, dass es Tag wurde. Meine lange Abneigung gegen Lila verflüchtigte sich, mit einem Mal glaubte ich, ihr viel mehr weggenommen zu haben, als sie mir je hätte wegnehmen können. Ich beschloss, sofort nach San Giovanni a Teduccio zu fahren. Ich wollte ihr *Die blaue Fee* zurückgeben, ihr meine Schulhefte zeigen, sie mit ihr zusammen durchblättern, mich mit ihr über die Kommentare der Maestra freuen. Aber vor allem wollte ich, dass sie sich neben mich setzte, wollte ich zu ihr sagen: »Siehst du, wie gut wir aufeinander eingespielt waren, eine in beiden, beide in einer«, wollte ich ihr mit der Strenge, die ich mir wohl an der Scuola Normale zugelegt hatte, und mit der philologischen Verbissenheit, die ich von Pietro gelernt hatte, beweisen, dass ihr Buch aus Kindertagen tief in meinem Kopf verwurzelt gewesen war, bis es im Laufe der Jahre ein neues Buch hervorgebracht hatte, ein anderes, erwachsenes, meines, das gleichwohl untrennbar mit ihrem verbunden war, mit den Phantasien, die wir uns auf dem Hof unserer Spiele gemeinsam ausgemalt hatten, sie und ich in einem fort, geformt, verformt, umgeformt. Ich sehnte mich danach, sie zu umarmen, ihr einen Kuss zu geben und zu sagen: »Lila, egal was dir oder mir passieren mag, von jetzt an dürfen wir uns nicht mehr verlieren.«

Aber es war ein schwieriger Vormittag, die Stadt schien alles zu tun, um sich zwischen mich und sie zu schieben. Ich nahm einen überfüllten Bus, der zur Via Marina fuhr, und steckte auf unerträgliche Weise zwischen ärmlichen Gestalten fest. Ich stieg in einen anderen, noch volleren Bus um, doch in die falsche Richtung. Erschöpft und zerrauft stieg ich wieder aus und fuhr nach langem, wütendem Warten in die richtige Richtung. Dieser kurze Weg durch Neapel raubte mir alle Kraft. Was nutzten mir in dieser Stadt die Jahre am Gymnasium und an der Universität? Um nach San Giovanni zu kommen, musste ich mich notgedrungen zurückentwickeln, als wäre Lila nicht in eine Straße oder an eine Piazza gezogen, sondern in ein Rinnsal der Vergangenheit, in die Zeit, bevor wir zur Schule gegangen waren, eine schwarze Zeit ohne Regeln und Respekt. Ich verfiel in den brutalsten Dialekt des Rione, schimpfte, wurde beschimpft, drohte, wurde verhöhnt und antwortete meinerseits mit Hohn, eine widerwärtige Kunst, in der ich Übung hatte. Neapel hatte mir in Pisa sehr geholfen, aber Pisa half in Neapel überhaupt nicht, es war ein Hindernis. Mein gutes Benehmen, meine gepflegte Sprache, mein gepflegtes Äußeres, alles, was ich aus den Büchern gelernt hatte, alles, was ich im Kopf hatte und formulieren konnte, war ein unmittelbares Zeichen der Schwäche, die mich zu einer sicheren Beute machte, zu einer von denen, die sich nicht losreißen. Zu guter Letzt verband ich in den Bussen und auf den Straßen nach San Giovanni meine alte Fähigkeit, bei Bedarf meine Sanftheit abzulegen, mit dem Hochmut meines neuen Status: Ich hatte ein Diplom mit Bestnote und Auszeichnung, hatte mit Professor Airota gespeist, war mit seinem Sohn verlobt, hatte ein bisschen Geld auf der Post deponiert und war in Mailand von hochangesehenen Leuten mit Respekt behandelt worden; was nahm sich dieses Scheißpack nur heraus? Ich spürte eine Kraft in mir, die sich nicht länger dem *So tun, als ob nichts wäre* unterwarf, mit dem man im Rione und außerhalb für gewöhnlich überleben konnte. Als ich im Gedränge der

Fahrgäste wiederholt Männerhände auf meinem Körper spürte, nahm ich mir das hochheilige Recht auf einen Tobsuchtsanfall heraus und reagierte mit verächtlichem Gezeter, ich schrie unflätige Worte, wie sie meine Mutter und vor allem Lila zu gebrauchen wussten. Ich übertrieb es dermaßen, dass ich mir beim Verlassen des Busses sicher war, irgendwer würde mit mir herausspringen und mich umbringen.

Das geschah nicht, aber ich machte mich trotzdem voller Wut und Angst davon. Ich war fast schon zu tadellos zurechtgemacht aus dem Haus gegangen, jetzt fühlte ich mich äußerlich und innerlich ramponiert.

Ich versuchte, mich wieder zu fassen, sagte mir: ›Ruhig Blut, du bist gleich da.‹ Fragte Passanten nach dem Weg. Ging mit dem eisigen Wind im Gesicht den Corso San Giovanni a Teduccio entlang, der mir vorkam wie ein gelblicher Kanal mit besudelten Wänden, schwarzen Öffnungen, Dreck. Ich streifte umher, verwirrt durch liebenswürdige Auskünfte, die so mit Details gespickt waren, dass sie nichts nützten. Schließlich fand ich die richtige Straße, den Hauseingang. Ich stieg schmutzige Treppen hinauf, einem starken Knoblauchgeruch und Kinderstimmen hinterher. Eine dicke Frau in einem grünen Pullover erschien an einer bereits offenen Tür, entdeckte mich und schrie: »Wen suchen Sie denn?« – »Carracci«, sagte ich. Aber als ich ihr verdutztes Gesicht sah, korrigierte ich mich sofort: »Scanno«, Enzos Nachname. Und danach noch einmal: »Cerullo.« Die Frau wiederholte *Cerullo*, hob ihren fetten Arm und sagte: »Weiter oben.« Ich bedankte mich und ging weiter, während sie sich ans Geländer stellte und hinaufschrie: »Titì, hier will eine zu Lina, sie kommt jetzt rauf!«

›Lina‹. Hier, aus dem Mund fremder Frauen, an diesem Ort. Erst jetzt wurde mir bewusst, dass ich mir Lila so vorstellte, wie ich sie das letzte Mal gesehen hatte, in der Wohnung im neuen Viertel, in der Ordnung, die, wenn auch angstüberschattet, nun wohl die Grundlage ihres Lebens war, die Möbel, der Kühlschrank, der Fernseher, das sorgsamst gepflegte Kind, sie selbst mit ihrem zwar mitgenommenen Äußeren, das aber immer noch das einer jungen, wohlhabenden Signora war. Damals wusste ich nicht, wie sie lebte, was sie tat. Klatsch und Tratsch hatten aufgehört, als sie ihren Ehemann verließ, als sie unglaublicherweise die schöne Wohnung und das Geld aufgegeben hatte und mit Enzo Scanno weggegangen war. Ich wusste nichts von ihrer Begegnung mit Soccavo. Daher war ich mit der Gewissheit im Rione losgefahren, sie in einer neuen Wohnung zwischen aufgeschlagenen Büchern und lehrreichen Spielen für das Kind anzutreffen oder bestenfalls kurz auf sie warten zu müssen, weil sie zum Einkaufen außer Haus war. Aus Bequemlichkeit, um mich nicht unbehaglich zu fühlen, hatte ich diese Vorstellungen automatisch auf den Ortsnamen übertragen, San Giovanni a Teduccio, hinter den Granili, am Ende der Marina. Darum hatte ich auf dem Weg nach oben solche Erwartungen. Ich dachte: ›Ich hab's geschafft, endlich, ich bin am Ziel.‹ So kam ich bei Titina an, einer jungen Frau mit einem kleinen Mädchen auf dem Arm, das still vor sich hin weinte, leichte Schluchzer und schleimige Rinnsale, die aus den von der Kälte roten Nasenlöchern auf die Oberlippe liefen, und mit weiteren zwei Kindern am Rockzipfel, eines auf jeder Seite.

Titina warf einen Blick auf die geschlossene Tür gegenüber.

»Lina ist nicht da«, sagte sie feindselig.

»Enzo auch nicht?«

»Nein.«

»Ist sie mit dem Kind spazieren gegangen?«

»Wer sind Sie überhaupt?«

»Ich heiße Elena Greco, ich bin eine Freundin.«

»Und da kennen Sie Rinuccio nicht? Rinù, hast du diese Signorina schon mal gesehen?«

Sie gab einem der Kinder an ihrer Seite einen Klaps, erst jetzt erkannte ich ihn. Der Junge lächelte mich an, sagte auf Italienisch:

»Ciao, Tante Lenù. Mama kommt heute Abend um acht zurück.«

Ich nahm ihn hoch, umarmte ihn, sagte anerkennend, wie hübsch er sei und wie gut er sprechen könne.

»Er ist sehr klug«, räumte Titina ein. »Der geborene Professor.«

Nun legte sie jede Feindseligkeit ab, sie bat mich in ihre Wohnung. In dem dunklen Flur stolperte ich über etwas, das sicherlich den Kindern gehörte. Die Küche war unordentlich, alles war in ein graues Licht getaucht. An der Nähmaschine lag noch ein Stück Stoff unter der Nadel und ringsumher und auf dem Boden weitere Stoffe in verschiedenen Farben. Mit plötzlicher Verlegenheit versuchte Titina aufzuräumen, ließ es dann sein und machte mir einen Kaffee, behielt das Mädchen aber weiter auf dem Arm. Ich nahm Rinuccio auf den Schoß und stellte ihm dumme Fragen, die er mit munterer Resignation beantwortete. Währenddessen erzählte mir Titina von Lila und Enzo.

»Sie arbeitet in der Salamiproduktion bei Soccavo«, sagte sie.

Ich war überrascht, erst jetzt fiel mir Bruno wieder ein.

»Soccavo, der mit der Wurstfabrik?«

»Soccavo, ja.«

»Den kenne ich.«

»Keine angenehmen Leute.«

»Ich kenne seinen Sohn.«

»Großvater, Vater, Sohn, alles dieselbe Scheiße. Die sind zu Geld gekommen und haben vergessen, dass sie früher kein Hemd auf dem Arsch hatten.«

Ich erkundigte mich nach Enzo. Sie sagte, er arbeite bei den Lokomotiven, so drückte sie sich aus, und mir wurde schnell klar, dass sie glaubte, er und Lila wären verheiratet, sie nannte Enzo mit Sympathie und Respekt »Signor Cerullo«.

»Wann kommt Lina nach Hause?«

»Heute Abend.«

»Und der Kleine?«

»Der bleibt bei mir, er isst, spielt, macht alles hier.«

Die Fahrt war also noch nicht zu Ende: Ich kam näher, Lila entfernte sich. Ich fragte:

»Wie lange brauche ich zu Fuß bis zur Fabrik?«

»Zwanzig Minuten.«

Titina beschrieb mir den Weg, den ich mir auf einem Blatt Papier notierte. Unterdessen fragte Rinuccio artig: »Darf ich spielen gehen, Tante Lenù?« Er wartete, bis ich ja sagte, lief in den Flur zu dem anderen Kind und schrie sofort ein unflätiges Schimpfwort im Dialekt. Titina warf mir einen verlegenen Blick zu und rief auf Italienisch aus der Küche:

»Man sagt keine Schimpfwörter, Rino, pass bloß auf, sonst komm' ich und klopf' dir auf die Finger!«

Ich lächelte sie an, meine Fahrt im Bus fiel mir wieder

ein. ›Auf die Finger klopfen, mir auch‹, dachte ich. ›Mir geht es genauso wie Rinuccio.‹ Da der Streit im Flur kein Ende nahm, mussten wir eingreifen. Die beiden Kinder prügelten sich mit wildem Geschrei und im Getöse von Dingen, mit denen sie sich bewarfen.

124

Ich gelangte auf einem ungepflasterten Weg durch allen möglichen Abfall auf das Gelände der Soccavo-Fabrik, am eisigen Himmel ein schwarzer Rauchfaden. Noch bevor ich die Umfassungsmauer sah, nahm ich den ekelhaften Gestank von Tierfett und verbranntem Holz wahr. Der Wachmann teilte mir höhnisch mit, dass Freundschaftsbesuche während der Arbeitszeit nicht üblich seien. Ich sagte, ich wolle Bruno Soccavo sprechen. Er schlug einen anderen Ton an, brummte, Bruno komme fast nie in die Fabrik. »Dann rufen Sie ihn zu Hause an«, gab ich zurück. Er wurde verlegen, sagte, er dürfe ihn nicht grundlos stören. »Wenn Sie ihn nicht anrufen«, antwortete ich, »suche ich mir ein Telefon und tue es selbst.« Er sah mich scheel an, unschlüssig, was er tun sollte. Auf einem Fahrrad kam ein Kerl vorbei, bremste und sagte etwas Unflätiges im Dialekt zu ihm. Sein Anblick schien den Wachmann zu erleichtern. Er fing sofort ein Gespräch mit ihm an, ganz als wäre ich nicht mehr da.

In der Mitte des Hofes brannte ein Feuer. Ich passierte es, für ein paar Sekunden zerschnitt Hitze die kalte Luft. Ich gelangte zu einem grauen Flachbau, schob eine schwere Tür auf und trat ein. Der Gestank nach Fett, der schon draußen penetrant gewesen war, erschien mir unerträglich. Ich traf auf ein offensichtlich wütendes, junges Mädchen, das sich mit aufgeregten Bewegungen sein Haar ordnete. Ich sagte *Entschuldigung*, sie ging mit gesenktem Kopf weiter, nach drei, vier Schritten blieb sie stehen.

»Was ist denn?«, fragte sie unfreundlich.

»Ich suche eine Frau namens Cerullo.«

»Lina?«

»Ja.«

»Versuch's mal in der Füllabteilung.«

Ich fragte, wo die sei, sie antwortete nicht und verschwand. Ich schob eine weitere Tür auf. Mir schlug eine Hitze entgegen, durch die der Fettgeruch noch widerlicher wurde. Der Raum war groß, darin standen Tröge voller milchigem Wasser, in dem zwischen den Dämpfen dunkle Stücke schwammen, umgerührt von langsamen, gebeugten Gestalten, Arbeitern, die bis zu den Hüften in der Brühe standen. Lila sah ich nicht. Ich fragte einen Mann, der auf dem matschigen Fliesenboden lag und damit beschäftigt war, ein Rohr zu befestigen:

»Wissen Sie, wo ich Lina finde?«

»Cerullo?«

»Cerullo.«

»In der Mischabteilung.«

»Man hat mir gesagt, in der Füllabteilung.«

»Warum fragen Sie mich denn, wenn Sie es schon wissen?«

»Wo ist die Mischabteilung?«

»Immer geradeaus.«

»Und die Füllabteilung?«

»Rechts. Wenn Sie sie da nicht finden, probieren Sie's mal bei der Zerlegung. Oder in den Kühlräumen. Sie wird ständig versetzt.«

»Warum denn?«

Er grinste abfällig.

»Sind Sie mit ihr befreundet?«

»Ja.«

»Na, lassen wir das.«

»Nun sagen Sie schon.«

»Und Sie sind nicht beleidigt?«

»Nein.«

»Sie geht jedem hier auf den Sack.«

Ich folgte seiner Wegbeschreibung, niemand hielt mich auf. Arbeiter und Arbeiterinnen schienen in einer finsteren Gleichgültigkeit gefangen zu sein, selbst wenn sie lachten oder sich lauthals beschimpften, wirkten sie weit weg von ihrem Gelächter, von ihren Stimmen, von der Pampe, die sie bearbeiteten, vom Gestank. Ich landete zwischen Arbeiterinnen in blauen Kitteln und mit Hauben auf dem Kopf, die Fleisch verarbeiteten. Die Maschinen produzierten rasselnde Geräusche und das Platschen einer weichen, zerkleinerten Knetmasse. Aber Lila war dort nicht. Und ich sah sie auch dort nicht, wo man einen rosigen, mit Fettwürfeln vermischten Teig in Därme füllte, auch dort nicht, wo man mit kleinen, scharfen Messern entfleischte, ausweidete, zerteilte und die Klingen mit einem gefährlichen Ungestüm führte. Stattdessen fand ich sie in den Kühlräumen. Sie kam mit einem weißen Windhauch aus einer der Kammern. Über der Schulter trug sie, zusammen mit einem Kerl von kleiner Statur, einen rötlichen, gefrorenen Fleischblock. Sie legte ihn auf einen Karren und wollte schon wieder zurück in die Kälte gehen. Mir fiel sofort ihre verbundene Hand auf.

»Lila.«

Sie drehte sich vorsichtig um, starrte mich unsicher an.

»Was machst du denn hier?«, fragte sie. Ihre Augen waren fiebrig, ihre Wangen eingefallener als sonst, trotzdem wirkte sie breit, groß. Auch sie trug einen blauen Kittel, aber darüber eine Art langen Mantel und an den Füßen Militärstiefel. Ich wollte sie an mich ziehen, traute mich aber nicht. Ich fürchtete aus irgendeinem Grund, sie könnte in meinen Armen zerbröckeln. Dafür war sie es, die mich lange umarmte. Ich spürte den feuchten Stoff an ihr, der noch durchdringender stank als die Umgebung. »Komm«, sagte sie. »Weg hier.« Und sie schrie ihrem Kollegen zu: »Zwei Minuten!« Sie zog mich in eine Ecke.

»Wie hast du mich gefunden?«

»Ich bin durch die Tür gegangen.«

»Und sie haben dich durchgelassen?«

»Ich habe gesagt, dass ich dich suche und dass ich mit Bruno befreundet bin.«

»Gut so, jetzt denken sie, dass ich dem Juniorchef einen blase, und lassen mich eine Weile in Ruhe.«

»Was soll das heißen?«

»So läuft das eben.«

»Hier drin?«

»Überall. Hast du deinen Abschluss gemacht?«

»Ja. Aber es ist noch was viel Schöneres passiert, Lila. Ich habe einen Roman geschrieben, und er wird im April erscheinen.«

Ihr Gesicht war grau, wie blutleer, und trotzdem errötete sie. Ich sah, wie die Röte über ihren Hals und die Wangen bis zu ihren Augen aufstieg, so dass sie sie zusammenkniff, als fürchtete sie, die Glut könnte ihr die Pupillen verbrennen. Dann nahm sie meine Hand und küsste zunächst den Handrücken, dann die Handfläche.

»Ich freu' mich für dich«, flüsterte sie.

Doch ich achtete zunächst kaum auf die Zärtlichkeit dieser Geste, mich erschütterten ihre geschwollenen Hände und ihre Verletzungen, alte und neue Schnittwunden, darunter eine frische mit entzündeten Rändern an ihrem linken Daumen, und ich ahnte, dass sie unter dem Verband ihrer Rechten eine noch schlimmere Blessur hatte.

»Was ist dir passiert?«

Sofort zog sie sich zurück, steckte die Hände in die Taschen.

»Nichts. Beim Entfleischen ruiniert man sich eben die Finger.«

»Du musst Fleisch zerlegen?«

»Sie stecken mich dahin, wo sie wollen.«

»Rede mit Bruno.«

»Bruno ist das größte Stück Scheiße von allen. Der taucht hier bloß auf, um zu sehen, wen von uns er in den Lagerräumen ficken kann.«

»Lila.«

»Ist wirklich so.«

»Geht's dir schlecht?«

»Mir geht's blendend. Hier in den Kühlräumen geben sie mir sogar zehn Lire Kältezuschlag pro Stunde.«

Der Mann rief:

»Cerù, die zwei Minuten sind um!«

»Komme«, antwortete sie.

Ich sagte leise:

»Maestra Oliviero ist tot.«

Sie zuckte mit den Schultern, sagte:

»Sie war krank, das war ja nicht anders zu erwarten.«

Weil ich sah, dass der Mann am Karren nervös wurde, redete ich schneller:

»Sie hat mir *Die blaue Fee* geschickt.«

»Was ist *Die blaue Fee*?«

Ich musterte sie, um zu erkennen, ob sie sich wirklich nicht erinnerte, und hatte den Eindruck, dass sie ehrlich war.

»Das Buch, das *du* mit zehn Jahren geschrieben hast.«

»Buch?«

»So haben wir es genannt.«

Lila presste die Lippen zusammen, schüttelte den Kopf. Sie war unruhig, fürchtete Schwierigkeiten bei der Arbeit, aber vor mir spielte sie eine, die tut, was sie will. ›Ich muss gehen‹, dachte ich. Sie sagte:

»Seit damals ist viel Zeit vergangen«, und sie schauderte.

»Hast du Fieber?«

»Ach wo.«

Ich kramte in meiner Tasche nach dem Heftchen, hielt es ihr hin. Sie nahm es, erkannte es, zeigte aber keine Regung.

»Ich war ein eingebildetes, kleines Mädchen«, knurrte sie.

Ich widersprach ihr sofort.

»Die Erzählung«, sagte ich, »ist immer noch wunderschön. Ich habe sie noch mal gelesen und gemerkt, dass ich sie die ganze Zeit im Kopf hatte, ohne es zu wissen. Daraus ist mein Buch entstanden.«

»Aus diesem Blödsinn?« Sie lachte laut, nervös. »Dann hat der, der das für dich gedruckt hat, nicht alle Tassen im Schrank.«

Der Mann rief:

»Cerù, ich warte!«

»Geh mir nicht auf die Eier«, antwortete sie.

Sie steckte das Heftchen in die Tasche und hakte sich

bei mir unter. Wir steuerten auf den Ausgang zu. Ich dachte daran, wie sorgfältig ich mich für sie zurechtgemacht hatte und wie anstrengend es gewesen war, hierherzukommen. Ich hatte mir Tränen vorgestellt, vertrauliche Bekenntnisse, Gespräche, einen schönen Vormittag voller Geständnisse und Versöhnungen. Aber nun liefen wir hier Arm in Arm herum, sie eingemummt, dreckig, mitgenommen und ich verkleidet als das Mädchen aus gutem Hause. Ich sagte, Rinuccio sei wunderhübsch und sehr klug. Lobte Lilas Nachbarin, erkundigte mich nach Enzo. Sie freute sich, weil mir das Kind gefiel, und lobte die Nachbarin ebenfalls. Aber richtig lebhaft wurde sie erst, als ich Enzo erwähnte, ihr Gesicht hellte sich auf, sie wurde redselig.

»Er ist sehr freundlich«, sagte sie. »Und anständig, er hat vor nichts Angst, ist hochintelligent, und nachts studiert er, er weiß eine Menge.«

Noch nie hatte ich sie so über jemanden sprechen hören. Ich fragte:

»Was studiert er denn?«

»Mathematik.«

»Enzo?«

»Ja. Er hat was über elektronische Rechner gelesen oder eine Werbung gesehen, was weiß ich, und jetzt ist er ganz begeistert davon. Er sagt, diese Rechner sind nicht so, wie man sie im Kino sieht, lauter bunte Lämpchen, die an- und ausgehen und biep machen. Er sagt, es geht um Sprachen.«

»Sprachen?«

Sie bekam ihren typischen Blick mit den zusammengekniffenen Augen, den ich so gut kannte.

»Keine Sprachen, um Romane zu schreiben«, sagte sie,

und mich verstörte nicht der abfällige Ton, mit dem sie das Wort Romane ausgesprochen hatte, sondern das nachfolgende Kichern. »Es geht um Programmiersprachen. Abends, wenn der Kleine eingeschlafen ist, setzt Enzo sich hin und lernt.«

Ihre Unterlippe war trocken und rissig von der Kälte, ihr Gesicht von der Anstrengung ausgezehrt. Doch mit welchem Stolz hatte sie gesagt: »Er setzt sich hin und lernt.« Ich erkannte, dass es trotz der dritten Person Singular nicht nur Enzo war, der sich für diese Sachen begeisterte.

»Und was machst du?«

»Ich leiste ihm Gesellschaft. Er ist müde, und allein würde er einschlafen. Aber zusammen ist es schön, erst sagt der eine was und dann der andere. Weißt du, was ein Blockdiagramm ist?«

Ich schüttelte den Kopf. Ihre Augen wurden zwei schmale Schlitze, sie ließ meinen Arm los und begann zu erzählen, um mich in ihre neue Leidenschaft hineinzuziehen. Auf diesem Hof, in diesem Brandgeruch und dem schweren Gestank nach Tierfett, nach Fleisch und nach Eingeweiden, erwachte diese in einen Mantel und einen blauen Kittel gehüllte Lila mit den zerschnittenen Händen, zerrauft und leichenblass und ohne eine Spur von Schminke, zu neuem Leben und neuer Energie. Sie sprach über die Reduzierung aller Dinge auf die Wahl wahr – falsch, erwähnte die Boolesche Algebra und vieles andere, von dem ich nichts wusste. Trotzdem rissen mich ihre Worte wie üblich mit. Während sie redete, sah ich die ärmliche Wohnung bei Nacht vor mir, das Kind, das im Nebenzimmer schlief; ich sah Enzo auf dem Bett sitzen, todmüde von der Arbeit an den Lokomotiven in wer weiß welcher

Fabrik; ich sah Lila, wie sie nach ihrem Tag an den Kochtrögen, in der Zerlegungsabteilung oder bei zwanzig Grad minus in den Kühlräumen neben ihm auf der Bettdecke saß. Ich sah die beiden im schrecklichen Licht geopferten Schlafs, hörte ihre Stimmen: Sie lösten Aufgaben mit Blockdiagrammen, übten sich darin, die Welt von Überflüssigem zu befreien, schematisierten alltägliche Prozesse in nur zwei Wahrheitswerten: null und eins. Unverständliche Worte in dem ärmlichen Zimmer, geflüstert, um Rinuccio nicht zu wecken. Ich begriff, dass ich voller Überheblichkeit dort hingekommen war, und erkannte, dass ich – durchaus in guter Absicht und voller Zuneigung – diese ganze Fahrt vor allem unternommen hatte, um ihr zu zeigen, was sie verloren und was ich gewonnen hatte. Aber das hatte sie bereits in dem Moment erkannt, als ich vor ihr auftauchte, und nun, auf die Gefahr hin, sich Reibereien mit ihren Arbeitskollegen und Geldstrafen einzuhandeln, reagierte sie, indem sie mir praktisch erklärte, dass ich gar nichts gewonnen hatte, dass es auf der Welt überhaupt nichts zu gewinnen gab, dass ihr Leben genauso wie meines voller außergewöhnlicher und unsinniger Abenteuer war und dass die Zeit ganz einfach ohne jeden Sinn verrann und es nur schön war, sich hin und wieder zu sehen, um den verrückten Klang des Gehirns der einen als Echo im verrückten Klang des Gehirns der anderen zu hören.

»Lebst du gern mit ihm zusammen?«, fragte ich.

»Ja.«

»Wollt ihr Kinder?«

Sie verzog künstlich amüsiert das Gesicht.

»Wir sind nicht zusammen.«

»Nicht?«

»Nein. Ich begehre ihn nicht.«

»Und er?«

»Wartet.«

»Vielleicht ist er für dich wie ein Bruder.«

»Nein, er gefällt mir sehr.«

»Und weiter?«

»Ich weiß nicht.«

Wir blieben am Feuer stehen, sie deutete auf den Wachmann.

»Nimm dich vor dem in Acht«, sagte sie. »Wenn du rausgehst, kriegt er es fertig und bezichtigt dich, eine Mortadella gestohlen zu haben, nur damit er dich durchsuchen und dich überall angrapschen kann.«

Wir umarmten uns, küssten uns. Ich sagte, ich würde sie wieder besuchen, wolle sie nicht verlieren, und das meinte ich wirklich so. Sie lächelte, flüsterte: »Ja, ich will dich auch nicht verlieren.« Ich spürte, dass auch sie es so meinte.

Ich ging sehr aufgewühlt davon. Es fiel mir schwer, sie zu verlassen, in mir saß die alte Überzeugung, dass mir ohne sie niemals etwas wirklich Wichtiges widerfahren würde, und trotzdem hatte ich das Bedürfnis, wegzulaufen, um den Gestank nach Fett, der an ihr haftete, nicht länger in der Nase zu haben. Nach einigen hastigen Schritten konnte ich nicht anders und drehte mich um, weil ich ihr zum Abschied noch einmal winken wollte. Sie stand reglos am Feuer, in ihrer Kluft ohne weibliche Formen, und blätterte in dem Heftchen der *Blauen Fee*. Unversehens warf sie es in die Flammen.

125

Ich hatte ihr weder erzählt, worum es in meinem Buch ging, noch, wann es in die Läden kommen sollte. Ich hatte ihr auch nicht von Pietro erzählt, von unserem Plan, in zwei Jahren zu heiraten. Ihr Leben hatte mich schockiert, und ich brauchte Tage, um meinem Leben wieder klare Konturen und Tiefe zu geben. Was mich endgültig zu mir selbst – aber zu welchem Selbst? – zurückbrachte, waren die Druckfahnen meines Buches: einhundertneununddreißig Seiten, dickes Papier, die in meiner Handschrift notierten Worte aus meinem Schreibheft, die mir durch die gedruckten Buchstaben angenehm fremd geworden waren.

Ich verbrachte glückliche Stunden damit, zu lesen, wieder zu lesen, zu korrigieren. Draußen war es kalt, ein eisiger Wind drang durch die undichten Fensterrahmen. Ich saß zusammen mit Gianni und Elisa, die für die Schule lernten, am Küchentisch. Meine Mutter hantierte geschäftig um uns herum, doch mit einer erstaunlichen Behutsamkeit, um nicht zu stören.

Bald fuhr ich wieder nach Mailand. Bei dieser Gelegenheit leistete ich mir zum ersten Mal im Leben ein Taxi. Der kahlköpfige Lektor sagte am Ende eines Arbeitstages, den wir vollständig damit verbracht hatten, an den letzten Korrekturen zu feilen: »Ich rufe Ihnen ein Taxi«, und ich wusste nicht, wie ich das ablehnen sollte. So kam es, dass ich mich auch am Bahnhof umsah, als ich von Mailand nach Pisa fuhr, und dachte: ›Wieso eigentlich nicht, spielen wir noch mal die Dame von Welt.‹ Und als ich nach Neapel zurückkehrte, ins Chaos der Piazza Garibaldi, stellte sich diese Versuchung erneut ein. Es hätte mir schon gefallen, mit dem Taxi im Rione anzukommen, bequem auf dem Rücksitz, mit einem Chauffeur zu meinen Diensten, der mir vor meinem Haus die Wagentür öffnete. Aber dann tat ich es doch nicht, ich fuhr mit dem Bus nach Hause. Trotzdem musste ich etwas an mir gehabt haben, was mich verändert hatte, denn als ich Ada grüßte, die mit ihrer Tochter unterwegs war, schaute sie mich zerstreut an und ging weiter. Dann blieb sie stehen, kam zurück und sagte: »Du siehst blendend aus, ich habe dich gar nicht wiedererkannt, du bist so anders.«

Zunächst freute ich mich, aber schon bald wurde ich missmutig. Welchen Vorteil sollte es für mich haben, anders geworden zu sein? Ich wollte ich bleiben, fest mit Lila verbunden, mit dem Hof, mit den verlorenen Puppen, mit Don Achille, mit allem. Das war die einzige Möglichkeit, um intensiv zu spüren, was mir gerade geschah. Andererseits ist es schwer, einem Wandel zu widerstehen, in jener Zeit veränderte ich mich ungewollt mehr als in den Jahren in Pisa. Im Frühjahr erschien das Buch, wodurch ich viel eher eine neue Identität erhielt als durch mein Diplom. Als ich es meiner Mutter, meinem Vater, meinen Geschwistern zeigte, reichten sie es schweigend herum, ohne darin zu blättern. Mit einem unsicheren Lächeln starrten sie den Umschlag an, sie kamen mir vor wie Polizisten, die mit falschen Papieren konfrontiert werden. Mein Vater sagte: »Da steht ja mein Name«, aber er sagte es freudlos, als hätte er, anstatt stolz auf mich zu sein, plötzlich entdeckt, dass ich ihm Geld aus der Tasche gestohlen hatte.

Die Tage vergingen, die ersten Rezensionen erschienen. Ich überflog sie ängstlich, verletzt von jedem noch so leichten Anklang einer Kritik. Die wohlwollendsten las ich der ganzen Familie vor, mein Vater räusperte sich. Elisa zog mich auf: »Du solltest mit Lenuccia unterschreiben, Elena ist zum Kotzen.«

In diesen aufregenden Tagen kaufte meine Mutter ein Fotoalbum und begann alles Positive einzukleben, was über mich geschrieben wurde. Eines Morgens fragte sie mich:

»Wie heißt dein Verlobter?«

Sie wusste es, aber sie hatte etwas auf dem Herzen, und um es mir mitzuteilen, nahm sie das als Aufhänger.

»Pietro Airota.«

»Dann wirst du also Airota heißen.«

»Ja.«

»Und wenn du noch ein Buch schreibst, steht dann Airota auf dem Umschlag?«

»Nein.«

»Und warum nicht?«

»Elena Greco gefällt mir besser.«

»Mir auch«, sagte sie.

Aber sie las nie etwas von mir. Auch mein Vater nicht, Peppe, Gianni und Elisa nicht, und auch der Rione las anfangs nichts von mir. Eines Morgens kam ein Fotograf, er machte zwei Stunden lang Aufnahmen von mir, zunächst in unserem kleinen Park, dann auf dem Stradone, dann an der Tunneleinfahrt. Ein Bild erschien später im *Mattino*, ich wartete darauf, dass mich die Leute auf der Straße ansprachen, dass sie mein Buch aus Neugier lasen. Aber kein Mensch, nicht einmal Alfonso, Ada, Carmen, Gigliola oder Michele Solara, dem das Alphabet, anders als seinem Bruder, durchaus nicht fremd war, sagte spontan zu mir: Dein Buch ist gut, oder auch: Dein Buch ist schlecht. Sie grüßten mich nur überschwenglich und gingen weiter.

Mit Lesern hatte ich zum ersten Mal in einer Mailänder Buchhandlung zu tun. Die Veranstaltung fand, wie ich schnell herausfand, auf den ausdrücklichen Wunsch von Adele Airota statt, die den Weg meines Buches aus der Ferne verfolgte und zu dem Anlass extra aus Genua anreiste. Sie besuchte mich im Hotel, leistete mir den ganzen Nachmittag Gesellschaft und versuchte vorsichtig, mich zu beruhigen. Meine Hände begannen zu zittern und hörten nicht wieder auf, ich kämpfte mit den Worten und hatte einen bitteren Geschmack im Mund. Vor allem aber war ich wütend auf Pietro, der in Pisa geblieben war, er hatte zu tun. Dafür war Mariarosa, die in Mailand wohnte, vor der Veranstaltung freudestrahlend auf einen Sprung vorbeigekommen, dann musste sie wieder weg.

In panischer Angst ging ich zu der Buchhandlung. Der Raum war voll, ich trat mit gesenktem Kopf ein. Mir war schlecht vor Aufregung. Adele begrüßte viele der Anwesenden, es waren Freunde und Bekannte von ihr. Sie setzte sich in die erste Reihe, warf mir aufmunternde Blicke zu, drehte sich von Zeit zu Zeit um und plauderte mit einer Frau ihres Alters, die hinter ihr saß. Bis dahin hatte ich, von Franco genötigt, nur zweimal in der Öffentlichkeit geredet, und mein Publikum hatte aus sechs, sieben Freunden bestanden, die verständnisvoll gelächelt hatten. Nun war die Situation eine andere. Vor mir saßen etwa vierzig fremde Leute, vornehm und gebildet, die mich schweigend und ohne Sympathie musterten, die meisten von ihnen waren nur deshalb da, weil der gesellschaftliche Status der Airotas sie dazu zwang. Am liebsten wäre ich aufgestanden und weggerannt.

Aber das Ritual begann. Ein alter Kritiker und damals hochgeschätzter Professor sagte alles erdenklich Gute über mein Buch. Ich hörte nichts von seinen Ausführungen und konzentrierte mich nur auf das, was später ich sagen sollte. Ich wand mich auf meinem Stuhl, hatte Bauchschmerzen. Die Welt war verschwunden, war durcheinandergeraten, und ich fand keine Autorität in mir, die sie zurückrufen und wieder ordnen konnte. Trotzdem gab ich mich unbefangen. Als ich an der Reihe war, redete ich, ohne genau zu wissen, was ich da gerade sagte, ich sprach, um nicht in Schweigen zu verharren, gestikulierte zu viel, kehrte zu viel literarische Kompetenz heraus, protzte zu sehr mit meiner klassischen Bildung. Dann wurde es still.

Was dachten die Leute, die ich vor mir hatte, wohl gerade? Was hielt der Kritiker und Professor neben mir von meinem Beitrag? Und bereute Adele es hinter ihrer entgegenkommenden Art schon, mich unterstützt zu haben? Als ich sie anschaute, wurde mir sofort bewusst, dass ich mit den Augen um den Trost eines zustimmenden Zeichens bettelte, und ich schämte mich. Unterdessen berührte der Professor neben mir meinen Arm, wie um mich zu beruhigen, und forderte das Publikum zur Diskussion auf. Viele starrten verlegen auf ihre Knie, auf den Boden. Der Erste, der sich zu Wort meldete, war ein älterer Herr mit einer starken Brille, der den Anwesenden bestens bekannt war, mir aber nicht. Schon beim bloßen Klang seiner Stimme verzog Adele ärgerlich das Gesicht. Der Mann sprach lang und breit über den Niedergang des Verlagswesens, das inzwischen mehr nach Gewinn als nach literarischer Qualität strebe. Er redete weiter über die marktorientierte Duldsamkeit von Kritikern und Feuilleton und kam am Ende auf mein Buch zu sprechen, zunächst ironisch und dann, als er die etwas gewagten Stellen erwähnte, ausgesprochen feindselig. Ich wurde rot, und anstatt zu antworten, stammelte ich eine allgemeine Antwort, die nicht zum Thema passte. Schließlich brach ich erschöpft ab und starrte auf den Tisch. In der Annahme, ich wolle weitersprechen, ermunterte mich der Kritiker-Professor mit einem Lächeln, mit einem Blick. Als er sah, dass ich nicht die Absicht hatte, fortzufahren, fragte er kurz angebunden:

»Sonst noch jemand?«

Hinten hob sich eine Hand.

»Bitte.«

Ein hochgewachsener, junger Mann mit langen, ungekämmten Haaren und einem üppigen, pechschwarzen Bart ging mit geringschätziger Polemik auf den Beitrag seines Vorredners ein und teils auch auf die Einführung des guten Mannes neben mir. Er sagte, wir lebten in einem zutiefst provinziellen Land, in dem keine Gelegenheit zum Jammern ausgelassen werde, aber niemand die Ärmel hochkrempele und die Dinge so verändere, dass sie funktionierten. Dann lobte er die modernisierende Kraft meines Romans. Ich erkannte ihn vor allem an seiner Stimme wieder, es war Nino Sarratore.